AF815311

Theorie der medizinischen Fußbehandlung
Band 3

Podologische Biomechanik

Klaus Grünewald

Theorie der medizinischen Fußbehandlung

Band 3

Podologische Biomechanik

Verlag Neuer Merkur GmbH

Bibliografische Informationen der Deutschen Nationalbibliothek
Die Deutsche Nationalbibliothek verzeichnet diese Publikation in der Deutschen Nationalbibliografie; detaillierte bibliografische Daten sind im Internet über http://dnb.ddb.de abrufbar.

© 2014 Verlag Neuer Merkur GmbH
Verlagsort: Postfach 60 06 62, D-81206 München

Alle Urheberrechte vorbehalten. Vervielfältigungen bedürfen der besonderen Genehmigung.

Das Werk einschließlich aller seiner Teile ist urheberrechtlich geschützt. Jede Verwertung außerhalb der engen Grenzen des Urheberrechtsgesetzes ist ohne Zustimmung des Verlages unzulässig und strafbar. Das gilt insbesondere für Vervielfältigungen, Übersetzungen, Mikroverfilmung und die Einspeicherung und Verarbeitung in elektronischen Systemen.

Alle in dieser Veröffentlichung enthaltenen Angaben, Ergebnisse usw. wurden vom Autor nach bestem Wissen erstellt und von ihm und dem Verlag mit größtmöglicher Sorgfalt überprüft. Gleichwohl sind inhaltliche Fehler nicht vollständig auszuschließen. Daher erfolgen alle Angaben ohne jegliche Verpflichtung oder Garantie des Verlages oder des Autors. Sie garantieren oder haften nicht für etwaige inhaltliche Unrichtigkeiten (Produkthaftungsausschluss). Im Text sind Warennamen, die patent- oder urheberrechtlich geschützt sind, nicht unbedingt als solche gekennzeichnet. Aus dem Fehlen eines besonderen Hinweises oder des Zeichens ® darf nicht geschlossen werden, es bestehe kein Warenschutz.

Klaus Grünewald – Theorie der medizinischen Fußbehandlung, Band 3 – Podologische Biomechanik
ISBN: 978-3-95409-013-6
1. Auflage 2014

Umschlaggestaltung: Dagmar Papic, Martina Stolzmann
Umschlagfoto: © 2jenn (Fotolia)
Layout: Martina Stolzmann
Lektorat: Saskia Wagner

Druck: Appel Klinger, AK-Druck & Medien GmbH, Schneckenlohe

Vorwort

Auswirkung der Bewegung auf die Strukturen von Fuß und Bein.

Endlich ist es da – das Biomechanikbuch für die Podologie!

Klaus Grünewald hat sein Wissen um die Behandlung des Fußes ständig erweitert, die erworbenen Erkenntnisse mit anderen geteilt und das Wissen dokumentiert.

Dieser dritte Band vervollständigt in der Reihe seiner Fachbücher die Trilogie.

Auf der Suche nach neuen und effektiven Behandlungsmethoden ist der Autor dieses Buches auf das von Podologen im benachbarten Ausland bereits ausgeübte Gebiet der podologischen Biomechanik gestoßen.

Von den Erfolgen der Behandlungsmöglichkeiten begeistert, besuchte er einen Intensivlehrgang „Biomechanik" in dem California College of Podiatric Medicine – CCPM (jetzt: Samuel-Merritt-University) in San Francisco. Hier steht die Wiege der podologischen Biomechanik in den USA.

Die Begeisterung für diese in Deutschland neue Betrachtungsweise des Fußes und die daraus resultierenden Therapiemöglichkeiten für die Podologen war für ihn Anlass auch hier podologische Biomechanikkurse anzubieten.

In diesem Buch werden die Grundlagen der Biomechanik und häufige Fußpathologien, die jeder Podologe kennen sollte, vorgestellt. Endlich sind die Lehrinhalte in einem Buch zusammengefasst.

Für Lehrkräfte an Podologiefachschulen ist ein Leitfaden für den Biomechanikunterricht entstanden.

In der Praxis ist das Buch ein unverzichtbares Nachschlagewerk. Es zeigt Wege auf zum besseren Verständnis und zur effektiven Behandlung von Fußbeschwerden.

Dieses Buch ist für den Podologen hilfreich und unverzichtbar. Auch beim Dialog im interdisziplinären Team ist es eine Unterstützung, um durch die Anwendung der Biomechanik-Grundlagen die Fußbeschwerden unserer PatientInnen zu lindern oder zu beseitigen.

Christine Kuberka-Wiese
Podologin, Ehemalige Podologie-Berufsfachschulleiterin
Rosdorf, im Juni 2013

Einleitung

Die Biomechanik des Fußes befasst sich mit den statisch und dynamisch einwirkenden Kräften auf den Fuß.

Auf die sich beim Lesen dieser Definition aufdrängende Frage nach dem Nutzen für die Tätigkeit des Podologen, soll dieser 3.Band der Buchreihe eine Antwort geben. Bisher wird in der Praxis überwiegend die Behandlung der Symptome praktiziert, d.h. ein schmerzender Clavus (Hühnerauge) wird entfernt, evtl. medikamentös versorgt und eine Druckentlastung angelegt. Die eigentliche Ursache der Fehlbelastung des Fußes bleibt dabei unberücksichtigt. Ebenso verhält es sich mit Schmerzzuständen am Fuß, die nicht auf Hautveränderungen (Hyperkeratosen/Verhornungen) beruhen, sondern aus dem inneren Fußgefüge (z.B. Gelenkveränderungen, Exostosen) herzuleiten sind.

Mein Anspruch ist es, dass jeder Podologe diesen komplexen Zusammenhang in seine Arbeit mit einbezieht, um auch dem internationalen Vergleich standhalten zu können. In vielen europäischen Nachbarländern ist dieser Anschluss an die Fortentwicklung unseres Berufes bereits seit einigen Jahrzehnten vollzogen. Wir benötigen das Wissen über die Biomechanik des Fußes, um das an uns übertragene Betreuungskonzept für den Patienten erfüllen zu können. Der Wert einer biomechanischen Fußuntersuchung liegt in dem Erkennen einer möglichen Schmerzursache und im Anschluss daran auch seiner Behebung. Die Lösung des Problems sehe ich besonders im Hinblick auf eine interdisziplinäre Zusammenarbeit mit anderen Berufsgruppen, um ein beschwerdefreies Gehen für den Patienten zu ermöglichen.

Mein Dank geht an Vincent Hetherington, DPM[1] (Ohio/USA), Christine Kuberka-Wiese und Prof. Volker Crystalla, Braunschweig, für ihre Unterstützung an diesem Buch sowie an Lucia Schmidt, die das Bildmaterial für die Fußuntersuchung zur Verfügung gestellt hat.

Mein Dank geht auch an die Braunschweiger „Biomechanik-Gruppe“, die dazu beigetragen hat, das Wissen über dieses Fachgebiet zu intensivieren.

Klaus Grünewald, Januar 2014

[1] DPM: Doctor of Podiatric Medicine

1

Grundbegriffe der Biomechanik des Fußes

1.1 Die Hauptebenen und Bewegungsachsen der Fußgelenke

Durch die Hauptebenen kann die Lage eines Körpers (hier des Fußes) im dreidimensionalen Raum bezeichnet werden. Die Drehrichtung des Gelenks ist durch die Lage seiner Bewegungsachse in dem dreidimensionalen Raum allgemeinverständlich definierbar.

Die Bewegung eines Gelenks entsteht unter anderem durch die Drehung (Rotation) um seine Gelenkachse. Die Richtung, in der sich das Gelenk bewegt, geschieht jeweils in einer (oder mehreren) Ebenen. Wenn man das Gelenk mit einem Scharnier vergleicht, entstehen die gleichen Voraussetzungen für seine Bewegung. Die Bewegungsachse verläuft immer im rechten Winkel zu der Ebene, in der dann die Bewegung stattfindet. Mit wenigen Ausnahmen geschieht die Bewegung immer nur in einer Ebene (= eindimensional), mit Ausnahme des Metatarso-Phalangeal-Gelenks (Großzehengrundgelenk) und des Chopart-Gelenks. Beide Gelenke besitzen zwei voneinander unabhängige Bewegungsachsen, die jeweils in nur einer Ebene stattfinden. Das Metatarso-Phalangeal-Gelenk und das Chopart-Gelenk sind zweidimensionale Gelenke. Zum Beispiel kann die Großzehe (im Metatarso-Phalangeal-Gelenk) um seine rechtwinkelige Achse in der Transversal-Ebene nur adduzieren und abduzieren. In der Sagittal-Ebene kann die Großzehe um seine rechtwinkelige Achse dorsalextendieren und plantarflektieren.

In den nachfolgenden Skizzen sind die Ebenen und Bewegungsachsen des Fußes dargestellt.

Die Fußgelenke bestehen hauptsächlich aus Scharniergelenken. Die Ebene für die Bewegung in einem Scharniergelenk ist die Ebene, in welcher die Bewegung stattfindet. Die Bewegungsachse für ein Scharniergelenk steht im rechten Winkel zur Bewegungsebene.

1.1.1 Sagittal-Ebene

Eine vertikal anterior (vorn) nach posterior (hinten) verlaufende Ebene an dem stehenden Fuß. Sie teilt ihn in einen rechten und linken Teil.

Bewegungen des Fußes in der Sagittal-Ebene:

Plantarflexion
Diese Bewegung des Fußes in der Sagittal-Ebene beschreibt die Bewegung des Vorfußes weg von der Tibia. Daraus resultiert ein größerer Winkel zwischen der Tibia und dem Fußrücken. Die horizontale Achse einer Plantarbewegung des Fußes liegt im Schnittpunkt der Frontal- und Transversal-Ebene.

Dorsalextension
Diese Bewegung des Fußes in der Sagittal-Ebene beschreibt die Bewegung des Vorfußes zur Tibia hin. Daraus resultiert ein kleinerer Winkel zwischen der Tibia und dem Fußrücken. Die horizontale Achse einer Plantarbewegung des Fußes liegt im Schnittpunkt der Frontal- und Transversal-Ebene. (Abb. 1.1)

Beispiel für eine Gelenkbewegung in der Sagittal-Ebene
Das Talo-Crural-Gelenk (oberes Sprunggelenk) bewegt sich hauptsächlich in der Sagittal-Ebene (Dorsalextension und Plantarflexion). Die Plantarflexion nimmt

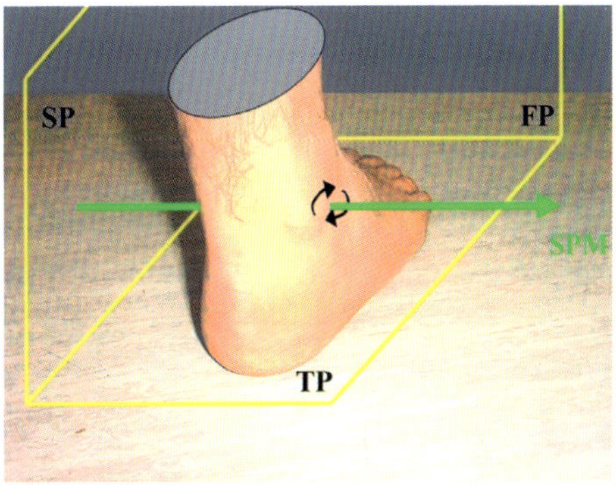

Abb. 1.1: Sagittal-Ebene (engl.: Sagittal Plane /SP) (grün) Bewegungsachse in der Sagittal-Ebene (engl.: Sagittal Plane Motion /SPM)

hierin einen größeren Betrag als die Dorsalextension des Fußes ein. Das Chopart-Gelenk besitzt dagegen nur wenig Bewegung in dieser Ebene.

1.1.2 Frontal-Ebene

Eine vertikale von einer zur anderen Seite verlaufende Ebene an dem stehenden Fuß. Sie teilt den Fuß in einen anterior (vorderen) und einen posterior (hinteren) liegenden Teil.

Bewegungen des Fußes in der Frontal-Ebene:

Inversion
Sie beschreibt die Bewegung der plantaren Fläche des Fußes als Drehung zur Mittellinie des Körpers hin. Die Horizontal-Achse einer Inversionsdrehung des Fußes liegt im Schnittpunkt der Transversal- und Sagittal-Ebene.

Eversion
Diese Bewegung beschreibt die Bewegung der plantaren Fläche des Fußes als Drehung von der Mittellinie des Körpers weg. Die Horizontal-Achse einer Eversionsdrehung des Fußes liegt im Schnittpunkt der Transversal- und Sagittal-Ebene (Abb. 1.2).

Beispiel für eine Gelenkbewegung in der Frontal-Ebene
Das Subtalar-Gelenk (STG) bewegt sich hauptsächlich in der Frontal-Ebene (Inversion und Eversion). Übersteigerte Bewegungen in dieser Ebene können entweder eine mediale (bei zuviel Pronation bzw. Eversion) oder eine laterale Instabilität (bei zuviel Supination bzw. Inversion) hervorrufen.

1.1.3 Transversal-Ebene

Eine horizontal verlaufende Ebene an dem stehenden Fuß. Sie teilt ihn in einen superior (oben) und inferior (unten) gelegenen Teil.

Bewegungen des Fußes in der Transversal-Ebene

Adduktion
Sie beschreibt die Bewegung des vorderen Fußes zur Mittellinie des Körpers hin. Die im rechten Winkel zur Transversal-Ebene liegende Achse für die Adduktionsdrehung des Fußes liegt im Schnittpunkt der Frontal- und Sagittal-Ebene.

Abduktion
Sie beschreibt die Bewegung des vorderen Fußes von der Mittellinie des Körpers weg. Die im rechten Winkel zur Transversal-Ebene liegende Achse für die Abduktionsdrehung des Fußes liegt wie bei der Adduktion im Schnittpunkt der Frontal- und Sagittal-Ebene (Abb. 1.3).

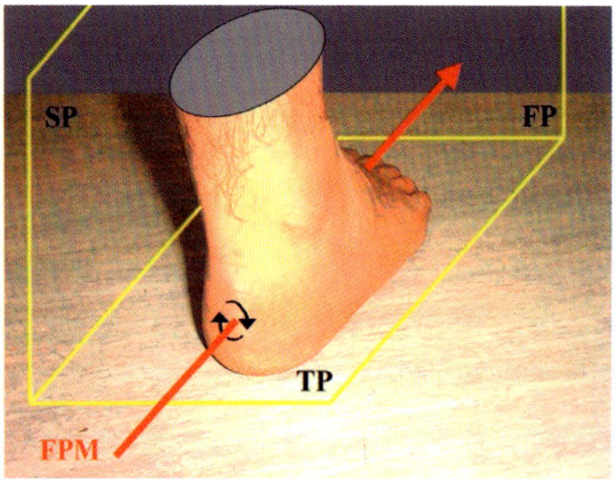

Abb. 1.2: Frontal-Ebene (engl.: Frontal Plane/FP) (rot) Bewegungsachse des Fußes in der Frontal-Ebene (engl.: Frontal Plane Motion/FPM)

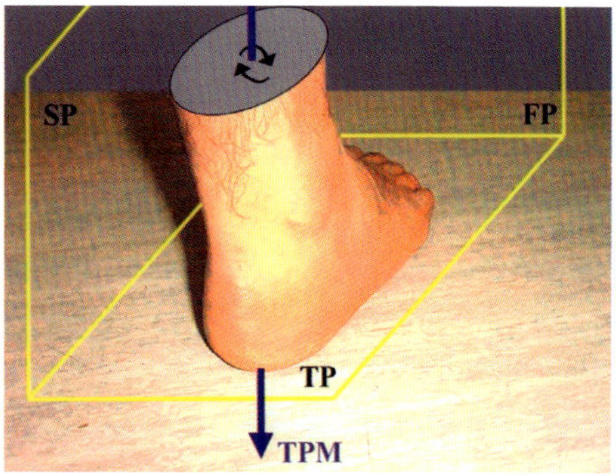

Abb. 1.3: Transversal-Ebene (engl.: Transverse Plane/TP) (blau) Bewegungsachse des Fußes in der Tranversal-Ebene (engl.: Transverse Plane Motion/TPM)

Beispiele für eine Gelenkbewegung in der Transversal-Ebene
Die Querachse des Chopart-Gelenks bewegt sich hauptsächlich in der Transversal-Ebene (Adduktion und Abduktion). Für das Subtalar-Gelenk (STG) ist die Beteiligung an diesen Bewegungen niedriger.

Wenn die Querachse (siehe dazu Kap. 1.2.2) des Chopart-Gelenks mit einem größeren Winkel als >52° in der Transversal-Ebene liegt, wird ihr Anteil für die Adduktion/Abduktion größer, als der für die Dorsalextension/Plantarflexion des Fußes. Wenn der Vorfuß bei Belastung **ab**duziert, **ad**duziert der Rückfuß in Bezug zum Vorfuß. Wenn dabei das STG sehr proniert, kann dies den Fuß medial überbelasten.

Die Bewegung des Chopart- und Subtalar-Gelenks (STG) bewirkt eine Innendrehung des Unterschenkels.

Oft wird von dem STG fälschlicherweise geglaubt, dass es für die Adduktion des Rückfußes allein verantwortlich ist. Eine durch die Pronation des STG bedingte vermehrte Bewegung des Chopart-Gelenks bestimmt jedoch das Ausmaß dieser Bewegung.

Die für die Bewegung des Chopart-Gelenks erforderlichen Kräfte können in zwei Gruppen gegliedert werden:

- Der 1. Teil wirkt nur auf das Chopart-Gelenk. Die Kräfte wirken von lateral nach medial auf den Vorfuß und von medial nach lateral auf den Talus.
- Der 2. Teil (ausgehend von der Bedingung des 1. Teils) übt Kräfte von medial nach lateral auf den Calcaneus aus. Beide Kräfte arbeiten an der Ferse gegeneinander, bewirken aber keine lineare Bewegung. Es wird lediglich ein Kraftmoment von der Ferse zur Unterfläche (z. B. zum Schuh) erzeugt.

1.1.4 Dreidimensionale Bewegungen des Fußes

Die Supination

Am unbelasteten Fuß wird diese dreidimensionale Bewegung in den drei Hauptebenen beschrieben als **Adduktion, Inversion und Plantarflexion** des Fußes.

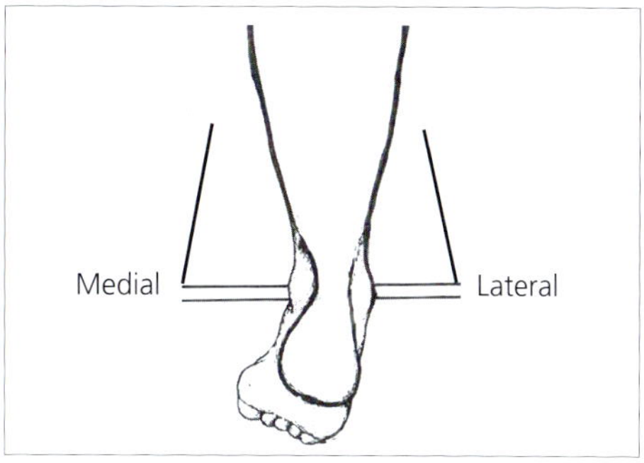

Abb.1.4: ***Supination:*** *Adduktion, Inversion und Plantarflexion des Fußes*

Die Pronation

Beim unbelasteten Fuß wird diese dreidimensionale Bewegung in den drei Hauptebenen beschrieben als **Abduktion, Eversion** und **Dorsalextension** des Fußes.

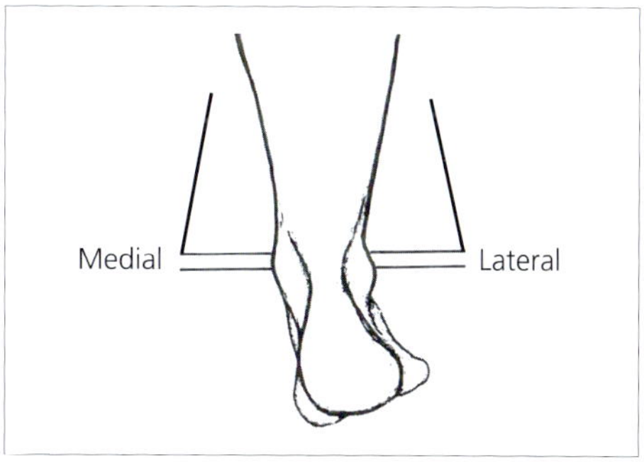

Abb. 1.5: ***Pronation:*** *Abduktion, Eversion und Dorsalextension des Fußes.*

Wortendungen für die Bewegung des Fußes:
Die Endung „-ion" deutet auf eine Bewegung hin, z. B. Inversion.

1.1.5 Fußstellungen

Sie beschreiben die Stellungen (Positionen) des Fußes innerhalb der drei Körperebenen.

Adduziert

Adduziert steht der Fuß, wenn sein distaler Teil oder der gesamte Fuß in der Transversal-Ebene zur Mittellinie (in der Abbildung schwarze Linie) des Körpers hin nach medial zeigt.

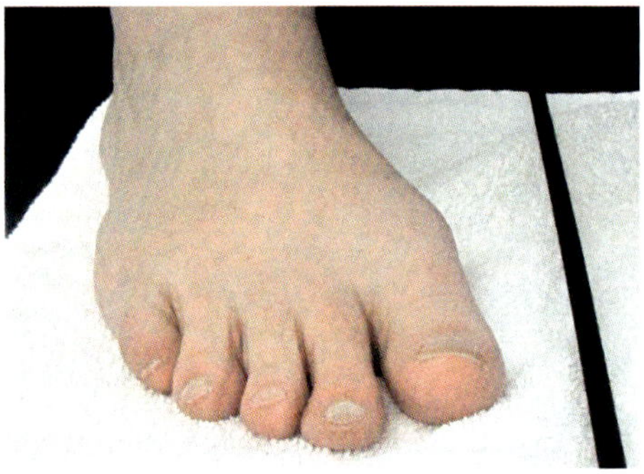

Abb. 1.6: Adduktion des Fußes

Abduziert

Abduziert steht der Fuß, wenn sein distaler Teil oder der gesamte Fuß in der Transversal-Ebene weg von der Mittellinie (in der Abbildung schwarze Linie) des Körpers nach lateral zeigt.

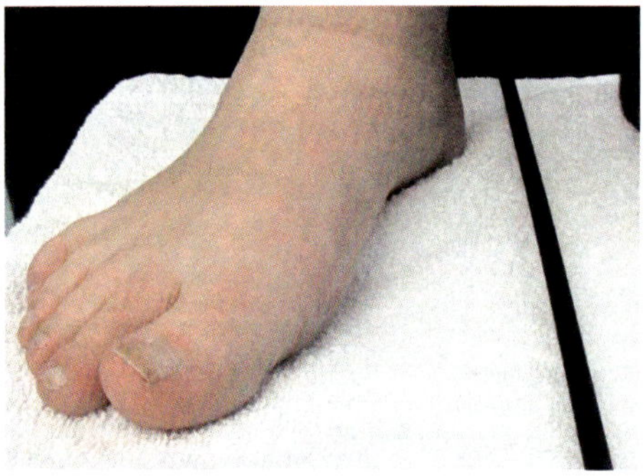

Abb. 1.7: Abduktion des Fußes

Invertiert

Der Fuß wird als invertiert beschrieben, wenn seine plantare Fläche zur Mittellinie (in der Abbildung schwarze Linie) des Körpers nach medial zeigt.

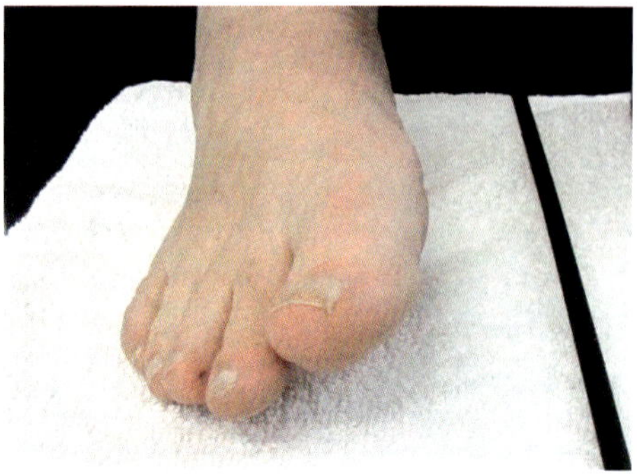

Abb. 1.8: Inversion des Fußes

Evertiert

Der Fuß wird als evertiert beschrieben, wenn seine plantare Fläche weg von der Mittellinie (in der Abbildung schwarze Linie) des Körpers nach lateral zeigt.

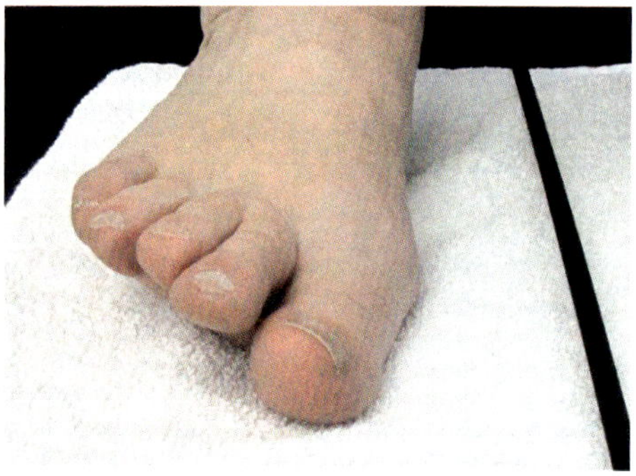

Abb. 1.9: Eversion des Fußes

Plantarflektiert

Der Fuß ist plantarflektiert, wenn der distale Teil des Fußrückens mehr als 90° von der Tibia weg zeigt.

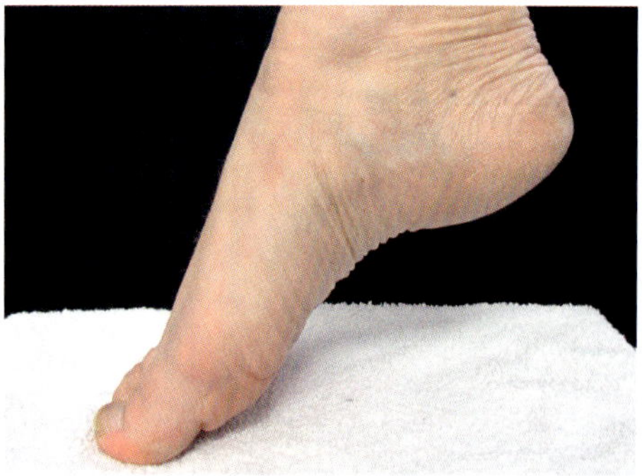

Abb. 1.10: Plantarflexion des Fußes

Dorsalextendiert

Der Fuß ist dorsalextendiert, wenn der distale Teil des Fußrückens weniger als 90° zur Tibia zeigt.

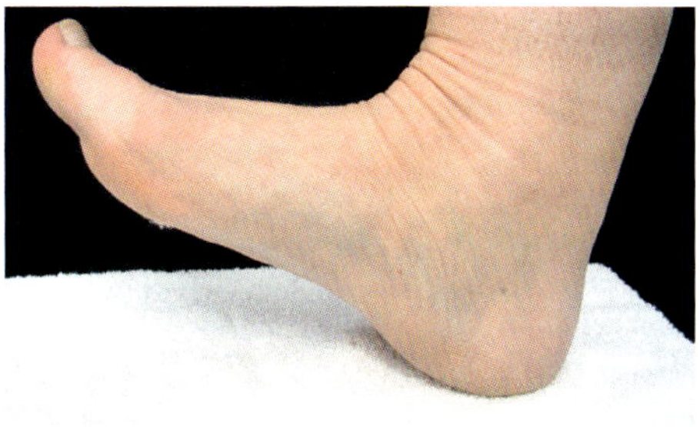

Abb. 1.11: Dorsalextension des Fußes

Wortendungen für die Stellung des Fußes:
Die Endung „**-iert**" deutet auf die Stellung hin, z. B. invert**iert**.

1.1.6 Strukturell bedingte Stellungen des Fußes

Strukturell (durch Knochen- oder Gelenkveränderungen) bedingte Abnormitäten/Anomalien des Fußes betreffen im allgemeinen Veränderungen, bei denen der Fuß in einer bestimmten Stellung fixiert ist.

Beispiel die **Standposition „adductus"** in Bezug zu den drei Hauptebenen des Körpers bedeutet:

- der distale oder proximale Bereich des Fußes oder eines Teils davon befindet sich in einer fixierten adduzierten Stellung. Sie ist mit einfachen Mitteln (z. B. physiotherapeutische Maßnahmen) nicht rückführbar.

Anmerkung: um eine fixierte Stellung des Fußes festzustellen, muss er in einer Stellung positioniert sein, die keiner Normalität entspricht.

Der Begriff der Normalität beinhaltet eine Reihe von Fußfunktionen, die nach physikalischen bzw. pysiologischen Grundgesetzen ablaufen und dabei eine schmerzfreie Bewegung ermöglichen. Diese Definition ist anwendbar, wenn die unteren Extremitäten einer gewöhnlichen Belastung und Umgebung ausgesetzt sind und den Ansprüchen des Lebens gerecht werden.

Die Merkmale einer Standposition des Fußes werden in den nachfolgenden Kapiteln ausführlich behandelt.

Pes adductus

Bei dieser strukturell bedingten Fußstellung steht ein Teil oder der ganze Fuß zur Mittellinie des Körpers hin. Diese adduzierte Stellung des Fußes ist eine vom Normalen abweichende Fußstellung innerhalb der Transversal-Ebene.

Pes abductus

Bei dieser strukturell bedingten Fußstellung steht ein Teil oder der ganze Fuß von der Mittellinie des Körpers weg. Diese abduzierte Stellung des Fußes ist eine vom Normalen abweichende Fußstellung innerhalb der Transversal-Ebene.

Pes varus

Bei dieser strukturell bedingten Fußstellung befindet sich ein Teil oder der ganze Fuß in invertierter Stellung innerhalb der Frontal-Ebene.

Pes valgus

Bei dieser strukturell bedingten Fußstellung befindet sich ein Teil oder der ganze Fuß in evertierter Stellung innerhalb der Frontal-Ebene.

Equinus Fußtyp

Diese strukturell bedingte Fußdeformität bezieht sich auf die Sagittal-Ebene. Der Fuß kann nicht die für eine normale Fußabrollung notwendige Dorsalextension von 10° erreichen. Wenn diese Deformität nicht durch andere Gelenke kompensiert werden kann, entsteht eine Mehrbelastung des Vorfußes.

Pes calcaneus

Diese strukturell bedingte Fußdeformität bezieht sich auf die Sagittal-Ebene. Der

Fuß ist hierbei in Dorsalextension fixiert. Bei dieser Pathologie ist die Ferse mehr als der Vorfuß belastet.

Wortendungen für die Standposition des Fußes: Die Endung „**-us**" deutet auf eine fixierte Stellung hin, z. B. Pes var**us**.

1.1.7 Definitionen für die Fersenstellung des Fußes im Stand

Entspannte Fersenstellung des Fußes im Stand

Sie definiert den Winkel der Fersenstellung in Bezug zum Boden, wenn der Patient entspannt steht. Der Fuß weist eine normale Stellung (Abstand der medialen Malleoli zueinander bis ca. 4 cm) und Winkelstellung beider Füße (leichte Abduktion bis ca. 10° oder parallele Stellung) auf.

Neutrale Fersenstellung des Fußes im Stand

Sie definiert den Winkel der Fersenstellung in Bezug zum Boden, wenn sich das untere Sprunggelenk (Subtalar-Gelenk/ STG) des Patienten in Neutralstellung befindet. Die Ausgangsposition hierzu ist die entspannte Fersenstellung.

Beide Definitionen:
- Entspannte Fersenstellung des Fußes im Stand
- Neutrale Fersenstellung des Fußes im Stand

betreffen das Verhältnis der Ferse zum Boden.

1.2 Bewegungsachsen für die Gangabwicklung

1.2.1 Die Achse des unteren Sprunggelenks (Subtalar-Gelenks/STG)

Die Bewegungsachse des STG liegt zu ca. 16° in der Sagittal-Ebene und zu 42° in der Transversal-Ebene.

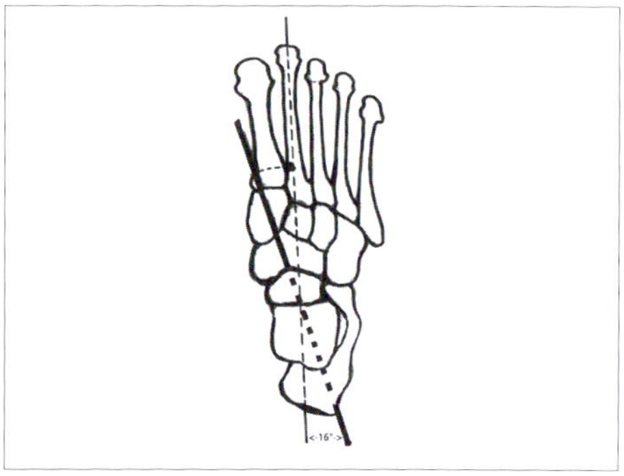

Abb. 1.12: Sagittal-Ebene des STG (16°)
Die anatomische Fußlängsachse (als Referenzlinie) verläuft von der hinteren (posterioren) Fersenmitte durch das Grundgelenk der 2. Zehe (feine Strichelung)

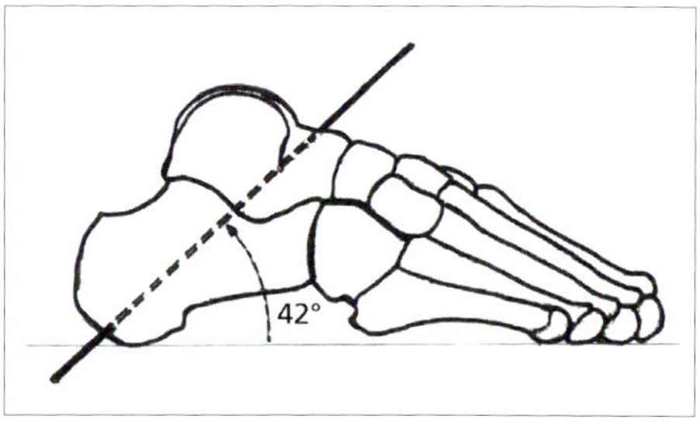

Abb. 1.13: Transversal-Ebene des STG (42°)
Lage in der Frontal-Ebene (48°)

Die Anteile des STG-Bewegungsumfangs in der Transversal-Ebene (Adduktion – Abduktion) und der Frontal-Ebene (Inversion – Eversion) sind bis auf wenige Grade gleich. In der Sagittal-Ebene besteht minimale Plantarflexion und Dorsalextension. Es können Abweichungen innerhalb dieser Winkelwerte vorkommen, die den Anteil der prozentualen Beweglichkeit in den drei Hauptebenen verändern.

Eine anormal steilere Bewegungsachse (> 42°) des STG wird in der Bewegungsebene des Fußes einen höheren Prozentsatz der Bewegung in der Transversal-Ebene (Adduktion und Abduktion) ermöglichen, als in der Frontal-Ebene (Inversion und Eversion). In diesem Fall wird die Bewegungsebene des STG ein flacheres mediales Fußgewölbe bei der Gangabwicklung zeigen. Die vorherrschende Bewegungsrichtung des STG bei diesem Fuß ist die Abduktion/Adduktion.

Eine anormal flachere Bewegungsachse (<42°) im STG wird in der Bewegungsebene des Fußes einen höheren Prozentsatz der Bewegung in der Frontal-Ebene (Inversion und Eversion) ermöglichen als in der Transversal-Ebene. Deshalb wird die Bewegungsebene des STG hier ein höheres mediales Fußgewölbe bei der Gangabwicklung zeigen. Die vorherrschende Bewegungsrichtung des STG bei diesem Fuß ist die Inversion und Eversion.

Intertarsale Gelenk**mobilität** des STG

Eine intertarsale Gelenkmobilität des STG besteht, wenn es **distal davon keine einschränkende Beweglichkeit** gibt. Diese Mobilität ist meist im unbelasteten Zustand vorhanden. Die dorsale Fläche des Fußes lässt sich bei intertarsaler Gelenkmobilität dorsalextendieren, also zur Tibia hin bewegen.

Die Supination bei intertarsaler Gelenkmobilität des STG bewirkt eine Adduktion, Inversion und Plantarflexion des Fußes. **Die Pronation** bewirkt eine Abduktion, Eversion und Dorsalextension des Fußes. Der **Talus bleibt** dabei **unbeweglich**, während der Calcaneus und die anderen Knochen des Fußes sich als eine Einheit in allen drei Ebenen bewegen.

- Die **Intertarsale Gelenkmobilität** des STG betrifft meist den **unbelasteten Zustand** des Fußes.
- Es besteht keine einschränkende Beweglichkeit distal des STG.
- Außer dem Talus sind der Calcaneus und die distal liegenden Knochen des Fußes als Einheit in allen drei Ebenen beweglich.
- Die STG Pronation bewirkt eine Abduktion, Eversion, Dorsalextension und die Supination eine Adduktion, Inversion, Plantarflexion.

Intertarsale Gelenk**stabilität** des Subtalar-Gelenks

Eine intertarsale Gelenkstabilität besteht, **wenn sich die distal liegenden Knochen des Subtalar-Gelenks (STG) nicht bewegen.** Stattdessen bewegt sich der proximal liegende Bereich des STG. Wenn eine Belastung (Kraft) auf den Vorfuß einwirkt, gibt es dort keine Bewegung, jedoch unterschiedliche Bewegungen des Talus, Calcaneus und oberen Sprunggelenks.

Bei der intertarsalen Gelenkstabilität verursacht die STG-Pronation die Adduktion und Plantarflexion des Talus, Eversion des Calcaneus und eine Innendrehung des Unterschenkels. Während der Pronation tritt der mediale Bereich des Talus in Verbindung mit dem Os naviculare deutlicher hervor. Es entsteht auch mehr lateraler Kontakt des Talus-Kopfes mit dem Os naviculare. Dies ist eine Bestätigung für die Adduktion des Talus, die auch durch ein Röntgenbild darstellbar ist. Die Adduktion des Talus besitzt in Bezug zur Eversion des Calcaneus die gleiche Größenordnung.

Die Supination bei intertarsaler Gelenkstabilität des STG bewirkt eine Abduktion und Dorsalextension des Talus. Der Calcaneus invertiert in Verbindung mit der Außendrehung des Unterschenkels. Der Calcaneus bewegt sich nur in der Frontal-Ebene, wogegen der Talus sich in der Transversal- und Sagittal-Ebene bewegt. Der Taluskopf besitzt zum Os naviculare mehr medialen Kontakt, wenn das STG bei intertarsaler Gelenkstabilität supiniert.

Wenn ein anormal **großer Bewegungsumfang des STG** vorhanden ist, wird der Talus in der Transversal-Ebene einen größeren Bewegungsspielraum besitzen, als der Calcaneus in der Frontal-Ebene. Der Hauptanteil der STG-Bewegung dieses Fußes geschieht durch den **größeren Bewegunsumfang des Talus** in der Transversal-Ebene und folglich mehr Innendrehung des Unterschenkels als normal.

Ein anormal niedriger Bewegungsumfang des STG erzeugt einen größeren Bewegungsspielraum des Calcaneus in der Frontal-Ebene und **weniger Talus-Bewegung** in der Transversal-Ebene. Hierdurch dreht sich der Unterschenkel weniger als normal nach innen.

Bei der STG-Pronation – während der intertarsalen Gelenkstabilität – entsteht eine Plantarflexion des Talus durch das Subtalar-Gelenk. Sie ist wesentlicher Bestandteil der STG-Pronation bei intertarsaler Gelenkstabilität. Falls das obere Sprunggelenk in diesem Zustand aber fixiert ist, kann sich das STG nicht bewegen.

Die gleichen Zusammenhänge ergeben sich aus der STG-Supination, wenn das obere Sprunggelenk dorsalextendiert.

Die Drehung des Unterschenkels bei Belastung des Fußes kann 13° bis 26° betragen.

- Die **Intertarsale Gelenkstabilität** des STG betrifft meist den belasteten Zustand des Fußes.
- Es besteht keine Bewegung der distal vom STG liegenden Knochen.
- Talus, Calcaneus und Unterschenkel bewegen sich bei Belastung des Fußes.
- Die STG-Pronation bewirkt eine Adduktion, Plantarflexion des Talus, Eversion des Calcaneus und die Innendrehung des Unterschenkels.
- Die STG-Supination bewirkt eine Abduktion, Dorsalextension des Talus, Inversion des Calcaneus und die Außendrehung des Unterschenkels.

Die Neutralstellung des STG

Sie beschreibt die Stellung des Subtalar-Gelenks (STG) in der Frontal-Ebene, bei der gleiche Anteile im Verhältnis 2/3 zu 1/3 seines gesamten Bewegungsumfangs möglich sind. Der Idealfall wäre eine weder supinierte noch pronierte Stellung des Gelenks (= 0°) in Bezug zur Mittellinie des unteren Unterschenkel Drittels.

Bei maximaler Supination invertiert der Calcaneus 2/3, bei maximaler Pronation 1/3 des erhaltenen Messwertes. Das untere Sprunggelenk kann in der Regel doppelt so viel supinieren als pronieren.

Der Wert der STG-Neutralstellung gilt nur als Referenzpunkt. Da das Gelenk den Bewegungsumfang und die Bewegungsrichtung der davon distal sowie proximal liegenden Gelenke beeinflusst, haben die Werte Bedeutung für die Fußfunktion. Die Autoren Root, Orien und Weed beschreiben die **Neutralstellung als Position des STG, bei der es weder proniert noch supiniert ist**.

Berechnungsbeispiel 1:

Gemessene Inversion des Calcaneus =	20°
Gemessene Eversion des Calcaneus =	10°
Der gesamte Bewegungsumfang des STG beträgt	30°
1/3 dieses Betrages = 10°	

Für die Verhältnisse von 2/3 Anteilen (Inversion) und 1/3 Anteil (Eversion) erreicht die Ferse die **Neutralstellung des STG bei 0°**.

Diese 0°-Stellung ermöglicht die Inversion (20°) und Eversion (10°) zu gleichen Verhältnisanteilen.

Berechnungsbeispiel 2:

Gemessene Inversion des Calcaneus =	23°
Gemessene Eversion des Calcaneus =	7°
Der gesamte Bewegungsumfang des STG beträgt	30°
1/3 des Betrages = 10°	

Für die Verhältnisse von 2/3 Anteilen (Inversion) und 1/3 Anteil (Eversion) erreicht die Ferse die **Neutralstellung des STG bei 3° Inversion**.

Diese Stellung: 23° - 3° = **20°** und 7° + 3° = **10°** ermöglicht die Inversion (20°) und Eversion (10°) zu gleichen Verhältnisanteilen.

Berechnungs-Beispiel 3:

Gemessene Inversion des Calcaneus =	15°
Gemessene Eversion des Calcaneus =	6°
Der gesamte Bewegungsumfang des STG beträgt	21°
1/3 des Betrages = 7°	

Für die Verhältnisse von 2/3 Anteilen (Inversion) und 1/3 Anteil (Eversion) erreicht die Ferse die **Neutralstellung des STG bei 1° Inversion.**

Diese Stellung: 15° - 1° = **14°** und 6° + 1° = **7°** ermöglicht die Inversion (14°) und Eversion (7°) zu gleichen Verhältnisanteilen.

Der Wert für die Neutralstellung des STG von 1° liegt innerhalb des Toleranzwertes von ± 2° und wird in der Praxis nicht berücksichtigt.

Wenn sich das STG in Neutralstellung befindet und von der medialen Seite betrachtet wird, verläuft eine gedachte Mittellinie durch Talus-Kopf und -Hals zum Kopf des 1.Metatarsalknochens.

Bei der Pronation wird dieselbe Linie den Kopf des 1. Metatarsalknochens plantar berühren. Bei der Supination wird dieselbe Linie den Kopf des 1. Metatarsalknochens dorsal berühren.

1.2.2 Chopart-Gelenk oder auch Chopart´sches Gelenk

Das Chopart-Gelenk des Fußes befindet sich zwischen dem Talus-Kopf (Caput tali) und Kahnbein (Os naviculare) und zwischen dem Fersenbein (Calcaneus) und Würfelbein (Os cuboideum). Es ist deshalb auch die Bezeichnung: Talonavicular- und Calcaneocuboid-Gelenk üblich.

Die nach dem Pariser Chirurgen Francois Chopart (1743 – 1795) benannte Chopart´sche Gelenklinie verläuft zwischen den genannten Gelenken. (Sie gilt in der Chirurgie als eine der Amputationslinien des Fußes.)

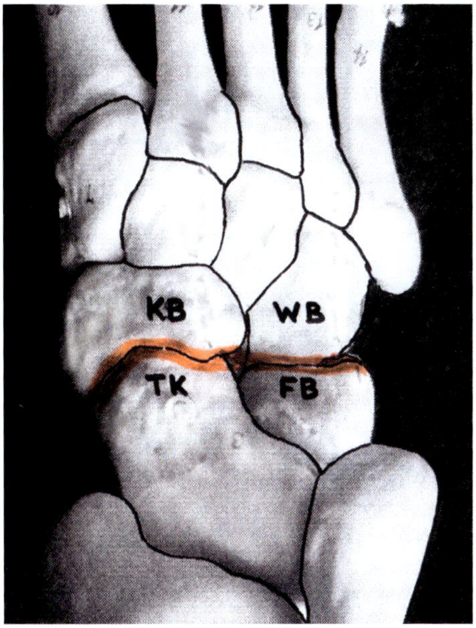

Abb. 1.14: Chopart-Gelenklinie (KB = Kahnbein; WB = Würfelbein; TK = Talus-Kopf, FB = Fersenbein)

Die Achsen des Chopart-Gelenks bei intertarsaler Gelenkmobilität

Die Querachse des Chopart-Gelenks

Die Querachse des Chopart-Gelenks verläuft zu 52° in der Transversal- und zu 57° in der Sagittal-Ebene. Die Bewegung um diese Achse verläuft in allen drei Körperebenen fast gleich, weil beide Bewegungsachsen nahe dem rechten Winkel von 45° liegen. Diese Achse besitzt **einen großen Bewegungsumfang.**

Die Längsachse des Chopart-Gelenks

Die Längsachse des Chopart-Gelenks verläuft zu 15° in der Transversal-Ebene und zu 9° in der Sagittalebene. Klinisch gesehen ist hier nur eine Bewegung in der Frontal-Ebene möglich. Diese Achse besitzt nur einen **sehr kleinen Bewegungsumfang von ca. 5° bis 7°.**

Die quer- und längsverlaufenden Achsen sind in ihrer Bewegung voneinander unabhängig. Deshalb kann eine Achse pronieren, während die andere supiniert.

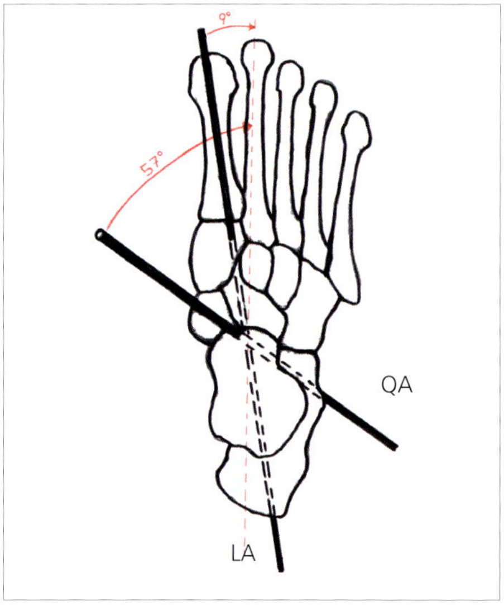

Abb. 1.15: Sagittal-Ebene des Chopart-Gelenks LA = Längsachse (9°), QA = Querachse (57°) Rotgestrichelte Linie = anatomische Referenzlinie

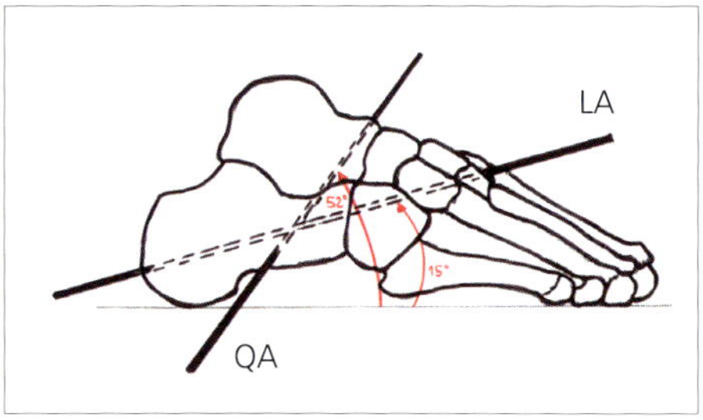

Abb. 1.16: Transversal-Ebene des Chopart-Gelenks LA = Längsachse (15°), QA = Querachse (52°)

Der **Umfang und die Bewegungsrichtung des Vorfußes im Verhältnis zum Rückfuß hängt unmittelbar mit der Position des Subtalar-Gelenks (STG) zusammen**:

Bei **Supination** besitzt das STG einen größeren Bewegungsumfang in der Transversal-Ebene. Im Chopart-Gelenk verkleinert sich der Bewegungsumfang in beiden Richtungen (Pronation und Supination). Deshalb bleibt der Vorfuß im Verhältnis zum Rückfuß invertiert, adduziert und plantarflektiert, wenn das Chopart-Gelenk vollständig proniert (siehe auch Neutralstellung des STG).

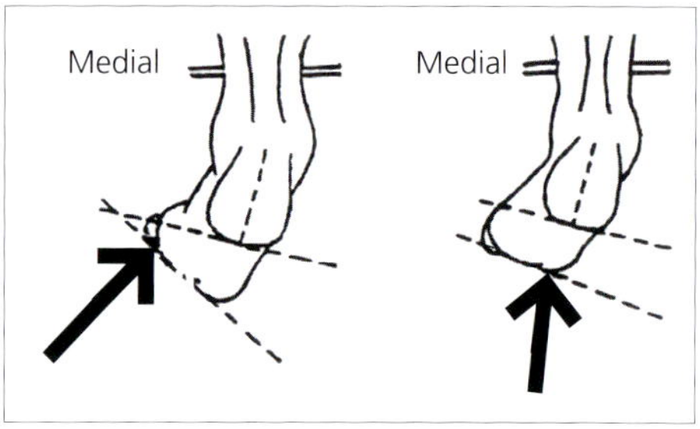

Abb. 1.17: Die STG-Supination verkleinert den Bewegungsumfang (re.) des Chopart-Gelenks

Bei **Pronation** besitzt **das STG** einen größeren Bewegungsumfang in der Sagittal-Ebene.

Im Chopart-Gelenk nimmt die Bewegung zu. Es kann im Vorfuß Pronation und Supination erfolgen.

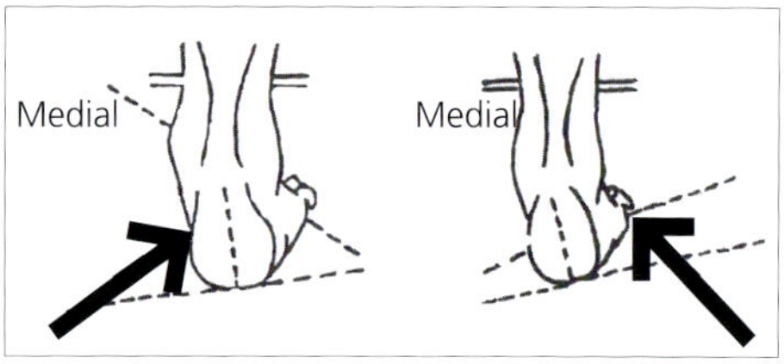

Abb. 1.18: Die STG-Pronation vergrößert den Bewegungsumfang (li.) des Chopart-Gelenks

Wenn das STG proniert, liegt die Querachse des Chopart-Gelenks zur Transversal-Ebene mehr parallel (re.), als bei der Neutralstellung des STG. Diese Lageänderung der Querachse des Chopart-Gelenks erhöht den Prozentsatz der Vorfuß- zur Rückfußbewegung in der Sagittal-Ebene. Es gibt in der Transversal-Ebene einen entsprechend geringeren Prozentsatz der Bewegung des Vorfußes im Verhältnis zum Rückfuß. Deshalb kann bei einer pronierten STG-Stellung der Bodenwiderstand das Chopart-Gelenk leichter pronieren und den Vorfuß weniger stabilisieren.

Anmerkung: li. = links; re. = rechts

In Neutralstellung des STG ist das Chopart-Gelenk maximal proniert. Der Vorfuß kann im Verhältnis zum Rückfuß lediglich supinieren (adduzieren, invertieren und plantarflektieren).

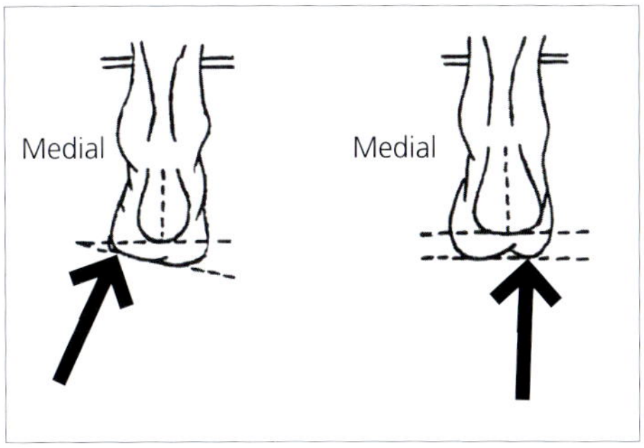

Abb. 1.19: Bei der STG-Neutralstellung ist nur die Supination des Vorfußes verfügbar (li.). Die Eversion (Pronation) des Vorfußes geht nicht über die rechtwinkelige Stellung hinaus (re.).

Wenn sich das STG in Neutralstellung befindet, steht die plantare Fläche des Vorfußes parallel zur plantaren Fläche der Ferse. Eine Beeinträchtigung mit dem Chopart-Gelenk entsteht in Richtung der Pronation. Deshalb ist nur die Supination im Chopart-Gelenk möglich.

STG-Supination = größerer Bewegungsumfang des STG in der Transversal-Ebene, Abnahme des Bewegungsumfangs im Chopart-Gelenk
STG-Pronation = größerer Bewegungsumfang des STG in der Sagittal-Ebene, Zunahme des Bewegungsumfangs im Chopart-Gelenk
Neutralstellung des STG = in der Regel steht dann die plantare Fläche des Vorfußes parallel zur Fersenfläche. Pronation des Chopart-Gelenks ist beeinträchtigt, nur Supination ist möglich.

Chopart-Gelenk-Reaktionen auf unterschiedliche Standpositionen

Im Stand bewirkt das Körpergewicht in Verbindung mit dem Bodenwiderstand immer eine Pronation auf den Vorfuß. Der Grund dafür ist, dass die Vorfußbelastung in der Sagittal-Ebene auf beide Bewegungsachsen des Chopart-Gelenks trifft. Wenn sich das STG in Neutralstellung befindet, ist das Chopart-Gelenk in der Längs- und Querachse vollständig proniert.

Praktische Experimente zwischen STG- und Chopart-Gelenk-Reaktionen

1. Ein Keil wird unter die **mediale Seite des Calcaneus** gelegt. Er bewirkt 5° Inversion des Calcaneus in Bezug zur Mittellinie des Unterschenkels. Es ist festzustellen, dass hier der Vorfuß mehr invertiert als der Calcaneus. Der Vorfuß kann deshalb diese Stellung nicht kompensieren (= verkleinerter Bewegungsumfang), weil das STG supiniert. Die laterale Belastung des Vorfußes ist hier größer als auf der lateralen Fersenseite.

Definition der Kompensation:
Die Kompensation wird als Veränderung einer Struktur, Lage oder Funktion eines Körperteils verstanden, um die Abweichung einer Struktur, Lage oder Funktion eines anderen Körperteils auszugleichen.

2. Ein Keil wird unter die **mediale Seite des Vorfußes** gelegt. Er bewirkt 5° Inversion des Vorfußes. Der Calcaneus invertiert hierbei nicht, weil die Gradzahl für die Inversion des Vorfußes innerhalb des Bewegungsumfanges von 5° bis 7° der Längsachse des Chopart-Gelenks liegt. Deshalb wird die durch den Keil bedingte Inversion vollständig durch die Längsachse des Chopart-Gelenks kompensiert. Der Calcaneus wird nur dann invertieren, wenn der Keil mehr Winkelgrade aufweist, als die Longitudinalachse ausgleichen kann.

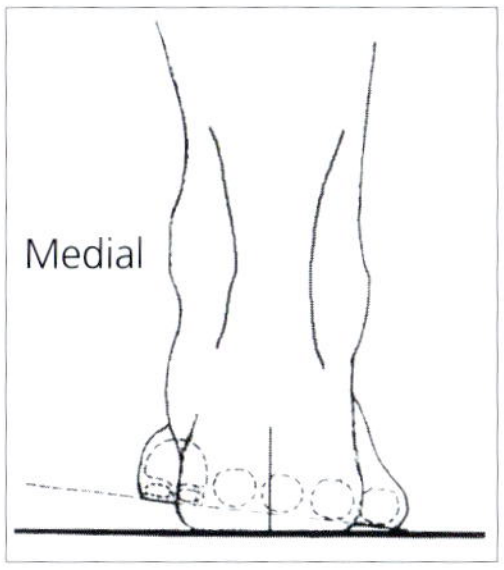

Abb. 1.20: Kompensation der Vorfußinversion durch das Subtalar-Gelenk (STG)

3. Ein Keil wird unter die **mediale Seite des Vorfußes** gelegt. Er bewirkt 15° Inversion des Vorfußes. Die Längsachse des Chopart-Gelenks kann nur bis ca. 7° supinieren. Das untere Sprunggelenk muss deshalb 8° invertieren, um die 15° Vorfuß-Inversion (durch die Keilunterlage) zu kompensieren.

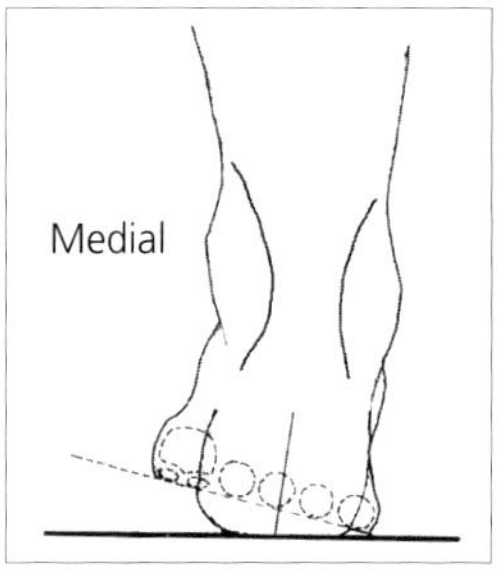

Abb. 1.21: Kompensation der Vorfuß-Inversion durch Inversion des Subtalar-Gelenks (STG)

4. Ein Keil wird unter die **laterale Seite des Calcaneus** gelegt. Er bewirkt eine Eversion des Calcaneus in Bezug zur Mittellinie des Unterschenkels und verursacht die Pronation des STG. Der Vorfuß berührt vollständig den Boden, weil das Chopart-Gelenk – durch den Bodenwiderstand gegen den Vorfuß – supiniert wurde. Grundsätzlich besteht aber auch – durch die Eversion des Calcaneus – eine pronierend wirkende Kraft auf den Vorfuß. Folglich ist das Chopart-Gelenk durch diese Situation zwei gegeneinander wirkenden Kräften ausgesetzt.

5. Ein Keil wird unter die **laterale Seite des Vorfußes** so hoch gelegt, dass der Vorfuß und ebenso der Calcaneus evertieren. Der Vorfuß ist unfähig, eine unebene Bodenbeschaffenheit – die eine weitere Eversion des Vorfußes bewirkt – zu kompensieren. Die gesamte Kompensation geschieht im STG.

Zur Erinnerung: Die STG Pronation erhöht den Bewegungsumfang im Chopart-Gelenk. Während das STG proniert, kann das Chopart-Gelenk zur Vorfuß-Eversion beitragen. Der Vorfuß wird dabei mehr evertiert sein als der Calcaneus.

Beispiel:
Wenn der Keil den Vorfuß um 15° evertiert, wird die Ferse um weniger als 15° evertieren. Die exakte Vorfuß-/Rückfußstellung hängt von dem individuellen Bewegungsumfang im Chopart-Gelenk ab.

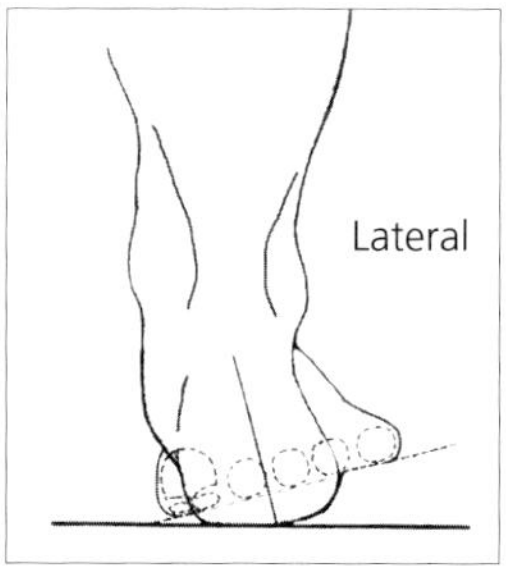

Abb. 1.22: Kompensation der Vorfuß-Eversion durch das Subtalar-Gelenk (STG)

Ermittlung des Vorfuß-Rückfuß-Verhältnisses bei Intertarsaler Gelenkmobilität des Chopart-Gelenks

Der Patient liegt in Bauchlage. Das STG befindet sich in Neutralstellung und das Chopart-Gelenk ist vollständig proniert. Der Winkel des Vorfuß-Rückfuß-Verhältnisses wird gemessen.

Beispiel:
Das STG befindet sich in Neutralstellung. Hierbei steht der Vorfuß im rechten Winkel (90°) zur Mittellinie des Rückfußes. Nach Pronation des STG wird ein Wert von 5° Eversion des Vorfuß-Rückfuß-Verhältnisses gemessen. Es bedeutet, dass 5° freie Bewegung um beide Achsen des Chopart-Gelenks verfügbar sind, wenn das STG proniert wird.

Gegenprobe:
Im Stand wird der Vorfuß des Patienten durch einen Keil um 10° vom Boden evertiert.

Die Frage ist, welchen Winkel der Calcaneus in Bezug zum Boden dabei einnehmen wird? Es sind 5° Eversion.

Erklärung: Da im Chopart-Gelenk 5° Bewegung verfügbar sind, braucht der Calcaneus nur weitere 5° Eversion, um die Kompensation zu ermöglichen.

Chopart-Gelenk-Bewegung bei Intertarsaler Gelenkstabilität

Bei der **Intertarsalen Gelenkstabilität des Chopart-Gelenks ist der Vorfuß fixiert** und bewegt sich nicht.

Deshalb wird bei der **Pronation** der Rückfuß in Bezug zum Vorfuß adduziert und die Tibia gleichzeitig nach innen rotiert. Es entsteht eine Plantarflexion des Rückfußes in Bezug zum Vorfuß.

Bei der **Supination** – während der Intertarsalen Gelenkstabilität – besteht eine Abduktion und Dorsalextension des Rückfußes im Verhältnis zum Vorfuß und eine laterale Verschiebung des gesamten Rückfußes.

Wenn die Intertarsale Gelenkstabilität des Chopart-Gelenks während der Pronation fortbesteht, bewegt sich die Tibia nach vorne (anterior). Diese anterior Bewegung der Tibia entsteht durch die Adduktion des Talus. Da der Talus adduziert, gibt es keine weitere Plantarflexion, außer in der Sagittal-Ebene. In dieser adduzierten Stellung entsteht eine Plantarflexion und Eversion. Da eine Eversion im oberen Sprunggelenk nur wenig möglich ist, muss sich das Kniegelenk beugen, um dem STG die Pronation bis zum Ende seines Bewegungsumfangs zu ermöglichen. Mit anderen Worten: Mit der Adduktion des Talus verringert sich im oberen Sprunggelenk die Möglichkeit der Plantarflexion in der Sagittal-Ebene. Der Anspruch einer Plantarflexion mit Pronation ist in diesem Fall größer, als das obere Sprunggelenk erfüllen kann. In diesem Fall muss das Kniegelenk in eine Flexion gehen, weil das gestreckte Kniegelenk die höchste Stabilität besitzt.

Ein höherer Winkelwert der Querachse des Chopart-Gelenks (z. B. 60° in der Transversal-Ebene, statt der normalen 52°) verändert die Bewegungen in der Frontal- und Transversal-Ebene. Bei der Pronation des Chopart-Gelenks (bei Intertarsaler Gelenkstabilität) ist eine größere Bewegung in der Transversal-Ebene möglich (Adduktion des Rückfußes im Verhältnis zum Vorfuß).

Es ist allerdings nicht zu erwarten, dass das mediale Fußgewölbe durch die Pronation des Chopart-Gelenks flacher wird. Dies stiftet in der Praxis meist Verwirrung, weil **die Höhe des medialen Fußgewölbes nicht notwendigerweise auf einen normalen oder anormalen Fuß hindeutet.**

Drehung des Beckens in Bezug zur Vorfuß-Belastung

Im normalen Stand werden die Metatarsalköpfchen 1 bis 5 gleich belastet, wenn sich das Becken in der Frontal-Ebene befindet.

Wenn sich das Becken gegen den Uhrzeigersinn bewegt, dreht sich das linke Bein nach außen und das STG supiniert. Der Vorfuß wird dabei invertieren und die laterale Seite des linken Fußes mehr belasten. Das 1. Metatarsalköpfchen wird im Nachhinein durch die Schwerkraft plantarflektieren.

Das rechte Bein wird nach innen gedreht und das STG dabei proniert. Der Calcaneus evertiert. Der Vorfuß kompensiert diese Stellung durch Supination der Längsachse des Chopart-Gelenks, während die Querachse des Chopart-Gelenks vollständig proniert bleibt. Das Gewicht des Körpers ist somit gleichmäßig über den gesamten Vorfuß verteilt.

Das Gegenteil geschieht im Unterschenkel, wenn das Becken im Uhrzeigersinn gedreht wird.

Die Beinlänge in Bezug zur Pronation und Supination des Rückfußes

Die Beinlänge verkürzt sich, wenn das STG und das Chopart-Gelenk im Stand eine pronierte Stellung einnehmen.

Ein Beinlängenunterschied zwischen dem rechten und linken Bein entsteht, wenn nur ein Fuß proniert ist oder ein Fuß mehr proniert ist als der andere.

Die Beinlänge ist vergrößert, wenn das STG und das Chopart-Gelenk im Stand eine supinierte Stellung einnehmen.

Ein Beinlängenunterschied zwischen dem rechten und linken Bein entsteht, wenn nur ein Fuß supiniert ist oder ein

Fuß bei weitem mehr supiniert ist als der andere.

Funktionelle Beinlängenunterschiede entstehen durch Supination oder Pronation des Rückfußes eines Beines.

Ursachen für Beinlängenunterschiede im Stand:

- Wenn STG und Chopart-Gelenk beide pronieren, plantarflektiert der Rückfuß im Verhältnis zum Vorfuß und dem Boden. Dies verringert den Abstand des oberen Sprunggelenks zum Boden und macht das Bein kürzer.
- Wenn STG und Chopart-Gelenk beide supinieren, dorsalextendiert der Rückfuß im Verhältnis zum Vorfuß und dem Boden. Dies vergrößert den Abstand des oberen Sprunggelenks zum Boden und macht das Bein länger.

Abb. 1.23: Supination des STG (linkes Bild) und Pronation des STG (rechtes Bild)
Die horizontal verlaufende rote Linie kennzeichnet die Veränderung des Abstandes vom Boden. Es handelt sich in beiden Fällen um das Skelett des rechten Fußes.

- Durch Pronation des STG steht der Talus mit dem anterior und posterior liegenden Bereich des STG in gelenkiger Verbindung. Wenn der Neigungswinkel groß ist, wird sich der Talus während der Pronation mehr nach plantar verlagern. Das obere Sprunggelenk wird einen geringeren Abstand zum Boden einnehmen und dadurch das Bein verkürzen.

Wenn der Neigungswinkel klein ist, wird sich während der Pronation oder Supination weniger Veränderung in der Beinlänge ergeben.

Die Bewegungen des 1. Strahls bei Intertarsaler Gelenkmobilität

Der 1. Strahl ist eine funktionelle Einheit aus dem Os metatarsale1, Os cuneiforme1 und dem Os naviculare.

Die gelenkigen Verbindungen, welche an dem 1. Strahl beteiligt sind, setzen sich aus dem Os cuneiforme1 + 2, Os metatarsale1 + 2 und Os naviculare zusammen.

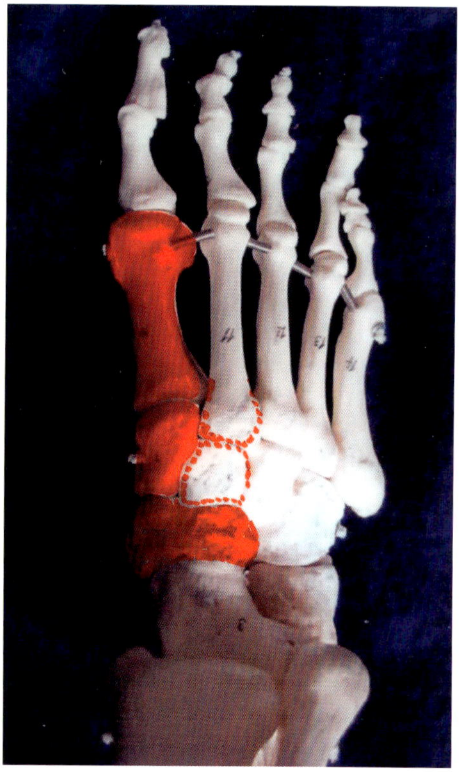

Abb. 1.24: 1. Strahl am Fußskelett aus plantarer Sicht (zusätzlich beteiligte Gelenke rot umrandet)

Die hauptsächliche Bewegung des 1. Strahls findet im Navicular-Cuneiform-Gelenk statt. Die Bewegungsachse des 1. Strahls liegt zu ca. 45° in der Frontal- und Sagittal-Ebene und nur zu einem vernachlässigbaren Anteil in der Transversal-Ebene. Hierdurch erzeugt der 1. Strahl eine nahezu dreidimensionale Bewegung. Die Bewegungsachse des 1. Strahls verläuft von anterior plantar nach lateral posterior und wenig dorsal durch den Fuß.

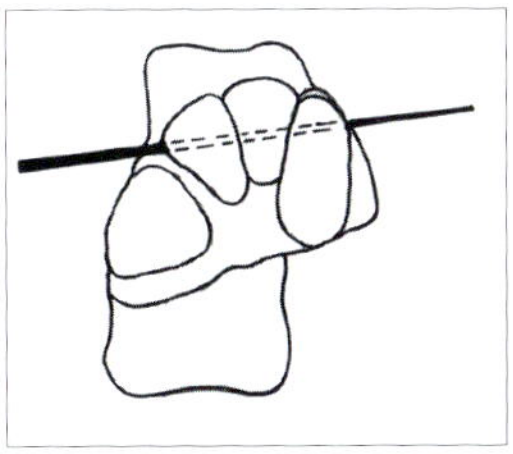

Abb. 1.25: Bewegungsachse des 1. Strahls in der Frontal Ebene

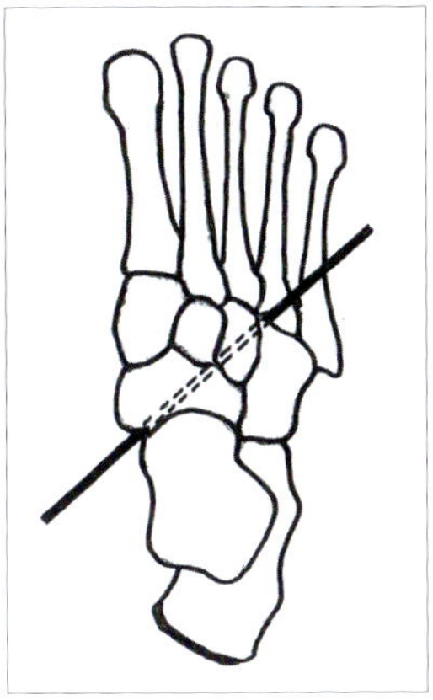

Abb. 1.26: Bewegungsachse des 1. Strahls in der Sagittal Ebene

Die Bewegungen des 1. Strahls sind Dorsalextension mit Inversion und Plantarflexion mit Eversion. Die Bewegungen der 1. Metatarsale beziehen sich auf die Ebene der übrigen Metatarsalen 2 bis 5.

Wenn sich die Gelenkachse des 1. Strahls zu gleichen Winkelgraden in der Frontal- und der Sagittal-Ebene befindet, ist grob gesehen der gleiche Bewegungsumfang (Plantarflexion mit Eversion und Dorsalextension mit Inversion) möglich.

Wenn sich das STG in Neutralstellung befindet und das Chopart-Gelenk vollständig proniert ist, lässt sich der 1. Metatarsale in Bezug zu der Ebene der übrigen Metatarsalköpfchen zu gleichen Teilen dorsalextendieren und plantarflektieren.

Der durchschnittliche Bewegungsumfang des 1. Strahls beträgt 5 mm Dorsalextension und 5 mm Plantarflexion (gesamter Bewegungsumfang = 10 mm) in Bezug zur Ebene der übrigen Metatarsalköpfchen.

Die Neutralstellung des 1. Strahls befindet sich in der Mitte seines Bewegungsumfangs. Dies ist auch seine Position im Stand.

Die Bewegung des 1. Strahls bei Intertarsaler Gelenkstabilität

Durch Plantarflexion und Eversion des Os Metatarsale1, entsteht durch die Bewegung des 1. Strahls auch eine Plantarflexion und Eversion des Os naviculare.

Das Ergebnis der Plantarflexion und Eversion des Os naviculare ist, dass die Ossa metatarsalia 2 und 3 – in Bezug zur Bodenfläche – evertieren. Weil eine Eversion der 2. und 3. Ossa metatarsalia durch die Bewegung des 1. Strahls entsteht, wirkt auf den 2. Metatarsalknochen durch den Bodenwiderstand mehr Körpergewicht ein. Der 3. Metatarsalknochen ist im Verhältnis zum Boden mehr dorsalextendiert und trägt deshalb weniger Gewicht.

Wenn durch Pronation des Subtalar-Gelenks (STG) eine Bewegung im 1. Strahl entsteht, verliert er an Stabilität. Der 1. Strahl wird dann als „hypermobil“ bezeichnet.

Wenn der Calcaneus evertiert, werden das STG und die Querachse des Chopart-Gelenks pronieren. Die Längsachse des Chopart-Gelenks wird supinieren. Wenn die Längsachse des Chopart-Gelenks nicht fähig ist, die evertierte Stellung des Calcaneus vollständig zu kompensieren, wird der 1. Strahl plantarflektieren und das Os naviculare evertieren.

Eine Besonderheit kann vorkommen, wenn der 2. und 3. Metatarsale invertiert stehen und der 2. Metatarsale erhöht liegt. Hieraus ergibt sich eine Varus-Stellung der Metatarsale 2 bis 5. Gewöhnlich steht dies in Verbindung mit einem plantarflektierten 1. Strahl.

Definition: Ein Gelenk wird als **hypermobil** bezeichnet, wenn es normalerweise Stabilität zeigen sollte.
Dieser Begriff bezieht sich nicht auf ein Gelenk, welches einen anormal großen Bewegungsumfang besitzt.

Bewegung des 1. Metatarso-Phalangeal-Gelenks (MPG) bei Intertarsaler Gelenkmobilität

Das 1. Metatarso-Phalangeal-Gelenk befindet sich in Neutralstellung, wenn sich die Lage der Großzehe (Hallux) im Stand weder in Dorsalextension noch in Plantarflexion befindet. Der Hallux kann im 1. Metatarso-Phalangeal-Gelenk ca. 20° in Beziehung zum Boden dorsalextendieren, ohne den 1. Strahl zu bewegen.

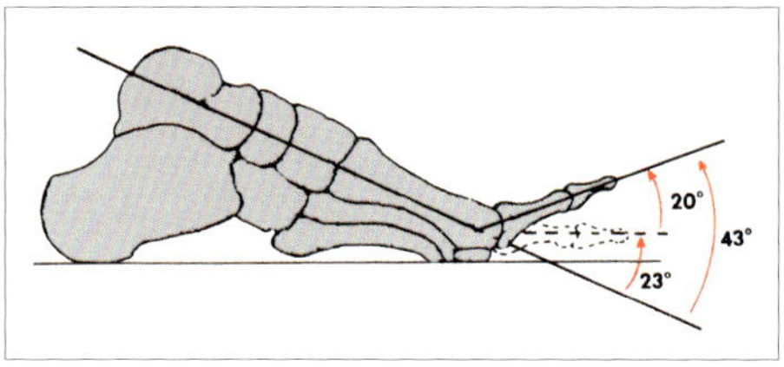

Abb. 1.27: Maximale Dorsalextension des Hallux von 20° in Beziehung zum Boden

Die gesamte Dorsalextension gemessen von der Longitudinal-Achse des 1. Metatarsale beträgt 43°.

Das 1. Metatarsalköpfchen ist so geformt, dass die distal/dorsale Oberfläche flacher ist, als die distal/plantare. Um die größtmögliche Dorsalextension des Hallux zu erreichen (über 20°) muss sich die Basis der proximalen Hallux-Phalanx über die distal/dorsale Oberfläche des 1. Metatarsalköpfchens bewegen. Durch dieses Gleiten verschiebt sich die transversale Achse des 1. Metatarso-Phalangeal-Gelenks.

Die oft vorkommende Hallux abducto valgus-Deformität („Großzehenballen") entsteht, wenn sich die proximale Phalanx der Großzehe in eine Valgusstellung verschiebt. Hieran beteiligt ist besonders das mediale Band des Gelenks, welches sich nach plantar verlagert und die Deformität unterstützt.

Bewegung des 1. Metatarso-Phalangeal-Gelenks (MPG) bei Intertarsaler Gelenkstabilität

Der Hallux bleibt stabil gegen den Untergrund, wenn sich der 1. Metatarsale bei intertarsaler Gelenkstabilität bewegt. Falls eine Dorsalextension des Hallux über 20° stattfindet, muss der 1. Strahl plantarflektieren. Mit der Plantarflexion des 1. Strahls bewegt er sich über die Sesambeinchen (Ossa sesamoides) nach posterior, so dass die Sesambeinchen weiter distal von dem 1. Metatarsalköpfchen liegen.

Der normale Schritt erfordert 65° bis 70° Dorsalextension des Metatarso-Phalangeal-Gelenks.

Ein längerer Schritt (bei einer größeren Person) wird noch mehr Dorsalextension erfordern, um den 1. Strahl in Bodenkontakt zu halten. Der 1. Strahl muss in der Abstoßphase des Ganges Bodenkontakt halten, um durch STG-Supination und blockierende Chopart-Gelenk-Mechanismen Stabilität zu gewährleisten. Die Plantarflexion des 1. Strahls wird durch den M. peroneus longus unterstützt. Die Bewegung begrenzt außerdem die Druckeinwirkung auf das 1. Metatarso-Phalangeal-Gelenk.

In der Abstoßphase sind die Querachse des Chopart-Gelenks, die Längsachse des Chopart-Gelenks und das STG supiniert, das obere Sprunggelenk plantarflektiert.

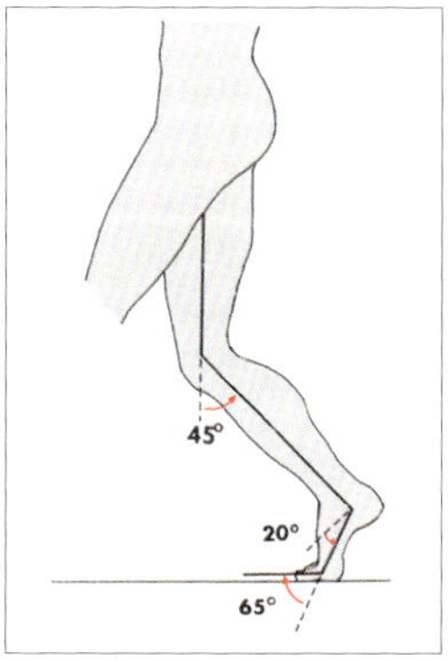

Abb. 1.28: 65° Dorsalextension (20° + 45°) im Metatarso-Phalangeal-Gelenk, bevor die Zehen während der Gangabwicklung vom Boden abheben

Die Bewegung des 5. Strahls

Der 5. Strahl besitzt durch die Bewegung des 5. Metatarsalköpfchens gleiche Anteile an der Dorsalextension und Plantarflexion in Bezug zu den Ebenen der übrigen Metatarsalköpfchen. **Der allgemeine Bewegungsumfang des 5. Strahls be-**

steht aus 3 mm Dorsalextension und 3 mm Plantarflexion des 5. Metatarsalköpfchens.

Die Achse des 5. Strahls verläuft in einem Winkel von 35° in der Sagittal- und Frontal-Ebene und in 20° in der Transversal-Ebene. Die Richtung der Achse verläuft von proximal lateral nach distal medial und ist nur wenig nach Aufwärts von proximal plantar nach distal dorsal geneigt. Die Anteile für die Pronation und Supination sowie Plantarflexion und Dorsalextension der 5. Metatarsale sind relativ groß. Ein minimaler Bewegungsanteil entfällt dagegen auf die Adduktion und Abduktion. Wenn eine Supination im 5. Strahl erfolgt besteht die Bewegungsrichtung zu gleichen Teilen aus Plantarflexion und Inversion mit einer minimalen Adduktion. Wenn eine Pronation des 5. Strahls erfolgt, besteht die Bewegungsrichtung zu gleichen Teilen aus Dorsalextension und Eversion mit einer minimalen Abduktion.

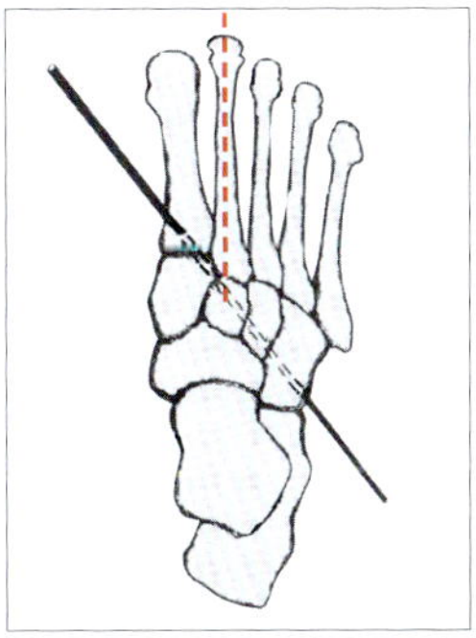

Abb. 1.29: Sagittal-Ebene des 5. Strahls

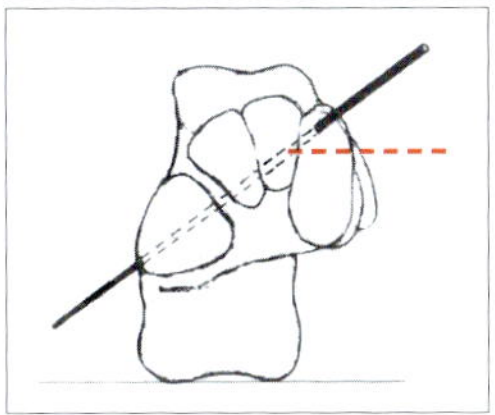

Abb. 1.30: Frontal Ebene des 5.Strahls

Eine Bewegung im 5. Strahl kann nur bei Intertarsaler Gelenkmobilität erfolgen.

Deshalb ist bei Intertarsaler Gelenkstabilität keine Bewegung des 5. Strahls möglich.

Eine Pronation des 5. Strahls führt zum „Schneider Ballen". Diese Deformität verursacht eine nach lateral hervorstehende Wölbung des 5. Metatarsalköpfchens. Sie wird gewöhnlich durch eine anormale Abduktion der 5. Metatarsale hervorgerufen. Wenn eine normale Pronation des 5. Strahls nur eine minimale Abduktion der 5. Metatarsale hervorruft, entsteht eine Subluxation des 5. Strahls. Sie verursacht einen anormal breiten Raum zwischen den Metatarsalen 4 und 5.

1.2.3 Das Talo-Crural-Gelenk (oberes Sprunggelenk)

Das Talo-Crural-Gelenk besteht aus der Sprungbeinrolle (Trochlea tali) und den Gelenkflächen der medialen und lateralen Malleolen. Die Fläche der Trochlea tali verschmälert sich nach posterior gering.

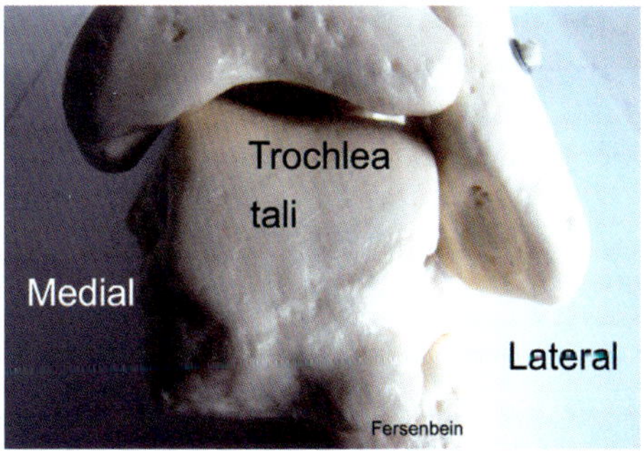

Abb. 1.31: Aufgeklapptes Talo-Crural-Gelenk am Skelett. Formgebung der Trochlea tali von posterior gesehen. Medial der Malleolus des Schienbeins (der Tibia), lateral der Malleolus des Wadenbeins (Fibula)

Die Achse des Talo-Crural-Gelenks liegt zu ca. 8° in der Transversal-Ebene, zu 82° in der Sagittal-Ebene und zu 20° bis 30° in der Frontal-Ebene.

Die Achse der Frontal-Ebene ist direkt am Fuß zu finden, indem man die Zeigefinger – zueinander zeigend – auf die Endpunkte der medialen und lateralen Malleoli stellt und eine Bewegungsachse simuliert.

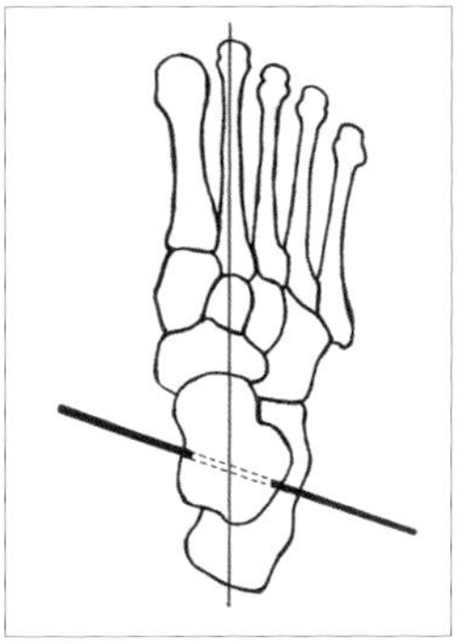

Abb. 1.32: Sagittal-Ebene 82°, Transversal-Ebene (8°) des Talo-Crural-Gelenks (rote Linie: anatomische Fußlängsachse)

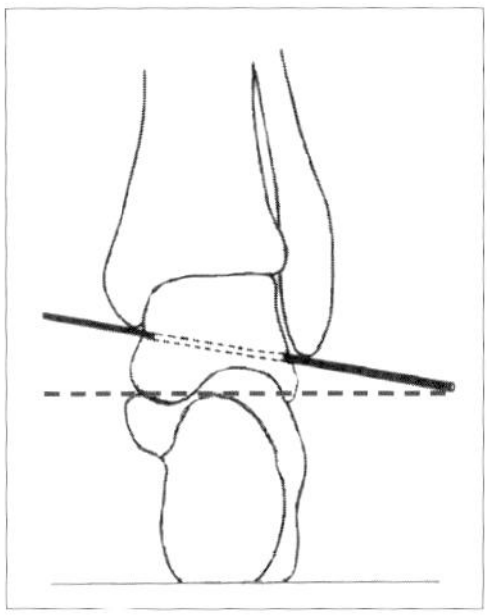

Abb. 1.33: Frontal-Ebene des Talo-Crural-Gelenks (20°-30°) (rot gestrichelte Linie = Referenzlinie)

Bei einem gesunden Fuß müssen in Neutralstellung des STG ca. 10° Dorsalextension und 20° Plantarflexion im Talo-Crural-Gelenk erreicht werden. Ausgehend von der Ausgangsposition, dem 90°-Winkel zwischen Unterschenkel und Fuß, zeigt der Winkelmesser (Goniometer) bei der Dorsalextension 80° (= 90° - 10°) und bei der Plantarflexion 110° (= 90° + 20°). In Neutralstellung des Talo-Crural-Gelenks befindet sich der Fuß in Beziehung zum Unterschenkel weder in dorsalextendierter noch in plantarflektierter Stellung (= 90°-Winkel). **Es wird eine größere Dorsalextension im Talo-Crural-Gelenk festzustellen sein, wenn das STG- und Chopart-Gelenk proniert sind.**

Kurz bevor die Ferse vom Boden abhebt müssen 10° Dorsalextension im Talo-Crural-Gelenk vorhanden sein. Die Kniebeuge befindet sich dann direkt über dem Fuß.

Es können Unterschiede in der Achsenrichtung des Talo-Crural-Gelenks vorkommen. In solchen Fällen wird sich eine deutlichere Adduktion des Fußes durch Plantarflexion und Abduktion des Fußes durch Dorsalextension zeigen.

Normalerweise besteht eine geringfügige Bewegung in der Frontal- bzw. Transversal-Ebene, wenn das Talo-Crural-Gelenk eine Dorsalextension (mit Abduktion) bzw. Plantarflexion (mit Adduktion) ausführt. Die Bewegung des Talo-Crural-Gelenks in diesen Ebenen übt einen dämpfenden Effekt auf die Rotation des Unterschenkels während der Gangabwicklung aus.

Die Bewegung des Talo-Crural-Gelenks bei Intertarsaler Gelenkmobilität

Die Dorsalextension des Talo-Crural-Gelenks bei Intertarsaler Gelenkmobilität entsteht, wenn sich **der Vorfuß frei zur vorderen Fläche des Unterschenkels hin bewegen kann.** Das ist der Fall, wenn im Stand nur der Vorfuß vom Boden abgehoben wird. Die gleiche Bedingung entsteht, wenn sich allein der Vorfuß auf einer Treppenstufe befindet und sich die Ferse frei nach plantar bewegen kann.

Die Plantarflexion des Talo-Crural-Gelenks bei Intertarsaler Gelenkmobilität entsteht, wenn sich **der Vorfuß frei von der vorderen Fläche des Unterschenkels weg bewegen kann.** Diese Bedingung ist vorhanden, wenn nur die Ferse auf einer Treppenstufe steht und sich der Vorfuß auf tieferer Ebene als die Stufe befindet. Ebenso besteht eine Intertarsale Gelenkmobilität des Talo-Crural-Gelenks, wenn sich der Fuß in den Zehenstand erhebt und sich die Ferse frei nach dorsal bewegen kann.

Die Bewegung des Talo-Crural-Gelenks bei Intertarsaler Gelenkstabilität

Die Dorsalextension des Talo-Crural-Gelenks bei Intertarsaler Gelenkstabilität entsteht, wenn der Fuß unbewegt bleibt und sich die vordere (anteriore) Fläche des Beines frei zum Fußrücken hin bewegen kann. Diese Bewegung im Talo-Crural-Gelenk tritt ein, wenn die **Tibia im Stand durch Beugung des Knies** bewegt wird.

Die Plantarflexion des Talo-Crural-Gelenks bei Intertarsaler Gelenkstabilität entsteht, wenn der Fuß unbewegt bleibt und sich die vordere (anteriore) Fläche des Beines frei vom Fußrücken weg bewegen kann. Diese Bewegung im Talo-Crural-Gelenk tritt ein, wenn die **Tibia im Stand durch Streckung des Knies** bewegt wird.

2

Untersuchungen

1. Die Fußuntersuchung
2. Klinische Untersuchung
3. Biomechanische Untersuchung

2.1 Die Fußuntersuchung

Eine Fußbehandlung sollte mit der Absicht durchgeführt werden, die Beschwerden des Patienten nach Möglichkeit zu beseitigen oder zu lindern. Dieses Ziel kann erreicht werden, wenn man die Ursache der Fehlbelastung kennt und danach ein Behandlungskonzept erstellen kann.

Noch heute richtet sich das Konzept für die Fußuntersuchung – bis auf wenige Ausnahmen – nach der von den Autoren Merton Root, William Orien und John Weed im Jahr 1946 entwickelten „Biomechanik des Fußes". Es empfiehlt sich immer die vollständige Biomechanik des Fußes zu erfassen und die Untersuchungen dazu möglichst nicht abzukürzen.

2.1.1 Übersicht der Inhalte einer Biomechanischen Fußuntersuchung:

1. **Anamnese** (durch Befragung und Dokumentation)
2. **Inspektion** (Es werden Gang, Haltung, Schwellungen, Hautveränderungen ... erfasst.)
3. **Klinische Untersuchung** (Endgefühl, Muskelfunktion, Beinlängenunterschied ... werden dokumentiert).
4. **Biomechanische Messung** (Messung des Bewegungsumfangs der Gelenke, Bestimmung der Neutralstellung des Fußes, Malleolartorsion ... in der Hauptsache zur Herstellung von Orthosen.)
5. **Ganganalyse** (zur Absicherung des Befundes, als Hilfe zur Befunderstellung ...)
6. **Ergebnisauswertung/Bericht**
7. **Maßnahmen zur Behebung der Fußbeschwerden**
   - selbst (Podologe)
   - andere (interdisziplinär)

1. Anamnese

Bei der Befragung des Patienten geht es, neben den persönlichen Daten in erster Linie um **seine** Beschwerden, welche er so genau wie möglich schildern sollte. Eine nicht neutrale Fragestellung (z. B. die Vorgabe bestimmter Symptome) kann das sonst typische Krankheitsbild verfälschen.

Die Anamnese bietet dem Therapeuten durch sein Wissen über pathophysiologische Zusammenhänge eine Vorahnung für die Krankheitsursache. Sie muss durch die Biomechanische Untersuchung eingegrenzt und eventuell bestätigt werden.

Die nachfolgende **Dokumentation der Anamnese** ist ein Vorschlag, um die Befragung des Patienten sicherer nachvollziehen zu können – auch im Hinblick auf einen Abschlussbericht.

Die Intensität der Schmerzempfindung kann durch den Patienten auf der Schmerzskala in dem Anamnesebogen selbst eingetragen werden. Eine andere Möglichkeit ist, die von einigen Pharma-Firmen entwickelte separate Schmerzskala zu verwenden und anschließend den Wert in den Anamnesebogen zu übertragen.

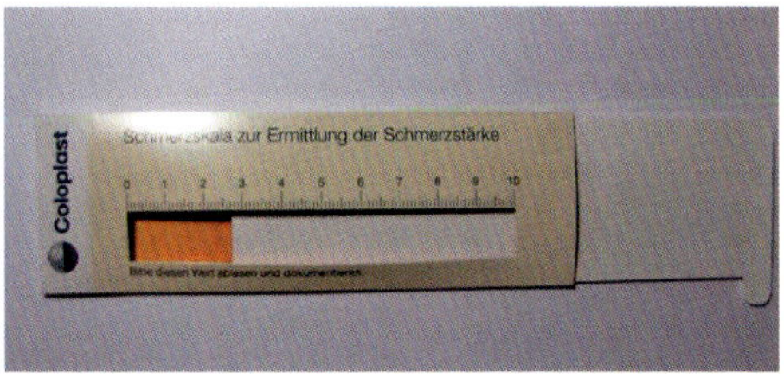

Abb. 2.1.1: Schmerzskala, um die empfundene Schmerzintensität durch den Patienten leichter ausdrücken zu können. Da ein Gefühl mit Worten schwer zu beschreiben ist, besteht hier die Möglichkeit der visuell dargestellten Schmerzempfindung. Je mehr rote Fläche durch Herausziehen der Lasche (rechts) sichtbar wird, desto stärker die Schmerzempfindung.

Fragebogen zur Anamnese **Datum:**

Name:	Geb.
Adresse:	Tel.:
Krankenkasse:	Behandelnder Arzt:

Spezielle Anamnese / Schmerzverhalten

Beruf / Aktivitäten	
Lokalisation: (Wo?)	
Ausstrahlung: (wohin?)	
Seit wann:	
Entstehung: (Wodurch?)	
Schmerzart: (stechend, ziehend, brennend ..)	
Was wirkt: schmerzverstärkend: schmerzlindernd:	
Schmerzskala: (durch den Patienten zu markieren / X) **0= keine Schmerzen** **100= unerträgliche Schmerzen**	**0--------------------------------------100**
Bewegungsstörungen: (Einschränkungen, Blockaden...)	
Gefühlsstörungen: (Taubheit, Kribbeln...)	
Bisherige Therapien (Physiotherapie ......):	

Ergänzende Anamnese

Röntgenaufnahmen vorhanden?
Systemische Erkrankungen: (Diabetes...)
Durchblutung ....:
Weitere Anmerkungen

Abb. 2.1.2: Vorschlag für einen Anamnese-Bogen zur Biomechanischen Untersuchung der unteren Extremitäten

2. Inspektion

Bei der Inspektion wird hauptsächlich ein Sichtbefund durchgeführt. Er betrifft u. a. das Gangbild des Patienten, die Körperhaltung und -konturen sowie den Zustand der Haut.

Durch die Palpation (Tastbefund) können die Durchblutungssituation (Pulse ...) oder Schwellungen von anderen Veränderungen abgegrenzt werden. Eine Dokumentation der Inspektion des Patienten ist empfehlenswert.

Allgemeine Inspektion	**Name:**	**Datum:**
Gang, Körperhaltung:		
Konstitution, Gewicht:		
Hilfsmittel (Gehstützen, Bandagen, Tape...):		

Statik der Stütz und Bewegungsorgane und Palpation

Achsabweichungen:
Bandabsicherungen:
Muskelrelief: (Atrophie...)

Lokalbefund:

Haut: (Farbe, Schwellungen, Temperatur, Traumen, Narben, Feuchtigkeit...) Hautanhangsgebilde:
Druckschmerz:
Clavi, Callositas...:
Gelenk: (Exostosen, Bursitis...)
Fußdeformitäten: (Hallux valgus, Fehlstellungen...)

Schuhinspektion

Schuhtyp / Schuhzurichtungen:
Abnutzungsmuster:
Welche Einlagen: (Lavigne, Bourdiol /sensomotorisch)

Weiterführende Inspektion

Blauabdruck der Füße: (dynamisch, statisch)

Abb. 2.1.3: Vorschlag für die Dokumentation einer Inspektion der unteren Extremitäten

Zusammenfassung der Informationen

- Welche äußerlichen Einflüsse (Infektionen, Einlagen, Schuhe ...) können an den Beschwerden mitbeteiligt sein?
- Welche Vorerkrankungen (genetische Prädisposition, Diabetes, Rheuma ...) können mitverantwortlich sein?
- Welche Gelenke und Muskeln befinden sich in dem betroffenen Gebiet?
- Welche Strukturen (Bandabsicherungen ...) können geschädigt sein?
- Welche systemischen (organisch bedingten) Einflüsse (auch Medikamente) wirken evtl. an der Erkrankung mit?

2.2 Klinische Untersuchung

Nach der Anamnese und Inspektion werden im belasteten bzw. unbelasteten Zustand Funktionstests durchgeführt. Sie gehören zu dem klinischen Untersuchungsabschnitt, der u. a. die Funktion der Muskulatur, den Bewegungsumfang und das Endgefühl der Gelenke betrifft. Die Auswertung dieser Untersuchung entscheidet letztendlich über die Problemlösung bei dem Patienten. Kann der Podologe selbst dazu beitragen oder müssen andere Berufsgruppen (Arzt, Physiotherapeut, Orthopädieschuhmacher ...) hinzugezogen werden? Ist die Hilfe durch eine Orthose möglich, schließt sich eine biomechanische Messung an. Die Ergebnisse der Untersuchung lassen sich zum Teil in der Ganganalyse wiederfinden.

Der nachfolgende Dokumentationsbogen stellt die Inhalte sowie die Normwerte der klinischen Untersuchung dar. Die genannten Normwerte müssen vom Untersuchenden nicht nachgemessen werden. Sie sind in diesem Untersuchungsabschnitt als Anhaltspunkte zu verstehen.

Die Normwerte – falls erforderlich – finden im allgemeinen keine Erwähnung im Original des Dokumentationsbogens.

Inhalte und Normwerte der Klinischen Untersuchung

❶ Beweglichkeit der Gelenke am Fuß

	Rechts / Links
Dorsalextension (TCG)	> 10°
Plantarflexion (TCG)	40° - 70°
Chopart-Gelenk	Längsachse: 5°-7° / Querachse: größerer Bewegungsumfang
Lisfranc-Gelenk	wenig
Subtalar-Gelenk	Pronation 10° / Supination 20°
1.Strahl	10 - 12mm (gesamter Bewegungsumfang)
Metatarso-Phalangeal-Gelenk 1	Dorsalextension ca. 40° Plantarflexion 20° (beide Werte in Bezug zur Longitudinalachse des 1. Metatarsale)
Metatarso-Phalangeal-Gelenke 2 bis 5	Dorsalextension ca.40° Plantarflexion 20° (beide Werte in Bezug zur Longitudinalachse der betreffenden Metatarsalen)
Bandabsicherungen	Schubladentest Varus-Klick-Test

TCG = Talo crural Gelenk (oberes Sprunggelenk)

❷ Widerstand der Fußmuskulatur

	Rechts / Links
Dorsalextens./ ADD/Inversion	Widerstand der Muskulatur (*)
Dorsalextens./ ABD/Eversion	Widerstand der Muskulatur (*)
Plantarflex. /ADD/Inversion	Widerstand der Muskulatur (*)
Plantarflex. /ABD/Eversion	Widerstand der Muskulatur (*)

ADD=Adduktion ABD=Abduktion (*siehe dazu besonderes Schema für Muskeltests)

❸ Hüftgelenk (Transversalebene)

	Rechts / Links
Innenrotation (mit gebeugtem Knie)	45°
Aussenrotation (mit gebeugtem Knie)	45°

❹ Streckung der Hüftmuskulatur (Hamstrings)

	Rechts / Links
Ober- und Untersch	180° (ideal)

❺ Beinlängen Differenz

	Rechts / Links
Oberschenkel	Ausgleich, wenn > 10 mm
Unterschenkel	Ausgleich, wenn > 10 mm

❻ Stellung der Hüfte

	Rechts / Links
Differenz	cm

❼ Neurologisches System

	Rechts / Links
Sensibilität am Fuß	8/8 (Stimmgabeltest nach Rydel-Seiffer)

❽ Hochzehenstand

Rechts / Links
Fußstellung: Ferse Supination/Vorfuß Pronation

❾ Schuhinspektion

Abrieb der Laufsohle, des Absatzes
Schuhtyp **(Sportschuhe, Gesundheitsschuhe ...)**
Innenmessung **(Vergleich Fußabdruck Schuhumriss)**

Verfahren der klinischen Untersuchung
(Nennung in der Reihenfolge des Dokumentationsbogens)

❶ Beweglichkeit der Gelenke am Fuß
Lage des Patienten: sitzend
Passive Bewegungen des Talo-Crural-Gelenks, Chopart-Gelenks, Lisfranc-Gelenks, Subtalar-Gelenks, der Zehengrundgelenke ...

Jene Gelenke sind mit der Hand zu stabilisieren, die sich nicht mitbewegen sollen.

Für die Beweglichkeit gibt es für jedes Gelenk ein normales oder ein pathologisches **Endgefühl**. Wenn ein Gelenk innerhalb seiner Bewegungsrichtung elastisch sein muss, dies aber durch ein hartes Endgefühl gestoppt wird, liegt ein pathologischer Zustand vor (z. B. Exostose).

Endgefühlarten:

- **weiches Endgefühl**
Beispiel: Das Subtalar-Gelenk (STG) lässt sich geschmeidig bewegen. Es gibt in der Regel keine spürbare Behinderung, wenn das Gelenk über seine Neutralstellung hinweg bewegt wird.

- **elastisches Endgefühl**
Beispiel: Das Talo-Crural-Gelenk und Großzehengrundgelenk wird bei Dorsalextension (ohne pathologische Veränderung des Gelenks) durch die Spannung der Muskulatur/Bänder begrenzt.

- **hartes Endgefühl**
Beispiel: Das Talo-Crural-Gelenk erfährt bei maximaler Plantarflexion eine natürliche knöcherne Begrenzung von Talus und Tibia (posterior).

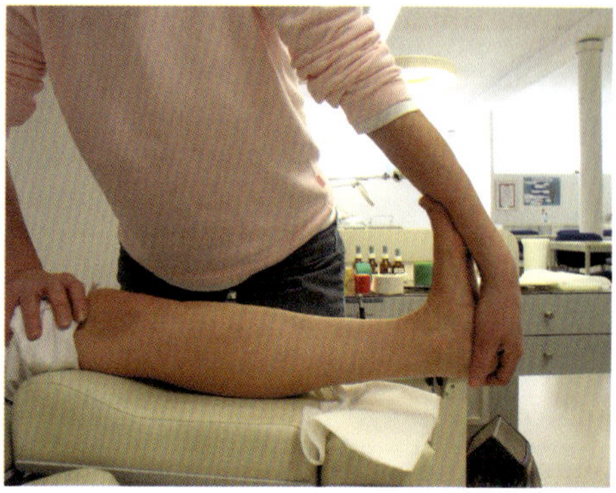

*Abb. 2.2.1: **Talo-Crural-Gelenk**/TCG (oberes Sprunggelenk)*
Dorsalextension des TCG bei gestrecktem Knie
Test auf Einschränkung der Dorsalextension durch Spannung des M. triceps surae bzw. M. gastrocnemius

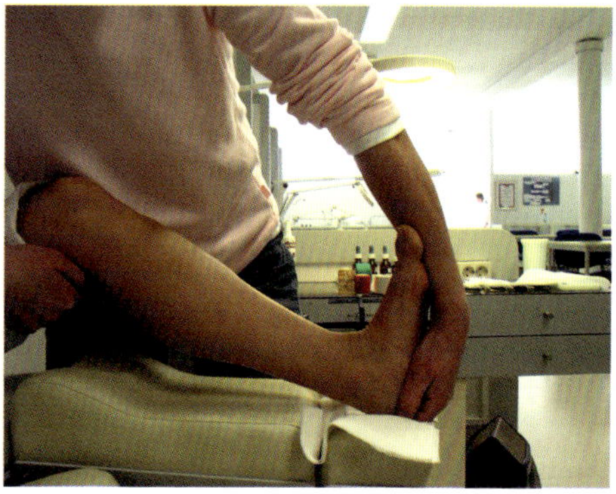

Abb. 2.2.2: Dorsalextension des TCG bei gebeugtem Knie. Hiermit erreicht man eine Differenzierung der eingeschränkten Dorsalextension, indem der Zug des M. gastrocnemius durch die Beugung des Knies entlastet wird. Ist danach die erforderliche Dorsalextension von 10° möglich, kann die Beteiligung des M. soleus an der eingeschränkten Bewegung ausgeschlossen werden.

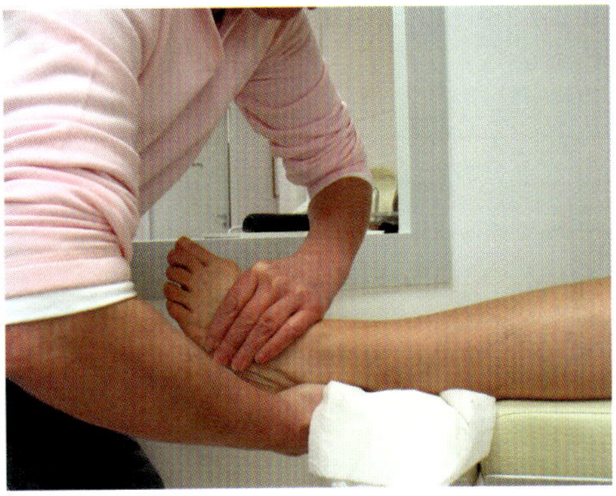

Abb. 2.2.3: ***Chopart-Gelenk*** *(Quergelenk)*
Beim linken Fuß wird die Ferse mit der rechten Hand fixiert und mit der linken Hand von medial der Bereich Kahn- und Würfelbein (Os naviculare und Os cuboideum) bewegt. (Als Orientierungshilfe ist der Gelenkspalt zwischen dem Os naviculare und dem Taluskopf oder dem plantar medialen Knochenvorsprung des Kahnbeins (Tuberositas ossis navicularis) von außen zu ertasten.) Beim rechten Fuß verfährt man umgekehrt: linke Hand fixiert die Ferse, rechte Hand bewegt von medial das Chopart-Gelenk.

Anmerkung:
Ein **Charcot-Fuß** ist oft Folge der Subluxation des Chopart-Gelenks und Senkung des medialen Fußgewölbes. Gleichzeitig sind Rötung und Schwellung des betroffenen Gebietes vorhanden.

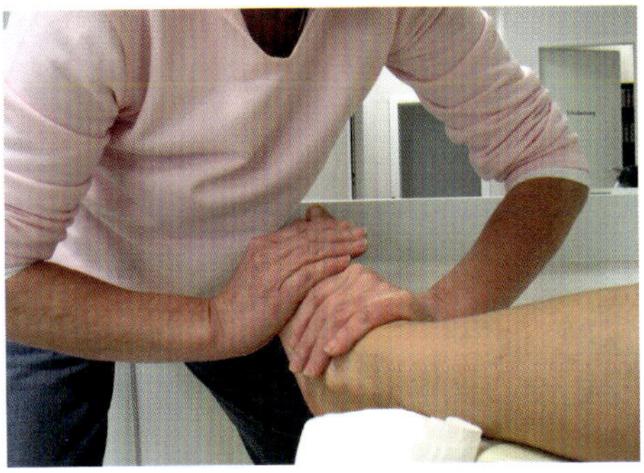

Abb. 2.2.4 ***Lisfranc-Gelenk***
Am linken Fuß gleitet die linke Hand (im Anschluss an den Chopart-Gelenk-Test) nach posterior zur Beuge des Talo-Crural-Gelenks. Die rechte Hand prüft danach den Bewegungsumfang des Lisfranc-Gelenks. Umgekehrt gleitet am rechten Fuß die rechte Hand zur Beuge des Talo-Crural-Gelenks und die linke Hand prüft den Bewegungsumfang des Lisfranc-Gelenks.

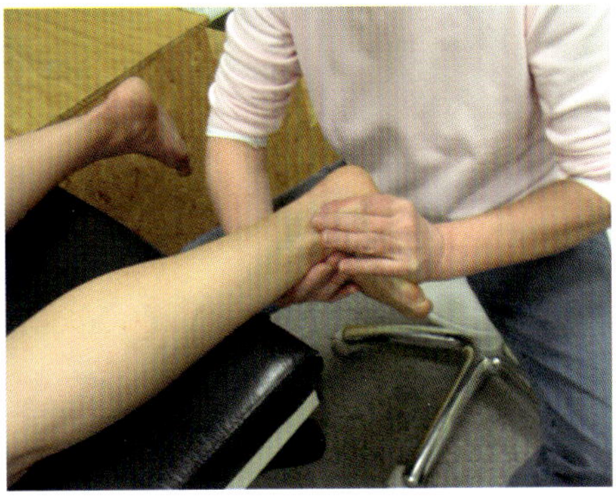

Abb. 2.2.5 ***Subtalar-Gelenk****/STG (unteres Sprunggelenk)*
Test hier in Bauchlage des Patienten. Der Unterschenkel wird beim linken Fuß mit der rechten Hand fixiert. Die linke Hand prüft den Bewegungsumfang der Ferse. Beim rechten Fuß geht man umgekehrt vor: Fixierung des distalen Unterschenkels mit der linken Hand, die rechte Hand prüft den Bewegungsumfang der Ferse.

Unterschiedliche Methoden zur Bestimmung der Neutralstellung des Subtalar-Gelenks (STG)
A) Palpation (Ertasten) 1
Die Lage des Taluskopfes kann distal-anterior zwischen beiden Malleolen ertastet werden. Eine Neutralstellung besteht, wenn die medialen und lateralen Kanten des Talus kongruent sind und eine gleiche Konkavität mit dem Calcaneus aufweisen.

Mit der Supination des STG vergrößert sich die Konkavität medial und entwickelt auf der lateralen Seite eine Konvexität am Gelenk.

Mit der Pronation des STG vergrößert sich die Konkavität auf der lateralen Seite des Gelenks und entwickelt auf der medialen Seite eine Konvexität am Gelenk.

Wenn die Seiten des Gelenks kongruent verlaufen, besteht eine gleiche Konkavität auf der medialen und lateralen Seite. Das STG befindet sich in Neutralstellung.

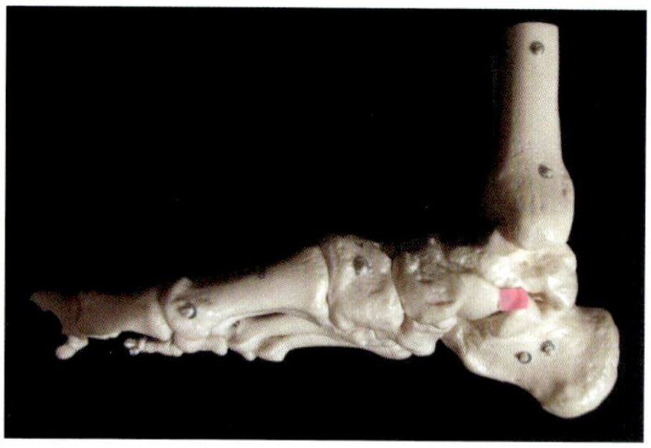

Abb. 2.2.6: medialer Tastbereich für STG Neutralstellung (roter Punkt)

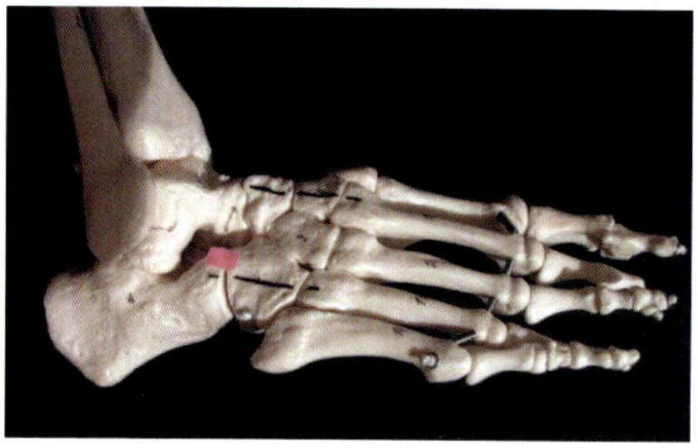

Abb. 2.2.7: lateraler Tastbereich für STG Neutralstellung (roter Punkt)

Die Messung des Bewegungsumfangs der Ferse (z. B. bei der Fußuntersuchung) gibt keinen Aufschluss über die tatsächliche Supinations-/Pronationsbewegung des STG.

Die Inversion/Eversion der Ferse gibt nur Auskunft über die Supination/Pronation des STG in der Frontal-Ebene. Es ist bisher keine Methode bekannt, welche zur Messung auch die beiden anderen Ebenen mit einbezieht. (siehe auch: Funktionen des Subtalar-Gelenks)

B) Palpation (Ertasten) 2

Eine weniger genaue Methode zur Bestimmung der Neutralstellung des Subtalar-Gelenks ist das Ertasten des Talo-navicular-Gelenks. Die Beziehung des Taluskopfes zum Os naviculare ist keine zuverlässige Deutung für die STG-Position. Obwohl sich der Taluskopf in Bezug zum Os naviculare bei der Pronation nach medial und mit der Supination des STG nach lateral bewegt, ist dieser Zusammenhang nicht grundsätzlich widerspruchsfrei.

Widersprüchlichkeiten entstehen dadurch, dass bei dem Metatarsus-rectus- und dem Metatarsus-adductus-Fußtyp ein Unterschied in der Stellung des Taluskopfes zum Os naviculare besteht.

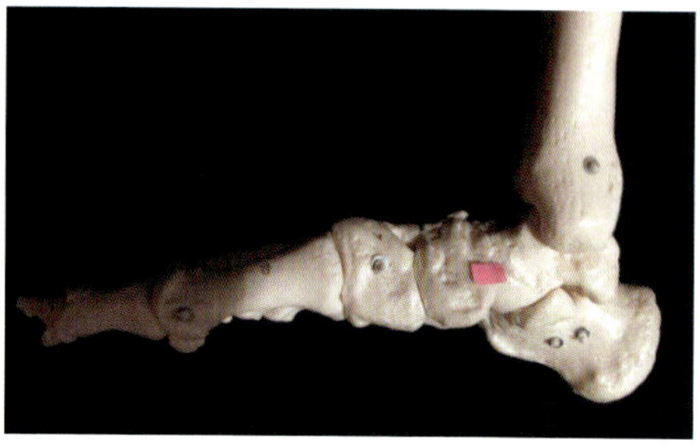

Abb. 2.2.8: Palpation am Talo-navicular-Gelenk (roter Punkt)

C) Sichtbeurteilung

Wenn sich das STG in Neutralstellung befindet, sollten sich oberhalb wie unterhalb des lateralen Malleolus gleiche konkave Linien am Fuß zeigen. Diese Betrachtung ist hinfällig bei Patienten mit Ödemen oder ähnlichen, mit Schwellung verbundenen, Gewebsveränderungen.

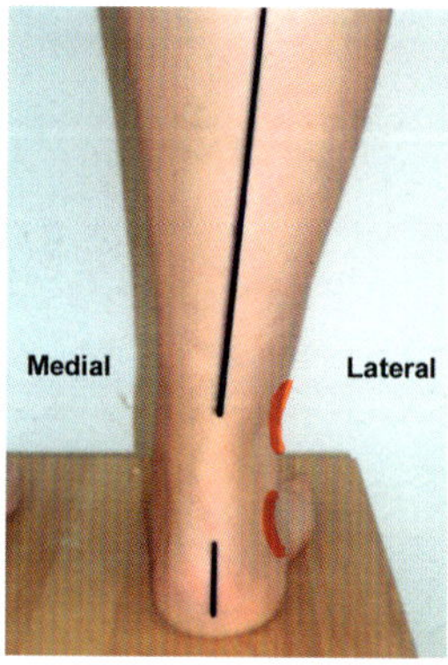

Abb. 2.2.9: gleiche konkave Linien oberhalb und unterhalb des lateralen Malleolus

Bei Pronation stellt sich die Konkavität distal des lateralen Malleolus tiefer und evertierter dar als proximal des lateralen Malleolus.

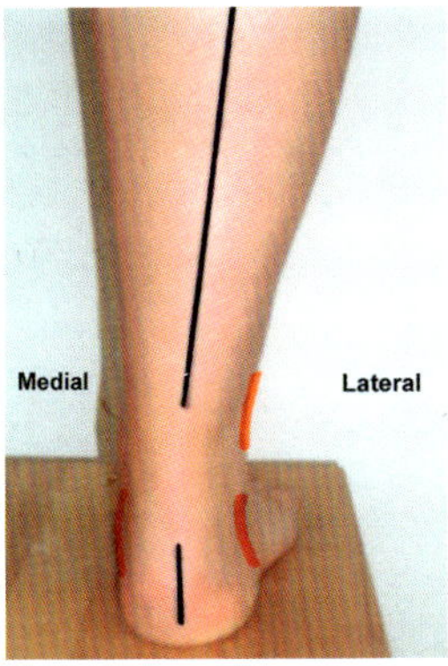

Abb. 2.2.10: Bei Pronation entsteht eine tiefere Konkavität distal des lateralen Malleolus.

Bei Supination stellt sich die laterale Seite proximal und distal des Malleolus weniger konkav (langer Radius der Linienkurve) dar.

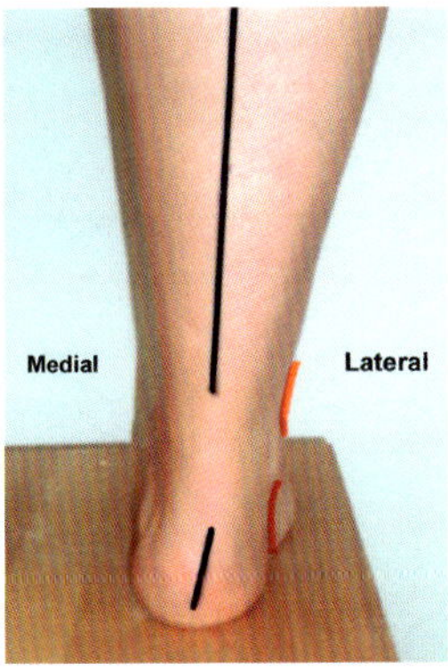

Abb. 2.2.11: Bei Supination entsteht ein langer Radius der Linienkurven proximal und distal des Malleolus.

D) Durch Beurteilung der Vertiefung, die durch die Bewegung des STG entsteht

Das STG befindet sich in Neutralstellung, wenn der Fuß in Beziehung zur Transversal-Ebene seine Richtung ändert (aus der Frontal-Ebene des Betrachters).

E) Durch Messung des STG Bewegungsumfangs

Wenn das STG den Wert von 1/3 seines gesamten Bewegungsumfangs einnimmt, befindet es sich in Neutralstellung. (siehe Berechnungs-Beispiele zur Bestimmung der Neutralstellung in Kapitel 1.2, Neutralstellung des STG)

Alle oben genannten Beschreibungen (A – E) dienen der Bestimmung der Neutralstellung des Subtalar-Gelenks. Es ist notwenig alle fünf Methoden zu kennen, falls eine der Methoden nicht anwendbar ist.

Anmerkung:
Kompensation bei eingeschränkter Bewegung des Subtalar-Gelenks (STG)

Falls keine Bewegung im STG möglich ist, gibt es kein anderes Gelenk, was diese Bewegung am Fuß möglich macht. Da der Bewegungsumfang des Chopart-Gelenks für eine Kompensation nicht ausreicht, kann nur noch das Hüftgelenk die Bewegung in der Frontal-Ebene zur Verfügung stellen. Wenn das STG in Varus-Stellung versteift ist, muss das Bein abduziert werden, um den Vorfuß in Bodenkontakt zu bringen. Ständige Abduktion des Beines ist sehr ermüdend, sodass die Betroffenen meist auf die laterale Fußseite ausweichen und dort die Überlastung der Fußseite tolerieren.

Das STG ist auch verantwortlich für die Bewegung in der Transversal-Ebene. Wenn das STG keine Drehung des Unterschenkels zulässt, muss sich das Bein in der Hüfte drehen. Die Drehung der Hüfte wird durch einen abduzierten Gang erleichtert. Bei Fersenkontakt berührt der Fuß abduziert den Boden, weil der Oberschenkel nach außen gedreht ist.

1. Strahl

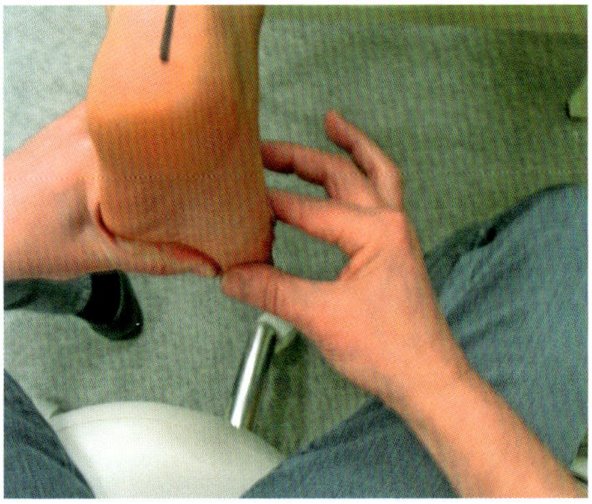

Abb. 2.2.12: Test in Bauchlage des Patienten Das STG befindet sich dabei in Neutralstellung und das Chopart-Gelenk ist vollständig proniert.

Beim linken Fuß wird der Bewegungsumfang des 1. Strahls gemessen, indem die Daumenfläche der linken Hand plantar gegen die Metatarsalköpfchen 2 bis 5 gehalten wird. Der Zeigefinger der gleichen Hand fixiert die Metatarsalköpfchen von dorsal, sodass sie in gleicher Ebene gehalten werden können. Daumen und Zeigefinger der anderen Hand fassen das 1. Metatarsalköpfchen und bewegen damit den 1. Strahl.

Durch Vergleich der Daumenlage (oder Lage der Daumennägel) sollten 5 mm Dorsalextension und 5 mm Plantarflexion vorhanden sein. Die Daumen werden normalerweise im rechten Winkel zur Ferse gehalten. Wenn ein Vorfuß varus oder -valgus besteht, orientiert sich die rechtwinkelige Daumenlage an der Mittellinie der Ferse.

Anmerkung:
Folgen der operativen Entfernung des 1. Strahls

Wenn der 1. Strahl entfernt wurde, verlagert sich die Belastung des Vorfußes mehr nach lateral. Durch den Bodenwiderstand erhöht sich dabei das Kraftmoment für die Pronation. Die Probleme des Fußes werden deshalb durch übermäßige Pronation auftreten. Während des Gehens ist – durch den fehlenden Windlass-Effekt – keine Supination mehr möglich.

Hallux Dorsalextension

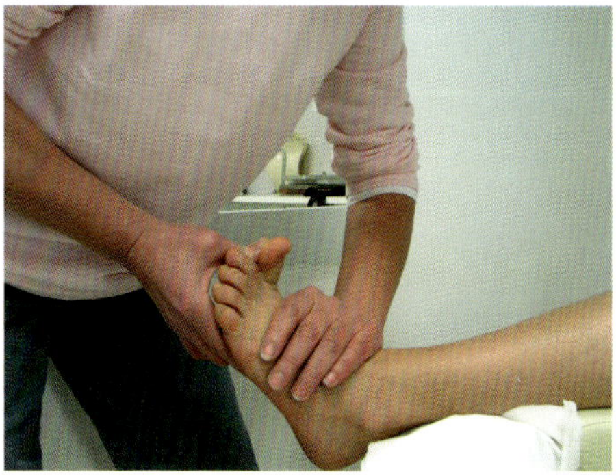

Abb. 2.2.13: Die Grundphalanx der Großzehe wird bewegt und der 1. Metatarsale fixiert.

Kleinzehengrundgelenke

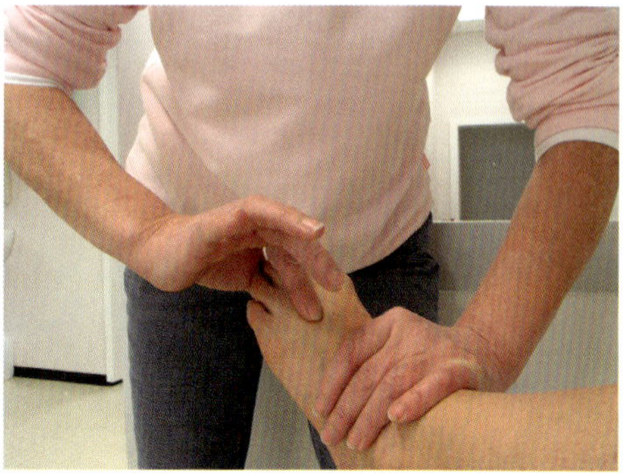

Abb. 2.2.14: Die Grundphalanx der Kleinzehen wird bewegt und die zugehörigen Metatarsale fixiert.

Anmerkung:
Folgen bei Verlust der Bewegung in den Metatarso-Phalangeal-Gelenken

Die Metatarso-Phalangeal-Gelenke haben dann ihre Bedeutung, wenn die Ferse während der Gangabwicklung vom Boden abhebt. Die Bewegung wird zu dem Zeitpunkt primär über das Großzehengrundgelenk bzw. auch über die Kleinzehen weitergeführt. Wenn das 1. Metatarso-Phalangeal-Gelenk während der Schrittabwicklung nicht dorsalextendieren kann, verläuft die Abrollbewegung über die Kleinzehen. Dies kann zu Schädigungen der Interphalangeal-Gelenke oder auch zu Ulzerationen der Haut führen. Bei einem gesunden Fuß verteilt sich die Gewichtsbelastung auf alle Metatarsalköpfchen. Mit den Zehen wird u. a. das Gleichgewicht des Körpers gehalten.

Folgen der Amputation des 5. Strahls

Durch diese Operation verliert der Vorfuß sein Kraftmoment für die Pronation und knickt leicht nach lateral um.

Bandabsicherungen

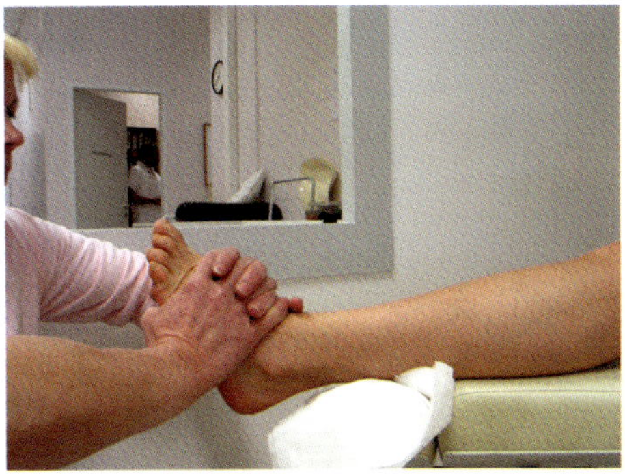

Abb. 2.2.15: Test für die Festigkeit des Talo-Crural-Gelenks (oberes Sprunggelenk) durch Traktion des oberen Sprunggelenks. Der Vorfuß wird mit beiden Händen umfasst und ruckartig zum Untersuchenden gezogen.

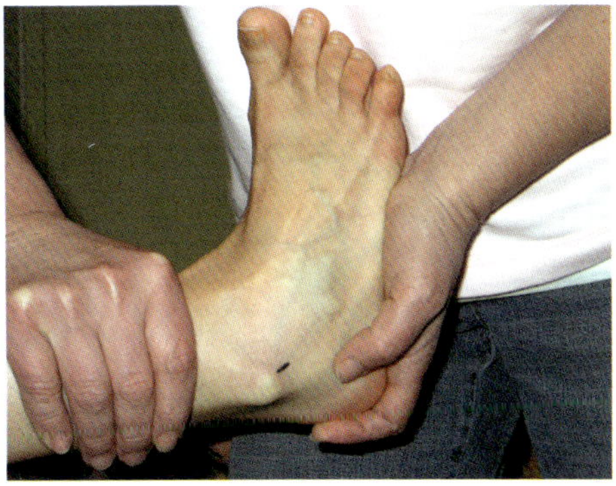

Abb. 2.2.16: Test für die Festigkeit des Ligamentum calcaneofibulare durch den Varus-Klick-Test. Beim rechten Fuß fixiert die rechte Hand den Unterschenkel. Die linke Hand bewegt den Fuß nach medial. Bei Bänderschwäche entsteht ein fühlbarer „Klick":

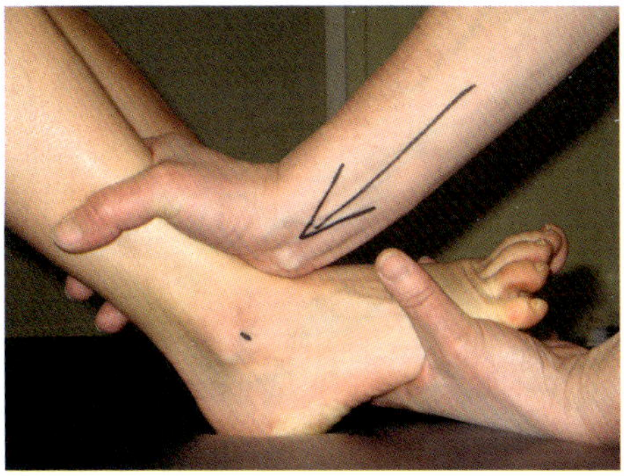

Abb. 2.2.17: a) Test für die Festigkeit des Ligamentum talofibulare anterius (vorderer Schubladentest)

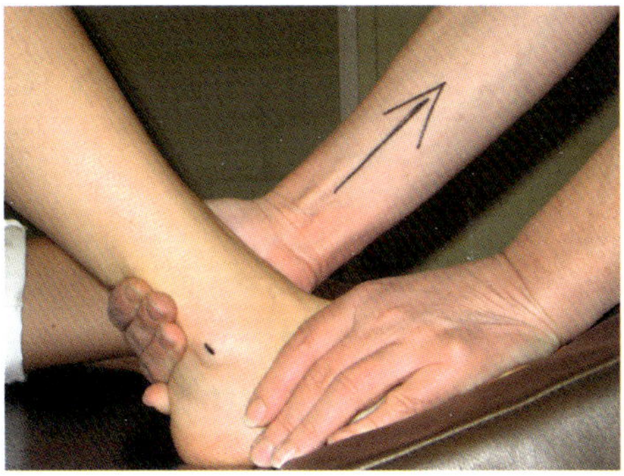

Abb. 2.2.18: b) Test für die Festigkeit des Ligamentum talofibulare posterius (hinterer Schubladentest)

Die hintere/vordere Bandabsicherung des Talo-Crural-Gelenks wird z. B. durch Verschieben des Gelenks innerhalb der Malleolen-Gabel getestet. Der Fuß wird hierbei in einer ca. 90°-Stellung mit einer Hand fixiert und mit der anderen Hand im Bereich des oberen Sprunggelenks der Unterschenkel nach posterior (a) oder anterior (b) gedrückt.

❷ **Muskeltest (Widerstand der Muskulatur)**

Lage des Patienten: sitzend oder auf dem Rücken. Der Therapeut versucht gegen den Widerstand der Muskulatur des Patienten die dorsalextendierte, adduzierte ... Stellung des Fußes aufzuheben. Ein Schema für die Testung der Fußmuskulatur des Patienten ist unten angegeben. Die Plantarflexion ist nur bei auffälliger Atrophie der Beugemuskulatur zu testen.

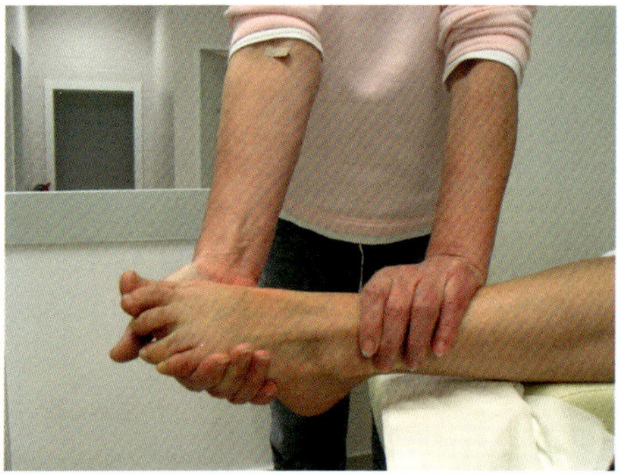

Abb. 2.2.19: Test der M.peroneus (M. fibularis) Gruppe
Der Patient bewegt seinen Fuß in Plantarflexion, Abduktion und Eversion. Der Therapeut testet den Widerstand (die Kraft) der Muskulatur durch Aufhebung (Gegenzug) dieser Bewegung.

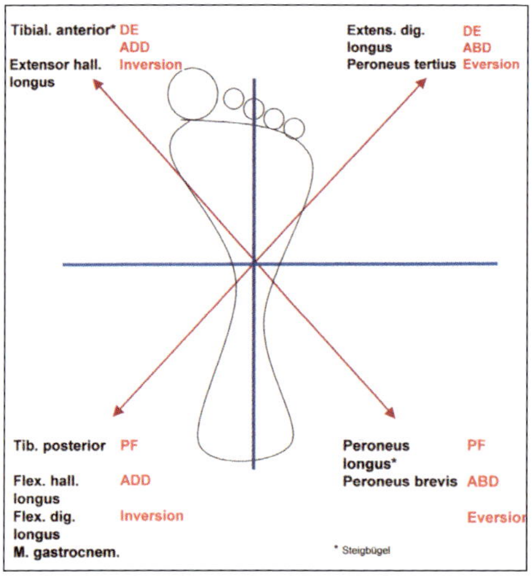

Abb. 2.2.20: Schema für Muskeltestungen
DE = Dorsalextension, PF = Plantarflexion, ADD = Adduktion, ABD = Abduktion

Erläuterung zur Abb. 2.2.20:
Die Dorsalextensionsbewegungen befinden sich in der oberen, die Plantarflexionsbewegungen in der unteren Hälfte des Schemas. Ebenso entsprechen die Adduktionen in der linken Hälfte und die Abduktionen in der rechten Hälfte des Schemas den Bewegungen des Fußes mit der beteiligten Muskulatur. Die Muskulatur der Peroneusgruppe im unteren rechten Viertel des Schemas würde den Fuß folglich plantarflektieren, evertieren und abduzieren.

Ein Bespiel für die Bedeutung des Muskeltests ist der M. tibialis posterior, ein sehr wichtiger Muskel für die Supination des Fußes. Bei einer Dysfunktion dieses Muskels senkt sich das mediale Fußgewölbe ab und der Vorfuß verschiebt sich in der Transversal-Ebene nach lateral.

❸ **Hüftgelenk (Bewegungen in der Transversal-Ebene)**

Lage des Patienten: sitzend oder auf dem Rücken bei rechtwinkeliger Stellung des Knies

- nach außen = Innenrotation der Hüfte
- nach innen = Außenrotation der Hüfte

Normwerte: ca. 45°. **Schätzung dieses Wertes ist ausreichend.**

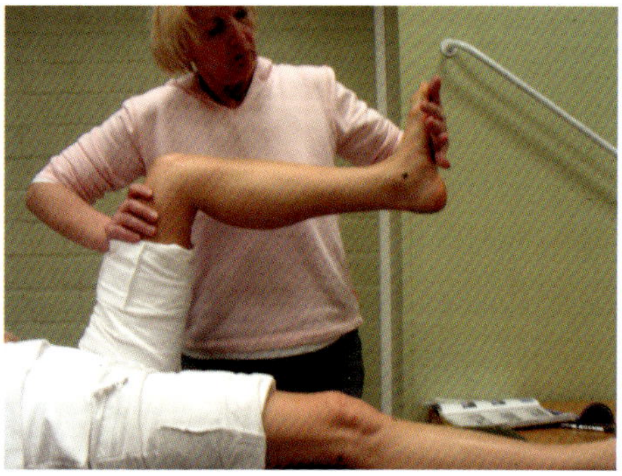

Abb. 2.2.21: Test der Innen- und Außenrotation der Hüfte mit rechtwinkeliger Stellung des Knies

❹ Streckung der hinteren Oberschenkelmuskulatur (Hamstrings)

Lage des Patienten: auf dem Rücken

Das Bein (Ober- und Unterschenkel) wird passiv bis zum Muskelwiderstand angehoben (totale Streckung des Unterschenkels/Oberschenkels = 180°). Dabei darf sich das gegenüberliegende Bein bei der Untersuchung nicht von der Unterfläche abheben (Mitbewegung der gegenüberliegenden Hüfte ergibt falschen Wert).

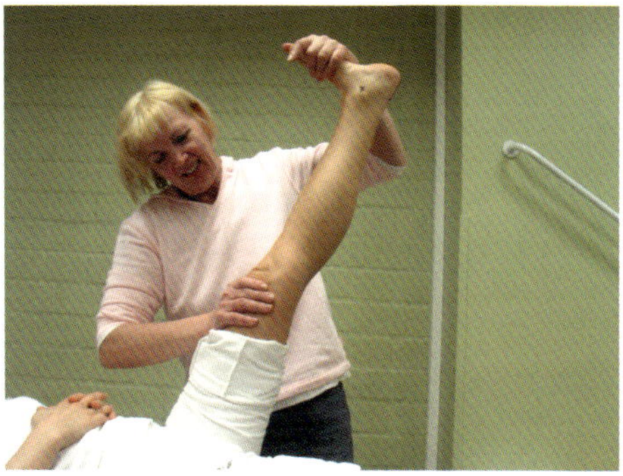

*Abb. 2.2.22: Streckung der hinteren Oberschenkelmuskulatur. Selten wird bei gestrecktem Knie eine 180°Stellung erreicht. In vielen Fällen ist die hintere Oberschenkelmuskulatur (englisch: **Hamstrings**) verkürzt und das Bein nicht vollständig zu strecken.*

❺ Längendifferenz des Unterschenkels/Oberschenkels

Lage des Patienten: auf dem Rücken, angewinkeltes Knie.

Vorstehendes Knie bedeutet längerer Oberschenkel. Unterschiedliche Kniehöhe bedeutet unterschiedliche Unterschenkellänge.

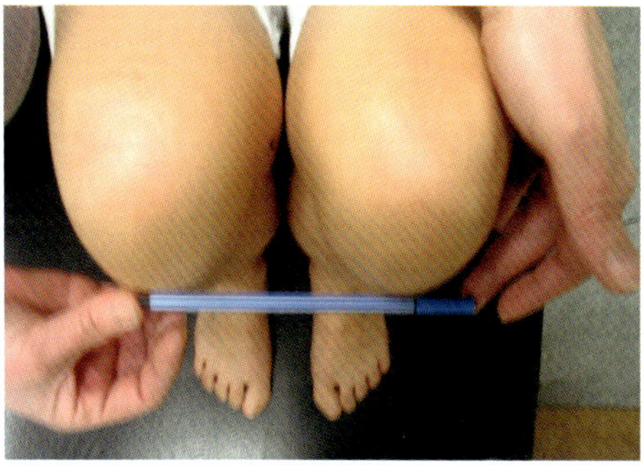

Abb. 2.2.23: Sichtbefund beim Test auf unterschiedliche Oberschenkellänge in Bezug auf die Ursache von Beinlängenunterschieden

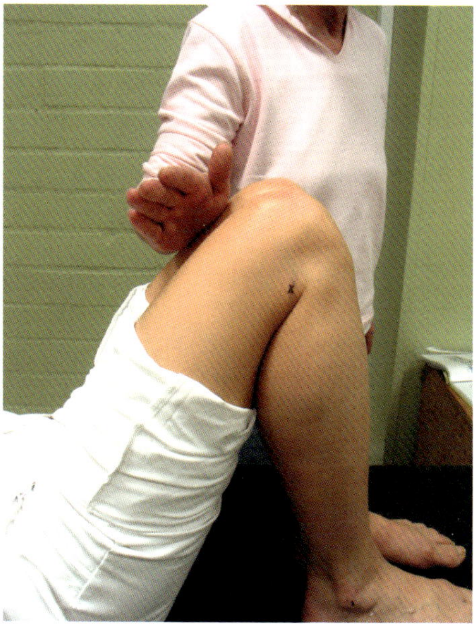

Abb. 2.2.24: Sichtbefund beim Test auf unterschiedliche Unterschenkellänge in Bezug auf die Ursache von Beinlängenunterschieden

❻ Stellung der Hüfte/Test auf Beinlängenunterschied

A) Patient stehend

Im Stand werden die Daumen auf den Beckenkamm gelegt und die Höhe der Daumen miteinander verglichen. Stehen die Daumen nicht in gleicher Höhe, besteht entweder ein funktioneller (durch ungleiche Muskelfunktion) oder struktureller (ungleiche Beinlänge) Beckenschiefstand.

B) Lage des Patienten: auf dem Rücken

Als Hilfsmittel hierzu dienen die Daumennägel des Untersuchenden oder die Kennzeichnung der Malleolen-Mittelpunkte mit einem wasserlöslichen Filzstift.

Mit der Daumennagelmethode (als Referenz) wird mit der rechten Hand über den linken Rückfuß gegriffen, mit der linken Hand über den rechten Rückfuß.

Beide Daumen liegen auf dem Mittelpunkt der medialen Malleolen und stehen sich gegenüber. Bei unterschiedlichen Beinlängen stehen sich die Daumennägel nicht mehr in gleicher Höhe gegenüber, wenn sich der Oberkörper aufrichtet und die Beine gestreckt bleiben (Vorlaufphänomen/nach U. Derbolowsky, H. Frisch).

C) Lage des Patienten: auf dem Rücken
Die Malleolen-Mittelpunkte werden mit einem wasserlöslichen Filzstift gekennzeichnet. Hierdurch lassen sich eventuelle Hautverschiebungen ausschließen.

Beide Beine des Patienten werden im Liegen angewinkelt und anschließend wieder gestreckt. Beurteilt wird die gleiche bzw. ungleiche Lage der medialen Malleolen.

D) Patient stehend (Differenzierter Test)
Als Anhaltspunkte, um einen Beinlängenunterschied festzustellen, dienen die Spitze des Beckenkamms, der Knochenvorsprung am Oberschenkelknochen (Trochanter major) oder der Beckenrand. Die Untersuchung sollte in entspannter sowie in neutraler Stellung des STG durchgeführt werden.

Eine ungleiche Beinlänge, die sich durch Neutralstellung des Subtalar-Gelenks verbessert, lässt auf einen funktionellen Beinlängenunterschied schließen.

Wenn ein wahrnehmbarer Beinlängenunterschied in der entspannten ebenso wie in der neutralen Stellung des STG beider Füße besteht, kann dies strukturelle Ursachen haben. Eine Erhöhung mit einigen Millimeter starken Platten (aus Papier oder Plastik) unter dem augenscheinlich kürzeren Bein kann eine Symmetrie der Beckenhöhe herstellen. Falls sich ein struktureller Beinlängenunterschied nach ärztlicher Abklärung bestätigt, kann die in der Untersuchung ermittelte Erhöhung für das kürzere Bein evtl. als Maß für den Längenausgleich dienen.

Ein Beinlängenunterschied von mehr als (>) 1cm muss (durch Physiotherapie bzw. Schuhzurichtung) **ausgeglichen werden**.

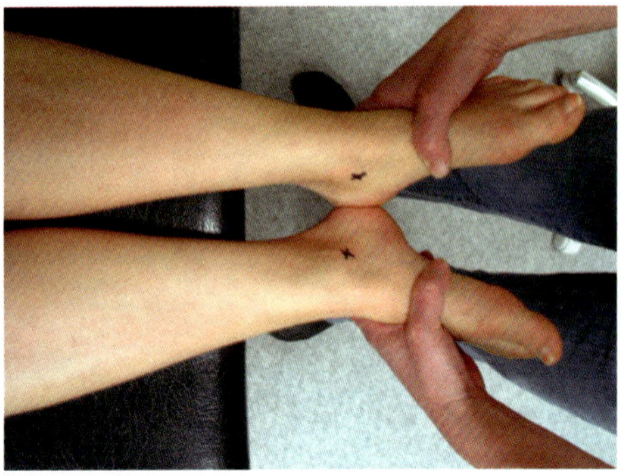

Abb. 2.2.25: Test auf Beinlängenunterschied: Kennzeichnung der Malleolen Mittelpunkte durch einen (wasserlöslichen) Filzstift

Es wird unterschieden zwischen dem:
- funktionellen Beinlängenunterschied (z. B. bedingt durch unterschiedlichen Zug der beteiligten Muskulatur)
- strukturellen Beinlängenunterschied (z. B. durch unterschiedliche Knochenlängen des Beines)

Ferner können Operationsfolgen oder Verletzungen Beinlängenunterschiede bewirken.

Anmerkung:
Um einen Beinlängenunterschied auszugleichen (zu kompensieren) gibt es für den Körper drei Arten der Kompensation. Abhängig von dem Ausmaß des Beinlängenunterschieds kann die Kompensation entweder oberhalb oder unterhalb des Beckens erfolgen.

Wenn die Köpfe des Femur (Capiti femori) unterschiedlich geneigt sind, verschiebt sich das Becken. Um den Kopf des Körpers trotzdem gerade zu halten ist es möglich, dass sich eine Skoliose der Wirbelsäule entwickelt.

Außerdem ist es durch Beugung des Knies an der längeren Beinseite oder durch Supination des STG an der kürzeren Beinseite funktionell möglich, die femoralen Köpfe auf die gleiche Höhe zu bringen.

❼ Neurologisches System
Falls erforderlich wird zur Testung die Neurologische Stimmgabel nach Rydel-Seiffer benutzt.

Die Dämpfer befinden sich immer am Ende der Stimmgabel, um die Schwingungsintensität möglichst lange zu erhalten. Hierdurch wird der festgestellte Sensibilitätswert genauer, weil auch der Patient Zeit für seine Mitteilung an den Therapeuten benötigt: *„ab wann er nichts mehr spürt"*. Zum jetzigen Stand ist die Stimmgabel in 1/8 Schritten kalibriert. Die Angabe des ermittelten Wertes wird in der Regel auch in Achtel angegeben. Spürt der Patient ab dem Wert 5 der Skala keine Vibrationen mehr, würde die genaue Angabe 5/8 lauten. (Siehe dazu auch Band 2 „Theorie der medizinischen Fußbehandlung"). Werden die Vibrationen ab dem Wert von 6/8 an **beiden Füßen** nicht mehr wahrgenommen, wird dies meist als Anzeichen für den Beginn einer neurologischen Erkrankung (z. B. sensibel-motorische Neuropathie bei Diabetes) gesehen. Wenn die Sensibilitätseinschränkung nur an einem Fuß ermittelt wurde, können u. a. auch Schäden an der Wirbelsäule dafür verantwortlich sein. Eine ärztliche Abklärung ist notwendig.

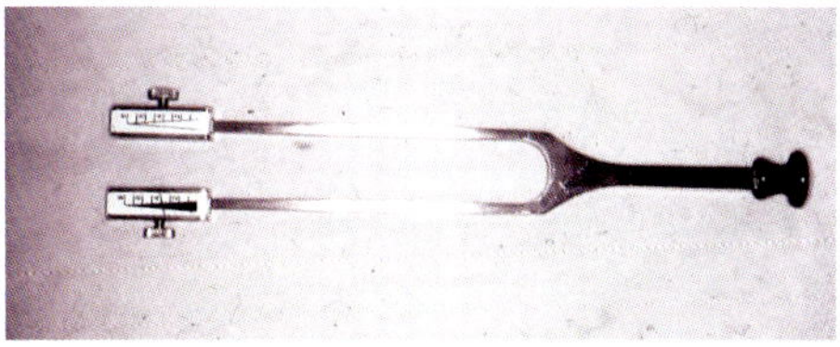

Abb. 2.2.26: Neurologische Stimmgabel nach Rydel-Seiffer. Am linken Ende der Stimmgabel sind zwei mit einer Schraube feststellbare Dämpfer zu sehen. Am rechten Ende befindet sich die Kontaktplatte aus Hartgummi. Gespannt wird die Stimmgabel durch Zusammendrücken der Schwingungsarme. Sie werden schnell entspannt und die Kontaktplatte auf definierte Stellen (z. B. distale Phalanx der Großzehe) am Fuß gehalten. Zweck: Test auf Tiefensensibilität.

❽ Hochzehenstand
Einbein-Stand mit Abstützung der Hände (für das Gleichgewicht) an der gegenüber liegenden Wand.

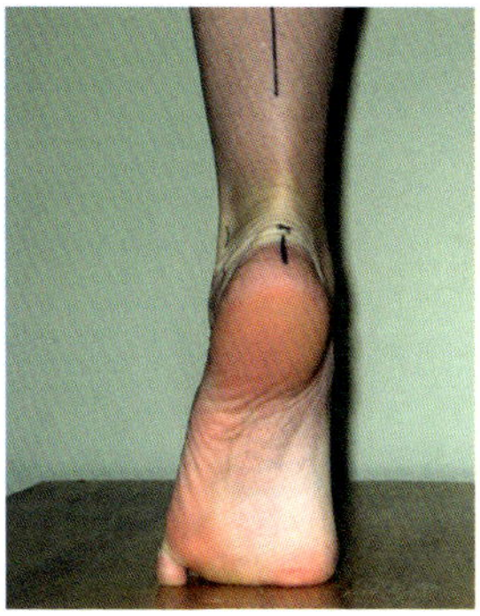

Abb. 2.2.27: Hochzehenstand: im Normalfall Supination der Ferse und Pronation des Vorfußes Test auf Insuffizienz des M.tibialis posterior, Funktion der kurzen Fußmuskulatur

❾ Schuhinspektion
1. Außen:
Verwringungsfähigkeit der Sohle:

zu steif:
- eingeschränktes Torsionsvermögen = Einschränkung der Pro- und Supination des STG und Chopart-Gelenks
- eingeschränkte Extension der Metatarso-Phalangeal-Gelenke

zu weich:
- nachteilig für Stoßdämpfung (Schockabsorption der Ferse ist zu größerem Teil von der Muskulatur zu leisten)
- Pronation des Rückfußes relativ unkontrolliert (Der Calcaneus besitzt keine Stabilität.)

Abnutzung der Schuhsohle:
- mediale Abnutzung = vermehrte Pronation
- laterale Abnutzung = vermehrte Supination

Enges Schuhwerk (geringe Weite):
- Inaktivität/Atrophie der intrinsischen Muskulatur (z. B. kurze Zehenbeuger)
- Förderung der Hallux valgus/Quintus varus Bursitis

- zu niedrige vordere Schuhkappe fördert Bildung subungualer Clavi, Hyperkeratosen oder/und Clavi im Sulcus (Nagelfalz)

Zu lange Schuhe:
- verringerte Stabilität (leichtere Ermüdung der extrinsischen Muskulatur, z. B. langer Zehenbeuger, Peroneus-Muskulatur, da sie z. T. Funktionen mit übernehmen muss)

2. Innen:
- aufgeriebene Innendecke, Brandsohle und Nähte erhöhen die Verletzungsmöglichkeit der Haut
- verarbeitete Kunststoffe (Oberleder oder Brandsohle) erhöhen Feuchtklima im Schuh (Hyperhidrosis)

Mit einer kleinen Taschenlampe zur Innenausleuchtung des Schuhs lassen sich ebenfalls Fremdkörper oder Schadstellen leicht entdecken.

Innenschuhmessung

Vergleich des Fußabdrucks (Blauabdruck) mit der Innensohle des Schuhs (Ausführung des Fußabdrucks möglichst mit Raster-Pedographen/„Harris and Beath Mat“, um auch Überlastungszonen des Fußes besser darstellen zu können). Es reicht oft aus, den Schuh auf den Umriss des Fußabdruckes zu stellen, um die unterschiedliche Länge von Fuß und Schuh zu demonstrieren. Andernfalls muss der Abdruck am Fußumriss ausgeschnitten und in den Schuh gelegt werden. Die über die Brandsohle hinausragende Fläche des Abdrucks wird im Schuh eingefalzt, um die Längenunterschiede (von Fuß und Schuh) zu verdeutlichen.

Wird ein Schuhinnenmessstab verwendet, ermittelt man damit zuerst die Innenlänge des Schuhs und vergleicht sie anschließend mit dem Fußumriss auf dem Fußabdruck (Blauabdruck). Diese relativ schnelle Methode lässt sich ebenfalls mit einem Pappstreifen durchführen, der lediglich am Innenrand der hinteren Fersenkappe eingeknickt wird, um damit die Innenlänge des Schuhs festzulegen. Das Verfahren gleicht dem Schuhinnenmessstab.

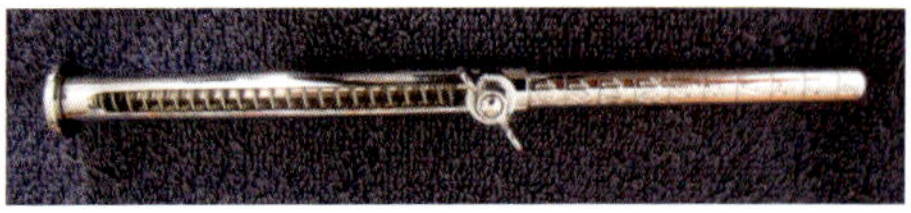

Abb. 2.2.28: Schuhinnenmessstab: Der rechte Stabteil wird in die vordere Schuhkappe und anschließend der linke Stabteil in die hintere Fersenkappe des Schuhs eingeschoben. Durch die Feststellschraube (in der Mitte) lässt sich das Innenmaß fixieren.

Das inzwischen verbreitete **WMS-System** (**W**eit, **M**ittel, **S**chmal System) und die dazugehörende Messplatte lässt sich nur dann anwenden, wenn sich der Hersteller der DIN-Norm[2] angeschlossen hat. Da hierzu keine Verpflichtung besteht, sind die meisten Schuhgrößen unterschiedlich. Die Schuhgröße 38 kann der sonst gewohnten Größe 40 entsprechen oder umgekehrt. **Die Aussagen für eine Schuhgröße sind folglich nicht zuverlässig.**

Einlageninspektion:
- Steht die Indikation im Einklang mit der Zweckerfüllung (= Beseitigung der Beschwerden)?
- Stimmt die Passgenauigkeit der Einlage im Schuh?
- Ist das Alter der Einlage hoch oder sind Beschädigungen vorhanden?
- Besteht die Einlage aus flexiblem oder rigidem Material?
- Ist eine Halbsohle im Schuh erforderlich, um den Schlupf der Ferse zu verringern?

Im Schuh vorhandenes Fersenpolster:
- Gefährdet evtl. den Sitz des Schuhes im Fersenbereich (Ferse schlüpft)
- Fördert den Effekt der schiefen Ebene (der Fuß rutscht zur vorderen Schuhkappe)
- Reicht die Höhe des Fersenpolsters für einen evtl. Beinlängenausgleich aus?

[2] DIN-Norm = freiwilliger Standard des Deutschen Instituts für Normung

2.3 Biomechanische Messung

Für die möglichst exakt zu ermittelnden Werte der Untersuchung werden Hilfsmittel und Einrichtungen benötigt. In der Auflistung sind die in Klammern gesetzten Hilfsmittel z. B. durch Goniometer oder Plurimeter austauschbar. Bei den Einrichtungen ist die Behandlungsliege und ein höheres Podium (um Messungen im Stand des Patienten praktischer durchführen zu können) unverzichtbar. Alle anderen genannten Gegenstände/Instrumente erleichtern die Beurteilung des Fußes besonders, wenn die Erfahrung in dem betreffenden Untersuchungsgang fehlt.

2.3.1 Hilfsmittel und Einrichtungen für die Biomechanische Messung

Hilfsmittel

- **Goniometer** (Tractograph)
- **Plurimeter** (Protrector, Hydrogoniometer)
- Vorfuß-Rückfuß-Messgerät (evtl.)
- Gravitätsgoniometer (evtl.)
- **Filzstift** (wasserlöslich)
- **Maßband**

Einrichtung

- Laufband (Option) oder längerer Flur/ längeres Zimmer
- Videokamera (Option)
- Videorecorder mit Slow-Motion-Funktion (Option)
- **Behandlungsliege** (nach Möglichkeit höhenverstellbar)
- Röntgenbildbetrachter (ist empfehlenswert)
- Podium (praktischer für die Messung der Fersen- und Unterschenkelstellung)

Je nach Blickwinkel und Verfassung des Patienten und auch Untersuchenden können Messergebnisse unterschiedlich ausfallen. Um Fehler einzuschränken, kommt es auf die exakte Bestimmung der Hilfslinien an Unterschenkel und Fuß an. Nach Möglichkeit sollte immer ein und derselbe Therapeut die Untersuchung zu Ende führen. Bisher ist es – erfahrungsgemäß – nicht zu vermeiden gewesen, dass vom gleichen Patienten unterschiedliche Messergebnisse erhalten wurden, wenn verschiedene Therapeuten mit der gleichen Aufgabe betraut waren.

Einige Fehler sind erkennbar, wenn sich Untersuchungsergebnisse nicht in der Gangbildanalyse wiederfinden lassen.

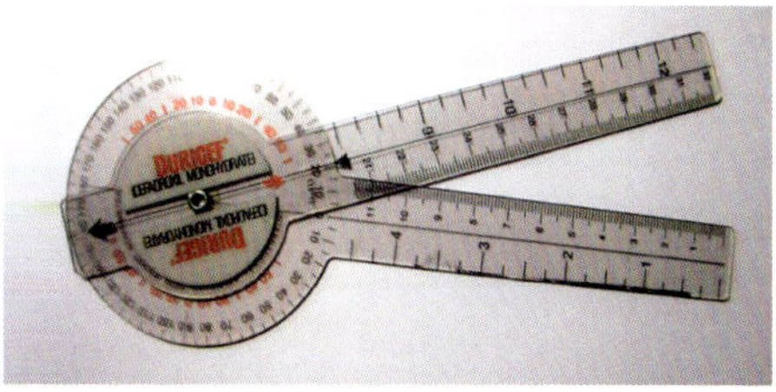

*Abb. 2.3.1: Goniometer (Anlegegoniometer, Tractograph)
Verwendung: Bewegungsumfang (Dorsalextension, Plantarflexion) des oberen Sprunggelenks, Dorsalextension, Plantarflexion der Großzehe, Vorfuß-/Rückfuß-Verhältnis, Bewegungsumfang des Subtalar-Gelenks (unteres Sprunggelenks), Beugung und Streckung des Hüft- und Kniegelenks, Lineal für Hilfslinien an Unter-schenkel und Fuß*

*Abb. 2.3.2: Podium zur Fußuntersuchung
Maße der oberen Standfläche (weiß): 60 cm x 60 cm; Höhe: 66 cm; Länge: 1,10 m; Stufenhöhe: 22 cm; Geländer an der Wand nicht abgebildet.*

Abb. 2.3.3: Plurimeter/Hydrogoniometer (Inclinometer, Protrector)
Verwendung: Winkelmessung der Unterschenkel- und Fersenstellung im Stand

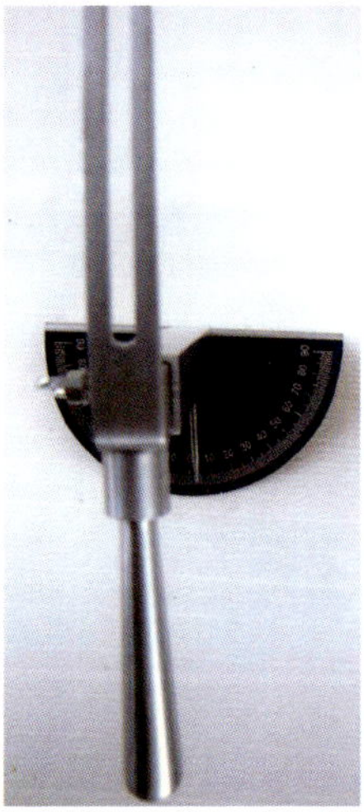

Abb. 2.3.4: Vorfuß-Rückfuß-Messgerät
Verwendung: Vorfuß-Rückfuß-Verhältnis (Messung der Valgus-/Varus-Stellung des Vorfußes)

Abb. 2.3.5: Gravitäts-Goniometer
Verwendung: Malleolar-Stellung (Malleolar-Torsion), Innen-, Außendrehung der Hüfte, Fersenstellung und Tibia-Position im Stand

2.3.2 Dokumentation für das Ergebnis der Biomechanischen Messung

Dieser Dokumentationsbogen ist ein Vorschlag, um die ermittelten Werte übersichtlich aufzulisten. Die Normalwerte sind in diesem Beispiel zusätzlich angegeben.

Name: Datum:

❶ **Subtalar-Gelenk/STG** (unteres Sprunggelenk)

	Re	Li	N(*)
Supination			20°
Pronation			10°
Umfang (total)			30°
Neutral			Mindestumfang: 8° - 12°

❷ **Chopart-Gelenk**/Vorfuß-Rückfuß-Verhältnis

	Re	Li	N(*)
Varus			2° - 4°
Valgus			2° - 4°

❸ **1. Strahl**

	Re	Li	N(*)
Dorsalextend.	mm	mm	5 - 6 mm
Plantarflekt.	mm	mm	4 - 5 mm
Bewegungsumfang			10 mm

❹ **Talo-Crural-Gelenk**/TCG (oberes Sprunggelenk)

	Re	Li	N(*)
Dorsalextension	Knie gestreckt: Knie gebeugt:		> 10°
Plantarflexion			> 35°

❺ **Malleolar-Torsion**

	Re	Li	N(*)
Extern	°	°	13° - 18°
Intern	°	°	

❻ **Hüftgelenk** (Transversalebene)

	Re	Li	N(*)
Innenrotation (Hüfte gestreckt)	°	°	35° - 40°
Außenrotation (Hüfte gestreckt)	°	°	40° - 45°

❼ **Standpositionen**

	Re	Li	N(*)
Entspannte Fersenbeinstellung	invert. evert.	invert. evert	+/- 2° - 4°
Neutrale Fersenbeinstellung	invert. evert.	invert. evert.	leicht invert.
Tibia (Frontal-Ebene)	invert. evert.	invert. evert.	0° - 4° varus
Kniedeformität	Genu recurvatum gebeugtes Knie	Genu recurvatum gebeugtes Knie	

*N= Normalwert(e)

❶ Bewegungsumfang des Subtalar-Gelenks (STG)

Lage des Patienten: auf dem Bauch, Bewegungsmessung in der Frontal-Ebene des Fußes

Instrument: Goniometer, Filzstift (wasserlöslich)

Eine reale Frontalebene des Fußes liegt vor, wenn sich der Unterschenkel in gerader Linie zum Oberschenkel bewegen lässt. Um diese Stellung des Fußes zu stabilisieren, wird jeweils das Knie des gegenüber liegenden Beines angewinkelt und auf den Unterschenkel des zu untersuchenden Fußes gelegt.

Danach werden jeweils die Mitte des unteren Drittels des Unterschenkels und die Mitte der Ferse mit einigen Punkten durch den Filzstift markiert und dann mit dem Lineal zu einer Linie verbunden. Um eine Verzerrung der Fersenmittellinie zu vermeiden, wird von einigen Autoren empfohlen, hier ohne Lineal zu arbeiten. Zur Bestimmung der Mittellinie müssen sich die Augen des Untersuchenden im rechten Winkel (lotrecht) zum Bein befinden.

Zur Messung des Bewegungsumfangs wird das Goniometer mit seinem Drehpunkt (Scharnier) in Höhe des Subtalar-Gelenks gehalten. Ein Schenkel des Goniometers wird auf die Mittellinie des Beines, der andere Schenkel auf die Mittellinie der Ferse gelegt. Durch passive Eversion und Inversion der Ferse wird der Bewegungsumfang des Subtalar-Gelenks gemessen. Ausgangsposition hierfür ist die **STG-Neutralstellung** in welcher das Gelenk weder proniert noch supiniert ist. Wenn der Fuß versehentlich plantarflektiert wird die Bewegung des Talo-Crural-Gelenks mit einbezogen und das Messergebnis verfälscht. Es würde ein höherer Wert als tatsächlich vorhanden ermittelt.

Im Durchschnitt beträgt der gesamte Bewegungsumfang des STG 30°. Davon bestehen 20° (2/3 des Betrages) aus Inversion und 10° (1/3 des Betrages) aus Eversion. **Der Mindestumfang der Bewegung des STG** liegt bei 8° bis 12°.

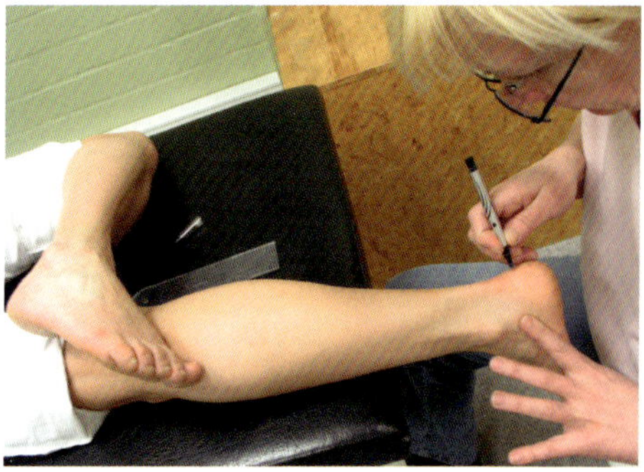

Abb. 2.3.6: Markierung der Mittellinie (hier der Ferse) durch einzelne Punkte

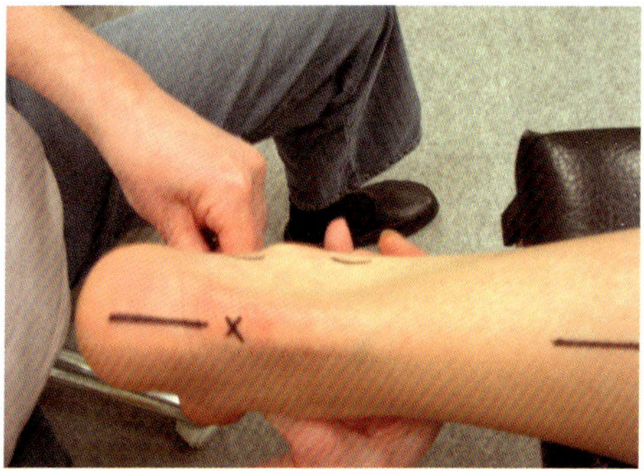

Abb. 2.3.7: Verbindung der Punkte mit dem Lineal zu einer Mittellinie von Ferse und Unterschenkel. (X-Markierung proximal der Fersenmittellinie liegt in Höhe des Subtalar-Gelenks und erleichtert das Anlagen des Goniometers)

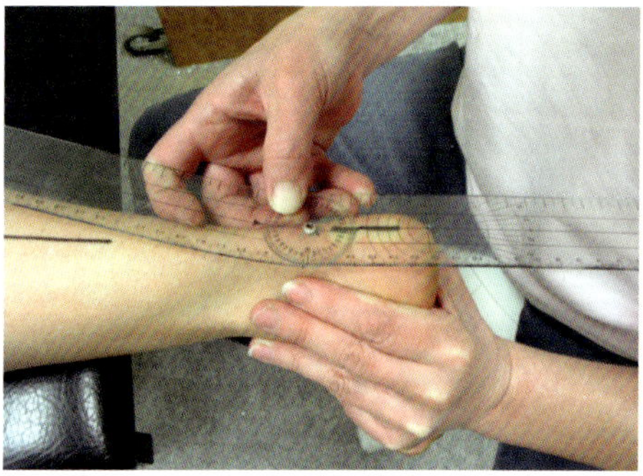

Abb. 2.3.8: Anlegen des Goniometers (Das Scharnier, der Drehpunkt des Goniometers, liegt jeweils auf der vorher bestimmten X-Markierung am Fuß.)

❷ **Bestimmung des Vorfuß-/Rückfuß-Verhältnisses** (Index für die Stellung des Chopart-Gelenks)
Lage des Patienten: auf dem Bauch, Messung erfolgt in der Frontal Ebene des Fußes
Instrumente: Goniometer oder Vorfuß-/Rückfuß-Messgerät

Mit Hilfe des Daumens (plantar) und Zeigefingers (dorsal) unter den Beugeseiten der 5. und 4. Zehe wird der Fuß bis zum Widerstand dorsalextendiert. Der Vorfuß wird danach maximal invertiert und anschließend bis zur Neutralstellung des unteren Sprunggelenks evertiert.

Um die Supination der Längsachse des Chopart-Gelenks bei der Bestimmung des Vorfuß-/Rückfuß-Verhältnisses zu vermeiden, soll zuerst das STG vollständig in Inversion gebracht werden.

Der Grund, warum der Fuß von der Inversion in die Eversion wechseln soll, liegt an beiden Chopart-Gelenk-Achsen, die dadurch maximal proniert werden. In anderer Reihenfolge würde das wirkliche Vorfuß-/Rückfuß-Verhältnis durch Distorsion verfälscht. Es würde mehr Inversion der Longitudinalachse des Chopart-Gelenks entstehen.

Ein Arm des Goniometers misst die plantare Ebene der Mittelfußköpfchen des Vorfußes, der andere (zweite) Arm des Goniometers liegt auf der plantaren Ebene der Ferse (Rückfuß). Hilfslinie für die plantare Ebene des Rückfußes ist die Mittellinie der Ferse. Zu ihr muss der 2. Arm des Goniometers im rechten Winkel liegen.

Mit dem Vorfuß-/Rückfuß-Messgerät wird die Bestimmung sehr erleichtert und genauer. Referenzlinie ist die Fersenmittellinie. Der mit dem Gerät verbundene Winkelmesser wird unter dem Vorfuß angelegt und der Wert abgelesen.

Vorfuß varus: Vorfuß ist zum Rückfuß (Ferse) invertiert
Vorfuß valgus: Vorfuß ist zum Rückfuß (Ferse) evertiert

Das normale Verhältnis des Vorfußes zum Rückfuß sollte rechtwinkelig sein, d. h. der Vorfuß steht im rechten Winkel zur Mittellinie der Ferse, wenn sich das STG in Neutralstellung befindet und das Chopart-Gelenk maximal proniert und stabilisiert ist.

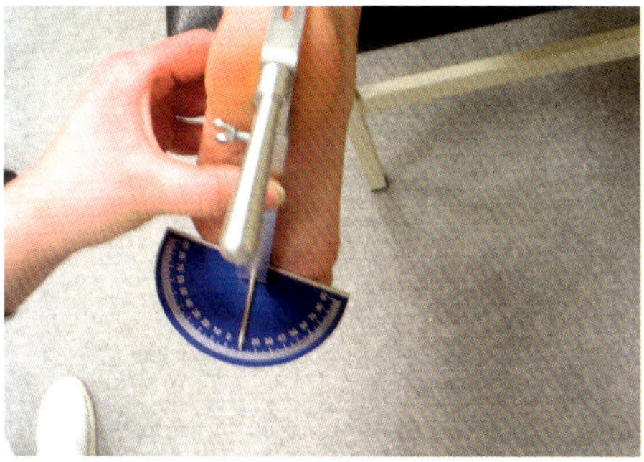

Abb. 2.3.9: Einsatz des Vorfuß-/Rückfuß-Messgerätes. Das Subtalar-Gelenk (STG) befindet sich während der Messung in Neutralstellung.

Anmerkung:
Füße, die eine **blockierte Längsachse des Chopart-Gelenks** besitzen, weisen häufig Beschwerden auf der medialen Fußseite auf. Dies sind:

- Hallux-abducto-valgus
- Hallux-limitus
- Plantare Fasziitis

Diese Beschwerden sind oft mit der geringeren Belastung der lateralen Fußseite verbunden. Bei der Biomechanischen Untersuchung kann dies mit der **„Fingerprobe“** festgestellt werden, während der Patient steht. Wenn unter dem 5. Metatarsalköpfchen kaum Druck auf dem Finger des Untersuchenden festgestellt wird, sollte in diesen Bereich (z. B. durch eine Orthose) mehr Körpergewicht verlagert werden. Mehr Gewicht auf der lateralen Fußseite gleicht die Überlastung der medialen Fußseite aus.

(Siehe dazu auch Kapitel Orthosenherstellung)

❸ **Bewegungsumfang des 1. Strahls**
Lage des Patienten: auf dem Bauch oder Rücken
Hilfsmittel: Daumen des Therapeuten. Messung in der Sagittal-Ebene.

Das **STG befindet sich in Neutralstellung** und das Chopart-Gelenk ist maximal proniert.

Um den Bewegungsumfang des 1. Strahls messen zu können, müssen die **2. bis 5.Metatarsalköpfchen** mit der Daumenfläche fixiert werden. Während der Patient auf dem Bauch oder Rücken liegt, wird ein Daumen unter das 1. Metatarsalköpfchen und der Zeigefinger der gleichen Hand auf die dorsale Fläche des 1. Metatarsalköpfchens gelegt.

Der Daumen der anderen Hand befindet sich unter den übrigen Metatarsalköpfchen (2 - 5) und der Zeigefinger über den Metatarsalköpfchen (2 - 5). Die Daumen (plantar) sollten auf einer Ebene und parallel zueinander stehen, bevor der 1. Strahl auf seinen Bewegungsumfang (per Augschein) getestet wird.

Im Hinblick auf die Ebene der übrigen Metatarsalköpfchen wird der gesamte Bewegungsumfang des 1.Strahls sowie Abweichungen hiervon beurteilt. Normalerweise wird der 1. Strahl 5 - 6 mm dorsalextendieren und 5 - 6 mm plantarflektieren. Abweichungen von dem gleichen Bewegungsumfang des 1. Strahls werden entweder als dorsalextendierter oder plantarflektierter 1. Strahl bezeichnet. Asymmetrische Werte des 1. Strahls deuten auf eine ungleiche Fußfunktion hin.

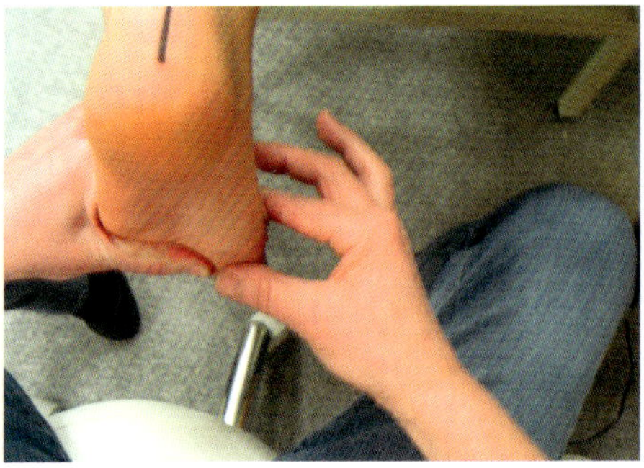

Abb. 2.3.10: Ermittlung des Bewegungsumfangs des 1. Strahls

Oft auftretende Fehler bei der Bewertung des Bewegungsumfangs des 1. Strahls

- Zu starke Druckausübung auf die plantare Fläche des 2. Metatarsalköpfchens.
- Ungleichmäßige Druckausübung auf die plantare und dorsale Fläche des 2. Metatarsalköpfchens.
- Die Metatarsalköpfchen 2 bis 5 werden in einer Ebene gehalten. Diese sollte einen rechten Winkel zum Rückfuß bilden. Wenn diese Ebene invertiert gehalten wird, vergrößert das den Grad der Plantarflexion und verringert den Grad der Dorsalextension. Dies geschieht, weil das Chopart-Gelenk um seine Longitudinal (Längs)-Achse supiniert. Hierdurch liegt die Bezugslinie für den 1. Metatarsale invertiert und lässt den 1. Strahl plantarflektiert erscheinen.
- Falls ein **Vorfuß varus** existiert, muss der Daumen unter den übrigen Metatarsalköpfchen zu gleichen Gradanteilen invertiert gehalten werden.
- Wenn ein **Vorfuß valgus** existiert, muss der Daumen unter den übrigen Metatarsalköpfchen zu gleichen Gradanteilen evertiert gehalten werden.
- Wenn die Daumen im rechten Winkel zum Calcaneus gehalten werden, aber der 2. Metatarsale nicht fixiert wird, kann der den 1. Strahl bewegende Daumen die Längsachse des Chopart-Gelenks supinieren. Dies verursacht mehr Dorsalextension beim 1. Strahl, weil sich die mediale Seite des gesamten Vorfußes durch die Chopart-Gelenk-Supination hebt. Das kann vermieden werden, wenn man beobachtet, ob sich der gesamte Vorfuß durch die Dorsalextension bewegt. Die Plantarflexion nimmt nicht zu, weil keine Pronation am Chopart-Gelenk entstehen kann, ohne Pronation des STG.

Liegt der Wert bei der Dorsalextension des 1. Strahls über (>) 5mm, gelten als plantare Bezugsebene für das Vorfuß-/Rückfuß-Verhältnis die Mittelfußköpfchen 2 bis 5.

❹ **Bewegungsumfang des Talo-Crural-Gelenks/TCG** (oberes Sprunggelenk)
Lage des Patienten: auf dem Bauch oder sitzend, Knie in Frontal-Ebene
Instrument: Goniometer

Das obere Sprunggelenk unterstützt die supinatorische sowie pronatorische Bewegung des Fußes. In der Sagittal-Ebene besitzt das TCG wegen der nach proximal (hinteren) schmaler geformten Gelenkfläche mehr Bewegung als an der distalen (vorderen), die sich breiter darstellt.

Zur Messung befindet sich das STG in Neutralstellung. Das Goniometer wird auf 10° Dorsalextension voreingestellt. Ein Arm des Goniometers liegt an der imaginären lateralen Mittellinie des Unterschenkels an, der andere Arm des Goniometers am lateralen Rand des Fußes. Mit gestrecktem Knie sollte eine Dorsalextension von 10° erreicht werden.

Eine unbeabsichtigte Pronation des STG bewegt das Chopart-Gelenk mit und täuscht einen höheren Wert der Dorsalextension vor.

Der gleiche Untersuchungsvorgang kann mit gebeugtem Knie wiederholt werden. Der normale Wert für die Dorsalextension beträgt dann ca. 15°.

Liegen beide Werte bei der Dorsalextension (gebeugtes und gestrecktes Knie) gleich, kann es sich um eine Verkürzung des M.soleus handeln. Liegt der Wert bei gestrecktem Knie niedriger als mit gebeugtem Knie, kann eine Verkürzung des M.gastrocnemius vorliegen. Bei einem harten Endgefühl sollte der röntgologische Befund eine evtl. knöcherne Blockade als Ursache der eingeschränkten Dorsalextension abklären.

Normalwerte mit **gestrecktem Knie:** Dorsalextension: 8° - 10°; Plantarflexion: 40° - 70°

Auf die TCG-Plantarflexion kann meist verzichtet werden, da sie wenig klinische Bedeutung besitzt.

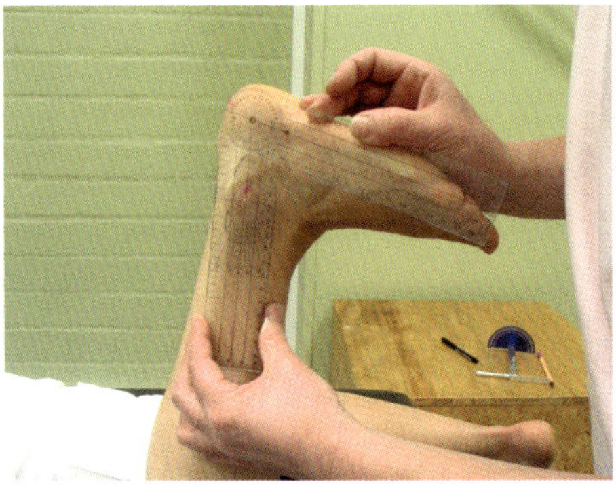

Abb. 2.3.11: Messung der Dorsalextension des Talo-Crural-Gelenks (TCG) in Bauchlage mit gebeugtem Knie

❺ **Beurteilung der Malleolar-Torsion**
Bestimmung der Femoral-Torsion (Außen-/Innendrehung der Tibia)
Lage des Patienten: auf dem Rücken
Instrumente: Goniometer oder Gravitäts-Goniometer

Der Mittelpunkt des lateralen sowie medialen Malleolus wird mit einem Kreuz gekennzeichnet. (Dies betrifft nicht immer die höchste Stelle der Malleolen). Das Knie wird danach in die Frontalebene gelegt. Hierzu gibt es mehrere Möglichkeiten:

- Man ertastet die Lage der Femur-Epikondylen. Sie müssen sich waagerecht zur Ebene der Untersuchungsbank befinden. Diese waagerechte Ebene der Epikondylen zur Untersuchungsbank kann auch mit den Fingern überprüft werden. Es muss auf beiden Seiten der gleiche Abstand zur Unterfläche bestehen.
- In der Sagittal-Ebene darf die dorsale/plantare Kniebewegung nicht zur Seite abweichen.

- Die Frontallage des Knies ist durch die optische Achse der 2. Zehe zur Crista anterior (Schienbeinkante) gegeben. Die 2. Zehe liegt mit der Crista anterior in einer Linie, wenn das Knie in der Frontal-Ebene liegt.

Messung mit dem **Goniometer**: Ein Arm des Goniometers wird parallel zur Ebene der Untersuchungsbank gehalten, der andere Arm des Goniometers verbindet visuell die Mittelpunkte der Malleolen.

Messung mit dem **Gravitäts-Goniometer**: Die Arme des Gravitäts-Goniometers werden auf die Mittelpunkte der Malleolen positioniert und der Winkel auf der Skala abgelesen.

Der Normalwert der Malleolar-Torsion beträgt 12° - 18° Außendrehung.

Eine verringerte Malleolar-Torsion (< 12°/15°) verursacht – durch nach innen drehende Stellung des Unterschenkels – eine adduzierte Fußstellung (engl.: intoeing)

Eine vergrößerte Malleolar-Torsion (> 15°/20°) verursacht – durch nach außen drehende Stellung des Unterschenkels – eine abduzierte Fußstellung (engl.: outtoeing).

Anmerkung:
Während der Messung darf das STG weder pronieren noch supinieren. Wenn sich die Fußstellung während der Messung verändert, kann sich dadurch eine Intertarsale Gelenkstabilität ergeben (Stabilisierung des STG). Eine unbeabsichtigte Supination des STG erzielt einen höheren, eine Pronation des STG einen niedrigeren Wert der Malleolar-Torsion.

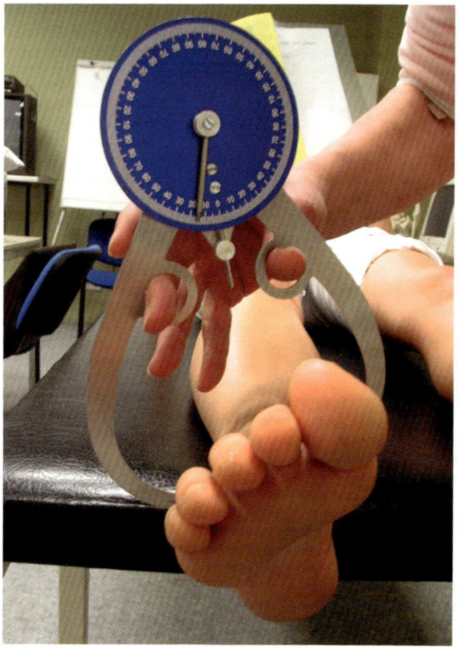

Abb. 2.3.12: Beurteilung der Malleolar-Torsion mit dem Gravitäts-Goniometer

❻ Bewegungsumfang des Hüftgelenks

Lage des Patienten: auf dem Rücken
Instrumente: Goniometer, Gravitäts-Goniometer
Gemessen werden die Innen-/Außenrotation des Hüftgelenks in der Frontalebene

Auf der Untersuchungsliege werden die Lage des rechten und linken oberen vorderen Beckenknochens (Spina iliaca anterior superior) des Patienten mit dem Daumen ertastet. Die Begrenzungen des Beckens müssen sich auf gleicher Ebene wie die der Untersuchungsliege befinden.

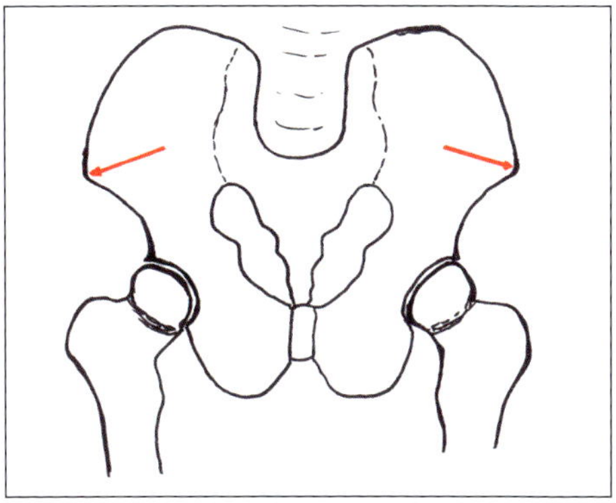

Abb. 2.3.13: Skizze des Beckens. rote Pfeile zeigen auf die Spinae iliacae anterior superior

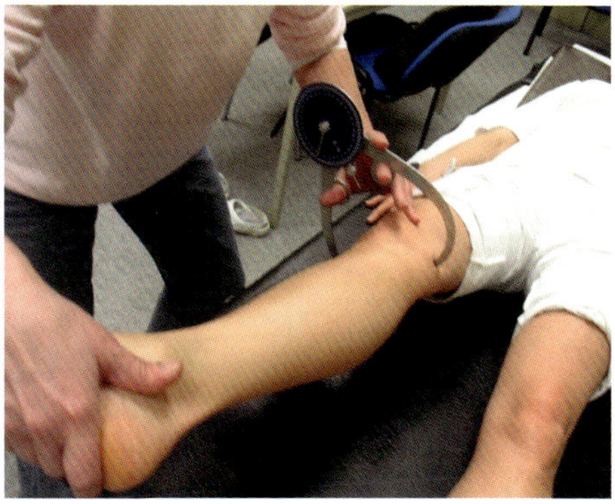

Abb. 2.3.14: Messung der Außenrotation der Hüfte mit dem Gravitäts-Goniometer

Die Arme des Gravitäts-Goniometers werden auf die mediale sowie laterale Epikondyle des Femurs positioniert. Das Bein wird dann bis zum Ende seines Bewegungsumfangs nach außen gedreht und der Wert auf dem Instrument abgelesen. Derselbe Vorgang wiederholt sich mit der Innendrehung des Beines. Überzieht man den Endpunkt der Drehung des Beines, bewegt sich der Rumpf mit und verfälscht das Ergebnis.

Die Neutralstellung der Hüfte ergibt sich aus dem Mittel der Hälfte des Wertes der maximalen Außen- und Innendrehung der Hüfte. In der Regel liegt die Neutralstellung der Hüftrotation bei ca. 20° - 22°.

Beispiel:
Außenrotation der Hüfte: 45°
Innenrotation der Hüfte: 35°
Summe = 80° x ½ = 40°
Das Mittel (die Hälfte) von 40° = 20°
Die Neutralstellung der Hüfte beträgt in diesem Beispiel 20°.

❼ Werte der Positionen im Stand

Der Patient steht dazu (idealerweise) auf einem ausreichend großen Podest.
Instrumente: Goniometer, Plurimeter oder Gravitäts-Goniometer

Entspannte Fersenbeinstellung
Die Füße stehen im normalen Winkel und Abstand zueinander. In der Regel zeigen dabei die Fußspitzen leicht abduziert (max. 10°) und die Abstände zwischen den medialen Malleoli sind weit genug (max. 4 cm), um beim Gehen eine Berührung zu vermeiden. Eine Lockerung der (evtl. verkrampften) Standposition kann erreicht werden, wenn der Patient auf der Stelle mit beiden Füßen mehrmals auf und abtritt.

Der Untersuchende hält das Plurimeter an die Mittellinie der Ferse und liest den Winkel der entspannten Fersenstellung ab.

Beim Messen mit dem Gravitäts-Goniometer klemmt man zwischen beide Arme des Instruments einen Stab und verfährt wie mit dem Plurimeter.

Wenn ein Goniometer vorhanden ist, berührt die eine Kante des Instrumentenarms den Boden, die andere Kante des Arms wird entlang der Fersenmittellinie gehalten und der Winkelwert abgelesen.

Ungenauigkeiten entstehen, wenn sich die Mittellinie der Ferse durch die Spannung der Haut verzerrt darstellt. Die Linie sollte dann im Stand des Patienten neu bestimmt und gezeichnet werden.

Das Messergebnis zeigt die Winkelstellung der Ferse zum Boden an.

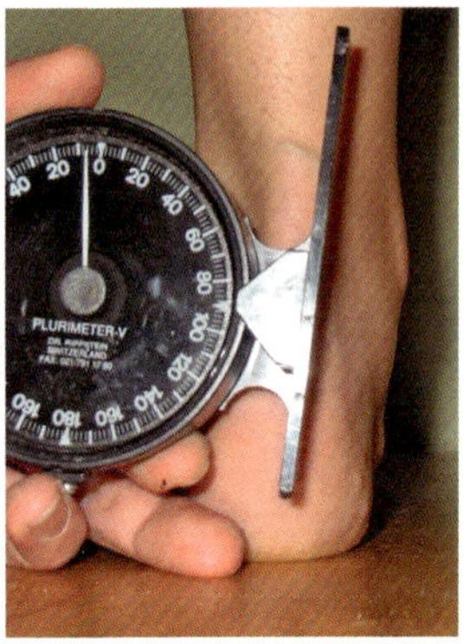

Abb. 2.3.15: Messung der Fersenbeinstellung im Stand mit dem Plurimeter

Neutrale Fersenbeinstellung

Der Winkel der Fersenmittellinie wird in Neutralstellung des Subtalar-Gelenks (STG) mit den gleichen Instrumenten gemessen.

Die Neutralstellung des STG im Stand wird ermittelt, indem die mediale und laterale Seite des Taluskopfes ertastet wird. Danach bewegt der Patient seinen Rückfuß langsam nach medial, anschließend nach lateral. Die Ferse steht in Neutralstellung, wenn die medialen und lateralen Kanten des Taluskopfes kongruent (deckungsgleich) sind.

Das Messergebnis zeigt die Winkelstellung der Ferse zum Boden an.

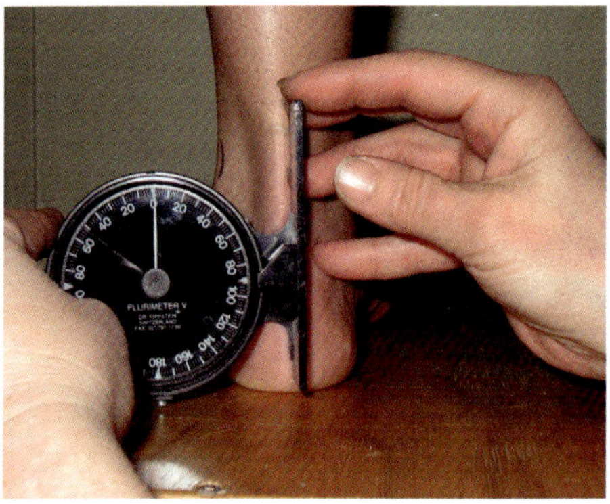

Abb. 2.3.16: Messung der Neutralstellung des Fersenbeins mit dem Plurimeter

Tibia-Stellung

Die Füße stehen – wie bei der entspannten Fersenstellung – im normalen Winkel und Abstand voneinander. Das STG wird in Neutralstellung gebracht und mit dem Plurimeter (Goniometer, Gravitäts-Goniometer) die Stellung der Unterschenkel-Mittellinie gemessen.

Das Messergebnis zeigt die Winkelstellung der Tibia zum Boden an.

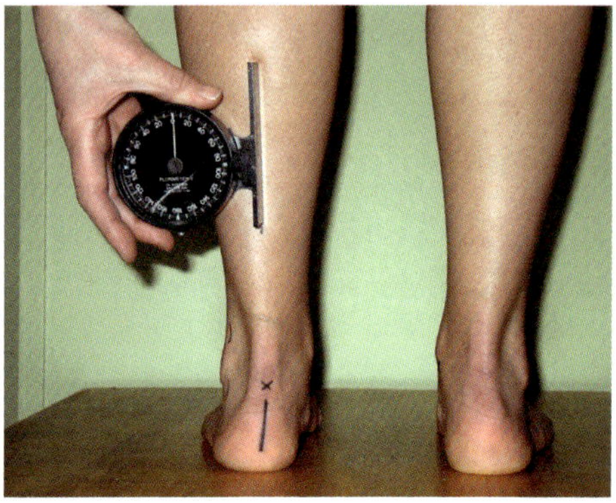

Abb. 2.3.17: Messung der Tibia-Stellung mit dem Plurimeter

2.3.3 Anmerkungen zur Auswertung der Fußuntersuchung

Entscheidende Kriterien der Fußuntersuchung sind:

- die Beurteilung der Gelenkposition
- der Ort der Krafteinwirkung unter dem Fuß
- die Belastung im Stand
- die Belastung des Fußes während der Gangabwicklung

Die Messungen im Stand werden die Schmerzursachen des Fußes nicht gänzlich klären können. Während des Gehens kann sich eine völlig andere Kraftverteilung am Fuß zeigen und mehr Aussagekraft besitzen. In Verbindung mit der Ganganalyse sind die Messungen im Stand allerdings wichtig für die Herstellung einer Orthose.

Eine weitere Unterstützung der Fußuntersuchung wird durch die Beurteilung der verfügbaren Eversion des Calcaneus im unbelastetem Zustand erhalten. Sie ist ein Indikator für die im STG verfügbare Pronation. Wichtig ist auch die Position der STG-Achse. Weniger wichtig dagegen ist die Vorfuß/Rückfuß-Relation.

Die Vorfuß/Rückfuß-Relation ist abhängig von:

- dem Bewegungsumfang des Chopart-Gelenks
- dem Bewegungsumfang des STG
- der Lage der STG-Achse

Die Messung der Vorfuß-/Rückfuß-Relation ist wichtig für den Negativabdruck der Orthose, aber nicht für die Funktion des Fußes.

Im Stand des Patienten sind folgende Messungen wichtig:

- der Grad der Varusstellung der Tibia (Genu varum)
- die entspannte Fersenstellung
- die Bewertung der STG-Stellung

Die entspannte Fersenstellung im Stand, ein Genu varum und die passive Eversion des Calcaneus dienen zur Beurteilung, ob das STG maximal proniert ist. Wenn das Ergebnis eine maximale Pronation des STG zeigt, sollte keine weitere Eversion des Calcaneus mehr verfügbar sein. Es gibt zwei, voneinander unabhängige, Untersuchungsverfahren, um die maximale Pronation des STG nachzuweisen (weitere Ausführungen hierüber in den theoretischen Grundlagen zur Herstellung einer Orthose).

Ein maximal pronierter Fuß wird die gleiche entspannte Fersenstellung aufweisen, die der geschätzten maximal pronierten Stellung des STG entspricht.

Es ist möglich, dass die Ferse mehr evertieren kann, wenn sie – durch Unsicherheit des Patienten – noch nicht maximal proniert war. Die maximal pronierte Stellung wird dann im unbelasteten Zustand der Ferse zu erreichen sein.

Ein abschließender Test kann sich mit den bereits beschriebenen internen bzw. externen Kräften beschäftigen. Wenn dem Patienten im Stand bei einem maximal pronierten Fuß ein Finger unter das 5. Metatarsale gelegt wird, entstehen Schmerzen am Finger, wenn die laterale Fußseite zu viel Gewicht trägt. Ist die Gewichtsbelastung bei der Fußdeformität mehr medial verlagert, wird nur wenig Druck auf dem Finger zu spüren sein. Zu wissen, wo sich die stärkste Belastung am Fuß befindet, führt zum besseren Verständnis darüber, welche Kompensation des Fußes stattgefunden hat.

Das Vorfuß-/Rückfuß-Verhältnis

Es besteht oft Unsicherheit, das Vorfuß-/Rückfuß-Verhältnis und die damit verbundenen Deformitäten richtig einzuschätzen. Beispiele für Sichtbefunde sind der Hallux abducto valgus, Hallux limitus oder die Plantar Fasziitis. Alle hier genannten Befunde sind mit einer Deformität und/oder Schmerzen verbunden. Ein Rückfuß varus muss nicht unbedingt mit Schmerzen verbunden sein. Wenn ein Vorfuß valgus Schmerzen aufweist, muss ein genauerer Befund erstellt werden (z. B. Hallux abducto valgus, ...), der diese Deformität begleitet. Als Diagnose macht der Vorfuß valgus keinen Sinn, weil er nicht schmerzt. Eventuell ist als Folge dieser Deformität das 1. Metatarso-Phalangeal-Gelenk überreizt. Der Vorfuß valgus verursacht auf das genannte Gelenk eine starke mediale Gewichtsbelastung. Das daraus resultierende Behandlungsziel besteht darin, die Gewichtsbelastung auf das schmerzende 1. Metatarso-Phalangeal-Gelenk zu reduzieren.

Unabhängig von den Untersuchungen sollte an eine eventuell vorhandene Erkrankung der Achillessehne gedacht werden. Wenn in diesem Fall keine Behandlung einsetzt, kann die Achillessehne reißen und einen schnell fortschreitenden „Plattfuß“ entstehen lassen. Wenn die Funktion der Sehne eingeschränkt ist, kann sie nicht mehr die Innendrehung des

Unterschenkels verlangsamen. Die Innendrehung müsste in der frühen Standphase des Ganges während der Pronation eintreten. Die Pronation wird am Ende der Bewegung vom Chopart-Gelenk gestoppt. Wenn zum Ende der Bewegung durch eine eingeschränkte Funktion der Achillessehne das Chopart-Gelenk ständig überlastet wird, bricht seine Funktion letztendlich zusammen. Das mediale Fußgewölbe flacht ab.

Eine wirkungsvolle Behandlung besteht darin, die durch externe Kräfte hervorgerufene Pronation zu verringern. Eine Krafteinwirkung auf die mediale Fersenseite wird das Kraftmoment für die Supination vergrößern bzw. das Kraftmoment für die Pronation verringern. Diese Maßnahme kann die Innendrehung des Unterschenkels verlangsamen und dem STG ermöglichen, die Bewegung anzuhalten, ohne das Chopart-Gelenk zu überlasten.

Das Ziel für die Behandlung mit einer Orthose wäre, so viel Kraftwirkung wie möglich auf die mediale Seite der STG-Achse zu verlagern. Das Erfordernis hierfür mag im Gegensatz zu abstützenden Maßnahmen einer Vorfuß-Deformität stehen.

Zusammenfassung

Die Funktion des Fußes wird entscheidend durch den Einwirkungsort des Bodenwiderstandes und die Lage der STG-Achse beeinflusst. Beide Faktoren bestimmen die Größe und Richtung des Kraftmoments auf das Subtalar-Gelenk (STG). Ein weiterer wichtiger Einfluss ist der verfügbare Bewegungsumfang des STG in Verbindung mit dem Vorfuß-/Rückfuß-Verhältnis. Beides bestimmt die maximale Pronation des STG im Stand. Der Einfluss der Tibia-Stellung in der Frontal-Ebene in Verbindung mit der verfügbaren Pronation des STG wird in den folgenden Beispielen erläutert. Die oben genannten Feststellungen sind für die Voraussagen wichtig, an welchem Punkt der größte Bodenwiderstand einwirkt und welche anatomischen Strukturen hiervon betroffen werden.

Der Bodenwiderstand und die Tibia-Stellung

Es sollen anhand von Messergebnissen aus Fußuntersuchungen Beispiele gegeben werden, die den Einfluss der Tibia-Stellung in Bezug zum Bodenwiderstand verdeutlichen.

An den Patienten A und B wird der unterschiedliche Einwirkungsort der Kraft verdeutlicht.

Folgende Messergebnisse wurden bei den Patienten A und B ermittelt:

Patient A

Varus-Stellung der Tibia	5°
Vorfuß-/Rückfuß-Verhältnis	5° varus
max. Eversion der Ferse	3° evertiert
entspannte Fersenstellung	2° invertiert

Patient B

Varus-Stellung der Tibia	5°
Vorfuß-/Rückfuß-Verhältnis	8° valgus
max. Eversion der Ferse	10° evertiert
entspannte Fersenstellung	2° invertiert

Patient A wird keine Belastung auf der medialen Fußseite aufweisen, da sein STG bei 2° Inversion maximal proniert ist und nicht weit genug evertieren kann, um die Varus Stellung des Vorfußes in ausreichenden Bodenkontakt zu bringen.

Patient B kann das STG zu 5° weiter evertieren, wird aber durch den Vorfuß an weiterer Eversion gehindert.

Die Fersen beider Patienten stehen in entspannter Stellung 2° invertiert. Patient A hat hiermit seine maximal pronierte Stellung erreicht, während Patient B noch weitere Pronation zur Verfügung hat.

Um die maximale Pronation für **Patient A** zu ermitteln, muss der Wert der maximalen Eversion (3°) von der Varus-Stellung der Tibia (5°) abgezogen werden. Insofern steht die Ferse 2° invertiert. Die Fläche des Sinus tarsi kann der Grund sein, warum die Pronation bei diesem Fuß gestoppt wird. Dieser Patient wird wahrscheinlich mehr Druckbelastung unter der lateralen Seite des Vorfußes besitzen.

Patient B kann die Ferse 10° evertieren. In Beziehung zum Unterschenkel werden die ersten 5° der Fersen-Eversion eine lotrechte Stellung der Ferse zum Unterschenkel zeigen. Bei weiteren 5° der Eversion hat die Ferse ihre maximale Pronation erreicht. Falls der Wert für die entspannte Fersenstellung (2° Inversion) nicht mit dem errechneten Wert für die maximale Pronation der Ferse (5°) übereinstimmt, kann das STG nicht maximal proniert sein. Bei diesem Fuß wird mehr Druckbelastung unter dem medialen Vorfuß ausgeübt werden.

Die Auswirkungen der Varus-Stellung der Tibia für die zu errechnende maximal pronierte Stellung des Calcaneus zeigen folgende Beispiele:

Patient C

Varus-Stellung der Tibia	10°
Vorfuß-/Rückfuß-Verhältnis	0° (rechtwinkelig)
max. Eversion der Ferse	5° evertiert
entspannte Fersenstellung	5° invertiert

Patient D

Varus-Stellung der Tibia	5°
Vorfuß-/Rückfuß-Verhältnis	0° (rechtwinkelig)
max. Eversion der Ferse	5° evertiert
entspannte Fersenstellung	0° (lotrecht)

Die **Patienten C und D** unterscheiden sich in den Werten der Varus-Stellung der Tibia und der entspannten Fersenstellung. Die errechnete maximale Pronation der Ferse für **Patient C** beträgt 5° Inversion. (10° Inversion der Tibia abzüglich 5° max. Eversion des Calcaneus ergibt den Wert 5° Inversion.)

Für **Patient D** steht die errechnete maximale Pronation der Ferse lotrecht zum Unterschenkel.

Diese Beispiele zeigen deutlich den Einfluss der Tibia-Stellung auf die maximal pronierte Stellung der Ferse.

Patient E

Varus-Stellung der Tibia	5°
Vorfuß-/Rückfuß-Verhältnis	4° valgus
max. Eversion der Ferse	8° evertiert
entspannte Fersenstellung	2° invertiert

Patient F

Varus-Stellung der Tibia	10°
Vorfuß-/Rückfuß-Verhältnis	4° valgus
max. Eversion der Ferse	8° evertiert
entspannte Fersenstellung	2° invertiert

Der einzige Unterschied bei den Patienten E und F liegt bei der Varus-Stellung der Tibia. Für den **Patienten E** beträgt der errechnete Wert für die maximale Pronation der Ferse 3°. (Es bestehen 5° Inversion der Tibia zum Boden und 8° Eversion der Ferse im Verhältnis zum Unterschenkel. Bei 5° Eversion des Calcaneus steht die Ferse lotrecht zum Unterschenkel, weitere 3° Eversion bringen die Ferse letztendlich in die maximale Pronation.)

Patient E erreicht folglich nicht die maximale Pronation der Ferse im Stand. Es muss eine Ursache bestehen, die das STG daran hindert, diese maximale Pronation zu erreichen.

Die errechnete maximale Pronation für **Patient F** beträgt 2° Inversion. (Die Tibia steht 10° invertiert zum Boden. Der Calcaneus kann nur 8° in Bezug zur Tibia evertieren. Es bleiben 2° Inversion der Ferse übrig. Bei 2° Inversion ist das STG maximal proniert. Aufgrund der Messungen kann daraus geschlossen werden, dass eine große Belastung der Sinus tarsi-Fläche und natürlich unter dem medialen Vorfuß besteht.

Die Ergebnisse verdeutlichen, dass das STG daran gehindert werden kann, entweder durch strukturelle (knöchern bedingte) oder funktionelle (muskulär bedingte) Ursachen maximal zu pronieren.

Die Abbildungen 2.2.1 bis 2.2.5, 2.2.12 bis 2.2.19, 2.2.21 bis 2.2.25 sowie 2.3.6 bis 2.3.12 und 2.3.14 bis 2.3.17 wurden freundlicherweise von Lucie Schmidt, Braunschweig, zur Verfügung gestellt.

3

Das System zur Fortbewegung

3.1 Der normale Gangzyklus

In dem normalen Gangzyklus wirken Muskeln, Bänder, Knochen und Gelenke der unteren Extremität zusammen und sind in der Lage den Körper fortzubewegen. Den gesamten Gangzyklus – **den Zeitraum zwischen zwei aufeinander folgenden Bodenkontakten desselben Fußes** – unterteilt man in zwei grundlegende Abschnitte:

- die Standphase und
- die Schwungphase.

In der gesamten Phase des Gangzyklus liegt ein Abschnitt, bei dem beide Füße den Boden berühren. Er macht ca. 10% der Standphase (Fußbelastungsphase) für jedes Bein aus (Abb. 3.1).

Die Fortbewegung des Körpers wird durch die Propulsion[3] am Ende der Standphase bewirkt. Bei der Propulsion stößt der Fuß vom Boden ab und bewegt den Körper nach vorn. Um die normale Fortbewegung zu gewährleisten, müssen die Gelenke einen bestimmten Bewegungsumfang besitzen, um auf Unebenheiten und Richtungsänderungen reagieren zu können. Pathologien des Körpers können diese Mechanismen beeinflussen und ein anormales Gangmuster hervorrufen.

3.1.1 Die Phasen des Ganges

Die Schwungphase des Fußes beginnt nach der Propulsion mit dem Abheben der Zehen vom Boden und endet mit dem Fersenkontakt desselben Beines. Die Standphase setzt ein, wenn die Fußfläche nach dem Fersenkontakt den Boden berührt. Sie endet mit dem Abheben der Zehen vom Boden (Abb. 3.2).
Die Standphase wird eingeteilt in:

- Fersenkontakt
- Fußbelastung –> frühe Standphase
  –> späte Standphase
- Abheben der Zehen (Propulsionsphase[3])

Beim Fersenkontakt ist der Fuß nur wenig plantarflektiert, das Knie ist leicht gebeugt und das Becken von dem vorschwingenden Bein um ca. 5° nach vorn (anterior) gedreht.

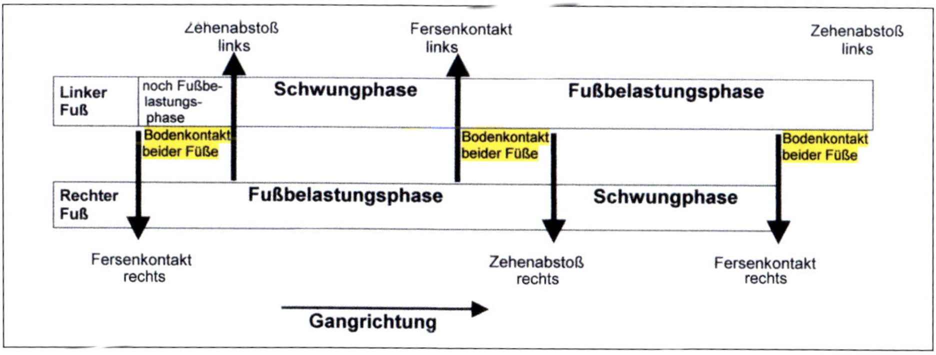

Abb. 3.1: Gangzyklus mit Bodenkontaktphase beider Füße

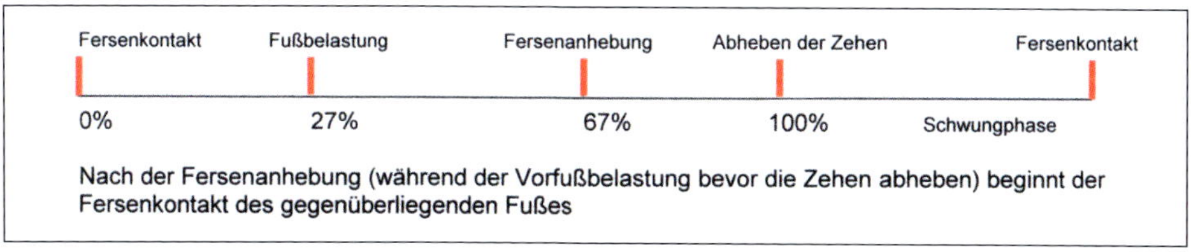

Abb. 3.2: Gangzyklus eines Beines

3 lateinisch: propello = vorantreiben, vorwärtstreiben

Nach dem Fersenkontakt folgt die Plantarflexion des Fußes zum Boden. Wenn die gesamte Fußfläche den Boden berührt, beginnt die frühe Standphase, mit der Fuß und Bein das Körpergewicht aufnehmen. An diesem Punkt beginnt der Moment, in dem der Fuß Stabilität erlangt und sich der Gewichtsbelastung anpasst. Das Körpergewicht liegt direkt über dem Mittelpunkt des Fußes. Der Körper und das Knie sind nun gestreckt, das Talo-Crural-Gelenk steht nahezu lotrecht und das Becken befindet sich wieder in Neutralstellung (0°). Mit der Vorwärtsbewegung des Körpers bewegt sich die Tibia nach vorn (anterior) und dorsalextendiert das Talo-Crural-Gelenk. Die Aktivität des M. quadriceps femoris bewegt zusätzlich auch den Oberschenkel nach vorn – jedoch in langsamerer Bewegung als die Tibia. Die späte Standphase beginnt, wenn sich das Körpergewicht auf den Vorfuß verlagert. Die Ferse hebt vom Boden ab und leitet somit die Propulsionsphase ein. Durch den Abstoß vom Boden wird der Körper nach vorne bewegt.

Das Hüftgelenk

Das Hüftgelenk kann sich in drei Richtungen bewegen. Es sind die:

- Flexion und Extension in der Sagittal-Ebene
- Abduktion und Adduktion in der Transversal-Ebene
- interne/externe Rotation (Innen- und Außendrehung) in der Frontal-Ebene

Den größten Bewegungsumfang besitzt die Sagittal-Ebene, in der die Flexion von 0° - 130° und Extension von 0° - 12° möglich ist. Die hauptsächlich für die **Flexion des Hüftgelenks** verantwortlichen Muskeln sind der:

- M. psoas major
- M. illiacus
- M. tensor fasciae latae
- M. rectus femoris
- M. sartorius

und die adduzierenden Muskelgruppen.

Die **Extensorengruppe des Hüftgelenks** setzt sich zusammen aus dem:

- M. glutaeus maximus

  und den posterior vom Femur liegenden Muskeln (engl.: Hamstrings):
- M. semimembranosus
- M. semitendinosus

Der M. biceps femoris extendiert zwei Gelenke: das Hüft- und das Kniegelenk.

Die Abduktion des Hüftgelenks ist von 0° - 4 5°, die Adduktion von 0° - 30° möglich. Hauptsächlich verantwortliche **Muskeln für die Abduktion** sind der:

- M. glutaeus medius
- M. glutaeus minimus und
- M. piriformis

Die **Adduktorengruppe** besteht aus dem:

- M. adductor longus
- M. adductor brevis
- M. adductor minimus
- M. adductor magnus
- M. gracilis und
- M. pectineus

Sie besitzen wenig Funktion während der Gangabwicklung, spielen jedoch eine wichtigere Rolle bei bestimmten Pathologien.

Bei gebeugter Hüfte dreht sich das Hüftgelenk in der Frontal-Ebene nach außen von 0° - 45°, oder nach innen von 0° - 50°. Bei gestrecktem Oberschenkel verringert sich die Bewegung des Hüftgelenks, weil Muskeln und Bänder das Gelenk stabilisieren.

Für die **Innenrotation** verantwortlich sind die Muskeln:

- M. glutaeus medius und
- M. glutaeus minimus.

Die **Außenrotation** bewirken die Muskeln:

- M. obturatorius externus
- M. quadratus femoris.

Beim Fersenkontakt liegt der Bodenwiderstand vor (anterior) dem Hüftgelenk.

Er verursacht in der Sagittal-Ebene ein Flexions-Moment. Die Aktivität der posterior vom Femur liegenden Muskeln (Hamstrings) und der M. glutaeus maximus wirken diesem Flexionsbestreben jedoch entgegen.

In der späten Standphase verlagert sich der Bodenwiderstand hinter (posterior) das Hüftgelenk.

Durch das Körpergewicht bewegt sich das Becken – des sich in der Schwungphase befindenden Beines – zu 5° nach vorn. Die Abduktoren-Gruppe ist zu diesem Zeitpunkt aktiv, um dem adduzierenden Kraftmoment entgegen zu wirken. Die Bewegung in der Transversal-Ebene ist das Ergebnis des Trägheitsgesetzes. Sie erfordert keine Muskelarbeit.

Bevor die Zehen vom Boden abheben, werden die Flexoren des Beckens aktiviert. Sie heben den Oberschenkel an und lösen eine Flexion des Knies aus. Das Körpergewicht wechselt auf das gegenüberliegende Bein. Das Becken des schwingenden Beines dreht sich nach vorn, sobald der gegenüberliegende Oberschenkel nach hinten dreht.

Nach dem Fersenkontakt des schwingenden Beines wiederholt sich der Gangablauf.

Das Kniegelenk

Das Kniegelenk wird von Femur, Tibia und der Patella gebildet und wird als größtes Gelenk des Körpers bezeichnet. Seine Gelenkflächen zwischen den femoralen und tibialen Gelenkköpfen (Kondylen) sind nicht deckungsgleich (kongruent). Diese Ungleichheit wird durch die knorpeligen Menisken ausgeglichen. Die laterale Gelenkfläche ist nahezu rund, die mediale dagegen ist größer. Sie ist deutlicher oval geformt, nach anterior-posterior verlängert und nach lateral gebogen (Abb. 3.3).

Die Kniebewegungen ergeben sich aus der Form des Gelenks. Die stabilste und größtmögliche Kongruenz der Gelenkflächen mit dem Femur entsteht bei vollständiger Streckung des Knies.

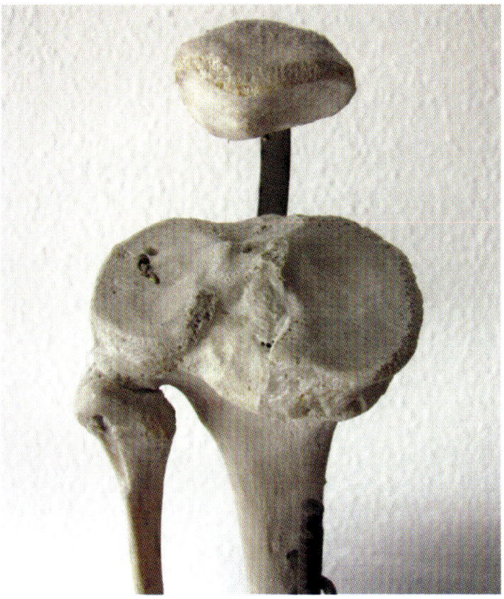

Abb. 3.3: Kniegelenkskelett des linken Beines. Oberhalb des Skeletts ist die Patella dargestellt.

Die Bewegungen des Knies bestehen aus:
- Flexion und Extension
- Innen- und Außendrehung

Obwohl die Flexion und Extension den größten Bewegungsumfang ausmachen, kann das Kniegelenk nicht als reines Scharniergelenk bezeichnet werden. Zum Beispiel sind die Bewegungsachsen nicht genau gradlinig. Durch die nach hinten (posterior) abfallende Fläche der tibialen Kondylen verschieben sich die Achsen während:
- der Streckung des Unterschenkels in eine **superior-anteriore Richtung** (Richtung nach oben vorn)
- der Beugung des Unterschenkels in eine **inferior-posteriore Richtung** (Richtung nach hinten unten).

Wenn der Fuß während der Gangabwicklung den Boden berührt, drehen die Kondylen des Femur in dem Kniegelenk nach medial. Aufgrund der Gelenkstruktur sind davon die restlichen 30 % der Streckung betroffen.

Bei der Beugung des Knies drehen die Kondylen des Femur in dem Kniegelenk nach lateral, wenn der Fuß den Boden be-

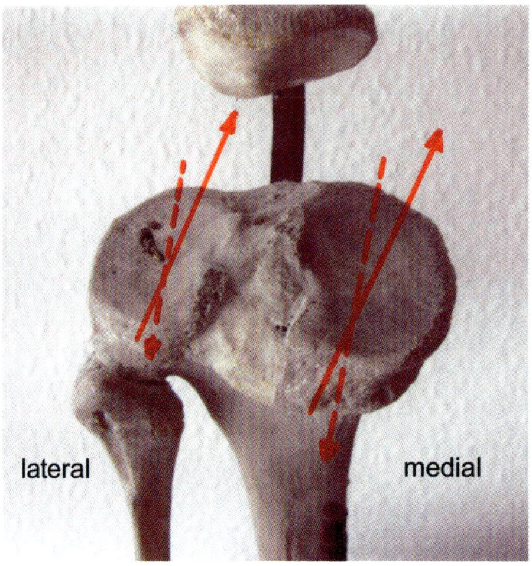

Abb.3.4: Struktur der Kniegelenkfläche des linken Beines. Die Kondylen des Femur drehen sich im gestreckten Knie nach medial (durchgehende rote Linie) und im gebeugten Knie nach lateral (gestrichelte rote Linie).

rührt. Dies geschieht in den ersten 30° der Beugung.

Während der Extension des Knies sorgt der Femur aufgrund seiner Drehung für eine vollständige Berührung sowie Kongruität der Gelenkfläche mit der Tibia. Die das Kniegelenk umgebenden Bänder sorgen zusätzlich für Festigkeit. Damit sich die Füße während der Standphase der Gangabwicklung nicht berühren, entsteht eine geringe, physiologisch bedingte, Valgus-Stellung im Kniegelenk.

Durch die Streckung des Knies wird eine **Kompression im Gelenk und des Meniskus** erzeugt, die durch **Kontraktion des M. popliteus** – wie Elektromygraphische Untersuchungen bewiesen haben – gemildert wird.

Bei der intertarsalen Gelenkmobilität – bei welcher der Fuß keiner Belastung ausgesetzt ist – **dreht die Tibia** bei den letzten 30° der **Kniestreckung nach lateral** und **während** der ersten 30° **der Kniebeugung nach medial**.

Der Bewegungsumfang des Kniegelenks beträgt ca. 0° - 150° an Flexion. Außerdem besteht die Möglichkeit von ca. 0° – 10° Hyperextension des Knies. Während des Gehens besteht eine Bewegung des Knies in der Transversal-Ebene (Abduktion/Adduktion) von ca. 20°.

Die das Kniegelenk umgebenden Muskeln sind für die Funktion des Gelenks während der Gangabwicklung wichtig. Der **M. quadriceps femoris** ist z.B. nur in der frühen Standphase der Gangabwicklung aktiv, weil er die Kniebeugung verlangsamt. Wenn sich der Körperschwerpunkt vor (anterior) das Kniegelenk verlagert, fällt die Aktivität des M. quadriceps femoris auf Null zurück. Während des Laufens oder bei hoher Gangfrequenz sind die Extensoren des Kniegelenks aktiv, um nach dem Abheben der Zehen vom Boden das Bein nach vorn zu schwingen und eine anormale Kniebeugung zu vermeiden. Die **Extensoren-Muskulatur des Oberschenkels** (M. semimembranosus, M. semitendinosus, M. biceps femoris) werden erst zum **Ende der Schwungphase aktiv**, um die Extension des Kniegelenks zu verlangsamen. In Abhängigkeit von der Ganggeschwindigkeit können die Extensoren des Oberschenkels (Femurs) zu einem Teil auch die Kniebeugung unterstützen.

Das Talo-Crural-Gelenk (oberes Sprunggelenk)

Das Talo-Crural-Gelenk ist ein Scharniergelenk. Seine Achse verläuft von lateral plantar posterior nach medial dorsal anterior. Die Achse weicht in ihrem anterior-medialen Verlauf ca. 8° von der Transversal- und Frontal-Ebene ab.

Die Bewegung des Gelenks findet hauptsächlich in der Sagittal-Ebene statt und besteht aus Dorsalextension und Plantarflexion. Aufgrund des Achsenverlaufs im oberen Sprunggelenk ist nur wenig Supination und Pronation möglich. Für die normale Gangabwicklung sind mindestens 10° Dorsalextension und 20° Plantarflexion notwendig.

Durch die **Supination des Talo-Crural-Gelenks entsteht eine Plantarflexion** und mit der **Pronation des Gelenks eine Dorsalextension des Fußes.**

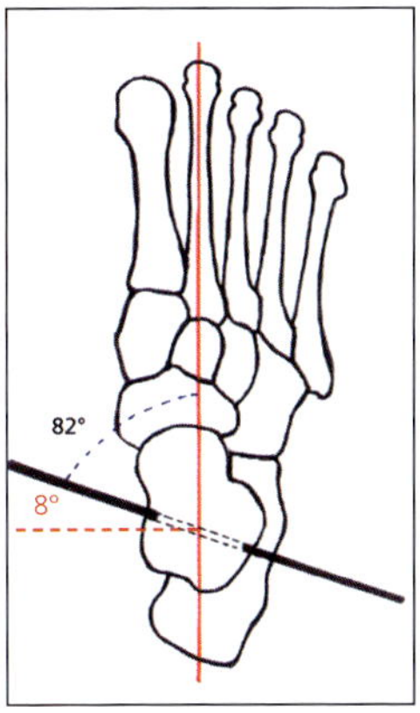

Abb.3.5: Sagittal-Ebene des oberen Sprunggelenks mit den Bewegungen: Plantarflexion und Dorsalextension (rote Linie: anatomische Fußlängsachse)

Die Arbeit der Unterschenkelmuskulatur ist mit den Gelenkbewegungen während der Gangabwicklung koordiniert. Der M. triceps surae (M. gastrocnemius und M. soleus) ist ab 20% nach dem Fersenkontakt bis zum Abheben der Zehen vom Boden aktiv.

Die tief liegenden Muskeln des Unterschenkels (M. peroneus longus und -brevis, M. tibialis posterior, M. flexor digitorum longus, M. flexor hallucis longus,) haben eine ähnliche Aktivitätsphase wie der M. triceps surae.

Die Extensoren-Gruppe (M. tibialis anterior, M. extensor digitorum longus, M. extensor hallucis longus, M. peroneus tertius) ist während der Schwungphase und des Fersenkontaktes aktiv.

Übersicht der Muskelaktivitäten des Unterschenkels während der Gangabwicklung (nach Root, Orien und Weed)

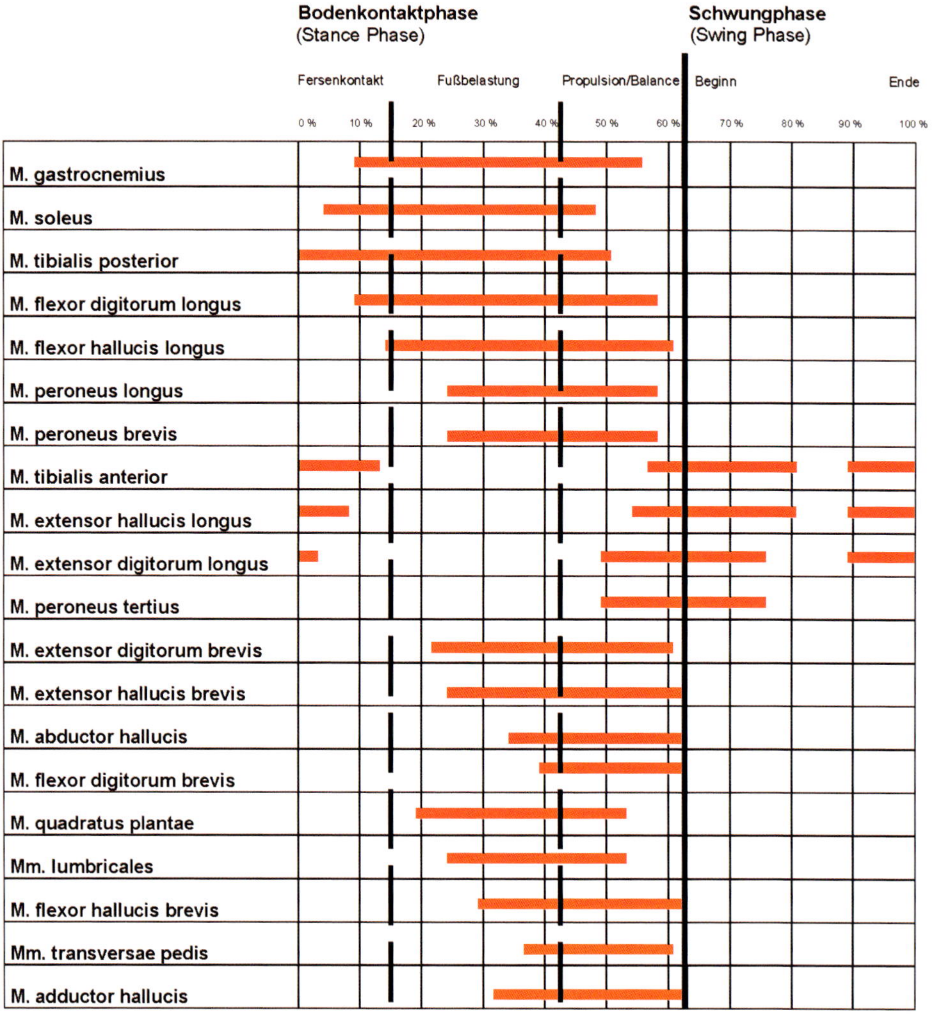

Normalerweise ist das Talo-Crural-Gelenk in der Schwungphase der Gangabwicklung leicht dorsalextendiert.

Nachdem die Ferse den Boden berührt (Fersenkontakt), setzt sofort die Plantarflexion und damit auch die Supination des Talo-Crural-Gelenks ein. Die Extensoren des Unterschenkels fangen dabei eine allzu schnelle Plantarflexion des Fußes ab.

Die Fußfläche berührt den Boden ab ca. 15% - 20% der Kontaktphase der Gangabwicklung. Ab diesem Zeitraum verliert die Extensoren-Gruppe ihre Aktivität und die Beugemuskulatur (M. triceps surae und die tiefliegende Beugemuskulatur) kontrahiert, um das Talo-Crural- und das Subtalar-Gelenk für die Propulsion zu stabilisieren.

Während der späten Standphase ist es für die Beugemuskulatur schwierig, Balance zu halten, da der Körperschwerpunkt bereits anterior der Achsen des Talo-Crural- und des Knie-Gelenks liegt.

Das Talo-Crural-Gelenk wird dorsalextendiert und das Knie gestreckt.

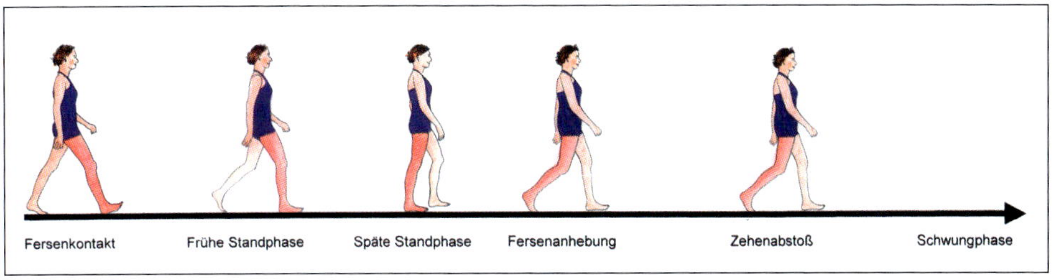

Abb.3.6: Schrittfolge des rechten Beines

Beim Abheben der Ferse (bei ca. 60 % der Standphase, Abb. 3.2) befindet sich das obere Sprunggelenk in maximaler Dorsalextension. Das gegenüberliegende Bein bewegt sich nach vorn und übernimmt mit dem Fersenkontakt das Körpergewicht. Der zuvor gewichtstragende Fuß befindet sich in der Schwungphase (Abb. 3.6). Diese Bewegungen werden vorwiegend von dem M. soleus, weniger von dem M. gastrocnemius gesteuert.

Wenn die Ferse vom Boden abhebt, plantarflektiert das Talo-Crural-Gelenk und ist maximal gebeugt (ca. 20°), sobald die Zehen vom Boden abheben. An diesem Punkt verliert die Beugemuskulatur ihre Aktivität und die Streckermuskulatur beginnt zu kontrahieren. Sie dorsalextendiert das Talo-Crural-Gelenk nach der 20° Plantarflexion zu Beginn der Schwungphase zur beinahe rechtwinkeligen Stellung, damit die Zehen nicht den Boden berühren. Nach Abschluss der Schwungphase befinden sich Fuß und Bein wieder in ihrer Ausgangslage für den nächsten Fersenkontakt.

Das Subtalar-Gelenk/STG (unteres Sprunggelenk)

Das Subtalar-Gelenk besitzt drei Gelenkflächen. Die Hauptachsen des unteren Sprunggelenks liegen zu 42° in der Transversal-Ebene und zu 16° in der Sagittal-Ebene des Fußes. Die Achse beginnt an der posterior-lateral-plantaren Seite des Calcaneus und verläuft zur dorsal-medialen Fläche des Talus-Halses in einer anterior-medial-dorsalen Richtung. Weil die Achse des unteren Sprunggelenks schräg zu den drei Hauptebenen des Körpers verläuft, wird sich der Rückfuß ebenfalls in dieser Form bewegen. Die Achse des Subtalar-Gelenks berührt folglich alle drei Körperebenen. Es besteht eine dreidimensionale Bewegung zum einen aus Supination, zum anderen aus Pronation.

Ohne Belastung evertiert, abduziert und dorsalextendiert der Calcaneus bei der Pronation. Er invertiert, adduziert und plantarflektiert bei der Supination.

Unter Belastung evertiert der Calcaneus, der Talus adduziert und plantarflektiert mit Innendrehung des Unterschenkels bei der Pronation. Der Calcaneus invertiert, der Talus abduziert und dorsalextendiert mit Außendrehung des Unterschenkels bei der Supination.
Das Ausmaß der Plantarflexion bzw. Dorsalextension ist von der Stabilität oder Nachgiebigkeit des Chopart-Gelenks abhängig.

Während des Gehens ist das STG bei Fersenkontakt supiniert, wobei die Streckermuskulatur den Fuß stabilisiert. Kurz nach dem Fersenkontakt sorgt der Bodenwiderstand dafür, dass das STG proniert und der Unterschenkel nach Innen dreht. Danach plantarflektiert das Talo-Crural-Gelenk und führt eine Supination aus.

Um eine übermäßige STG-Pronation nach dem Fersenkontakt zu vermeiden, ist die **Stabilisierung des Fußes durch die Muskeln M. tibialis anterior, M. extensor digitorum longus und der M. peroneus tertius** wichtig. Wenn der Fuß nach Erreichen von ca. 25 % der Standphase das Körpergewicht tragen muss, sollte die Muskelaktivität in Bezug zum Bodenwiderstand im Gleichgewicht sein (Abb. 3.7).

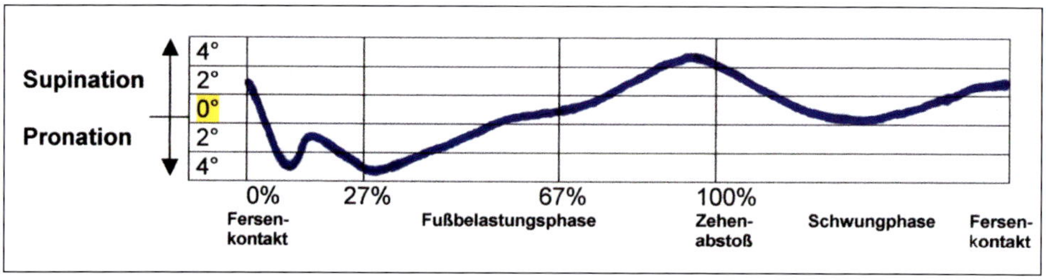

Abb. 3.7: Bewegung des Subtalar-Gelenks während der Gehabwicklung eines Beines

Zum Zeitpunkt der flächigen Fußbelastung berühren die Zehen des gegenüber liegenden Fußes noch den Boden und leiten somit die „Bodenkontaktphase beider Füße" ein. Es ist in dieser Phase für das Standbein um so wichtiger, stabil zu sein und den Körper im Gleichgewicht zu halten.

Nach dem Trägheitsgesetz verursacht das schwingende Bein ein Kraftmoment, welches das Standbein leicht nach außen dreht und den Fuß invertiert. Bis zum Abheben der Zehen kann die Ferse ca. 4° Supination erreichen.

Für den Wechsel vom anpassungsfähigen (pronierten) zum stabilen (supinierten) Standfuß ist unter anderem das STG verantwortlich.

Das Chopart-Gelenk

Das Chopart-Gelenk wird von dem Talo-Navicular- und dem Calcaneo-Cuboid-Gelenk gebildet. Es besitzt zwei voneinander unabhängige Bewegungsachsen. Während die eine Achse proniert, ist die andere in der Lage zu supinieren. **Beide Gelenke sind in sich nur zu ca. 2° - 3° beweglich.**

Die **Longitudinal-Achse** (Längsachse) des Chopart-Gelenks verläuft in anterior-medial-distaler Richtung, die zu 15° von der Transversal-Ebene und zu 9° von der Sagittal-Ebene abweicht. Da diese Achse in nahezu anterior-posterioren Richtung verläuft besteht ihre Bewegung hauptsächlich aus Inversion und Eversion.

Die **Querachse** (Schrägachse) des Chopart-Gelenks weicht zu ca. 52° von der Transversal-Ebene und zu ca. 57° von der Sagittal-Ebene ab und verläuft anterior-dorsal nach anterior-medial. Diese Achse verläuft nahezu parallel mit der des Subtalar-Gelenks (STG). Die Bewegungen um diese Achsen liegen hauptsächlich in der Transversal- und Sagittal-Ebene (Siehe dazu auch das Kapitel Grundbegriffe).

Der Bewegungsumfang und die Bewegungsrichtung des Chopart-Gelenks ist abhängig von der Position des STG. **Bei der Pronation des STG wird der Bewegungsumfang der Querachse des Chopart-Gelenks vergrößert, bei der Supination verkleinert.** Dieses Phänomen lässt sich dadurch erklären, dass mit der Pronation des STG die talo-naviculare Achse parallel zur Achse des Calcaneo-Cuboid-Gelenks verläuft. Dadurch kann sich der Vorfuß ohne weitere Bewegung des STG in Bezug zum Rückfuß frei bewegen. Im Gegensatz dazu weichen die Achsen durch die Supination des STG auseinander und begrenzen die Bewegung des Vorfußes.

Während der **Pronation des Chopart-Gelenks bei intertarsaler Gelenkmobilität dorsalextendieren das Os cuboideum und das Os naviculare. Sie abduzieren und evertieren gegenüber dem Rückfuß.** Umgekehrt plantarflektieren, adduzieren und invertieren diese beiden Knochen bei intertarsaler Gelenkmobilität, wenn das Chopart-Gelenk supiniert.

Während der **Pronation des Chopart-Gelenks bei intertarsaler Gelenkstabilität** finden folgende Bewegungen statt:

Der Rückfuß adduziert und plantarflektiert in Bezug zum Vorfuß um die

Querachse des Chopart-Gelenks. Da sich die Tibia mit dem Talus bewegt, dreht sich der Unterschenkel in Verbindung mit der Adduktion des Rückfußes nach innen. **Durch die Eversion des Calcaneus findet eine Supination um die Längsachse statt, damit sich der Vorfuß weiterhin parallel zum Boden befindet.**

Bei Fersenkontakt steht der Vorfuß um die Längsachse supiniert, was hauptsächlich an der Aktivität des M. tibialis anterior liegt. Wenn der Vorfuß den Boden berührt wirken durch den Bodenwiderstand starke pronierende Kräfte auf beide Chopart-Gelenk-Achsen ein. Die Aktivität des M. tibialis anterior vermeidet jedoch eine zu starke Auswirkung dieser pronierenden Kräfte, sodass der Vorfuß von lateral nach medial weich auf dem Boden aufsetzen kann.

3.2 Pathologische Gangmuster

Wenn ein pathologisches Gangmuster beurteilt werden soll, ist zwischen dem **antalgischen** und dem durch **unterschiedliche Beinlängen verursachten Gangmuster** zu unterscheiden. Ein antalgischer Gang versucht dem Schmerz an der betroffenen Extremität durch Entlastung auszuweichen. Dies führt dazu, dass **das Körpergewicht auf dem schmerzlosen Bein länger ruht** und sich die **Belastungszeit zwischen beiden Beinen ungleich darstellt**. Hinzu kommt, dass sich der Gang durch schräge Haltung des Kopfes und oberen Rumpfes zur schmerzlosen Seite hin darstellen kann.

Bei einer Beinverkürzung stellt sich die Belastungszeit zwischen beiden Beinen während des Gehens gleich dar. Dies unterscheidet sich von dem antalgischen Gang. Charakteristisch für die Belastung eines deutlich kürzeren Beines ist, dass der Körper zu dieser Seite fällt.

Das Hüftgelenk

Veränderungen einer Hüftbewegung können durch:

- ein gestörtes Gleichgewicht der Muskulatur
- Schmerzen im Hüftgelenk, des Beines oder
- eine strukturelle (knöchern bedingten) Anomalie

verursacht sein.

Zu Beginn der Kontaktphase während der Gangabwicklung entsteht eine Beugung im Hüftgelenk. Unter normalen Umständen kontrahiert die Extensoren-Gruppe des Oberschenkels, um das Kraftmoment der Beugung abzufangen. Wenn diese Extensoren zu schwach sind, wird die Kraft nur wenig abgebremst und der Rumpf fällt nach vorn. Ein Ausgleich für die Schwäche der Extensoren ist, sich gerader zu halten (evtl. die Lordose der Wirbelsäule zu verstärken) und die Schwerkraft des Körpers mehr hinter die Hüftgelenkachse zu verlagern. Wenn dies nicht möglich ist, kann eine Gehstütze verwendet werden.

Eine Schwäche der Oberschenkel-Beuger verringert die Fähigkeit, das betroffene Bein während der Schwungphase nach vorn zu bringen. Eine Kompensation gegen diese Flexorenschwäche ist möglich, indem das Vorschwingen des Beines durch die Bauchmuskulatur unterstützt wird.

Ein **„Trendelenburg-Gang"** entsteht durch eine zu schwache abduzierende Hüftmuskulatur während der Gangabwicklung. Bei gesunder Muskulatur würden die Abduktoren (M. glutaeus medius, M. glutaeus minimus) dafür sorgen, den Fuß während der Schwungphase vom Standbein fernzuhalten. Eine Schwäche oder Dysfunktion (u. U. Paralyse/Lähmung) der Abduktoren-Muskulatur des Oberschenkels verursacht ein wahrnehmbares Absinken auf die Hüftseite mit der gesunden Muskulatur. Während des Gehens versucht der Patient das Absinken der gesunden Hüfte zu kompensieren, indem er die Schulter auf dieser Seite hebt.

Trendelenburg-Zeichen: Absinken der Hüfte mit der gesunden Abduktoren-Muskulatur und Kompensation durch Hochziehen der Schulter auf gleicher Seite

Eine intakte Funktion der Glutaeus-Muskulatur kann durch den „Einbein-Stand" getestet werden. Das Becken des jeweils belasteten Beines wird durch die Muskulatur stabilisiert und hebt den Beckenkamm der Gegenseite an.

Das Kniegelenk

Pathologien des Kniegelenks können durch unzureichende Streckung bzw. Beugung, Überstreckung und verstärkter Beugung, einer Valgus- oder Varus-Stellung herrühren.

Wenn man das Kniegelenk untersucht, ist zwischen den durch Kompensation oder Gelenkveränderungen hervorgerufenen Beschwerden zu unterscheiden. Hinzu kommt, dass in bestimmten Abschnitten des Gangzyklus charakteristische Gangveränderungen auftreten. Die Fähigkeit des Kniegelenks, eine Beugung und Streckung mit geringer Rotation auszuführen, ist wesentlich für ein koordiniertes und elastisches Gangbild.

Die Kniebeugung ist nach Fersenkontakt zur Schockabsorption[4] und zu Beginn der Schwungphase für das Abheben der Zehen erforderlich. Gleichermaßen ist die Kniestreckung zum Ende der Schwungphase notwendig, um den Fersenkontakt mit dem Boden vorzubereiten und in der Standphase das Abheben der Zehen des gegenüberliegenden Beines zu unterstützen.

Eine Kniebeugung im Augenblick des Fersenkontaktes ist entweder das Ergebnis einer Gelenkveränderung oder während der gesamten Schwungphase gewöhnlich ein Kompensationsmechanismus (z. B. beim steppenden Gang).

4 Abfangen des Körpergewichts während der Gangabwicklung, gewöhnlich zum Zeitpunkt des Aufsetzens der Ferse auf den Boden.

Die ausgeprägte Kniebeugungen kann durch Spastiken der Streckermuskulatur z.B. M. quadriceps femoris des Oberschenkels („Hamstrings") oder Kontrakturen anderer Muskeln verursacht sein. Eine eingeschränkte Kniebeugung kann entweder an einer Spastik oder Schwäche des Unterschenkelstreckers oder einem versteiften Talo-Crural-Gelenk liegen.

Starke Beugungen des Knies während der Gangabwicklung hemmen eine normale Progression (ein normales Voranschreiten) und verursachen eine Mehrbelastung und verminderte Schockabsorption des Talo-Crural-Gelenks und des Fußes.

Eine begrenzte Kniestreckung kann meist auf gleiche Ursachen wie bei der übersteigerten Kniebeugung zurückgeführt werden. Eine der Ursachen kann der M. gastrocnemius sein. Dieser Muskel ist während der gesamten Standphase des Gangzyklus aktiv, um die Vorwärtsbewegung des Unterschenkels zu dosieren. Folglich bewirkt die Schwäche dieses Muskels eine ungleiche Kniestreckung im Vergleich zum kräftigeren Bein.

Die Unfähigkeit, das Knie während der Gangabwicklung zu strecken, verlagert den Rumpf hinter den gewichtstragenden Fuß. Zur Kompensation erfordert dies mehr Dorsalextension im oberen Sprunggelenk oder eine frühe Fersenanhebung. Ohne Kompensation ist die Vorwärtsbewegung des Körpers und des Beines während der späten Standphase beeinträchtigt. Das Fehlen der Extension zum Ende der Schwungphase führt zu einer kürzeren Schrittlänge, wodurch auch die Vorbereitung des Fußes zum Bodenkontakt ausbleibt.

Eine Überstreckung des Knies in irgendeinem Bereich der Standphase ist pathologisch und entsteht aus der Kompensation für eine andere Deformität.

Weniger deutlich sind Bewegungen des Kniegelenks in der Frontal-Ebene zu erkennen. Deformitäten werden erst dann bemerkt, wenn das Gewicht des Körpers nur auf einem Bein ruht und eventuell betroffene Gewebe des Kniegelenks sichtbar werden. Anders als die in der Sagittal-Ebene vorkommenden Knieanomalien sind die in der Frontal-Ebene zu sehenden meist kompensatorischer Art.

Ein Genu valgum (X-Bein) kann durch eine Abweichung der Beinachsen (evtl. genetisch) nach medial oder einer Valgus-Instabilität des Fußes entstehen. Eine Varus-Knie-Stellung kommt weniger häufig vor und kann an einer entwicklungsbedingten Fehlstellung oder einer Osteoarthritis des Knies liegen.

Das Talo-Crural-Gelenk (oberes Sprunggelenk)

Unzählige Krankheiten beeinflussen Muskeln und Nerven, die sich auf das obere Sprunggelenk auswirken. Veränderungen in der Muskelfunktion verursachen charakteristische Gangveränderungen. Es gibt drei Muskelgruppen, die davon betroffen sein können:

- die hintere (posteriore) Unterschenkelmuskulatur mit der oberflächigen Muskelgruppe M. gastrocnemius, M. soleus
- die tiefer liegenden Flexorengruppe M. flexor digitorum longus, M. flexor hallucis longus, M. tibialis posterior
- die vordere (anteriore) Unterschenkelmuskulatur M. extensor digitorum longus, M. extensor hallucis longus, M. tibialis anterior, M. peroneus tertius
- die laterale Unterschenkelmuskulatur M. peroneus longus, M. peroneus brevis.

Die aktiven Phasen dieser Muskulatur sind im vorderen Teil dieses Kapitels beschrieben.

Die oberflächige hintere Muskelgruppe ist zu ca. 70% an der Propulsion durch Plantarflexion des oberen Sprunggelenks beteiligt. Der M. gastrocnemius und M. soleus tragen auch zur Stabilität des Unterschenkels während der Fortbewegung bei. Deshalb sind bei Beeinträchtigung dieser Muskelgruppe nicht nur die Propulsion sondern auch die Stabilität des Fußes während der Gangabwicklung gestört. Sind die oberflächigen Flexoren beeinträchtigt, versuchen die Muskeln der tiefer liegenden Flexoren-Gruppe deren Aktivität zu übernehmen. Sie sind normalerweise nur zu ca. 30 % an der Propulsion beteiligt. Durch Gegenwirkung anderer Muskelgruppen ist es jedoch möglich, dass sich ein Fuß mit hohem medialen Längsgewölbe entwickeln kann. Dieser Fuß entsteht durch die Flexoren M. flexor digitorum longus und M. flexor hallucis longus, die den Vorfuß in Bezug zum Rückfuß plantarflektieren und adduzieren.

Wenn die Propulsion vollständig fehlt, steht der Fuß meist abduziert. Das Körpergewicht rollt medial über den Vorfuß ab und mit Beugung des Knies drückt sich das mediale Fußgewölbe nach unten. Die Kniebeugung und -streckung während der Gangabwicklung dient dann als Ersatz für die fehlende Aktivität des oberen Sprunggelenks für die Propulsion.

Die eingeschränkte Dorsalextension des Talo-Crural-Gelenks kann sehr oft mit der oberflächigen hinteren Muskelgruppe in Verbindung gebracht werden (Krankheitsbild in der amerikanischen Literatur: **„Gastrocnemius Equinus“**). Der „Equinus“ wird hier so definiert, dass die für eine normale Gangabwicklung erforderliche Dorsalextension im Talo-Crural-Gelenk nicht ausreicht. Diese Pathologie kann durch eine erworbene oder angeborene Verspannung des M. gastrocnemius, M. soleus verursacht sein oder an einer knöchernen (strukturellen) Veränderung des oberen Sprunggelenks oder einem Hohlfuß liegen. Die Kompensation für eine Equinus-Deformität erfolgt entweder durch das Abrollen über die mediale Fußfläche, einem zu frühen Abheben der Ferse (Folge: kürzere Schritte) oder der abduzierenden Drehung des Vorfußes kurz vor der Propulsion (englisch: abductory twist).

Die zu frühe Fersenanhebung in Verbindung mit der Equinus-Deformität erzeugt ein Gangmuster, bei dem das Bein hochzuschnellen scheint.

Normalerweise findet die Fersenanhebung kurz vor dem Fersenkontakt des gegenüberliegenden Beines statt. Bei der Equinus-Deformität hebt sich die Ferse entweder vorher ab oder wenn sich das gegenüber liegende Bein gerade in der Schwungphase befindet. Bei einer schweren Equinus-Deformität kann es vorkommen, dass die Ferse während des gesamten Gangzyklus den Boden kaum oder nicht berührt. Hierbei plantarflektiert der gewichtstragende Fuß das Talo-Crural-Gelenk und bewegt den Körper statt des Abrollvorgangs in einer Auf- und Abwärtsbewegung nach vorn.

Wenn die Aktivität der tiefer liegenden Flexoren-Gruppe (M. flexor digitorum longus, M. flexor hallucis longus, M. tibialis posterior) nachlässt oder gänzlich fehlt, ist die Fähigkeit zur Propulsion fast nicht mehr vorhanden. Wenn allein der M. tibialis posterior zu schwach geworden ist, flacht das mediale Längsgewölbe des Fußes innerhalb von 6 - 12 Wochen stark ab. Der so geschwächte Fuß hebt mit proniertem Stellung vom Boden ab und bleibt während des gesamten Gangzyklusses proniert. Das Gangmuster stellt sich – wie bereits erwähnt – apropulsiv dar.

Die klassische Pathologie, bei der die Peroneus-Muskulatur (M. peroneus longus, M. peroneus brevis) geschwächt ist, heißt **Charcot-Marie-Tooth-Hoffmann-Erkrankung**[5] oder Peroneus-Muskel-Atrophie. Das Gangmuster dieser Patienten wirkt unsicher (wackelig). Der Fuß setzt bei Fersenkontakt mehr als üblich supiniert auf und proniert durch den Bodenwiderstand. Bei der Vorfußbelastung kann die schwache Peroneus-Muskulatur den 1. Strahl nicht plantarflektieren. Der Fuß bleibt folglich weiterhin proniert, supiniert anschließend in der späten Standphase der Gangabwicklung sehr schnell durch die Außendrehung des Unterschenkels. Die plötzliche Änderung der Bewegungsrichtung im Rückfuß in Verbindung mit der veränderten Stellung des Unterschenkels bedingt diese Instabilität.

5 erblich bedingte motorisch-sensible Neuropathie

Die Schwäche der lateral verlaufenden Peroneus-Muskulatur verursacht eine Überaktivität der tiefen Flexorengruppe M. flexor digitorum longus, M. flexor hallucis longus und M. tibialis posterior an der medialen Seite des Fußes. Das gestörte Gleichgewicht der Muskulatur führt zu einem rasch entstehenden hohen medialen Fußgewölbe mit lateraler Instabilität während der Standphase der Gangabwicklung. Dadurch entstehen oft auch Verletzungen des Talo-Crural-Gelenks an der lateralen Seite des Fußes.

Schmerzhafte Zustände im Rückfuß (z. B. Arthritis, Verklebungen des Tarsus) können durch Spasmen der Peroneus-Muskulatur hervorgerufen werden. Der erhöhte Muskeltonus abduziert den Vorfuß und entwickelt einen spastischen Plattfuß. Die pronatorische Wirkung dieses Muskels hält den Fuß auch während der Gangabwicklung proniert. Der Fuß wird direkt vom Boden abgehoben, statt über den medialen Vorfuß für die Propulsion abzurollen. Am Ende der Schwungphase setzt das Bein mit einem maximal pronierten flachen Fuß wieder auf. Während des Bodenkontaktes dorsalextendiert das Talo-Crural-Gelenk und das Knie beugt sich stark. Das Ergebnis ist ein pendelartiger, apropulsiver Gang.

Eine **schwache vordere (anteriore) Unterschenkelmuskulatur** (M. extensor digitorum longus, M. extensor hallucis longus, M. tibialis anterior, M. peroneus tertius) kann sich unter anderem nach Schlaganfällen und Stoffwechselkrankheiten entwickeln.

Durch die vordere geschwächte Unterschenkelmuskulatur entsteht ein hängender Fuß oder ein Equinus-Fußtyp, weil sie der hinteren starken Beugemuskulatur keine Kraft entgegensetzen kann.

Die Kompensation für eine nicht mehr intakte vordere (anteriore) Unterschenkelmuskulatur führt zu einem charakteristischen steppenden Gang. Bei diesem Gangmuster wird gegen Ende der Propulsion der gesamte Fuß durch extreme Hüft- und Kniebeugung vom Boden abgehoben und bleibt während der Schwungphase zum Boden hin abgewinkelt. Das Talo-Crural-Gelenk ist maximal plantarflektiert.

Zu Beginn der Kontaktphase berühren zuerst die Zehen den Boden. Danach dorsalextendiert das Talo-Crural-Gelenk bis der Rückfuß den Boden berührt. Durch die Streckung des Knies verlagert sich der Schwerpunkt des Körpers nach vorn zur Achse des Talo-Crural-Gelenks.

Weil den Extensoren durch die posteriore Muskelgruppe kein Widerstand entgegensetzt wird, kann sich ein Equinus-Fußtyp entwickeln, der die Ferse vom Bodenkontakt abhält. In frühen Stadien dieser Pathologie kann eine Orthose (Ankle Foot Orthoses/AFO) für das Talo-Crural-Gelenk den Fuß in einem 90° Winkel halten. Wenn nur noch der Vorfuß belastet ist, muss die Ferse wieder in Bodenkontakt gebracht werden, um ein normales Abrollen des Fußes zu ermöglichen.

Die Erkrankung der vorderen (anterioren) Unterschenkelmuskulatur kann sich in verschiedener Weise äußern. Oft ist die Aktivität des M. extensor digitorum longus und M. extensor hallucis longus durch eine Poliomyelitis-Erkrankung ausgefallen. Hiervon ausgenommen ist der ebenfalls zur vorderen (anterioren) Gruppe gehörende M. tibialis anterior. Zum Ausgleich mit der hinteren Unterschenkelmuskulatur entwickelt der M. tibialis anterior dann eine solche Zugkraft, dass ein **Equino-Adducto-Varus-Fuß** – ähnlich einem Klumpfuß – entsteht. Das Gangmuster für den Fuß lässt sich wie folgt beschreiben:

- Der laterale Vorfuß berührt den Boden zuerst.
- Es folgen die Dorsalextension des Talo-Crural-Gelenks, Eversion des Subtalar-Gelenks und schließlich der Fersenkontakt.

Im Stand ist eine supinierte Stellung des Fußes vorhanden.
Der Fuß hebt am Ende der Standphase des Ganges als eine Einheit vom Boden ab und schließt eine Propulsion aus.

Der M. extensor digitorum longus und M. extensor hallucis longus werden zu alleinigen Dorsalextensoren, wenn die Arbeit des M. tibialis anterior ausfällt. Eine extreme Aktivität dieser beiden Muskeln kann andere Extensoren ersetzen. Die Richtung, in der diese Muskeln die Achse des Subtalar-Gelenks passieren, wirkt pronierend. Hierdurch bleibt der Fuß während der Gangabwicklung vom Abheben der Zehen bis zur Vorfußbelastung proniert. Die Stellung des Fußes in Bezug zum Boden ist von dem Bewegungsumfang des Subtalar-Gelenks abhängig.

Eine übermäßige Aktivität der vorderen (anterioren) Muskelgruppe tritt bei spastischen Zuständen auf, wie z. B. nach Schlaganfällen oder anderen motorischen Störungen. Diese Füße sind prädisponiert für Hammerzehen (Digiti mallei). Eine supiniert stehende mediale Fußseite kann als Folge der erhöhten Aktivität des M. tibialis anterior nach einem Schlaganfall entstehen. Die Propulsionsphase verläuft mit wenig oder keiner Zehenarbeit.

3.3 Gelenkerkrankungen

Die Pathologien des **Talo-Crural-Gelenks** können bedingt sein durch:

- Stoffwechselerkrankungen
- genetische Faktoren
- Infektionen
- Operationen
- entzündliche oder mechanische Prozesse.

Die Lokalisation der Erkrankung liegt entweder im Bereich der Malleolen-Innenflächen, der Gelenkflächen des Talus, der Gelenkkapsel oder des umgebenden Muskelgewebes. Der normale Bewegungsumfang des Gelenks für die Gangabwicklung beträgt 10° Dorsalextension und 20° Plantarflexion.

Die eingeschränkte Dorsalextension ist unter dem Kapitel des „Equinus-Fußtyps“ beschrieben. Ein hartes Endgefühl im Talo-Crural-Gelenk lässt auf eine knöcherne Begrenzung der Dorsalextension schließen. Wenn keine Bewegung des Talo-Crural-Gelenks möglich ist, setzt eine frühe Fersenanhebung ein. Hinzu kommt, dass sich das mediale Fußgewölbe extrem absenkt und der Fuß „beim Gehen flach auf den Boden stößt".

Der Verlust der Plantarflexion ist im oberen Sprunggelenk selten, kann aber durch schwere Verletzungen oder nach einer Arthrodese (operative Versteifung) des Gelenks vorkommen.

Das Gangmuster bei dieser Pathologie zeigt eine starke Kniebeugung mit Verlagerung des Unterschenkels nach vorn. Dies beginnt nach dem Fersenkontakt und setzt sich bis zur Standphase fort, um die Ferse in Bodennähe zu halten. Das Knie streckt sich und die Hüfte beugt sich bis zur Neutralstellung, um den Körper über den Fuß abrollen zu lassen. Der Körperschwerpunkt wandert nach vorn, wobei das untere Sprunggelenk in dieser Phase proniert, wo es normal supinieren müsste. Das Chopart-Gelenk verliert seine Funktion wegen der durch den Bodenwiderstand verursachten Dorsalextension des Vorfußes. In diesen Fällen tritt oft eine Subluxation des Chopart-Gelenks auf. Zur Vorbeugung kann eine Rolle unter dem Schuh angebracht werden, um eine extreme Kniebeugung zu vermeiden und dem Fuß ein Abrollen ohne Einbeziehung des Chopart-Gelenks zu ermöglichen. Diese Schuhzurichtung verringert die Krafteinwirkung auf den Vorfuß während der Propulsion. Sie beugt dem weiteren Abflachen des medialen Fußgewölbes und den degenerativen Veränderungen des Chopart-Gelenks vor.

Erkrankungen des Subtalar-Gelenks (STG)

Im Wesentlichen ist das Subtalar-Gelenk von ähnlichen Pathologien betroffen wie das Talo-Crural-Gelenk.

Entzündliche Prozesse in den Gelenken verursachen Schmerzen, die durch Bewegung verschlimmert werden. Das betroffene Gelenk wird oft durch Muskelspasmen an der Grenze des verfügbaren Bewegungsumfangs gehalten. Ein schmerzhaftes Subtalar-Gelenk erschwert das Gehen, weil es ohne seine Funktion keine normale Fortbewegung gibt. Um den Beschwerden auszuweichen, wird der gesamte Fuß angehoben und nach kurzer Schwungphase wieder aufgesetzt.

Die eingeschränkte Beweglichkeit des STG ist oft auch die Folge von Traumen (Druck, oder Stoß).

Im Allgemeinen entwickeln sich zwei klinische Auffälligkeiten:

- Am häufigsten wird der Fuß mit einem größeren Gangwinkel mehr nach außen gestellt. Die Schrittlänge ist verringert und die Standphase während der Gangabwicklung verlängert. Das Körpergewicht rollt über die mediale Seite des Standfußes ab, ohne eine Propulsion ausführen zu können. Das gesamte Bein ist nach außen gedreht, **wobei der Körper in der Frontal-Ebene vor und zurück schaukelt.**
- Das andere Gangmuster besteht aus der Adduktion des Fußes mit nach medial ausgerichteten Zehen. Die Vorwärtsbewegung des Körpers über das Standbein wird auf die mittleren Phalangen des Fußes verlagert.
  Während der Propulsion verläuft die Belastungslinie im Fuß von den medialen zu den lateralen Zehen.
  Hierdurch entsteht ein **Gangbild mit nach vorn gebeugtem Oberkörper und übertriebener Drehung des Beckens in der Transversal-Ebene**. Durch die Drehung des Beckens scheint es, dass sich der gesamte Körper um den Fuß dreht.

Die Muskeln, welche das Subtalar-Gelenk beeinflussen, sind die gleichen wie beim Talo-Crural-Gelenk. Die Sagittal-Achse des Subtalar-Gelenks durchzieht den Fuß in einer anterior-medial-dorsaler Richtung. Die Muskeln um diese Achse bewirken entweder eine Supination oder Pronation.

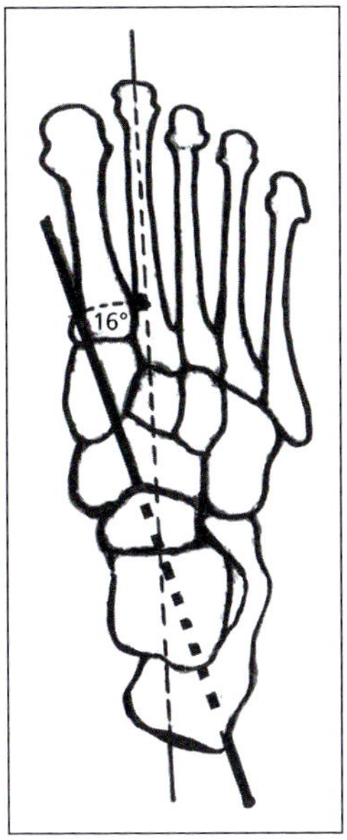

Abb.3.8: Lage der STG-Achse in der Sagittal-Ebene. Die Abbildung zeigt die Skizze des rechten Fußes.

Der gesamte Bewegungsumfang des Subtalar-Gelenks beträgt ca. 25° bis 35°. Seine Neutralstellung liegt bei 1/3 der maximal pronierten Stellung und 2/3 der maximal supinierten Stellung des gesamten Bewegungsumfanges. In Neutralstellung ist folglich der Betrag für die Supination doppelt so hoch wie bei der Pronation.

Eine verstärkte Aktivität der tiefliegenden Flexoren-Gruppe entsteht durch eine schwache oberflächige Flexorengruppe. Sie kann eine extrem supinierende Kraft auf das Subtalar-Gelenk ausüben. Es ist möglich, dass hierdurch ein Equinus-Fußtyp (= eingeschränkte Dorsalextension) entsteht. Die Auswirkung des Equinus läuft darauf hinaus, dass das STG nahezu bis zum Ende seines Bewegungsumfangs pronieren kann.

Wenn der Fuß versucht, diese Stellung durch Dorsalextension der Querachse des Chopart-Gelenks zu kompensieren, hängt dies wiederum von der Stellung des Subtalar-Gelenks ab. **Wenn das STG proniert, vergrößert sich der Bewegungsumfang im Chopart-Gelenk, bei Supination des STG ist der Bewegungsumfang im Chopart-Gelenk verringert.**

Entweder wird der Vorfuß durch den größeren Bewegungsumfang des Chopart-Gelenks mehr auf den Boden „stoßen" oder der Fuß in seinem medialen Gewölbe mehr abflachen.

Besondere Beachtung sollte auch einem schwachen **M. tibialis posterior** geschenkt werden. Er proniert die Längsachse des Chopart-Gelenks und stabilisiert das mediale Fußgewölbe. Durch die eingeschränkte Funktion dieses Muskels kollabiert der Vorfuß. Die daraus entstehende Pronation kann das Subtalar-Gelenk über seinen normalen Bewegungsspielraum hinaus subluxieren. Hierdurch kann ein ausgeprägter Flachfuß entstehen.

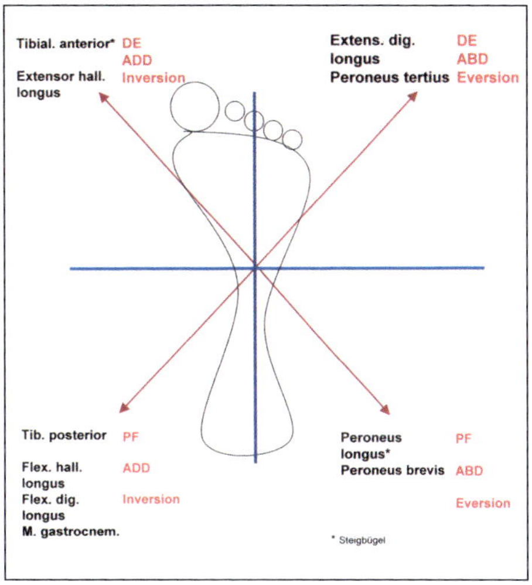

Abb.3.9: Funktionen der Fußmuskulatur

Die verminderte Funktion des M. flexor hallucis longus und M. flexor digitorum longus wurde bereits beim Talo-Crural-Gelenk beschrieben. Sie wirkt sich auf das Subtalar-Gelenk, die eingeschränkte Propulsion, die Kontraktion der Extensoren-Muskulatur und Hammerzehen-Bildung aus.

Wenn die tiefliegende hintere (posteriore) Unterschenkelmuskulatur kaum mehr Aktivität zeigt, ergeben sich Gangveränderungen, bei denen keine Propulsion, eine übertriebene Kniebeugung und eine Vornüber-Beugung des Oberkörpers vorhanden sind. Das untere Sprungge-

lenk ist während der gesamten Gangabwicklung proniert.

Die Auswirkungen einer inaktiven Peroneus-Muskulatur sind ebenfalls beim Talo-Crural-Gelenk beschrieben. Wenn der M. peroneus brevis zu schwach wird, bekommen die supinatorisch wirkenden Muskeln die Oberhand. Dies verursacht bei Fersenkontakt des Fußes eine mehr invertierte Stellung des Subtalar-Gelenks und eine laterale Instabilität mit dem Umknicken des Fußes nach außen (lateral).

Ein **spastisch bedingtes Abflachen des medialen Fußgewölbes** entsteht, wenn innerhalb des Rückfußes (z. B. durch eine Verfestigung), Schmerzen auftreten. Die tarsalen Verfestigungen können zwischen den talo-calcaneo, talo-navicular, calcaneo-cuboid und den cuboid-cuneiformen Gelenkflächen vorkommen. Diese Verfestigungen können aus straffem Bindegewebe, Knorpel oder Knochensubstanz (wie bei einer Synostose) bestehen und schränken die Bewegung im Subtalar-Gelenk ein. Die dadurch ausgelösten Schmerzen können Spasmen des M. peroneus brevis hervorrufen. Der Muskel versucht die Bewegung im Rückfuß und die daraus resultierenden Beschwerden zu vermeiden, indem er die Gelenke des Rückfußes in maximaler Pronation hält. In der Regel bricht damit die Funktion des Chopart-Gelenks zusammen und produziert einen spastischen Flachfuß. Das Gangmuster ist apropulsiv und von kurzen Schritten begleitet. Der Fuß rollt durch seine nach lateral abgewinkelte Stellung über den medialen Fußbereich ab.

Wenn die vordere (anteriore) Muskelgruppe geschwächt ist, hängt die Auswirkung auf das Subtalar-Gelenk davon ab, welche Gruppe am meisten betroffen ist. Der M. extensor hallucis longus, M. extensor digitorum longus und der M. peroneus tertius wirken pronierend auf das Subtalar-Gelenk. Am meisten übt der M. extensor hallucis longus seinen Einfluss aus, wenn seine Kraft parallel zur Achse des Subtalar-Gelenks verläuft.

Der M. tibialis anterior supiniert das Subtalar-Gelenk. Wenn er diese Kraft dazu nicht mehr besitzt, wirken die anderen Muskeln der vorderen Gruppe pronierend auf das Subtalar-Gelenk ein.

Wenn die gesamte vordere (anteriore) Muskelgruppe ausfällt, entsteht ein hängender Fuß. Sein Gangbild verläuft beim Aufsetzen des Fußes typisch: von den Zehen zur Ferse.

Erkrankungen des Chopart-Gelenks

Die Querachse des Chopart-Gelenks dient als Verbindung zwischen Vorfuß und Rückfuß. Pathologien, welche mit dem Gelenk in Verbindung stehen, sind immer Folge von entweder der proximal oder distal gelegenen Gelenkveränderungen.

Zum Beispiel bewirkt die eingeschränkte Dorsalextension im Talo-Crural-Gelenk (lateinisch: Pes equinus) die Dorsalextension der Querachse des Chopart-Gelenks und ein proniertes Subtalar-Gelenk.

Die Kompensation für diesen Equinus verursacht evtl. eine Subluxation im Chopart-Gelenk und ein maximal proniertes Subtalar-Gelenk. Anstatt ein stabiles Fußgefüge (Supination des STG und Pronation des Chopart-Gelenks) zu schaffen, rollt die mediale Fußseite kraftlos über die Bodenfläche ab.

Wie beschrieben, führt eine Schwäche des M. tibialis posterior zu einem Ausfall der Funktion des Vorfußes. Durch seinen Ausfall kommt es zur Supination um die Längsachse des Chopart-Gelenks und zur Pronation des STG und der Querachse des Chopart-Gelenks. Hierdurch kann sich das Os naviculare so verschieben, dass es den Boden berührt. Dieser Zustand führt zu einem sehr abgeflachten medialen Längsgewölbe mit apropulsivem Gang.

Der Ausfall der Peroneus-Gruppe führt zu einer lateralen Instabilität des Fußes.

Die Peroneus-Gruppe spielt eine wichtige Rolle während der Propulsionsphase, wenn die laterale Fußseite vom Boden abheben soll. Der M. peroneus brevis wirkt nicht nur an der Pronation der Querachse des Chopart-Gelenks mit, sondern bremst auch die supinierende Aktivität des M. tibialis posterior.

Knöcherne Verfestigungen, die das Chopart-Gelenk betreffen, verringern die Möglichkeit des Vorfußes, sich Veränderungen im Rückfuß anzupassen oder umgekehrt. Kompensationen hierfür finden im STG oder anderen proximal liegenden Gelenken statt. Wenn Schmerzen vorhanden sind, kann der Rückfuß eine Valgus-Stellung einnehmen, um den Druck zwischen den Gelenkflächen des Subtalar-Gelenks zu verringern.

4

Gangbildanalyse

Die Gangbildanalyse nimmt im Wesentlichen Bezug auf die Klinische Untersuchung. Einige Werte hiervon lassen sich im Gangbild wiederfinden. Die Untersuchungsergebnisse können verglichen und wenn notwendig korrigiert werden. Eine Ganganalyse sollte grundsätzlich zu einer Fußuntersuchung dazu gehören und ihren Abschluss bilden.

Vergleich der Klinischen Untersuchung mit der Gangbildanalyse
(Was finde ich wieder?)

Klinische Untersuchung	Gangbildanalyse
Eingeschränkte Dorsalextension im Talo-Crural-Gelenk (oberes Sprunggelenk)	- abduzierende Drehung des Vorfußes - zu viele sichtbare, von der Ganglinie abweichende Zehen - zu frühe Fersenanhebung - zu kurze Schrittlänge
Stellung des Subtalar-Gelenks (STG)	- Fersenkontakt - Standphase - Abstoß
Vorfuß-/Rückfuß-Verhältnis (Chopart-Gelenk)	- Zehenabstoß
Eingeschränkte Dorsalextension des Hallux	- abduzierende Drehung des Vorfußes - Vorfußbelastung/Vorfußstellung
Malleolar-Torsion	- Gangwinkel des Fußes
Beinlänge	- unterschiedliche Schulterhöhe - Hüftstellung - Kopfhaltung
Entspannte Fersenstellung	- Fersenstellung in der frühen und späten Fußbelastungsphase:
Neutralstellung der Ferse	- Fersenanhebung
Tibia-Stellung	- Fersenkontakt - Fersenanhebung

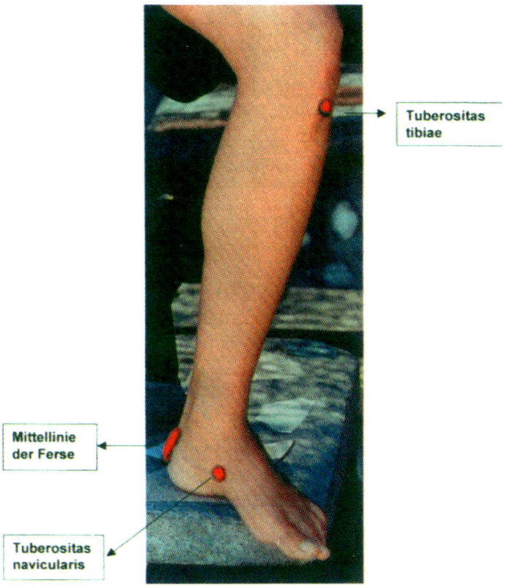

Abb.4.1:
Da die Gangabfolge für das Auge sehr schnell geschieht, müssen an den Unterschenkeln weitere Markierungspunkte angebracht werden. Sie können an den Referenzpunkten entweder mit dem Filzstift (wasserlöslich) oder mit Klebepunkten angebracht werden.
Referenzpunkte für die Ganganalyse:
Tuberositas tibiae, Mittellinie der Ferse, Tuberositas navicularis

4.1 Aufzeichnung des Gangbildes

Die Betrachtung des Gangbildes geschieht von drei Seiten (von vorn, hinten und der Seite).

Laufbänder können für die visuelle Analyse nützlich sein. Jeder Schritt kann im gleichen Abstand vom Betrachter bzw. der Kamera verfolgt werden. Wenn dagegen der Patient über eine gerade, ebene Fläche läuft, bleibt nur das sichtbar, was sich im Fokus des Betrachters/der Video-Kamera befindet. Da die Wegstrecke hierfür ca. 8 m lang sein sollte, muss bei der Aufzeichnung mit der Kamera die Bildschärfe ständig nachgestellt werden. Nach den Erfahrungen lässt sich dabei eine teilweise Unschärfe der Aufnahmen nicht vermeiden.

Sieht man von der ablenkenden nachjustierenden Hantierung mit der Kamera ab, reicht nach einiger Übung die ausschließlich visuelle Gangbeurteilung aus. Sie wird unterstützt durch eine Phaseneinteilung in dem **Formblatt** für die „**Dokumentation des Gangbildes**". Die Konzentration des Untersuchenden liegt jeweils nur auf einer Gangphase, welche beurteilt und dokumentiert wird. Hierbei entfällt außerdem die zeitaufwändige Auswertung des Bildmaterials nach einer Videoaufzeichnung. Zum Abgleich der Ganganalyse ist es notwendig, die Ergebnisse der Klinischen Untersuchung mit heranzuziehen.

In einigen Fällen wird es jedoch unumgänglich sein, den Gangzyklus per Video aufzuzeichnen, um einige Sequenzen darin in Zeitlupe erneut zu betrachten. Es können dann geringfügig scheinende Abweichungen des Gangablaufs sorgfältiger analysiert werden.

Laufbänder

Ein Laufband kann u. U. die Beurteilung des Gangbildes verfälschen. Immer ist eine Eingewöhnung des Patienten notwendig, um Einflüsse des Laufbandes auf den Gang zu verringern. Die Diskussion hierüber hat viele Autoren beschäftigt, zumal das Laufband gerade bei engen Platzverhältnissen unverzichtbar ist. Es wurde grundsätzlich bestätigt, dass Laufbänder – bis auf wenige Ausnahmen – keine wesentlichen Veränderungen im Gangbild hervorrufen. In den Studien wurde festgestellt, dass sich bei ca. 4 % der Probanden die Schrittlänge – trotz konstant gehaltener Schrittfolge – verkürzte. Als Ursachen hierfür wurden aufgeführt:

- eine nicht ausreichende Länge bzw. Breite der Laufbandfläche
- zu wenig Eingewöhnungszeit auf dem Laufband
- die Angst des Patienten, vom Ende bzw. von der Seite des sich bewegenden Bandes herunter zu fallen.

Die Gangbildveränderung auf dem Laufband kann durch eine längere Eingewöhnungszeit verringert werden. Ältere Probanden benötigten meist längere Gewöhnungsphasen als jüngere. Bei allen Altersgruppen sind die Ergebnisse innerhalb der ersten zwei Minuten noch sehr unterschiedlich im Vergleich zu einer 15 minütigen Eingewöhnungsphase. In der Regel waren nach 15 Minuten kaum noch Unterschiede feststellbar.

Theoretisch gesehen gibt es keinen Unterschied zwischen der Belastung des Fußes auf dem Boden oder auf dem Laufband. Praktisch gesehen wird durch die Bewegung des Bandes das Standbein des Fußes nach hinten gezogen. Es bleibt folglich eine Propulsion des Fußes – wie auf der Bodenfläche – nahezu aus. Die Oberfläche des Bandes kann sich wie ein Schockabsorber eindrücken, so dass hierdurch Messergebnisse beeinflusst werden könnten.

Idealerweise sollten Laufbänder:

- eine längere Lauffläche besitzen als die größtmöglich vorkommende Schrittlänge
- eine nicht eindrückbare Oberfläche des Bandes besitzen
- eine konstant einstellbare Bandgeschwindigkeit ermöglichen

Dokumentation des Gangbildes

Phasen der Gangabwicklung	Links	Rechts
Symmetrie: Armschwung Schulter- und Beckendrehung, Beckenkippung Kopf-, Schulter- und Beckenlinie		
Gangbreite (Abstand zwischen den medialen Malleolen) (Normabstand ca. 2,5 - 3,7 cm)		
Gangwinkel des Fußes (Norm: ca. 7° – 10° von der mittleren Progressionslinie abduziert)		
Fersenkontakt Kniestellung Fersenstellung kurz vor Bodenkontakt Fersenstellung kurz nach Bodenkontakt Bodenkontakt beider Füße		
Standphase Kniestellung Fersenstellung Position des Os naviculare Stellung des Vorfußes und der Zehen Schulter- und Beckenlinie		
Propulsion Abstoß der Zehen Kniestellung Fersenstellung Dorsalextension des Hallux Bodenkontakt beider Füße		
Schwungphase Kniestellung Fersenstellung vor dem Bodenkontakt		

schwarz = Betrachtung von hinten
rot = Betrachtung von vorn
blau = Betrachtung von der Seite

4.2 Visuelle Ganganalyse

Die Untersuchung beginnt bei der Kopfhaltung. Besteht eine Skoliosis (seitliche Verbiegung der Wirbelsäule), ein neurologisches Defizit der Augenmuskulatur, eine degenerative Gelenkerkrankung oder neuromuskuläre Erkrankung?

Normalerweise sollte der Kopf in der Körpermittellinie gehalten werden, ohne zu irgendeiner Seite geneigt zu sein.

Liegen die Schultern waagerecht? Eine ungleiche Schulterhöhe kann auf skoliotische Prozesse oder eine funktionelle bzw. strukturelle Beinlängendifferenz hindeuten.

Das Becken sollte auf eine symmetrische Drehung (Rotation) hin beobachtet werden. Eine asymmetrische Drehung kann eine Änderung in der Gewichtsverlagerung bedeuten und eine anormale STG-Pronation in der Propulsionsphase hervorrufen.

Die Beckenkämme sollten auf einer Ebene liegen. Bei unterschiedlichen Beinlängen ist diese Ebene nicht vorhanden.

Das Knie bewegt sich während der Gehabwicklung überwiegend in der Sagittal-Ebene. Ist der Femur (Oberschenkel) nach innen rotiert, wird sich ebenfalls das Knie nach innen bewegen und umgekehrt.

Ein Genu valgum wird von einer **coxa vara** begleitet, einer mehr horizontalen Stellung des femuralen Kopfes und Halses.

Ein Genu varum wird von einer **coxa valga** begleitet, einer mehr vertikalen Ausrichtung des femuralen Kopfes und Halses.

Wenn die Positionen der Tibia und des STG in die richtige Beziehung zueinander gebracht werden, wird alles, was die Stellung der Tibia ändert, das STG und den Rückfuß beeinflussen. Die STG-Funktion wird sich dann auf den ganzen Fuß auswirken.

Wie trifft die Ferse auf den Boden auf:
- invertiert
- evertiert
- waagerecht

Es ist zu verfolgen, ob beim Abstoß des Fußes – kurz bevor die Zehen den Boden verlassen – die Ferse invertiert.

Wenn das **Chopart-Gelenk** proniert, steht der laterale Fußrand zum Rückfuß abduziert. Im Gegensatz dazu steht das supinierte Chopart-Gelenk zum Rückfuß adduziert und lässt den lateralen Fußrand C-förmig erscheinen.

Beim Chopart-Gelenk kann eine Subluxation in der Sagittal-Ebene eintreten. Dies geschieht am Ende der Standphase und während der Propulsionsphase durch anormale STG-Pronation. Die Stabilität des Fußes geht hierdurch verloren und bildet keinen starren Hebel mehr.

Wenn die Zehen von vorn gesehen kraftvoll vom Boden abstoßen, ist das ein Zeichen für die Stabilität der Metatarso-Phalangealen-Gelenke. Das Gangbild ist propulsiv. Falls das Weißwerden der Zehen in der Propulsionsphase gesehen wird, ist dies ebenfalls ein Zeichen für den propulsiven Gang.

Gangbreite

Es genügt die Beschreibung der Gangbreite (Abstand der medialen Malleolen/weit auseinander oder eng zueinander stehend).

Ist eine vergrößerte Gangbreite vorhanden, kann dies unter anderem mit proprioceptiven Störungen (einer verringerten Wahrnehmung und Kontrolle der aktuellen Lage des Körpers im Raum) oder Gleichgewichtsstörungen (vestibulären Störungen) verbunden sein.

Der Normabstand zwischen den medialen Malleolen beträgt ca. 2,5 bis 3,7 cm.

Gangwinkel

Er wird mit der Anzahl von Graden geschätzt, mit denen der Fuß von der Progressionslinie (abduzierte/adduzierte Fußstellung) abweicht.

Der Gangwinkel des Fußes ist in der Norm ca. 7° - 10° von der mittleren Progressionslinie abduziert.

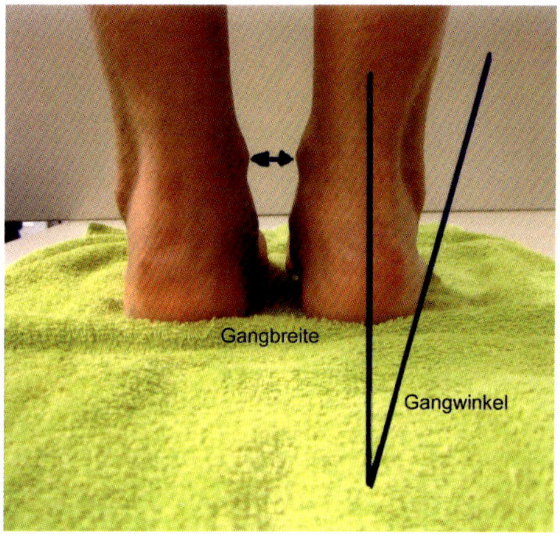

Abb. 4.2: Gangbreite und Gangwinkel

Beurteilung der Bewegung des Subtalar-Gelenks (STG)/unteren Sprunggelenks

Während der Gangabwicklung wird vermutet, dass sich der Schuh mit der Ferse bewegt, wenn das STG proniert oder supiniert. Zur Untersuchung dieser Hypothese wurden Löcher in die Fersenkappe des Schuhs geschnitten und herausgefunden, dass die Bewegung der Fersenkappe nicht mit der Bewegung der Ferse in Zusammenhang stand. Das lässt die Schlussfolgerung zu, dass nur eine absolut steife Fersenkappe die Fersenstellung im Schuh messbar macht. In diesem Zusammenhang stellt sich die Frage, ob die gezeichneten Hilfslinien auf der Haut bei allen Menschen die Bewegung exakt wiedergeben. Man kann im einzelnen nicht genau wissen, wie weit sich bei der Bewegung die Haut über dem Knochen verschiebt.

Es gehört zu den schwierigsten Aufgaben festzustellen, welcher Grad der STG-Pronation als pathologisch zu betrachten ist. Die Behauptungen gehen davon aus, dass entweder der Betrag der Pronation entscheidend ist oder wie schnell die Pronation einsetzt. Eventuell ist beides – jedoch für unterschiedliche Pathologien – wichtig.

Zum anderen lässt sich der Einwirkungsort des Bodenwiderstandes nur schwer beurteilen.

Beispiel: Zu betrachten sind zwei Füße, von denen der eine Vorfuß 3°, der andere Vorfuß 6° Inversion aufweist.

Wenn der Vorfuß zur gleichen Zeit den Boden berührt, entsteht eine Eversion beider Füße durch den Bodenwiderstand. Die Zeitspanne für ihre Pronation müsste jedoch unterschiedlich sein. Die mediale Vorfußseite benötigt bei 6° Inversion die doppelte Zeit als der Vorfuß mit 3° Inversion, um in Bodenkontakt zu kommen. Niemand kann aber aus den Daten der Druckmessplatte erkennen, ob der eine Vorfuß mehr invertiert aufsetzt oder langsamer proniert.

Kriterien der Fußbelastung

Kein Schritt gleicht in der Regel dem anderen. Der Körper muss sich den Veränderungen des Bodens anpassen. Die Kontrolle des Gleichgewichts erfordert ständige Anpassungen der Fußstellung, denn jeder Schritt soll ein Hinfallen vermeiden. Die Veränderungen während des Gehens sind an der Bewegung des STG durch die medial oder lateral einwirkenden Bodenwiderstände, den elektromyographisch darstellbaren Knie- und Hüftbewegungen und der Fußstellung darstellbar. Wenn es hierbei Abweichungen gibt, kann man sie mit anderen Bewegungsmustern vergleichen.

Um der Wirklichkeit entsprechende Messungen zu erhalten, muss die Anzahl der Messungen angepasst werden. Wenn z. B. die Schrittfolgen zu 50 % voneinander abweichen, sollten die Messungen so lange durchgeführt werden, bis nur noch 5 % Abweichung bestehen. Für die Messungen der Druckverteilung unter dem Fuß sollten mindestens fünf Messungen vorgenommen werden, um einen akzeptablen Durchschnittswert zu erhalten.

Bei der Ganganalyse mittels Computer können Irrtümer auftreten. Ein Beispiel hierfür ist der „neuropathische Fuß", wenn die Computerauswertung für die Druckbelastung einen Risikofuß ermittelt hat. Es haben jedoch eine große Anzahl nicht an Neuropathie erkrankten Diabetikern und ca. 7 % gesunde Patienten eine Druckbelastung, die über dem kritischen Bereich liegt. **Diese als kritisch bezeichneten Werte haben deshalb nur Bedeutung für ein entsprechendes Krankheitsgebiet und sind nur für prophylaktische Maßnahmen sinnvoll.** Die Vorhersage, ob der Fuß des Patienten erkranken kann, ist deshalb trotz Einbeziehung üblicher Normwerte nicht sicher.

Ein bestimmter Wert (50 Nm) ist für die Druckbelastung des „neuropathischen Fußes" festgelegt, nach denen alle Füße zu Ulzcrationen neigen werden. Unter diesem Wert mag ein Bereich liegen, bei dem der Fuß Ulzerationen zeigen kann. Und schließlich ist ein Wert festgelegt, bei dem keine Ulzerationen vorkommen. Patienten oberhalb der kritischen Druckbelastung müssen behandelt werden. Patienten unterhalb dieser Risikowerte müssen danach beurteilt werden, ob sie Anzeichen für die Entstehung eines Ulcus aufweisen.

Ein weiteres Bespiel zeigt, dass 70 % der Rheuma-Patienten hohe Druckbelastungen und Schmerzen aber keine Ulcera aufweisen. Dagegen klagen 30 % der Rheuma-Patienten über Schmerzen, sind aber keinen hohen Druckbelastungen ausgesetzt. Streng genommen würden diese 30 % der Patienten keine Druckverteilung zur Linderung der Beschwerden erhalten, weil ihre Werte unterhalb des kritischen Bereichs liegen.

Ausgleich (Kompensation) für eine fehlende Bewegung

Gelenke können die fehlende Bewegung eines anderen Gelenks ausgleichen. Eine Art der Kompensation ist die Reaktion eines Gelenks auf die Belastung. Eine andere Art ist die bewusste Veränderung des Ganges z. B. humpeln als Reaktion auf Schmerzen. Bewusste Kompensationen können aber nur einsetzen, wenn die Muskelkraft dazu ausreicht.

Mit dem Bein, Rückfuß und Vorfuß kann der Körper die Balance auf unebenem Boden halten. Hierzu gibt es folgende Leitsätze:

a) Die Ferse und der Vorfuß können sich dem unebenen Boden anpassen, wenn ausreichende Gelenkbeweglichkeit dazu vorhanden ist.
b) Der Rückfuß wird immer versuchen lotrecht zur Auftrittsfläche zu kompensieren, solange keine distal sowie proximal einwirkenden Kräfte dies behindern.
c) Wenn der Rückfuß von seiner lotrechten Stellung mehr als 4° (z. B. durch proximal sowie distal einwirkende Kräfte) in eine Valgus-Stellung gerät, wird er bis zum Ende seines Bewegungsumfangs evertieren.
d) Erreicht das Talo-Crural-Gelenk keine 10° Dorsalextension, versucht das Chopart-Gelenk die fehlende Bewegung auszugleichen. Das Gelenk ist durch den maximal evertierten (pronierten) Rückfuß entsperrt, sobald die Ferse den Boden berührt. Ist die Deformität (z. B. Pes Equinus) so ausgeprägt, dass die Ferse während der gesamten Standphase den Boden nicht mehr berührt, supiniert der Fuß.
e) Der Vorfuß nimmt auf seiner lateralen Seite die Belastung durch das Körpergewicht auf und kompensiert sie auf der medialen Seite. Daraus ist zu schließen, dass der Vorfuß aus seiner Neutralstellung heraus zunächst immer invertiert.
f) Wenn der Fuß supiniert und anschließend proniert, bewegen sich die Metatarsalknochen in eine vorgegebene Richtung. Bei dem normalen Fuß bleibt der 4. Metatarsalknochen entweder in pronierter oder supinierter Stellung fixiert.
g) Die Reihenfolge für die Vorfußkompensation lautet:
   1. Supination der Längsachse des Chopart-Gelenks bis zum Ende ihres Bewegungsumfangs
   2. frühe Aktivierung des STG
   3. Supination der Quersachse des Chopart-Gelenks
   4. späte Supination des STG

Der beste Weg, Anomalien und die Entwicklung pathologischer Prozesse zu verstehen ist der Vergleich mit dem vorgegebenen Normalen.

Fußabdruck (Blauabdruck)

Der Fußabdruck zeigt Abweichungen der Fußform, der Zehenstellung, des Fußumrisses und der Belastungszonen, die jedoch wegen der möglichen Fehlhaltungen (Unsicherheiten beim Gleichgewicht) im Stand evaluiert werden müssen.

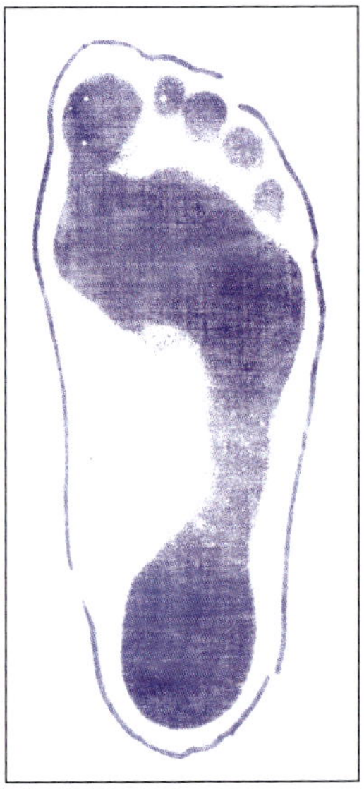

Abb. 4.3: Fußabdruck (statisch) mit Fußumriss des rechten Fußes. Abweichungen von dem normalen Fuß sind die proniert stehende Ferse (Umriss medial zu weit nach distal verlaufend). Stärkere Belastungszonen (z. B. die Ferse) sind dunkler abgebildet.

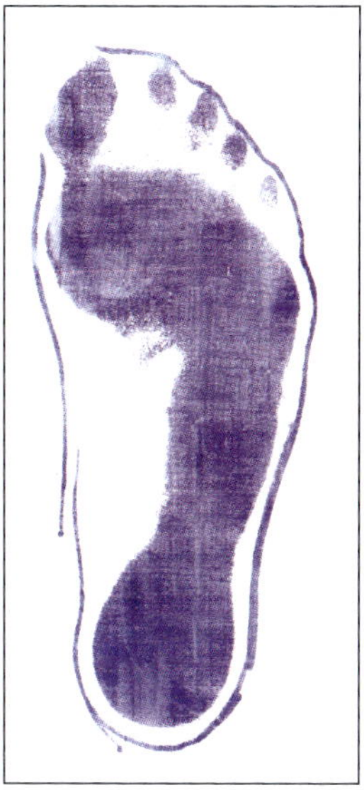

Abb. 4.4: Fußabdruck (statisch) mit Fußumriss des rechten Fußes. Abdruck eines normalen Fußes.

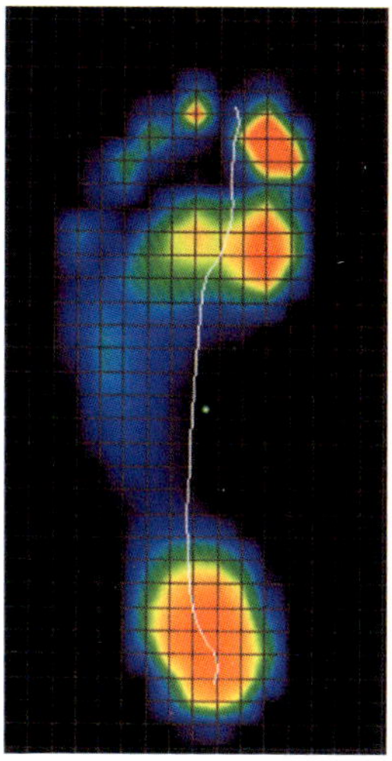

Abb. 4.5: Mittels Computer und Sensoren erstelltes Gangbild (Pedographie) mit Ganglinie des linken Fußes. Die mediale Vorfußseite ist in der Darstellung überlastet (rote Flächen).

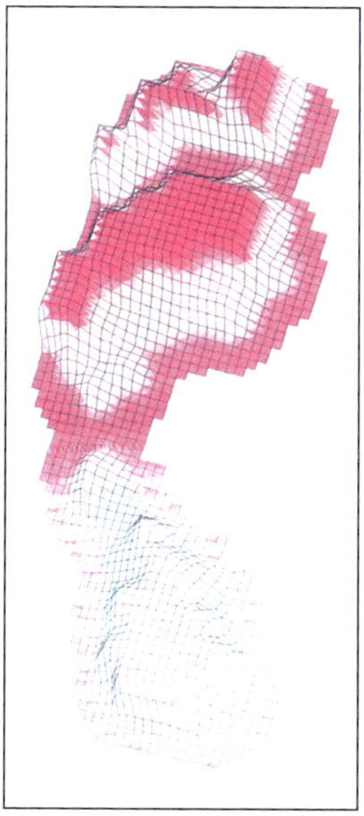

Abb. 4.6: Mittels Computer und Sensoren dreidimensional erstelltes Gangbild (Pedographie) des linken Fußes. Der Vorfuß ist überlastet, die 5. Zehe durch die Fußdeformität nicht abgebildet.

4.3 Computerprogramme zur Ganganalyse

Die Verwendung eines Computers zur Bestimmung des Fußzustandes ist sehr umstritten. Zuerst einmal muss der Untersuchende selbst wissen, was normal oder anormal ist. Hierzu benötigt man keinen Computer.

Alle elektronisch vorgenommenen Ganganalysen sind nur in der Lage, einen Anhaltspunkt für eine bestimmte Gangabwicklung zu geben. Eine Entscheidung darüber, was an dem Gangbild normal oder anormal ist, kann nur der Therapeut selbst entscheiden. Hinzu kommt, dass es bei der Auswertung der Untersuchung Überschneidungen gibt. Bislang bestehen in diesem Punkt nur wenig Hilfsgrößen (Gang-Parameter), welche ohne weiteres auf Pathologien hindeuten. In der Zukunft wird die Weiterentwicklung zeigen, welche Aussagekraft die vom Computer erhaltenen Informationen für den Therapeuten haben.

4.4 Ganganalyse mit elektronischer Auswertung (Videoanalyse)

Die Verwendung elektronischer Auswertungssysteme zur Ganganalyse besitzen für den praktischen Gebrauch sehr unterschiedliche Schwerpunkte. Es gibt Systeme, die den Fuß als Gebäude betrachten und bewerten. Bei einem anderen System vermisst man die Ätiologie zu den bereits bekannten Daten und Pathologien des

Fußes. Wenn z. B. ein Messwert auf eine bestimmte Pathologie hinweist, wird dies als Indikator für die Pathologie bewertet. Dieser Indikator wird dann ohne das notwendige Verständnis für den pathologischen Hintergrund verwendet.

Ein weiteres Problem sind die Hilfsmarkierungen an den Extremitäten der Patienten. Eine Studie hat gezeigt, dass bei einer bereits ausgewerteten Videoanalyse die Marker bei dem Patienten entfernt und wieder neu angebracht wurden. Man erhielt danach deutliche Unterschiede in den Messergebnissen. Es ist folglich sehr wichtig, die Markierungen präzise anzubringen und genaue Geräte für die Messungen zu verwenden.

Letztendlich stützt sich die Biomechanik auf das „Davor- und Danach-Prinzip". Ziel dieses Prinzips ist, ob durch die Behandlung eine Veränderung in der Gangabwicklung eingetreten ist. Die Behandlung muss nicht immer sofort erfolgreich abgeschlossen sein. Immer wird der Therapeut – in Bezug auf seine Erfahrung und der Auswertung des Untersuchungsergebnisses – die richtige Entscheidung für die Behandlung treffen müssen.

5

Die Funtionen des Subtalar-Gelenks (STG)

Die Funktionen des Subtalar-Gelenks (STG)

Synonym: Unteres Sprunggelenk

Das Subtalar-Gelenk wird von den drei dorsalen Gelenkflächen des Calcaneus (Fersenbein) und der plantaren Fläche des Talus (Sprungbein) gebildet. Zwischen diesen Gelenkflächen besteht nur ca. 1° Bewegungsumfang.

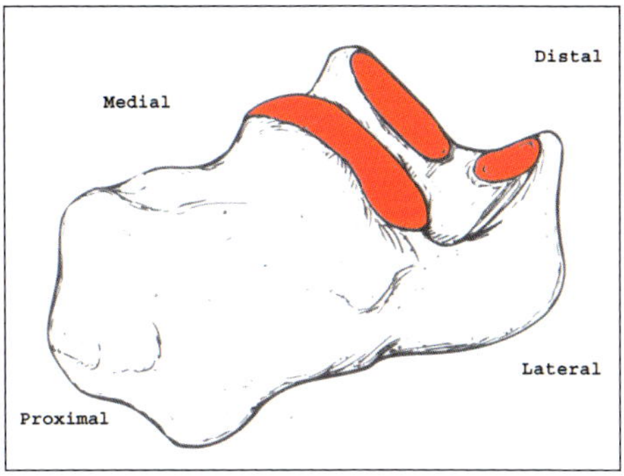

Abb. 5.1: Die oberen (dorsalen) drei Gelenkflächen des Calcaneus, die an der Bildung des Subtalar-Gelenks beteiligt sind.

Gewöhnlich wird alles normale bzw. anormale Geschehen am Fuß auf die Lage des STG bezogen. Aufgrund seiner Achsenstellung werden bei der Bewegung – zusammen mit dem Calcaneus – alle drei Körperebenen durchlaufen (= dreidimensionale Bewegung). Wenn der Fuß unbelastet ist, liegt eine **intertarsale Gelenkmobilität** vor. Bei der Supination besteht die Bewegung des STG und des Calcaneus aus Inversion, Adduktion und Plantarflexion. In entgegengesetzter Bewegung (der Pronation) aus Eversion, Abduktion und Dorsalextension (Abb. 5.2 und 5.3).

Anmerkung:
Die Messung des Bewegungsumfangs der Ferse (z. B. bei der Fußuntersuchung) gibt keinen Aufschluss über die tatsächliche Supinations-/Pronationsbewegung des STG.

Die Inversion/Eversion der Ferse gibt nur Auskunft über die Supination/Pronation des STG in der Frontal-Ebene. Es ist bisher keine Methode bekannt, welche die Messung der beiden anderen Ebenen ermöglicht.

Unter Belastung des Fußes entsteht eine **intertarsale Gelenkstabilität**. Am Fuß invertiert bzw. evertiert die Ferse in gleicher Weise wie bei der intertarsalen Gelenkmobilität. Durch den Bodenwiderstand kann die dreidimensionale Bewegung jedoch behindert oder eingeschränkt sein. Wenn die Fersenbewe-

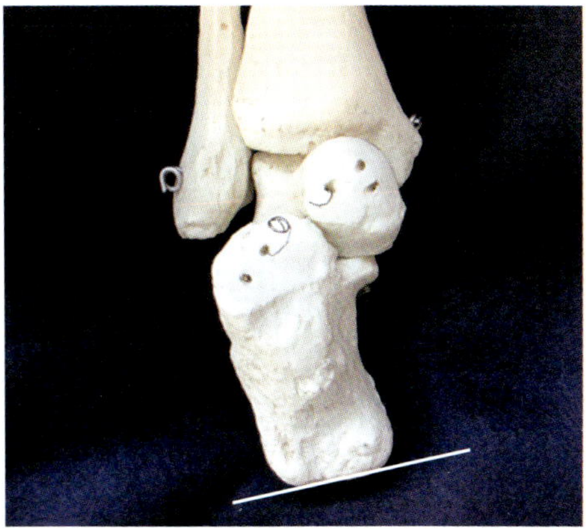

Abb. 5.2: Inversion des rechten Calcaneus und STG bei Supination (Zur Darstellung wurde das Skelett an der Chopart-Gelenklinie von den übrigen distal liegenden Knochen des Fußes getrennt.)

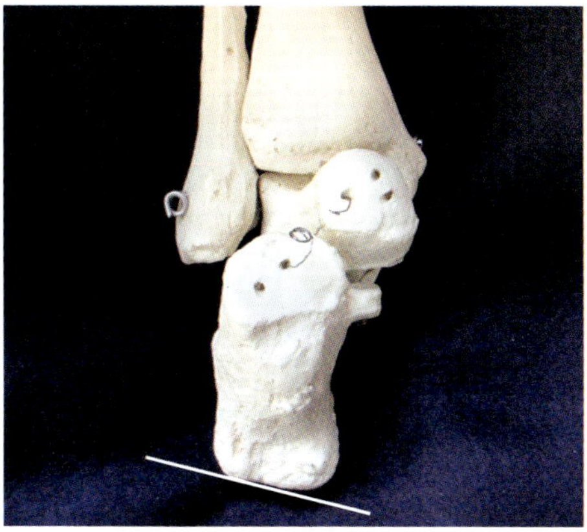

Abb. 5.3: Eversion des rechten Calcaneus und STG bei Pronation (Zur Darstellung wurde das Skelett an der Chopart-Gelenklinie von den übrigen distal liegenden Knochen des Fußes getrennt.)

gung in der Transversalebene (Adduktion/Abduktion) behindert ist, muss sich der Talus in den beiden anderen Ebenen bewegen, um die Bewegung des STG zu ermöglichen. Dies wirkt sich auch auf den übrigen Fuß aus.

Wenn der Bodenwiderstand z. B. keine Abduktion der Ferse zulässt, muss sich das STG mit dem übrigen Fuß bewegen. In diesem Fall abduziert der Talus während das STG supiniert.

Im umgekehrten Fall, wenn der Bodenwiderstand keine Adduktion zulässt, wird der Talus adduzieren und das STG pronieren.

Die Bewegung des Talus in der Transversal-Ebene bewirkt auch eine Drehung des Unterschenkels. Mit der Supination des STG entsteht eine Außendrehung des Unterschenkels, mit der Pronation eine Innendrehung des Unterschenkels.

Zu geringen Graden bewegt sich der Talus in der Sagittal-Ebene (Dorsalextension/Plantarflexion) unter Belastung des Fußes, wenn das STG supiniert bzw. proniert. Bei der STG-Supination dorsalextendiert der Talus in Bezug zur Ferse, bei der Pronation plantarflektiert der Talus in Bezug zur Ferse. Dies hat ebenfalls – wenn auch nur geringe – Auswirkung auf den Unterschenkel, welcher der Bewegung des Talus folgt.

Bei Supination des STG bewegt sich die Tibia wenig nach hinten und streckt das Knie (= Fixierung des Gelenks).

Bei Pronation des STG bewegt sich die Tibia wenig nach vorn und beugt das Knie (= Lockerung des Gelenks).

Während der Belastung und Bewegung des Fußes beeinflusst das STG folglich die normale Funktion des Kniegelenks. Dieses Zusammenwirken der Talus-Bewegung in der Sagittal- und Transversal-Ebene verleiht dem Knie die Eigenschaft, das Kniegelenk entweder zu lockern oder zu festigen.

Funktion des STG ohne Belastung (= Intertarsale Gelenkmobilität)
- Die STG-Supination äußert sich in Inversion, Adduktion und Plantarflexion des Fußes.
- Die STG-Pronation äußert sich in Eversion, Abduktion und Dorsalextension des Fußes.

Funktion des STG unter Belastung (= Intertarsale Gelenkstabilität)
- Bei STG-Supination invertiert der Fuß, der Talus abduziert und dorsalextendiert.
- Bei STG-Pronation evertiert der Fuß, der Talus adduziert und plantarflektiert.
- Die STG-Supination bewirkt eine Außendrehung des Unterschenkels mit leichter Streckung des Knies.
- Die STG-Pronation bewirkt eine Innendrehung des Unterschenkels mit leichter Beugung des Knies.

Anmerkung:
Die Außendrehung des Unterschenkels (bei Supination des STG) und die Innendrehung des Unterschenkels (bei Pronation des STG) lässt sich durch ein Fußmodell mit Paravan-Scharnier anschaulich darstellen.

Abb. 5.4: Fußmodell, rechter Fuß, mit Paravan-Scharnier. Darstellung der Pronation und Innendrehung der Tibia

Abb. 5.5: Fußmodell, rechter Fuß, mit Paravan-Scharnier. Darstellung der Supination und Außendrehung der Tibia

Die Supination/Pronation des STG überträgt sich durch das Chopart-Gelenk auch auf den Vorfuß. Jede der zwei Achsen des Chopart-Gelenks kann eine Supination/Pronation mit Auswirkung auf den Vorfuß ausführen. Aufgrund der Lage der Achsen unterscheiden sich deren Bewegungsumfänge jedoch beträchtlich. Die **Longitudinalachse des Chopart-Gelenks** unterstützt hauptsächlich die Inversion/Eversion des Vorfußes bei Supination/Pronation des STG. Vernachlässigbar ist bei dieser Achsstellung die Adduktion/Abduktion sowie die Dorsalextension/Plantarflexion.

Für die **Querachse des Chopart-Gelenks** ist dagegen die Adduktion/Abduktion sowie die Dorsalextension/Plantarflexion mit beträchtlichem Bewegungsumfang möglich. Hierdurch kann der Vorfuß die Bewegungen des Rückfußes während der Gangabwicklung ausgleichen.

> Die **Longitudinalachse** (mit geringem Bewegungsumfang) des Chopart-Gelenks **unterstützt** hauptsächlich die **Inversion/Eversion des Vorfußes**.
> Die **Querachse** (mit größerem Bewegungsumfang) des Chopart-Gelenks kann im Vorfuß **durch Adduktion/Abduktion sowie Dorsalextension/Plantarflexion** Bewegungen des Rückfußes ausgleichen.

In dem normalen Gangbild supiniert das STG in der späten Standphase der Gangabwicklung und dreht den Unterschenkel nach außen.

An der Innen- oder Außendrehung beteiligt sich ebenfalls das Chopart-Gelenk.

Wenn der Unterschenkel bei der Pronation nach innen dreht, geschieht dies zusammen mit dem Talus und Calcaneus. Wenn das STG bereits maximal proniert ist, muss sich dabei auch das Chopart-Gelenk in diese Richtung bewegen oder adduzieren.

In der Vergangenheit wurde oft davon gesprochen, dass die Innenrotation des Unterschenkels allein der STG-Pronation zuzuschreiben wäre. Die Bewegung im Chopart-Gelenk ist aber ebenso an der Innenrotation des Unterschenkels in der späten Standphase beteiligt.

Wenn sich kein Gleichgewicht der auf den Fuß einwirkenden Kräfte in Verbindung mit seiner Gelenkmobilität bzw. -stabilität ergibt, entsteht Instabilität.

> **Stabilität** des Fußes in der späten Standphase des Ganges ist dann vorhanden, wenn das STG supiniert und der Unterschenkel nach außen dreht.
>
> **Instabilität** des Fußes ist vorhanden, wenn der Unterschenkel in der späten Standphase des Ganges durch Pronation des STG nach innen dreht. Diese Instabilität durch Pronation des STG lockert das Fußgefüge und beeinträchtigt – in dieser Phase der Gangabwicklung – die Stabilität des Fußes.

Einflüsse für die Stabilität des Körpers

Um ein Umfallen zu verhindern, ist physikalisch gesehen umso mehr Stabilität vorhanden, je kürzer und breiter der Gegenstand ist. Für den zweibeinigen aufrechten Stand des Menschen ist dagegen seine Kontaktfläche zum Boden im Verhältnis zur Länge des Körpers gering. Es würde folglich Instabilität vorherrschen, wenn keine stabilisierenden Einflüsse wirksam wären, die ein Umfallen verhindern. Entscheidende Einflüsse für die Stabilität unseres Körpers setzen sich zusammen aus:

- der Lage des Körperschwerpunktes
  Der Körperschwerpunkt bezeichnet die Stelle, bei sich der Körper im Gleichgewicht befindet. Ein bekanntes Beispiel hierfür ist die Balkenwaage. Bei ihr ist ein Gleichgewicht vorhanden, wenn sich auf beiden Seiten gleiche Gewichte befinden.
- der Aktivität der Muskulatur
  Muskeln sorgen für den aufrechten Gang und die Vorwärtsbewegung des Körpers. Sie unterstützen mit Hilfe der Bänder die Fußwölbungen und den Halt des Fußes. Wesentlich für den Zug der Muskulatur auf ein Gelenk, einen Knochen ist die

ausgeglichene Funktion der Extensoren gegenüber den Flexoren. Es muss ein Gleichgewicht zwischen Agonisten und Antagonisten bestehen. Ist ein Muskel stärker, überwiegt dessen Zugrichtung, wodurch ein Ungleichgewicht entsteht. Bei dem Hammerzeh (Digitus malleus) ist es die Flexoren-Muskulatur, welche die Krümmung des Zehs verursacht und dabei die schwächere Extensoren-Muskulatur überdehnt.

- dem Ort des Druckzentrums (Ort der höchsten Druckeinwirkung/Belastung auf den Fuß)
  Er bezeichnet eine Stelle an der die Summe aller Bodenwiderstände auf den Körper einwirken. Das Druckzentrum kann sich an nahezu jeder Stelle des Körpers befinden. Die Kraftwirkung auf den Fuß kann mit Vektoren dargestellt werden. Sie erleichtern die Arbeit mit dieser Größe. (Siehe dazu Kapitel: „Physik")

Kräfte, die auf das Subtalar-Gelenk (STG) einwirken

Außendrehung (Außenrotation) **des Unterschenkels während der Gangabwicklung**

Indem sich der Körper während des Gehens nach vorne bewegt, verlagert sich sein Schwerpunkt in die Mitte des jeweiligen Standbeines. Die Wirkung der Schwerkraft des Körpers gegen den Bodenwiderstand verursacht eine geringe Außendrehung des Standbeins, um durch Supination des STG Stabilität zu schaffen. Durch dieses Kraftmoment drehen sich das Becken sowie Ober- und Unterschenkel des Standbeins nach außen. Falls in dieser Zeitspanne das STG und das Chopart-Gelenk des Standbeins pronieren, wird der Unterschenkel nach innen drehen. Das Knie gerät somit in ein entgegengesetztes Drehmoment.

Knie-Pathologien

Idealerweise sollte der Unterschenkel durch die Supination des STG mit nach außen drehen. Durch einen „Kräftekonflikt" ist es möglich, dass dies nicht geschieht. Wenn das Kniegelenk durch die Streckung des Beines nahezu fixiert ist und statt der (erwarteten) Supination eine Pronation des STG eintritt, hat das Knie den transversal wirkenden Stress zu absorbieren.

Dieser Stress in der Transversal-Ebene des Knies kann zu Pathologien führen, die Meniskusschäden oder Erkrankungen der Bänder hervorrufen können.

Pathologien des medialen Vorfußes

Ein weiterer Grund, warum eine Innendrehung des Unterschenkels in der späten Standphase der Gangabwicklung vermieden werden sollte, liegt an der höheren Gewichtsbelastung der medialen Fußseite. Fußuntersuchungen mit Drucksensoren (Pedographie) haben ergeben, dass Patienten mit **Innendrehung** (statt Außendrehung) **des Beines** die **medial liegenden Metatarsalköpfchen mehr belasten** als die äußeren. Bevor die Ferse vom Boden abhebt, steigert sich die Krafteinwirkung. Während dieser Zeit befindet sich das Schwungbein noch ohne Bodenkontakt und das gesamte Körpergewicht liegt auf dem Vorfuß des Standbeins. Bei einigen Patienten berührt das 5. Metatarsalköpfchen in diesem Stadium nicht einmal mehr den Boden. Hierdurch wird die mediale Fußseite durch das Körpergewicht besonders belastet.

Der Fuß, welcher in der späten Standphase den Unterschenkel nach innen (statt nach außen) dreht, vollzieht die Bewegung in zwei Phasen:

- Die erste Bewegung ist die normale Pronation unmittelbar im Anschluss an den Fersenkontakt mit dem Boden.
- Die zweite Phase der Bewegung, die Supination, geschieht langsamer. Sie setzt meist im späteren Teil der Gangabwicklung wieder ein. Der Fuß besitzt in diesem Abschnitt der Gangphase normalerweise Stabilität. Warum dann die Innendrehung des Unterschenkels (und

damit Pronation) wieder einsetzt, kann nicht genau gesagt werden. Es ist nicht anzunehmen, dass es an der allgemeinen Instabilität des Fußes liegt.

Wenn der Fuß zu dem Zeitpunkt, indem der Unterschenkel wieder nach innen dreht, instabil wäre, würde die erste Phase nicht unterbrochen werden. Außerdem entsteht zu dem Zeitpunkt der Innendrehung des Beines eine höhere Belastung auf der medialen Fußseite. Eine Instabilität des Fußes würde diese Krafteinwirkung nicht verarbeiten können.

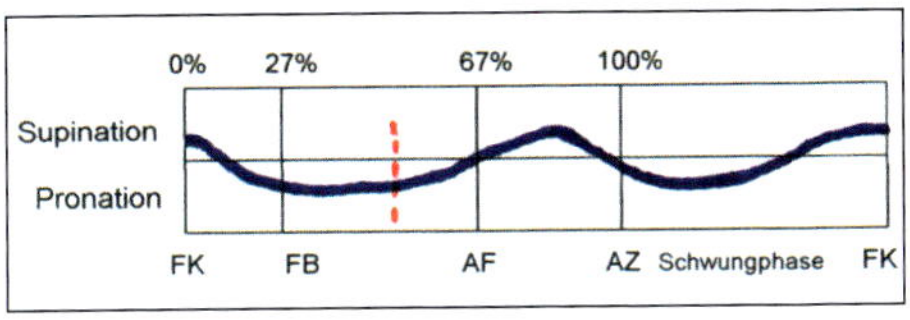

Abb. 5.6: Pathologische Innendrehung des Unterschenkels durch Pronation.
Normaler Fersenkontakt mit dem Boden und Pronation des STG. Verlangsamte Supination bis zu dem Punkt, bevor die Ferse vom Boden abhebt. Mehrbelastung des Vorfußes und Einsetzen der anormalen Pronation.

FK = Fersenkontakt
FB = Fußbelastung
AF = Abheben der Ferse
AZ = Abheben der Zehen
rote gestrichelte Linie: Kipppunkt, an dem das STG beim normalen Fuß in die Supination wechselt und den Fuß stabilisiert

Im letzten Teil der Gangphase setzt die Hypermobilität des Vorfußes ein, wo er eigentlich Stabilität aufweisen müsste. Die mediale Gewichtsbelastung wird in diesem Fall enorm zunehmen und den hypermobilen 1. Strahl über seinen Bewegungsumfang hinaus dorsalextendieren. Der Bodenwiderstand überdehnt Muskeln und Bänder, die diesen Kräften normalerweise widerstehen würden.

Ein Fuß, der maximal proniert und invertiert steht (z. B. ein nicht vollständig kompensierter Rückfuß varus) wird die mediale Seite weniger belasten. Er wird z. B. keine medial liegenden Symptome für Beschwerden aufweisen. Die Ausnahme bildet ein ausgeprägt abduzierter Gang, der über die mediale Fußseite abrollt. Hierdurch entsteht ebenfalls eine starke mediale Druckbelastung.

Folgende Fußpathologien können durch die beschriebene Fehlbelastung entstehen:

Hallux limitus, Hallux rigidus, Hallux abducto valgus, Plantarfasciitis

Auswirkungen der Innenrotation des Beines durch Pronation des STG während der Gangabwicklung in der späten Standphase:
- **am Knie**, wenn der Unterschenkel zu einem Zeitpunkt nach innen dreht, zu dem der Oberschenkel nach außen dreht
- **am Fuß**, weil durch die Innendrehung des Unterschenkels mehr Belastung auf der Innenseite des Fußes entsteht. Durch die Pronation in der späten Standphase des Ganges ist der Fuß instabil, obwohl er zu diesem Zeitpunkt durch Supination des STG Stabilität aufweisen müsste.

Mögliche Gründe für die Instabilität durch Pronation

Wenn eine Instabilität durch Pronation auftritt, ist ein bestimmter Bewegungsumfang entweder im Chopart-Gelenk oder dem STG Voraussetzung. Wie zuvor erwähnt, entsteht zu Beginn der Gangabwicklung die normale Pronation im STG und Chopart-Gelenk. Anschließend – in der späten Standphase der Gangabwicklung – erfolgt eine in diesem Fall anormale Innendrehung (Innenrotation) des Unterschenkels.

Bevor die beiden Gelenke (STG und Chopart-Gelenk) pronieren, muss etwas das supinierende Kraftmoment im Fuß aufhalten. Dieses „Etwas" – das die Bewegung stoppt – könnte durch eine der vielen anatomischen Strukturen im Fuß entstehen.

Wenn die Pronation einsetzt, kommen hierfür zwei Möglichkeiten in Frage:
a) eine Veränderung in der Wirkung des Bodenwiderstandes oder
b) die größere Aktivität eines pronierend wirkenden Muskels

a) Während eines Schrittes verlagert sich der Körper-Schwerpunkt nach vorn. Dabei können sich die Kräfte (Druckzentren) weiter lateral von der Position der STG-Achse bewegen. Dies bietet dem Bodenwiderstand einen besseren Hebelarm, um eine Pronation zu verursachen. Das zusätzliche Kraftmoment könnte die eingeleitete Supination behindern. Es pronieren hierdurch STG und Chopart-Gelenk.

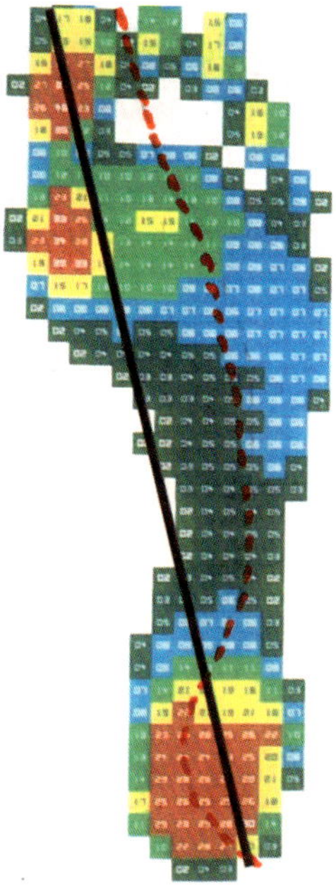

Abb. 5.7: Pedographie für das Kraftmoment des Bodenwiderstandes
schwarze Linie: STG-Achse
rote gestrichelte Linie: Verlauf der Belastungslinie des Fußes

b) Bei einem Fuß mit übermäßiger medialer Gewichtsbelastung wird der M. peroneus longus an seinem Ansatz mitwirken, die Plantarflexion an der Basis der 1. Metatarsale zu vergrößern. Das ist deshalb notwendig, weil der Bodenwiderstand ein großes Kraftmoment für die Dorsalextension ausübt. Mit anderen Worten: der 1. Metatarsale wird durch den Bodenwiderstand nach oben gestoßen, wobei der M. peroneus longus dieser Kraft entgegenwirkt.

Instabilität durch Supination des Subtalar-Gelenks (STG)

Bei der Supination des STG kann oft eine kritische Situation des Fußes durch laterale Instabilität eintreten. Es können hierdurch leicht Verletzungen wie z. B. Verstauchungen des Talo-Crural-Gelenks oder Knochenbrüche entstehen.

Ein Grund für die laterale Instabilität liegt an den unterschiedlichen Verlaufsformen der STG-Achse, die eine Supination leichter ermöglichen.

Eine weitere Ursache liegt entweder an einer Störung der Mechanorezeptoren (Propriozeption) oder an einer verminderten Reaktionszeit der Peroneus Muskulatur (= Verzögerung der Muskelaktivität zur Eversion des Fußes). Bei Fersenkontakt mit dem Boden wirken Kräfte auf die laterale Fersenseite ein. Wenn der Kontaktpunkt mit der Achse des STG zusammenfällt, kann kein Hebelarm entstehen. Er bewirkt weder eine Bewegung des STG in die eine noch die andere Richtung. In diesem Fall kann der Bodenwiderstand begünstigt durch eine verzögerte Muskelreaktion willkürlich auf die Stellung des Gelenks Einfluss nehmen.

Die durch Supination entstehenden Verletzungen des Talo-Crural-Gelenks passieren dann, wenn ein unerwarteter Kontakt mit dem Boden medial der STG-Achse eintritt (z. B. auf der medialen Seite der Ferse). Oft entsteht dies beim Sport, wenn die mediale Fersenseite eines Spielers auf den Fuß des anderen trifft. Die unerwartete Drehung in die Supination verursacht eine schnellere Inversion des Fußes, als die Muskulatur darauf reagieren kann. Je nach Heftigkeit ist eine laterale Verstauchung des Talo-Crural-Gelenks möglich.

Beispiel für die Behandlung einer übersteigerten Inversion bzw. Eversion

Die Behandlung einer übersteigerten Inversion erfordert die Eversion des STG. Um hierfür die geeignetste Stelle zu finden, muss die Kraftlinie von der plantaren medialen Seite des Calcaneus zur plantaren lateralen Seite verlaufen. Der Kraftverlauf befindet sich im rechten Winkel zur Sagittal-Ebene.

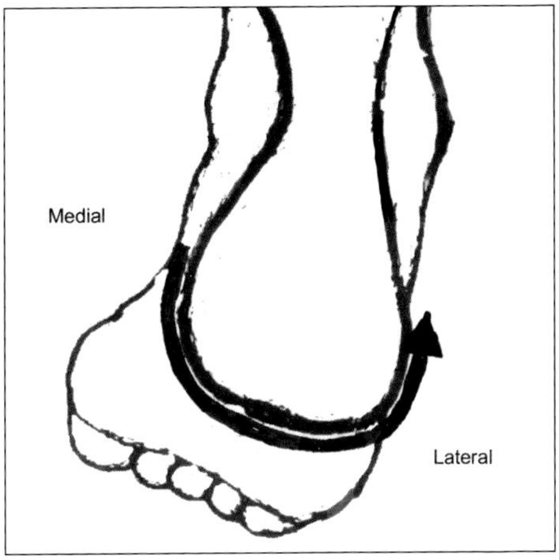

Abb. 5.8: Kraftverlauf von der medialen zur lateralen Seite des Calcaneus zur Behandlung einer übersteigerten Inversion des Calcaneus

Für die Behandlung einer übersteigerten Eversion des STG ist eine von plantar lateral nach plantar medial wirkende Kraft notwendig, um die Ferse aus der evertierten Stellung herauszubringen.

Um die Position der Ferse in der Frontal-Ebene zu verändern, können unterschiedliche Maßnahmen eingesetzt werden:

- High Dye Tape[6]
- Low Dye Tape[6]
- eine plantar angebrachte Abstützung (z. B. ein Keil) auf der lateralen bzw. medialen Fersenseite

Als Schuhzurichtung kann entweder eine seitliche laterale bzw. mediale Verlängerung des Absatzes oder der Schuhsohle angebracht werden. Die Kräfte solcher „Überhänge“ verlagern das Druckzentrum (= Bodenwiderstand) in Bezug zur STG-Achse. Ein lateraler „Überhang“ der Sohle oder des Absatzes verlagert den Bodenwiderstand mehr lateral von der STG-Achse und verursacht ein pronierendes Kraftmoment. Ein medialer „Überhang“ des Absatzes oder der Sohle bewirkt ein supinierendes Kraftmoment. Er ist selbstverständlich nur dann wirksam, wenn der Absatz bzw. die Sohle auch Bodenkontakt haben.

Funktion des STG in Neutralstellung

In der Neutralstellung hat das STG die Möglichkeit zu pronieren und zu supinieren. Wenn eine Kraft die Stellung des STG verändert, erlangt der Fuß diese Neutralstellung von selbst nicht wieder zurück. **Die Neutralstellung ist deshalb keine in sich stabile Lage des STG.**

Für die Neutralstellung des STG werden Muskeln benötigt, um es in seiner Position halten. An einem maximal proniertem STG ist auch das Körpergewicht beteiligt, was ebenfalls pronierend wirkt. Vom Bodenwiderstand wird es am Ende seines Bewegungsumfangs dort gehalten. Mit jeder Gegenbewegung von der maximal pronierten Stellung des STG wächst das Kraftmoment des Bodenwiderstandes an. Soweit diese Kräfte im Gleichgewicht stehen, herrscht wenig Instabilität. Folglich kann die Stellung des maximal pronierten STG, im Vergleich zum supinierten STG, ebenfalls stabil sein.

Abweichungen der STG-Achse

In Bezug auf die Lage der STG-Achse gibt es große Unterschiede. In der Sagittal-Ebene können die Unterschiede 4° - 47° betragen. Der Fuß mit einer 4°-Achse in der Sagittal-Ebene (z. B. einer nach lateral von der normalen Bewegungsachse des STG abweichende Achse) kann sehr viel leichter supinieren, als der mit einer Achse von 47° in der Sagittal-Ebene (z. B. eine nach medial von der normalen Bewegungsachse des STG abweichende Achse). Der Fuß mit einer nach lateral abweichenden Achse in der Sagittal-Ebene wird im Vorfuß ebenfalls mehr Supination aufweisen.

6 siehe Band 2 „Theorie der medizinischen Fußbehandlung“

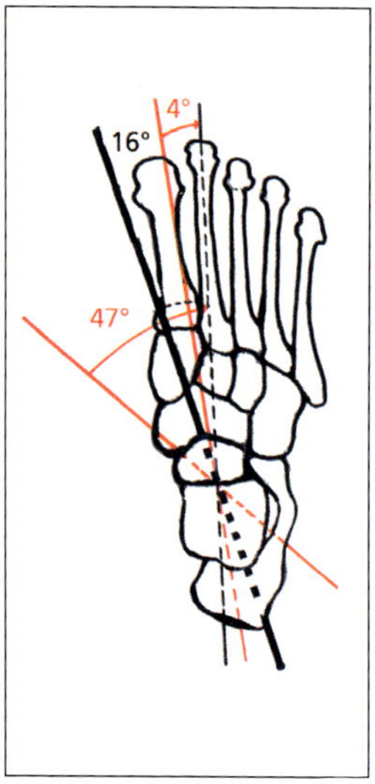

Abb. 5.9: Abweichungen der STG-Achse in der Sagittal-Ebene (anatomische Mittelachse des Fußes als dünne gestrichelte Linie) Die normale Bewegungsachse des STG liegt 16° von der anatomischen Mittelachse des Fußes entfernt (fette schwarze Linie) Abweichungsmöglichkeiten der STG-Achse in der Sagittal-Ebene (rote Linien)

Training der Peroneus-Muskulatur bei lateraler Instabilität

Die Instabilität des Fußes durch eine verminderten Reaktionszeit der Peroneus-Muskulatur (= Verzögerung der Muskelaktivität zur Eversion des Fußes) kann durch Training der Muskulatur vermindert werden. Es besteht aus einer Übung, bei der jeweils ein Fuß auf den Teller einer beweglichen Halbkugel gestellt wird. Eine ausgezeichnete Vorübung dazu ist der Einbeinstand auf dem Boden. Eine Unterstützung dieser Übung durch Physiotherapeuten ist empfehlenswert.

Sinus-Tarsi-Syndrom

Bei einem Sinus-Tarsi-Syndrom stößt der laterale Vorsprung des Talus (distal des Processus lateralis) in die Rinne des Calcaneus (Sulcus calcanei), wenn das STG maximal proniert (siehe Detailaufnahme des Fußskelettes, Abb. 5.10). Den entstehenden Schmerzzustand versucht der Körper durch Verringerung der peronealen Muskelaktivität zu vermindern. Die verringerte Aktivität kann auf Dauer zu einer eingeschränkten Reaktionszeit der Peroneus-Muskulatur und zu einer Instabilität des STG führen.

Weiterhin kann während der Pronationsbewegung des Rückfußes an der lateralen Seite der STG-Achse – durch den Bodenwiderstand – ein Kraftmoment einwirken. Hierdurch proniert der Calcaneus und bringt den Talus in eine Supinationsbewegung. Die Fläche des Calcaneus kann dem Talus aber nur dann folgen, wenn das STG maximal proniert ist. Diese beiden gegeneinander wirkenden Kräfte verdeutlichen die Einwirkung auf den Sinus tarsi.

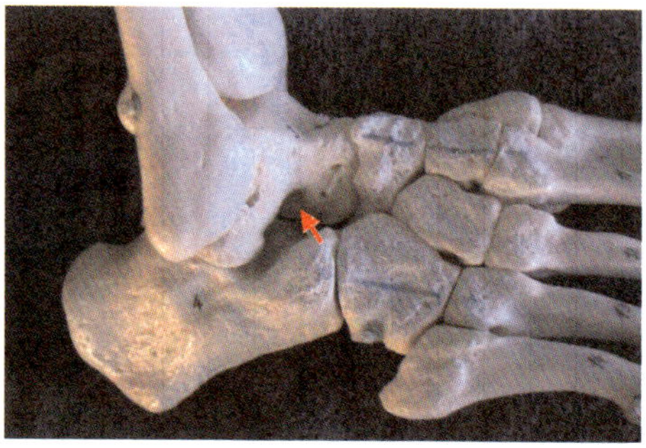

Abb. 5.10: Detailaufnahme des Sinus tarsi (roter Pfeil)
Skelett des rechten Fußes. Aufnahme von lateral.
Lat.: sinus = Hohlraum

Gelenkstabilität im Gegensatz zur Gelenkfestigkeit des Fußes

Der Unterschied zwischen Stabilität und Festigkeit kann dadurch erklärt werden, dass das Gelenk unterschiedlichen Einflüssen ausgesetzt ist. Wenn ein Gelenk noch nicht das Ende seines gesamten Bewegungsumfangs erreicht hat, dann aber bis zum Endes seines Bewegungsumfangs bewegt wird, kann dies unterschiedliche Wertigkeiten in Bezug auf seine **Festigkeit** besitzen.

Bevor ein Gelenk das Ende seines Bewegungsumfangs erreicht, ist seine Festigkeit niedriger, als wenn ein Muskelzug diese Bewegung begrenzt.

Wenn das Ende des Bewegungsumfangs auf andere Weise erreicht wird, können Bänder sowie Knochen an der **Stabilität** des Gelenks beteiligt sein. Muskeln in Verbindung mit den Bändern vermeiden eine Beschädigung des Gelenks.

Die Unterscheidung zwischen Stabilität und Festigkeit eines Gelenks ist eine der am häufigsten verwechselten Begriffe in der Biomechanik.

Anmerkung zur Theorie der Hebelwirkung für die Mobilität des Fußes

Die Gründe, warum die Supination während der Standphase der Gangabwicklung gut ist, wurden mehrfach besprochen. Es werden hierdurch Kniebeschwerden und Beschwerden bei medialer Fußbelastung vermindert. Die **Supination** ist aber **nicht notwendig**, um den Fuß zu einem starken Hebel für den **Abstoß vom Boden** (Propulsion) zu machen.

Die Theorie der Hebelwirkung besagt, dass sich der Fuß bei Fersenkontakt durch Pronation seiner Unterfläche anpasst und während der Propulsionsphase durch Supination einen verfestigten Hebel bildet. Diese Funktionsveränderungen werden durch Pronation und Supination des STG eingeleitet.

Diese Theorie sollte aus drei Gründen in Frage gestellt werden, weil:

- Füße mit maximal proniertem STG als verfestigter Hebel wirken können, wenn das Chopart-Gelenk das Ende seines Bewegungsumfangs erreicht hat und in dieser Stellung verfestigt ist.
- es Füße gibt, bei denen das Chopart-Gelenk mehr Bewegungsumfang besitzt, wenn das STG maximal supiniert steht (Im Vergleich zu anderen Füßen würde dies eintreten, wenn das STG maximal proniert ist).
- sich verfestigte Fußgelenke ebenfalls einem unebenen Boden anpassen können.

6

Kompensationsformen des Fußes

6.1 Definition für die Kompensation

Eine Kompensation (ausgleichende Belastung bzw. Körperhaltung) kann bedeuten, dass:
- sich die Bauart (Struktur) des Körpers verändert
- der Körper versucht, die Stellung eines Körperteils einer normalen Funktion anzupassen
- ein anderes Körperteil die Funktion übernimmt.

Für die **Kompensation des Fußes** sind **zwei grundlegende Faktoren** notwendig:
- der **Bodenwiderstand** und
- die **Muskelkraft**.

Ein **Beispiel für den Bodenwiderstand** während der Gangabwicklung ist der Fersenkontakt mit dem Boden. Die Kontaktstelle mit dem Boden bewirkt eine Plantarflexion des Talo-Crural-Gelenks (oberes Sprunggelenks).

Ein **Beispiel für die Kompensation durch die Muskulatur** ist der Beinlängenunterschied. Wenn eine Kompensation hierfür fehlt, würde sich der Körper zur kürzeren Seite neigen. Als eine mögliche Kompensationsform könnte die Krümmung der Wirbelsäule eintreten. Die Muskulatur verändert hierbei allerdings ihre Funktion. Diese Funktionsänderung kann im späteren Stadium zu einer knöchernen Kompensation führen. Hierbei wird die Form der Wirbelkörper strukturell verändert.

In den Beschreibungen der Fußdeformitäten (z. B. Rückfuß varus, Vorfuß valgus ...) beginnt die Kompensation durch die Bewegung des Subtalar-Gelenks (STG) und endet danach in irgendeinem Bereich des Fußes. Hier ist zusätzlich die Frage zu klären, welche Strukturen für das Ende dieser Bewegung verantwortlich sind und wo der Einfluss des Bodenwiderstandes nach der Kompensation aufhört.

6.2 Die normale Kompensation

Sie besteht aus einer Bewegung, die den Fuß auf Bodenunebenheiten oder auf eine kurzzeitig veränderte Lage des Rumpfes bzw. der unteren Extremität anpasst. Sie **erhält das Gleichgewicht des Körpers.**

6.3 Die anormale Kompensation

Sie besteht aus einer Bewegung, bei welcher der Fuß versucht, eine **anormale Struktur oder Funktion** des Rumpfes bzw. der **unteren Extremität** auszugleichen. **Strukturell oder stellungsbedingte Anomalien** erfordern deshalb **ständige Kompensation** und **können pathologisch werden**.

Ein Vergleich mit dem oben beschriebenen „normalen“ Fuß verdeutlicht dieses Thema. Zum Beispiel würde ein Vorfuß varus beim Fersenkontakt mit dem Boden nur auf der lateralen Seite abrollen. In dieser Fußstellung befindet sich der Bodenwiderstand lateral von der STG-Achse und würde dadurch ein pronierendes Kraftmoment erzeugen. Der Fuß wird danach solange pronieren, bis seine Bewegung gestoppt wird **(1. Newtonsches Gesetz/Trägheitsgesetz).**

Während des Gehens ist eine normale sowie anormale Kompensation möglich. Die Stellen, an denen der Bodenwiderstand auf die Bewegungsachsen des Fußes einwirkt, sind für die weitere Gangabwicklung bestimmend.

Wenn bei der normalen Gangabwicklung die Ferse den Boden berührt, befindet sich der Bodenwiderstand nahe der STG-Achse. Das Kraftmoment des Bodenwiderstandes auf das STG ist zu diesem Zeitpunkt noch niedrig. Der Bodenwiderstand wird jedoch das Talo-Crural-Gelenk (oberes Sprunggelenk) plantarflektieren. Diese Plantarflexion findet so lange statt, bis die laterale Vorfußseite den Boden berührt. Auf dieser Seite besitzt der Bodenwiderstand einen wirkungsvollen Hebelarm, um das STG zu pronieren. Durch diese Pronation des STG tritt eine normale Kompensation ein. Sie entsteht beim Gehen auf ebenem sowie unebenem Boden. Der Fuß wird solange pronieren, bis diese Bewegung (z.B. durch die Muskulatur, Bänder ...) gestoppt wird.

In Bezug auf den gesamten Bewegungsumfang des Fußes ist dann entweder zwischen normal oder anormal zu unterscheiden.

Eine normale Kompensation des Fußes besteht, wenn er die auf ihn einwirkenden Kraftmomente ausgleichen kann.

Zusammenhänge zwischen Krafteinwirkungen und Kompensation

In der vorangegangenen Beschreibung verursachte die Krafteinwirkung auf die Ferse (durch den Bodenkontakt) die Plantarflexion des Fußes im Talo-Crural-Gelenk. Kurz darauf berührte die laterale Seite des Rückfußes den Boden. Anschließend pronierte das STG.

Wenn diese Pronationsbewegung des STG stoppt, wird der Bodenwiderstand anterior und posterior der Achse des oberen Sprunggelenks sowie medial und lateral der Achse des STG einwirken. Es ist dann der ungefähre Punkt der Krafteinwirkung zu bestimmen und herauszufinden, wie sich der Bodenwiderstand auf den Fuß auswirkt. Dabei kann die unterschiedliche Stärke der Krafteinwirkungen auf eine Stelle des Fußes seine Kompensation verändern.

Wenn eine Kraft medial von der STG-Achse einwirkt, entsteht eine Supination, bei der lateralen Krafteinwirkung eine Pronation. Die übliche Lage der STG-Achse verläuft direkt über das 1. Metatarsalköpfchen. Eine **Kraft**, welche **direkt auf die STG-Achse** trifft, **erzeugt kein Kraftmoment**. An dieser Stelle kann somit keine Hebelkraft wirken.

In der Vergangenheit war man der Ansicht, dass mehr Krafteinwirkung auf das 1. Metatarsalköpfchen zur Supination des STG führen müsste und zwar solange, bis ein Kräftegleichgewicht auf der medialen sowie lateralen Fußseite besteht. Elektronische Druckmessungen haben aber gezeigt, dass im Stand sehr viel mehr Kraft auf das 1. Metatarsalköpfchen einwirkt, als auf der lateralen Seite des Fußes.

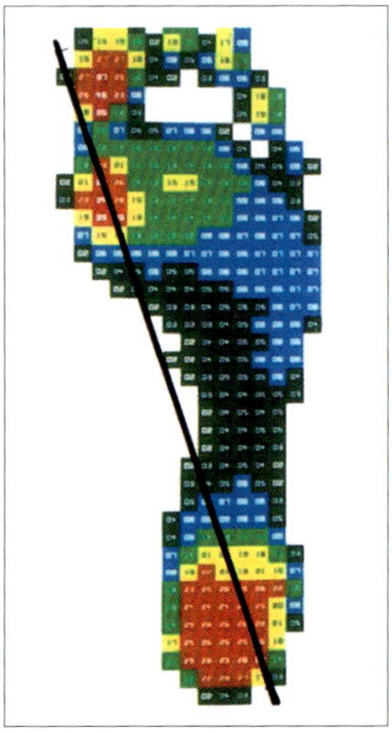

Abb. 6.1: Verlauf der Subtalar-Gelenk-Achse (schwarze Linie) nach Kevin A. Kirby, dargestellt auf einer Computer Grafik. Veröffentlichungen von Root, Orien, Weed zeigen den gleichen Ursprung der Achse, jedoch ihren Verlauf mehr medial (der Metatarsale 1 wird durch den Achsverlauf kaum mehr berührt).

Eine Kraft medial von der STG-Achse bewirkt eine Supination, lateral der STG-Achse eine Pronation.

Allgemein kann die Hebelwirkung, welche von dem Bodenwiderstand ausgeht, sehr gut dazu verwendet werden, die Fußstellung zu beeinflussen. Um den Fuß zu supinieren oder das Kraftmoment für die Pronation zu verringern, muss das Druckzentrum am Fuß mehr medial verlagert werden, als es ursprünglich war. (Das Druckzentrum entspricht dem Kraft-Angriffspunkt.)

In diesem Fall soll das Druckzentrum soweit medial verlagert werden, bis es sich wenig lateral von der STG-Achse befindet. Eine Supination soll vermieden werden. Durch die Verlagerung des Druckzentrums bleibt ein Kraftmoment für die Pronation durch den Bodenwiderstand erhalten.

Um eine Pronation zu reduzieren und damit evtl. die Beschwerden, kann auch ein **Varus-Keil unter der Ferse** angebracht werden.

Im Gegensatz dazu ist ein **Vorfuß-Varus-Keil** geeignet, das Druckzentrum ebenfalls mehr nach medial zu verlagern und damit die Pronation verringern. Ein Varus-Vorfußkeil wird jedoch die Krafteinwirkung unter dem 1. Metatarsalköpfchen erhöhen.

Die extreme mediale Belastung des 1. Metatarsalköpfchens kann auch ein evertierter Calcaneus verursachen. Wenn aber das Gebiet des 1. Metatarsale schmerzt, sollte diese Überlastung vorrangig sein und nicht die STG-Pronation. In diesem Fall würde die Behandlung des 1. Metatarso-Phalangeal-Gelenks mit einem Vorfuß-varus-Keil eine schlechte Lösung darstellen (Siehe spätere Beschreibung über den „Valgus-Keil" in diesem Kapitel).

Die Lage der Subtalar-Gelenk-Achse kann sehr unterschiedlich sein. Im Allgemeinen verläuft sie unter dem 1. Metatarsalköpfchen hinweg. Bei Füßen mit einer nach medial verschobenen Achse (das 1. Metatarsalköpfchen liegt dann lateral von der Achse) wird die auf das 1. Metatarsalköpfchen wirkende Kraft eine Pronation des STG verursachen.

Füße mit einer nach lateral verschobenen STG-Achse haben gewöhnlich Probleme mit zu viel Supination (z. B. Verstauchungen durch Inversion).

Das sind Füße, bei denen das Kraftmoment für die Supination (z. B. durch eine Orthose) nicht erhöht werden sollte. Fazit von alledem ist, dass ein Vorfuß-varus-Keil nicht für alle Füße geeignet ist, welche supiniert werden sollen. Außerdem wird die Krafteinwirkung unter dem 1. Metatarsalköpfchen – bei Füßen mit einer nach medial verschobenen STG-Achse – das 1. Metatarso-Phalangeal-Gelenk schädigen.

Der Einsatz eines Vorfuß-Varus-Keils muss für die effektive Behandlung eines medial überlasteten Vorfußproblems wohl überlegt sein.

Ein veränderter Verlauf der Subtalar-Gelenk-Achse verursacht:
nach medial verschoben eine Pronation
nach lateral verschoben eine Supination

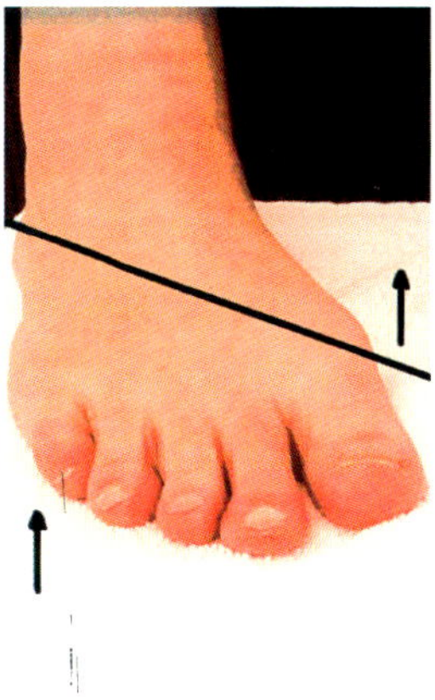

Abb. 6.2: Normaler Achsverlauf des STG (schwarze schräg verlaufende Linie). Pfeile (schwarz) bedeuten Einwirkungsrichtung der Kraftmomente: Pronation bei lateral von der STG-Achse einwirkender Kraft, Supination bei medial von der STG-Achse einwirkender Kraft

Manuelle Methoden zur Bestimmung des Verlaufs der STG-Achse

Durch die Belastung des Fußes (= intertarsale Gelenkstabilität) wirken auf das STG unterschiedliche Kräfte ein. Sie entstehen u. a. durch die Stellung des Talus in Bezug zur Bewegung des Unterschenkels, den Einfluss der langen und kurzen Fußmuskulatur auf die Bewegung des STG. Der Verlauf der STG-Achse ist folglich nicht immer gleich. Unterschiedliche Neigungen der Achse in der Sagittal-Ebene beeinflussen z. B. die Drehung des Unterschenkels in der Transversal-Ebene, wenn das STG bei intertarsaler Gelenkstabilität proniert oder supiniert. Ein hoher Winkelwert der STG-Achse erlaubt dem Unterschenkel mehr Drehung in der Transversal-Ebene, wenn sich der Calcaneus in der Frontal-Ebene bewegt. Ein niedriger Winkelwert der STG-Achse lässt mehr Drehung des Calcaneus in der Frontal-Ebene zu, wenn sich der Unterschenkel in der Transversal-Ebene bewegt.

Darüber hinaus kann die STG-Achse, in Bezug auf die gewichtstragenden Strukturen des Fußes, mehr adduziert oder abduziert verlaufen.

Die Auswirkungen des Bodenwiderstandes bewirken bei Achsabweichungen des STG unterschiedliche Belastungen des Fußes. Eine STG-Achse, die relativ adduziert (medial) liegt, wird die supinatorische Drehung auf den Calcaneus verlieren und durch den längeren Hebelarm lateral des Vorfußes eine pronatorische Drehung erhalten.

Umgekehrt wird eine abduziert (lateral) liegende STG-Achse die supinatorische Drehung des Calcaneus unterstützen, da der Hebelarm des Vorfußes seine pronatorische Auswirkung verloren hat. Es liegt folglich nahe, den bei jedem Menschen unterschiedlichen Verlauf der STG-Achse bestimmen zu können.

Methoden der Untersuchung nach Kevin A. Kirby

Für die Untersuchung sitzt der Patient oder liegt auf dem Rücken.
Voraussetzung für die Untersuchung ist:

- Die Füße des Patienten befinden sich in der Frontal-Ebene mit der Winkelstellung und dem Abstand der medialen Malleoli wie in der normalen Standposition.
- Es muss eine gedachte lotrechte Mittellinie von jeweils der 2.Zehe zur Mitte der Ferse verlaufen.
- Die plantaren Flächen der Vorfüße müssen parallel zur Transversal-Ebene des Patienten liegen.

Die Erfüllung dieser drei Bedingungen wird in dem fortlaufenden Text als **Plantarparallelität** bezeichnet. Das STG ist in dieser Fußstellung weder proniert noch supiniert.

Um den Fuß in unterschiedliche Stellungen zu bringen, übt der Untersuchende einen leichten Druck von plantar gegen das 5. Metatarsalköpfchen aus. (Es ist nahezu die gleiche Haltung, wie wenn die Neutralstellung des STG ertastet werden soll.)

In Bezug zum Druck des Daumens gegen das 5. Metatarsalköpfchen können strukturelle Veränderungen des Fußes sichtbar werden. Beispiele:

- Ein Rückfuß varus ohne Vorfußdeformität wird in der Plantarparallelität ein proniertes STG aufweisen.
- Ein Vorfuß varus ohne Rückfußdeformität wird in der Plantarparallelität ebenfalls ein proniertes STG aufweisen.
- Ein Vorfuß valgus ohne Rückfußdeformität wird in der Plantarparallelität supiniert sein.
- Ein Vorfuß valgus, der eine ebenso große Rückfuß varus Deformität in der Plantarparallelität aufweist, wird ein STG nahe der Neutralstellung besitzen.

Zur Untersuchung des linken Fußes greifen Daumen und Zeigefinger der rechten Hand das 5. Metatarsalköpfchen. Der Daumen der linken Hand wird dazu benutzt, den Verlauf der STG-Achse zu ertasten. **Es ist dann ein Punkt des STG-Achsenverlaufs ermittelt, wenn sich durch die Druckintensität des linken Daumens das STG nicht mehr bewegt.**

Beim rechten Fuß ist das Verfahren umgekehrt: Daumen und Zeigefinger der linken Hand umfassen das 5. Metatarsalköpfchen, der Daumen der rechten Hand ertastet den Verlauf der STG-Achse.

Die nachfolgenden Beschreibungen beziehen sich auf die Untersuchung des linken Fußes.

Zur Bestimmung des Achsenverlaufs in der Plantarparallelität wird zunächst der Ursprung der STG-Achse ermittelt. Der linke Daumen drückt dabei – parallel zur Sagittal-Ebene – plantar gegen die Fersenfläche. Daumen, oder Daumen und Zeigefinger können dabei unter dem 5. Metatarsalköpfchen eine Inversion, Eversion oder keine Bewegung des Vorfußes wahrnehmen.

Wenn durch Druck des linken Daumens gegen die Fersenfläche das STG proniert, wird der rechte Daumen spüren, dass der Vorfuß in Beziehung zum Unterschenkel evertieren will.

Wenn durch Druck des linken Daumens gegen die Fersenfläche das STG supiniert, wird der rechte Daumen spüren, dass der Vorfuß in Beziehung zum Unterschenkel invertieren will. Der rechte Daumen wird keine Bewegung des Vorfußes spüren, wenn sich das STG nicht bewegt. Hierdurch ist ein Verlaufspunkt der STG-Achse ermittelt und wird markiert.

Diese geringen Bewegungen des Vorfußes werden am besten wahrgenommen, wenn der Patient vollständig entspannt ist und der rechte Daumen nur wenig Druck gegen das 5. Metatarsalköpfchen ausübt. Im Fortlauf der Untersuchung wird der linke Daumen ca. 1 cm entweder lateral oder medial von seiner Ausgangsposition nach distal verschoben. Danach übt der linke Daumen wieder Druck gegen die Fersenfläche aus, um mit dem rechten Daumen zu spüren, wann sich das STG nicht mehr bewegt. Indem der linke Daumen immer weiter nach distal versetzt wird, erhält man die Markierungspunkte für den Verlauf der STG-Achse.

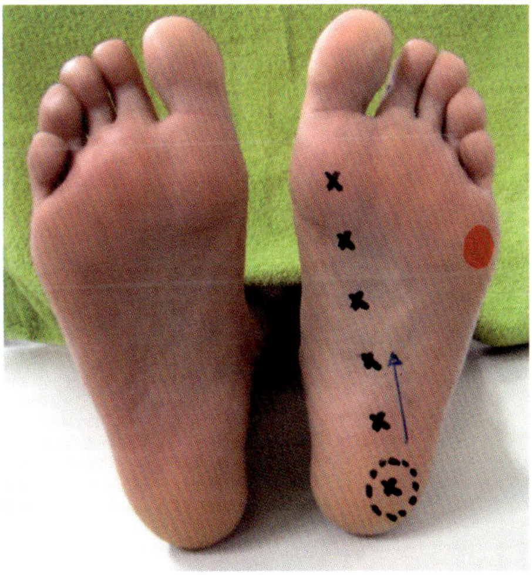

Abb. 6.3: Plantarparallelität beider Füße. Zur Bestimmung des Verlaufs der STG-Achse am linken Fuß drückt der rechte Daumen (roter Punkt) leicht gegen das 5. Metarsalköpfchen. Der linke Daumen (gestrichelt gezeichneter Kreis) drückt medial bzw. lateral gegen die Fersenfläche, bis der rechte Daumen keine Bewegung mehr im Vorfuß verspürt. Die Stelle wird markiert und ca. 1 cm distal die Bestimmung in gleicher Weise fortgesetzt. Zum Abschluss sollten die Markierungspunkte eine Linie bilden.

Je weiter allerdings die Untersuchung nach distal fortschreitet, desto schwieriger wird die Bestimmung der STG-Achse. Dies wird besonders deutlich, wenn der Fuß schwache Bänder oder in der Längsachse des Chopart-Gelenks einen großen Bewegungsumfang besitzt. In diesem Fall kann die Methode nur bis zur Mitte der Metatarsalia reproduzierbare Ergebnisse liefern. Dagegen kann eine straffe Bandstruktur die Markierung des Achsenverlaufs bis zum 1. Metatarsalkopf ermöglichen.

Durch Kevin A. Kirby wurde nach Untersuchung von ca. 200 Patienten festgestellt, dass Füße mit normaler Gangabwicklung STG-Achsen besitzen, die von posterior-lateral der Ferse zur Mitte des Großzehengrundgelenks verlaufen. **Diese Achse stimmt nicht mit den von Root, Orien und Weed veröffentlichten Studien überein**.

Der Untersuchende muss das Bein und den Vorfuß nach jedem neuen Untersuchungsschritt wieder in die Plantarparallelität bringen, bevor der linke Daumen wieder plantaren Druck ausübt. Lageveränderungen des Fußes oder Unterschenkels außerhalb der Plantarparallelität ergeben nicht übereinstimmende Ergebnisse.

Unter der Voraussetzung des zuvor Gesagten, haben sich die plantar angebrachten Markierungen immer zu einer gerade verlaufenden Linie verbinden lassen. Die beschriebene Palpationsmethode erfordert hierfür Erfahrung und sorgfältige Beobachtung des Podologen. Einmal geschafft, gibt sie allerdings eine wichtige Untersuchungsmethode an die Hand, um die anormale Lage der STG-Achse feststellen zu können. Sie muss nicht bei jedem Patienten angewendet werden.

Die Grundlage für die Untersuchung des STG-Bewegungsumfangs geht auf die Tatsache zurück, dass sich bei normaler Lage der STG-Achse eine charakteristische Bewegung des Vorfußes in Bezug zum Unterschenkel zeigt.

Wenn Daumen und Zeigefinger zur Bestimmung des STG-Bewegungsumfangs das 5. Mittelfußköpfchen greifen, bewegt es sich nahezu um den Mittelpunkt der STG-Achse. Liegt die Achse mehr abduziert (lateral), rückt sie bei Bestimmung des STG Bewegungsumfangs näher lateral an das 5. Mittelfußköpfchen heran als normal. Dies verringert nicht nur die Bewegung um die STG-Achse, sondern zeigt auch, dass ihr Verlauf beinahe über dem 5. Mittelfußköpfchen liegt. Der Bogen, der sich bei der Bewegung des 5. Mittelfußköpfchens um die STG-Achse bildet, besitzt einen kleineren Radius und liegt mehr parallel der Transversal-Ebene des Patienten als normal.

Wenn in anderer Weise die STG-Achse adduziert oder mehr nach medial abweicht, ist der Radius bei Bewegung des 5. Mittelfußköpfchens um die STG-Achse größer und liegt mehr parallel zur Sagittal-Ebene des Patienten. Letztendlich zeigen die Lageveränderungen der STG-Achse, wie sich dadurch die Bewegung des Fußes in Bezug zur Tibia verändert.

Durch die Bestimmung der STG-Achse lassen sich klinische Befunde am Fuß besser abklären.

Begrenzungen des Bewegungsumfangs und der daran beteiligten Kräfte

(Siehe dazu auch Kapitel „Fußuntersuchung")

Das Ende eines Bewegungsumfangs scheint eine einfache Feststellung zu sein, aber sie kann unterschiedliche Bedeutungen haben. **Es kann die knöcherne (strukturelle) Begrenzung der Bewegung geben, wenn z. B. das STG maximal proniert und der laterale Verlauf des Talus auf die Fläche des Sinus tarsi trifft.** Die andere Möglichkeit ist das funktionelle (muskulär bedingte) Ende der Bewegung – bevor die knöcherne Begrenzung erreicht ist –, aber mehr Bewegung vorhanden sein müsste. Hierfür bietet das STG wieder ein Beispiel, wenn die Pronation an einer Stelle stoppt, die nicht maximal proniert ist. Es bestehen folglich unterschiedliche anatomische Strukturen, welche an der Hemmung der Bewegung beteiligt sind.

Die Beschwerden in diesem Zusammenhang werden nicht durch Pronation verursacht, sondern durch die stetige Verletzung der anatomischen Strukturen. Sie rufen eine Vermeidungshaltung hervor, um den Schmerzen auszuweichen. Die Fascia plantaris, als weiteres Beispiel, kann die Pronationsbewegung des STG stoppen, bevor das knöcherne Ende erreicht ist. Wenn die Spannung der plantaren Faszie dadurch an seine Grenzen stößt, entstehen Schmerzen.

Kräfte und Subluxationen

Bei einer Subluxation bewegt sich das Gelenk über seinen normalen Bewegungsumfang hinaus.

Bevor Subluxationen eintreten ist ein enormes Kraftmoment auf das Gelenk notwendig. Gelenke, welche eine knöcherne Bewegungsbegrenzung besitzen, subluxieren allerdings seltener, haben dann meist traumatisch bedingten Ursprung. Das Chopart-Gelenk hat bei Abduktion des Vorfußes – im Verhältnis zum Rückfuß – eine knöcherne und durch Bänder bedingte Bewegungsbegrenzung. Die knöcherne Bewegungsbegrenzung ist durch das Calcaneo-Cuboid-Gelenk bedingt, was eine sehr unterschiedliche Form besitzen kann. Hierdurch subluxieren einige Chopart-Gelenke leichter, andere dagegen weniger leicht.

Schwer zu subluxieren ist das STG, weil bei Ende des Bewegungsumfangs (bei max. Pronation) der laterale Verlauf des Talus auf die Fläche des Sinus tarsi, also Knochen auf Knochen, trifft.

Gelenkbewegung und Trägheit der Masse

Der hier anwendbare physikalische Bezug ist das 1. Newtonsche Gesetz (Trägheitsgesetz). Es ist sowohl für eine Drehbewegung als auch für die lineare (gradlinige) Bewegung anwendbar. Bei Anwendung des Gesetzes ist einzubeziehen, dass eine anatomische Struktur beteiligt sein muss, die das Kraftmoment entstehen lässt, um die Bewegung des Fußes zu stoppen.

Es gibt keinen Grund für das STG in Neutralstellung die Bewegung zu begrenzen, außer dass dies irgendeine anatomische Struktur tut. Das STG lässt sich geschmeidig bewegen. Es gibt keine spürbare Behinderung, wenn das Gelenk über die Neutralstellung hinweg bewegt wird. Auch besitzt die Neutralstellung keine innere Stabilität. Es gibt ebenfalls keinen Grund für den Calcaneus, die Eversion oder die vertikale Bewegung zu behindern. Dadurch, dass der Calcaneus keine ebene Oberfläche besitzt, gibt es ebenso keinen Fixpunkt für eine Ruhestellung des STG. Die Position des Calcaneus ist abhängig von intern als auch von extern einwirkenden Kräften auf den Fuß.

Ein Beispiel für eine extern wirkende Kraft ist der Bodenwiderstand, welcher lateral von der STG-Achse einwirkt und ein Kraftmoment für die Pronation bewirkt.

Ein Beispiel für eine intern wirkende Kraft ist die, welche von der Fläche des Sinus tarsi auf den Calcaneus ausgeübt wird und eine Supination um die STG-Achse bewirkt. Wenn sich die Ferse oder das STG nicht bewegt, sind die Kraftmomente für die Supination und die Pronation gleich.

6.4 Extern und intern auf den Fuß einwirkende Kräfte

Externe Kräfte

Externe Kräfte, welche auf den Fuß einwirken, sind die Schwerkraft und die Beschleunigung. Die Schwerkraft zieht den Fuß nach unten. Im Vergleich zu den anderen Kräften, welche auf den Fuß einwirken, ist das Gewicht des Fußes selbst sehr gering und kann deshalb vernachlässigt werden.

Wenn der Fuß sich nicht bewegt, ist der Beschleunigungswert = 0. Deshalb wirkt der Bodenwiderstand zu gleichen Kraftanteilen in die entgegengesetzte Richtung, also gegen die Schwerkraft. Der Einwirkungsort für den Bodenwiderstand befindet sich im Druckzentrum. Wenn sich ein Zug in der Sehne aufbaut, entsteht die Zugkraft am Ansatz der Sehne in die Richtung, in welche die Kraft zieht.

Intern wirkende Kräfte auf die Gelenke und der Windlass-Effekt

Das Biegemoment ist eine Größe, welche die Biegebelastung auf eine Körperstruktur misst. Ein Biegemoment im Fuß entsteht z. B. durch seine Gewölbekonstruktion. Das durch die Tibia übertragene Körpergewicht auf die Ferse führt zu Kräften, die den Rückfuß plantarflektieren. Die Zugspannung in der Achillessehne und die Kompression am tibio-talaren Gelenk verursachen ebenfalls ein Biegemoment. Die Kräfte unterscheiden sich darin, dass die eine Kraft von unten nach oben, die andere von oben nach unten drückt (Abb. 6.4).

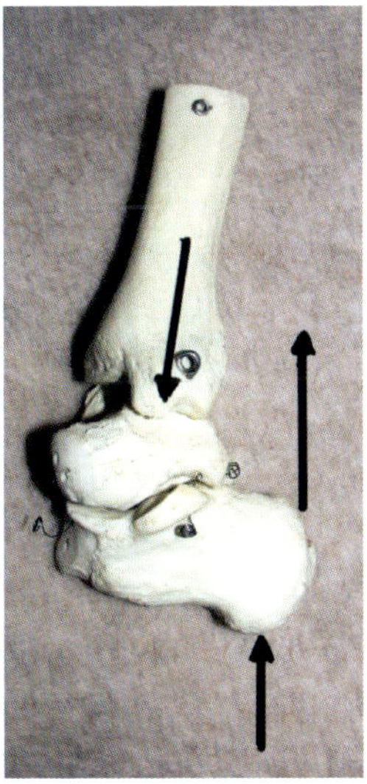

Abb. 6.4: Skelettteil des rechten Fußes (Tibia, Talus und Calcaneus)
- *Biegemoment des durch die Tibia übertragenen Körpergewichtes (oberer Pfeil)*
- *durch den Bodenwiderstand einwirkende Kräfte auf den Calcaneus (unterer Pfeil)*
- *plantarflektierende Kräfte durch Zug der Achillessehne (an der hinteren Fersenkante nach proximal zeigende Linie)*

Die oben genannten Kräfte bewirken gemeinsam eine Plantarflexion des Rückfußes. Die Plantarflexion wird solange fortschreiten, bis ein gleiches, aber entgegengesetztes Kraftmoment wirken kann. Es entsteht durch den Vorfuß eine Zugspannung in den Bändern des Fußes und Kompressionskräfte auf die Gelenkflächen. Sie wirken dem Biegemoment entgegen (Abb. 6.5).

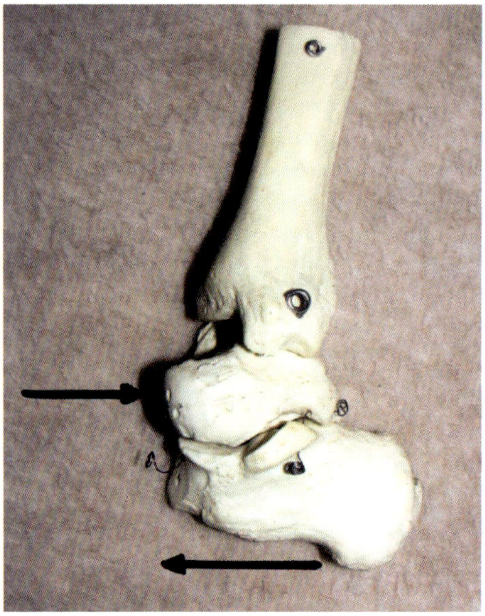

Abb. 6.5: Skelettteil des rechten Fußes (Tibia, Talus und Calcaneus)
dem Biegemoment entgegenwirkende Kräfte durch Zug der Bänder des Fußes wie z. B. die Plantaraponeurose und das Ligamentum calcaneo-naviculare/Pfannenband (unterer, nach distal zeigender Pfeil) sowie durch diese Kräfte gegen den Talus wirkender Druck (oberer Pfeil)

Der Bodenwiderstand und das Körpergewicht verursachen im Fuß, wie beschrieben, ein Biegemoment. Dieses muss wiederum von Gegenkräften im Fuß beantwortet werden.
Das Biegemoment wird versuchen, den distal und proximal vom Knochen liegenden Bereich nach dorsal zu extendieren. Der Widerstand gegen das Biegemoment entsteht durch die Kompression an den Gelenkoberflächen und der Zugspannung in den Bändern und Sehnen. Wenn diese Kräfte nicht wirkten, würde z. B. das mediale Fußgewölbe nicht bestehen können.

Ein abgeflachtes mediales Fußgewölbes kann durch den Einfluss des Bodenwiderstandes auf die Fußgelenke verändert sein.

Den Fuß ausschließlich in der Sagittal-Ebene zu betrachten, würde nur eine zweidimensionale Beurteilung seiner Gewölbehöhe zulassen. Wenn die Gelenkbewegung einbezogen wird, ist die Beurteilung in drei Dimensionen möglich.

Unter Einbeziehung der Gelenkbewegung wird die Abflachung des Fußgewölbes, welches durch Pronation der Querachse des Chopart-Gelenks entstanden ist, in der Sagittal-Ebene (durch den Bodenwiderstand) als Dorsalextension des Vorfußes in Beziehung zum Rückfuß erscheinen. Die Bewegung in der Sagittal -Ebene allein zu betrachten wäre deshalb nur ein kleiner Ausschnitt der gesamten Bewegung.

In der Gesamtheit besteht das abgeflachte Fußgewölbe aus einer Kombination von der Plantarflexion des Subtalar-Gelenks, der STG-Pronation, Pronation der Querachse des Chopart-Gelenks und Dorsalextension des 1. Strahls. Die Strahlen des Fußes können bis zu einem gewissen Grad dorsalextendieren, aber der 1. Strahl ist der wichtigste, der zu dieser Bewegung beiträgt.

Wenn diese Zusammenhänge verstanden werden, können die in der älteren Literatur vorkommenden Beschreibungen über die Abflachung oder Erhöhung des Fußgewölbes besser beurteilt werden.

Der Windlass-Effekt (Windenfunktion des 1. Metatarso-Phalangeal-Gelenks)

Definition

Wenn die Großzehe an der Basisphalanx nach dorsal extendiert wird, spannt sich die dort ansetzende Sehne der Plantarfascie (Plantaraponeurose) derart, dass sich dadurch das mediale Fußgewölbe hebt. Diese – einer Winde ähnlichen – Funktion wird „Windlass-Effekt" genannt. (erstmals beschrieben von dem Dänen Dr. Finn Bosjen-Møller; gesprochen: Bois Müller), dänischer Professor für Anatomie an der Universität Kopenhagen)

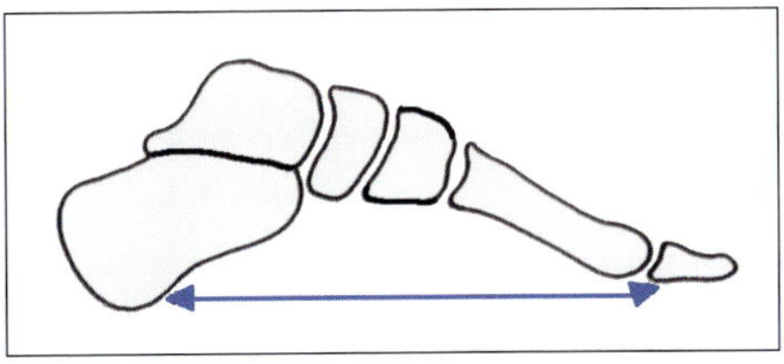

Abb. 6.6: Ursprung der Plantarfascie: Tuber Calcanei des Calcaneus; Ansatz: Basis Metatarsale 1

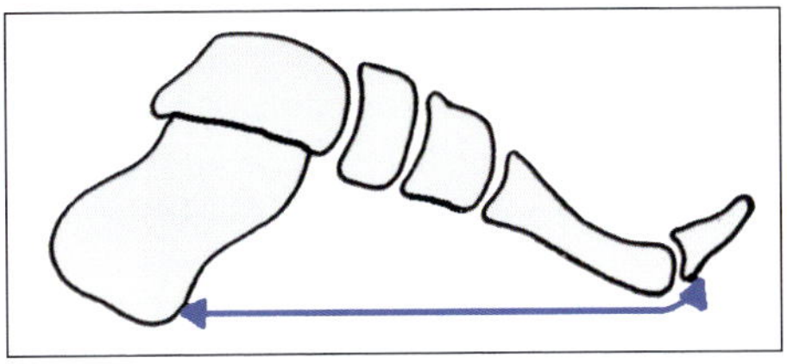

Abb. 6.7: Windlass-Effekt (Windenfunktion) Durch (passive/aktive) Dorsalextension der Großzehe spannt sich die Plantarfascie und hebt das mediale Fußgewölbe. Das proximale Ende des Metatarsale 1 dorsalextendiert.

Auf welche Art der Windlass-Effekt das mediale (innere) Fußgewölbe unterstützt, ist an der Bewegung des Metatarsale 1 zu erkennen. Es besteht ein anatomischer Zusammenhang zwischen dem Calcaneus, der Plantarfascie, den Sesambeinchen und der Basisphalanx der Großzehe.

Wenn die Großzehe dorsalextendiert wird, plantarflektiert der 1. Metatarsale. Seine distale Seite kann im Stand wegen des Bodenwiderstandes nicht weiter plantarflektieren. In der Folge entsteht durch die Plantarflexion eine intertarsale Gelenkstabilität, wenn sich das proximale Ende des Metatarsale 1 nach dorsal und proximal bewegt. (Um eine Plantarflexion bei intertarsaler Gelenkstabilität zu ermöglichen, müssen sich sowohl Basis als auch Kopf des Metatarsale nach proximal bewegen.) Diese proximale Bewegung ist Voraussetzung für alle Bewegungen innerhalb des Fußes, die durch den Windlass-Effekt entstehen.

Andere, durch die Anhebung des medialen Fußgewölbes verbundenen, Bewegungen sind die:

- Supination des STG und die
- Supination der Querachse des Chopart-Gelenks.

Bei Supination des Subtalar-Gelenks (STG) dreht sich der Unterschenkel nach außen. Wenn diese Außendrehung des Unterschenkels einsetzt und der Vorfuß an seiner Stelle auf dem Boden verbleibt, muss eine Bewegung zwischen Vorfuß und Rückfuß einsetzen. Sie entsteht durch Supination (und Adduktion) der Querachse des Chopart-Gelenks.

Wenn sich der 1. Metatarsale bei intertarsaler Gelenkstabilität durch die Plantarflexion nach proximal bewegt, müssen sich die davon proximal liegenden Knochen ebenfalls in diese Richtung bewegen. Davon betroffen sind das mediale Os cuneiforme, Os naviculare und der Talus. Zusammen ermöglichen sie dem Metatarsale 1 die Plantarflexion (Abb. 6.8).

Durch den Wechsel von der Pronation in die Supination bewegt sich das Talo-Navicular-Gelenk gegenüber dem Calcaneo-Cuboid-Gelenk nach hinten (posterior) (Abb. 6.9). Diese Lageveränderung des STG durch die Bewegung nach posterior entsteht durch die Plantarflexion des 1. Metatarsale bei intertarsaler Gelenkstabilität. Wenn der Talus nach proximal verschoben wird, entsteht auch eine Dorsalextension im Talo-Crural-Gelenk (oberes Sprunggelenk). An der Plantarflexion des Talus, die bei intertarsaler Gelenkstabilität und bereits proniertem STG stattfindet, ist ebenfalls das Talo-Crural-Gelenk einbezogen.

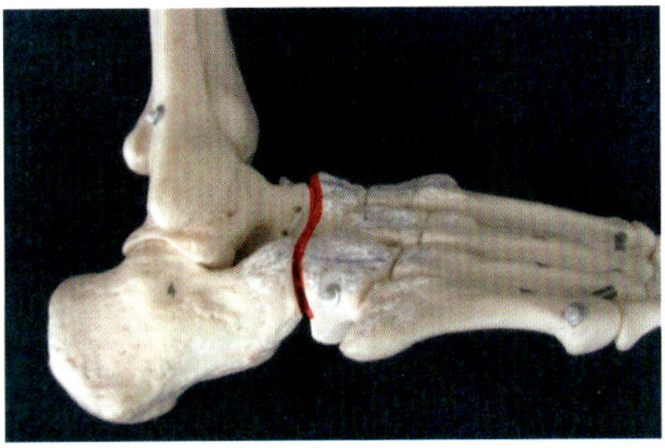

Abb. 6.8: Skelett des rechten Fußes von lateral. Vorlagerung des Talonavicular-Gelenks durch Pronation und deutlich ausgeprägter Cyma-Line

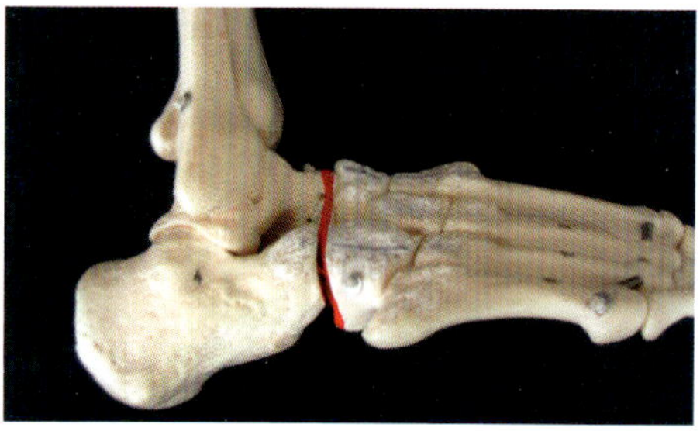

Abb. 6.9: Skelett des rechten Fußes von lateral. Verlagerung des Talo-Navicular-Gelenks nach posterior durch Supination und flach verlaufender Cyma-Line

Zur Erinnerung: Die Cyma-Line wird bei einer von lateral genommenen Röntgenaufnahme durch die gelenkigen Verbindungen zwischen dem Talo-Navicular- und dem Calcaneo-Cuboid-Gelenk gebildet. Wenn die Linie nach posterior (hinten) verlagert ist, besteht eine Supination des Talo-Navicular-Gelenks. Bei der Pronation besteht eine anteriore (vordere) Vorlagerung des Talo-Navicular-Gelenks.

Wenn die Großzehe (Hallux) ausschließlich von dem Untersuchenden (passiv) dorsalextendiert wird, nimmt die Zugspannung der Plantarfascie zu (bekannt als: „**Hubscher Manöver**"). Wenn die Kraft stark genug ist, wird auch die Stellung der Knochen im Fuß verändert. Wenn aber die Kraft nicht ausreicht, das mediale Fußgewölbe zu heben, entsteht eine starke Kompressionswirkung auf die Knochen. Wenn dann der Hallux dorsalextendiert wird, zieht die Sehne der Plantarfascie lediglich an der Basisphalanx der Großzehe. Sie übt eine Kraft von distal nach proximal auf den 1. Metatarsale aus. Die Kraft ist in diesem Fall gleich groß wie die Zugspannung in der Plantarfascie. Das größere Kraftmoment zur Plantarflexion der Großzehe verhindert die Dorsalextension der Zehe.

Kräfte und Kraftmomente am Chopart-Gelenk

Der zuvor beschriebene Längsdruck in dem 1. Metatarsale wird auf das Talo-Navicular-Gelenk übertragen. Der Talus wird nach proximal bewegt.

Es gibt mehrere Einflüsse welche darüber entscheiden, wie leicht oder schwer sich das mediale Fußgewölbe durch den **Windlass-Effekt** heben lässt. Es muss schließlich das durch den Bodenkontakt mehr oder minder starke pronierende Kraftmoment überwunden werden. (Ein Fuß mit größerem pronierend wirkenden Kraftmoment wird sein Druckzentrum weiter lateral von der STG-Achse besitzen.)

Der Windlass-Effekt muss auch den 1. Metatarsale plantarflektieren. Bei Füßen mit hohem medialen Fußgewölbe – im Vergleich zu einem niedrigeren – wird dies leichter sein, weil die Basis des 1. Metatarsale höher vom Boden entfernt liegt, als der Kopf des 1. Metatarsale. Der Fuß mit hohem medialen Fußgewölbe wird ein größeres Kraftmoment für die Plantarflexion benötigen, weil ein größerer Abstand zwischen dem Metatarsale und dem Boden besteht. (Kraftmoment = Kraft × Weg)

Klinische Zusammenhänge

Bei einigen Füßen ist das Kraftmoment für die Pronation so groß, dass die Großzehe nicht dorsalextendiert werden kann. In diesem Fall liegt ein **funktioneller Hallux limitus** vor. (Er hat einen entsprechenden **Bewegungsumfang ohne Belastung**, aber **keine Bewegung bei Belastung des Fußes.**) Beim Versuch, den Hallux in Dorsalextension zu bringen, entsteht ein enormer Zug auf die Plantarfascie und eine starke Kompression auf das 1. Metatarso-Phalangeal-Gelenk.

Das oben Genannte ist auch ein Beispiel dafür, wie im Fuß wirkende Kräfte eine STG-Pronation stoppen können. Wenn dies durch die Plantarfascie geschieht, wächst der plantare Druck auf die Großzehe an.

Sobald das STG proniert, werden sich das Os naviculare, Os cuneiforme und der 1. Metatarsale nach distal bewegen, bis diese Bewegung durch die Plantarfascie und die proximale Großzehenphalanx gestoppt wird. Die Kraft durch den Sehnenzug der Plantarfascie von der proximalen Phalanx auf den Metatarsale erzeugt ein Kraftmoment, welches den Bodenwiderstand auf den Hallux vergrößert.

Schmerzen durch Pronation

Die Pronation des STG allein verursacht keine Schmerzen. Sie entstehen durch die pronationsstoppende Bewegung.

Mechanisch bedingte Schmerzen werden durch die einwirkende Kraft verursacht, nicht durch die Bewegung.

Fußdeformitäten entstehen durch die übermäßige Bewegung (Hypermobilität) in einem Gelenk.

Wenn anatomische Strukturen nicht in der Lage sind, den auf sie einwirkenden Kräften standzuhalten, ist das Ergebnis die Deformität oder der Schmerz. Bei dem Hallux valgus wirkt ein abduzierendes Kraftmoment auf den 1. Metatarsale ein. Zusätzlich können die Bänder des Metatarso-Cuneiform-Gelenks diese Abduktion nicht verhindern. Der Bewegungsspielraum in dem Gelenk ist übernatürlich vergrößert.

Bei der Plantarfasciitis ist die Zugspannung in der Faszie so hoch, dass in ihr oder an ihrem Ursprung ein kleiner Riss entsteht.

Andere Strukturen des Fußes widerstehen den pronierenden Kräften wie z. B. die Fläche des Sinus tarsi, die Achillessehne und das Retinaculum mm. flexorum[7]. Viele Strukturen sind klinischen Syndromen zuzuordnen. Sie können dadurch behandelt werden, dass man die auf den Fuß einwirkenden externen Kräfte (z. B. durch eine Orthose, Taping ...) verändert.

Zum besseren Verständnis ein Beispiel: Der rheumatische Fuß kann schmerzfrei laufen, wenn die auf den Fuß einwirkende Kraft/Belastung verändert bzw. verlagert wird. Deswegen ist nicht die Bewegung schmerzhaft, sondern die Kraft/Belastung, die auf die verformten Gelenke des Fußes einwirkt. (Siehe dazu: „Varus-Keil“ am Ende des Kapitels)

Externe und interne Kräfte

Es gibt bestimmte Fußtypen, bei denen die Pronationsbewegung plötzlich stoppt. Für den Fuß bestehen dafür zwei wichtige Einflüsse:

- der Einwirkungsort des Bodenwiderstandes
- die Lage der STG-Achse

Beide Faktoren bestimmen das extern auf den Fuß einwirkende Kraftmoment des Bodenwiderstandes. Um ein Gleichgewicht zu erhalten, gibt es neben dem extern wirkenden auch ein intern wirkendendes Kraftmoment.

Es gibt in Bezug zur STG-Achse drei mögliche Einwirkstellen für das **Druckzentrum**. Es kann sich **medial, plantar** oder **lateral** von der **STG-Achse** befinden.

Es kommt sehr selten vor, dass das Druckzentrum medial von der STG-Achse liegt. Dieser Fuß würde lateral instabil sein, weil der Bodenwiderstand ein supinierendes Kraftmoment an der STG-Achse erzeugt. Das Bild dazu könnte wie ein evertiert zum Rückfuß stehender Vorfuß mit invertiert stehender Ferse aussehen. Jedoch kann der invertierte Rückfuß auch durch die Stellung des Vorfußes bedingt sein und nicht dadurch, dass sein maximal proniertes STG eine invertierte Stellung eingenommen hat.)

Wenn sich das Druckzentrum (direkt) plantar der STG-Achse befindet, kann kein Kraftmoment durch den Bodenwiderstand auf das STG einwirken. Es ist auch kein internes Kraftmoment notwendig, um ein Gleichgewicht herzustellen.

Häufiger ist der Fuß, bei dem das Druckzentrum lateral der STG-Achse

7 Retinaculum mm. flexorum = Halteband der Sehnen der langen Beugemuskulatur im Bereich des medialen Malleolus

liegt. Hierbei liegt das 1. Metatarsale medial der Achse. Die Druckeinwirkung unter dem lateralen Vorfuß erzeugt ein pronierendes Kraftmoment. Wie stark sich der Druck unter dem Fuß auswirkt, hängt auch davon ab, wie weit die STG-Achse nach lateral abweicht.

Je stärker die Achse nach lateral abweicht, desto wahrscheinlicher werden sich auf der lateralen Fußseite höhere Kräfte entwickeln.

Der Grund ist, dass zum Gleichgewicht das Kraftmoment auf der lateralen Seite der STG-Achse gleich groß dem Kraftmoment auf der medialen Seite sein muss.

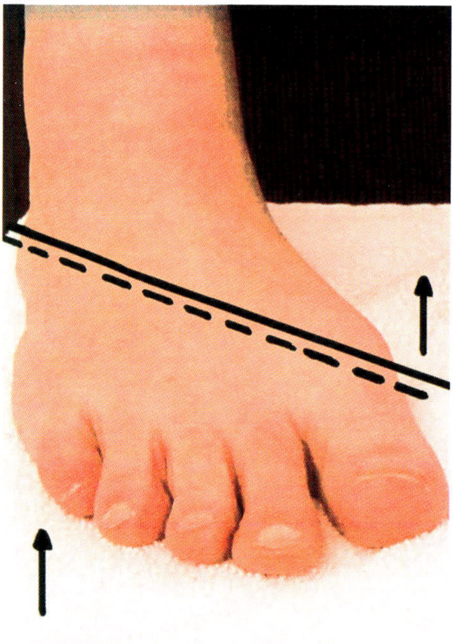

Abb. 6.10: Ungefährer Verlauf der nach lateral abweichenden STG-Achse (schwarze gestrichelte Linie)
Die schwarzen Pfeile kennzeichnen die Krafteinwirkungen: Pronation bei lateral von der STG-Achse einwirkender Kraft, Supination bei medial von der STG-Achse einwirkender Kraft.

Zur Erinnerung: (Kraftmoment = Kraft × Weg)
Wenn der Weg kurz ist, muss an dieser Stelle die Kraft höher sein, um ein gleiches Kraftmoment mit der Gegenseite herzustellen. Deshalb werden bei einer nach lateral abweichenden STG-Achse auch immer hohe lateral wirkende Kräfte festgestellt.

Bei diesem Fuß wird das Vorfuß-/Rückfuß-Verhältnis nicht stimmen. Die Mechanik (Bewegung) des Fußes wird allein durch die Lage der STG-Achse bestimmt.

Das Vorfuß-/Rückfuß-Verhältnis ist somit nicht der alleinige Maßstab für die Funktion des Fußes.

Fußtypen mit extern einwirkendem Kraftmoment zur Pronation können in zwei Kategorien eingeteilt werden:

- jene, die bereits ein maximal proniertes STG aufweisen und
- jene, bei denen das STG nicht maximal proniert ist.

Als Beispiel gilt für den einen Fall ein maximal pronierter Fuß, bei dem die Ursache für das plötzliche Ende der Pronationsbewegung strukturell (knöchern) bedingt ist.

Bei dem anderen Beispiel ist es ein maximal pronierter Fuß mit hoher Zugspannung in der Plantarfaszie. Bei diesem Fußtyp kommt meist ein knöchernes Bewegungsende hinzu. Der Anteil an der Behinderung der Bewegung kann zu 80 % knöchernen Ursprungs sein und zu 20 % an der Zugspannung innerhalb der Faszie liegen. Die Verhältnisse sind auch umkehrbar, wobei andere Strukturen ebenfalls einige Prozentanteile haben können. Letztendlich kann ein Fuß die Pronation in einer Stellung stoppen, welche nicht maximal proniert ist. In diesem Fall besteht keine knöcherne Ursache welche die Pronationsbewegung anhält.

Den Fuß in eine maximal pronierte und nicht maximal pronierte Kategorie einzuteilen ist hilfreich, weil dies erklären kann, an welcher Stelle interne Kräfte des Fußes wirksam sind.

Maximal pronierte Fußtypen mit externem Kraftmoment für die Pronation sind der Rückfuß varus und der Vorfuß varus. Beide Fußdeformitäten besitzen nicht genug STG-Pronation, um den medialen Vorfuß ausreichend zu belasten (in diesem Fall bei unkompensierter oder teilweise kompensierter Varus-Stellung beider Fußdeformitäten).

Eine extreme Situation würde einen Fuß darstellen, der im Verhältnis zum Rückfuß einen invertierten Vorfuß kombiniert mit einer entspannten maximal pronierten Fersenstellung aufweist. Diese Fußtypen werden die meiste Gewichtsbelastung auf der lateralen Fußseite aufweisen. Sie sind leicht zu erkennen, weil sich unter dem plantaren 5. Metatarsalköpfchen und dem 5. Strahl eine ausgeprägte Hyperkeratose (Callositas) bildet. Die einzige Möglichkeit, das Gewicht auf die mediale Seite des Vorfußes zu verlagern, ist während des Gehens eine Abduktion des Vorfußes zu bewirken und hiermit den Fuß über die mediale Seite abrollen zu lassen.

Es ist auch möglich, dass sich die externe Krafteinwirkung lateral von der STG-Achse dieses Fußes befindet. In diesem Fall wird der Bodenwiderstand ein größeres Kraftmoment für die Pronation aufweisen. Beschwerden werden bei diesem Fuß wahrscheinlich mehr im Bereich des STG und des Sinus tarsi (der Grube lateral zwischen Talushals und dem Calcaneus) entstehen.

Die oben beschriebenen Beispiele sind sehr extreme Fälle eines invertiert stehenden Vorfußes und Rückfußes. Im Normalfall liegt die Gewichtsbelastung eher in der Mitte des Fußes.

Bei einem Fuß, bei dem das STG nicht maximal proniert ist, aber ein externes Kraftmoment für die Pronation besteht, wird die Pronation häufig durch die Plantarfaszie gestoppt. Hieran übt der **Windlass-Effekt** durch die supinierende Wirkung auf den Fuß entscheidenden Einfluss aus. Deshalb sind bei diesem Fuß die plantaren Kräfte unter der medialen Seite sehr hoch. Es entsteht auch deutlich mehr Druck unter dem Hallux, als am übrigen Fuß.

Die möglichen Pathologien für diesen Fuß können sein:

- Beschwerden am Metatarso-Phalangeal-Gelenk
- Plantarfasziitis (Fersensporn)

Im gleichen Fall wie oben beschrieben (maximale Pronation des STG, externes pronierendes Kraftmoment) kann die Behinderung der vollständigen Pronation des STG durch die Achillessehne entstehen. (Obwohl sie innen liegt, wird die Achillessehne in diesem Fall als extern wirkende Kraft eingestuft.). Je nach Ansatz der Sehne an der Ferse kann das STG auch in supinierter Stellung gehalten werden.

Durch den supinierten Rückfuß kann u. a. der M. gastrocnemius leicht ermüden. Möglich ist, dass sich dadurch der plantare Druck unter dem Fuß ständig ändert. Die Druckbelastung kann sich medial oder lateral unter dem Vorfuß verteilen, je nachdem wie hoch die Zugspannung der Sehne ist. Je mehr Zugspannung medial der Ferse vorhanden ist, desto mehr lateral wird sich das Zentrum des Bodenwiderstandes verlagern. Die zuletzt genannte Variante kann bei jedem Fuß vorkommen.

Unterscheidung zwischen der Kompensation und Überlastung des Fußes

Die Kompensationsmechanismen haben sich bislang hauptsächlich mit der Fußstellung und seinem Kontakt mit dem Boden beschäftigt. Es war hierbei wichtig die Bewegungsachsen des Fußes mit einzubeziehen, an denen auch Kraftmomente wirksam sind. Das Kraftmoment, an welchem der Bodenwiderstand einwirkt, kann z. B. medial oder lateral der Sagittal-Achse des Fußes liegen. Im Nachhinein reagiert der Fuß mit der Kompensation dieser äußeren Krafteinwirkung.

Allein die Stellung und Bewegung eines Fußes zu beurteilen reicht speziell für eine Behandlung mechanisch verursachter Probleme nicht aus.

Um Schmerzen am Fuß zu verringern oder zu beseitigen, muss in diesem Fall für eine Veränderung der Krafteinwirkung gesorgt werden. Diese Möglichkeit ist z. B. durch eine Orthose oder Abpolsterung gegeben.

Folgende Beispiele verdeutlichen den Unterschied zwischen:

- der Behandlung der Fußstellung (z. B. Vorfuß valgus, Rückfuß varus ...) und
- der Veränderung des Bodenwiderstandes.

Bei der Behandlung der Fußstellung wird bei einer **Vorfuß-valgus-Deformität** ein Valgus-Keil zur Kompensation unter die lateralen Metatarsalköpfchen gelegt. Der **Valgus-Keil bringt den gesamten Vorfuß wieder in Bodenkontakt**, sodass keine andere Kompensation des Fußes mehr notwendig ist.

Um den **Einwirkungsort des Bodenwiderstands bei einer evertiert stehenden Vorfuß-Deformität** (z. B. eine nicht zu korrigierende Fußdeformität) wird ein Valgus-Keil unter die lateralen Metatarsalköpfchen gelegt, **um die Belastung des Vorfußes hierauf zu verteilen.** Die Überlastung der medialen Seite wird hierdurch behoben (Abb. 6.11 und 6.12).

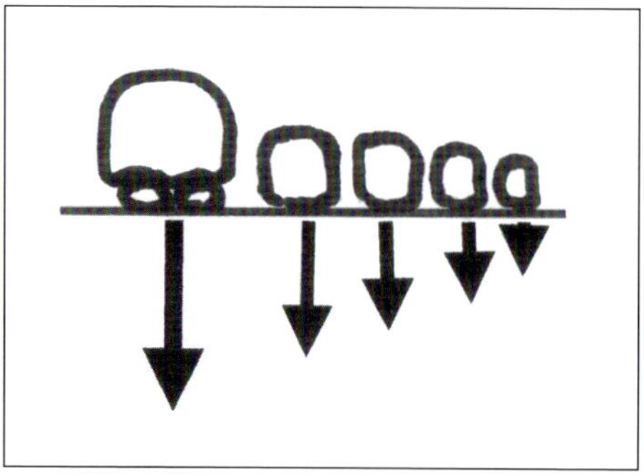

Abb. 6.11: Die Kräfte des Bodenwiderstandes sind durch die Länge der Pfeile gekennzeichnet. Der Metatarsale 1 ist stark, der Metatarsale 5 wenig belastet (dargestellt durch unterschiedliche Pfeillängen).

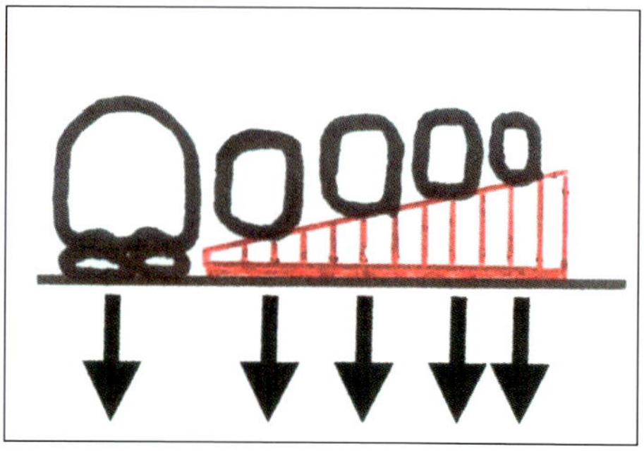

Abb. 6.12: Durch einen Valgus-Keil (rote schraffierte Fläche) erhalten die Metatarsalköpfchen 1-5 die gleiche Belastung durch den Bodenwiderstand (dargestellt durch gleiche Pfeillängen).

Obwohl es sich hier um gleiche Therapien (Valgus-Keil) handelt ist es wichtig, zwischen Maßnahmen zur **Kompensation und Überlastung des Fußes** zu unterscheiden.

Die **Kompensation** einer Deformität kann durch Bewegungen, Veränderung der Fußbelastung oder Körperhaltung eine **Fehlfunktion** des erkrankten Körperteils **ausgleichen** (z. B. bei den Fußanomalien).
Die **Überlastung** verursacht durch punktuelle Krafteinwirkung extreme Schmerzen, die durch **Veränderung der Auflagefläche bzw. des Bodenwiderstandes** verringert oder beseitigt werden können (z. B. bei dem rheumatischen Fuß).

Kompensationen bei eingeschränkter Bewegung des Talo-Crural-Gelenks (TCG)

Während der Gangabwicklung bleibt das Standbein in Bodenkontakt, während sich das Schwungbein nach vorn bewegt. Das Standbein führt dabei eine leichte Außendrehung aus.

Bei einem gesunden und einem kranken (z. B. versteiften) Talo-Crural-Gelenk findet diese Drehung an unterschiedlichen Stellen des Fußes statt. Das gesunde TCG dreht im Gelenk, bei dem kranken drehen sich Unterschenkel und Fuß als feste Einheit im Kniegelenk.

Bei Fersenkontakt liegt die Belastungszone posterior des Talo-Crural-Gelenks und verursacht eine Plantarflexion des Fußes. Sie ist wichtig für die **Schockab-**

sorption, der Stoßdämpfung durch das Auftreffen der Ferse auf den Boden. Falls das Talo-Crural-Gelenk versteift ist, verursacht die Belastung eine Drehung des Unterschenkels zusammen mit dem Fuß. Dies verursacht ein Gefühl der Instabilität, weil der Körper die Drehung des Beines auffangen muss. Es ähnelt dem Bergabwärtslaufen mit Skistiefeln. Diese Instabilität kann durch flacheres Aufsetzen des Fußes verringert werden, was jedoch eine kürzere Schrittlänge und eine Beugung des Knies erfordert, bevor die Ferse den Boden berührt.

Das gebeugte Knie macht es möglich, den Fuß waagerechter auf den Boden zu setzen. Um die Drehung des Beines beim Aufsetzen der Ferse zu verlangsamen, kann der Schuhabsatz abgerundet werden. Dadurch ist es möglich, dass ein Gefühl der Stabilität ausgelöst wird, wenn – wie vorher – das Druckzentrum posterior des oberen Sprunggelenks liegt. Die andere Lösung ist ein schockabsorbierender Schuhabsatz, der bei Belastung ebenfalls eine Rundung bildet. Hierbei ist die Materialdichte des Absatzes ausschlaggebend für seine Effektivität.

Während der Propulsion (Abstoß des Fußes vom Boden) muss ein gesundes Talo-Crural-Gelenk dorsalextendieren können, um den Körper über das Standbein nach vorn zu bewegen.

Wenn das Talo-Crural-Gelenk versteift ist, wird durch die fehlende Gelenkbewegung das Gewicht zum Vorfuß verlagert. Das Knie, Subtalar-Gelenk (STG) und Chopart-Gelenk sind dadurch in Mitleidenschaft gezogen. Bei dem Knie kann sich dadurch ein Genu recurvatum bilden. Diese Möglichkeit entsteht durch Einwirkung des Bodenwiderstandes auf den Vorfuß und des Körpergewichts auf die Tibiafläche, wodurch die Tibia nach posterior gedrückt wird.

Des Weiteren wirkt sich die Belastung des Vorfußes so aus, dass das STG durch den Bodenwiderstand proniert und das Chopart-Gelenk in der Sagittal-Ebene subluxiert.

Die Art der Beanspruchung des versteiften Talo-Crural-Gelenks unterscheidet sich während der Propulsion von dem gesunden Fuß. Eine veränderte Gangabwicklung würde schmerzhafte Belastungen bzw. Muskelschädigungen kompensieren.

Kompensationsformen für den Vorfuß valgus und den plantarflektierten 1. Strahl

Die Kompensationen schließen die Supination:

- um die Längsachse des Chopart-Gelenks
- um die Querachse des Chopart-Gelenks und
- um das Subtalar-Gelenk (STG)

mit ein.

Die Supination um die Längsachse des Chopart-Gelenks – als Kompensation für einen Vorfuß valgus – zeigt im Stand einen normalen Fuß. Das 5. Metatarsalköpfchen kann ohne Eversion des Calcaneus angehoben werden. Die laterale Seite des Vorfußes kann in Bezug zum Rückfuß folglich mehr angehoben werden als normal. Diese Supination der Längsachse des Chopart-Gelenks kompensiert im Allgemeinen den Vorfuß valgus.

Wenn das STG supiniert, um den Vorfuß valgus zu kompensieren, steht der Calcaneus invertiert. Hierdurch steht auch der Fuß supiniert. Man sieht dies gewöhnlich häufiger bei einem plantarflektierten 1. Strahl als bei dem Vorfuß valgus. Die invertierte Stellung des Calcaneus kann auch Ähnlichkeit mit einem umkompensierten Rückfuß varus besitzen.

Bevor sich die Querachse des Chopart-Gelenks an der Kompensation des Vorfuß valgus beteiligt, muss die Deformität schwer genug sein, um das STG supinieren und den Calcaneus um ca. 3° bis 4° invertieren zu lassen. Es ist nicht ungewöhnlich, dass der Calcaneus durch STG-Supination mehr als 5° invertiert, bevor die Querachse des Chopart-Gelenks supiniert.

Die Supination der Querachse des Chopart-Gelenks dient zur Kompensation des Vorfuß valgus. Er wird aber auch oft durch den plantarflektierten 1. Strahl kompensiert. Es ist eine deutliche Adduktion des Vorfußes in Bezug zum Rückfuß sichtbar. Es zeigt sich außerdem eine Beugekontraktur der kleinen Zehen, eventuell auch der Großzehe. Das mediale Fußgewölbe scheint erhöht. Diese Charakteristiken erinnern an den **„Schaeffer´s Fuß“**. Unter diesem Namen versteht man ein hohes mediales Fußgewölbe, einen geringen Bewegungsumfang des STG und Chopart-Gelenks sowie Beugekontrakturen der kleinen Zehen.

Unter dem **„Schaeffer´s Fuß“** versteht man ein hohes mediales Fußgewölbe, einen geringen Bewegungsumfang des STG und Chopart-Gelenks sowie Beugekontrakturen der Kleinzehen.

7

Wechselwirkungen der Achsen des Talo-Crural-Gelenks, Subtalar-Gelenks und Chopart-Gelenks auf den Rückfuß

Die Bewegungen des Rückfußes

Wenn man den Rückfuß als eigene Funktionseinheit betrachtet, besteht diese Einheit aus Talus, Calcaneus und dem Subtalar-Gelenk (STG). Sie wird auch als Talo-calcaneare-Einheit bezeichnet.

Ort und Richtung der Subtalar-Gelenk-Achse ist sehr genau beschrieben. Sie verläuft posterior vom Calcaneus plantar lateral schräg nach anterior medial zur dorsalen Fläche des Talushalses.

Diese in vielen Studien nachgewiesene Achse des STG liegt mit einem ca. 42°-Winkel in der Transversal-Ebene und mit einem ca. 17°-Winkel in der Sagittal-Ebene des Fußes.

Die Bewegung des Talus und Calcaneus verläuft im rechten Winkel zur STG-Achse. Sie besteht in der Frontal-Ebene aus Inversion und Eversion. Aufgrund ihres Achsenverlaufs durch alle drei Körperebenen ergibt sich eine dreidimensionale Bewegung aus Supination und Pronation.

Bei strenger Auslegung der Begriffe bedeutet:
Supination: Abduktion, Dorsalextension und Inversion des Talus
Pronation: Adduktion, Plantarflektion und Eversion des Talus

Der Calcaneus muss bei der Pronation evertieren und plantarflektieren, bei der Supination invertieren und dorsalextendieren.

Es bestehen Veröffentlichungen von Root, Orien, Weed/1977 und Sgarlato/1971, dass sich Talus und Calcaneus nur im rechten Winkel zur STG-Achse bewegen, also eine Inversion und Eversion ausführen. Um die volle Funktion des Rückfußes zu ermöglichen, beteiligt sich die Achse des Talo-Crural-Gelenks an der Supination und Pronation. Seine Achse liegt ca. 6° in der Transversal-Ebene und zu ca. 15° in der Frontal-Ebene. Bewegungen dieser Achse liegen Hauptsächlich in der Sagittal-Ebene und bestehen aus Dorsalextension und Plantarflexion.

Wegen der Achsneigung des Talo-Crural-Gelenks (oberes Sprunggelenk) sind deshalb bei der Dorsalextension und Plantarflexion auch Anteile der Supination und Pronation des Fußes vorhanden.

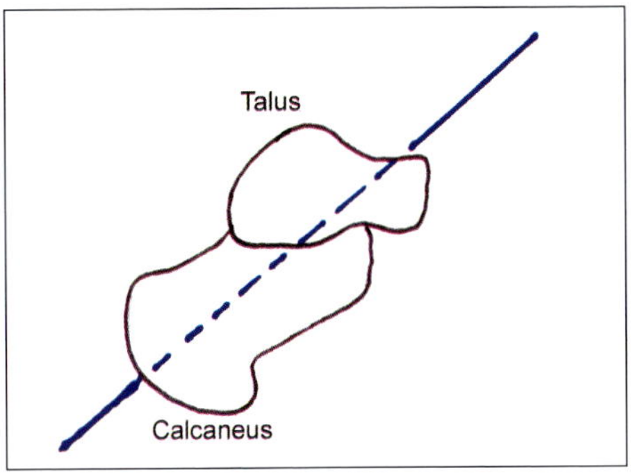

Abb. 7.1: Verlauf der Talo-calcanearen Achse zu ca. 42° in der Transversal-Ebene (blaue, teils gestrichelt gezeichnete Linie)

In Kombination der Bewegungen der STG-Achse und der Achse des Talo-Crural-Gelenks ist ein Universalgelenk entstanden.

Durch die Einheit dieser Achsverbindungen werden Supination und Pronation möglich.

Die Bewegung

Das Gehen dient, in Verbindung mit der intertarsalen Gelenkstabilität, zur Fortbewegung.

Der Talus kann dabei als Verlängerung des Beines gesehen werden.

Wenn sich der Unterschenkel dreht, folgt der Talus dieser Drehung. Die Innendrehung des Unterschenkels verursacht Pronation, die Außendrehung Supination des STG.

Wenn die Ferse aufsetzt, dreht der Unterschenkel nach innen, der Calcaneus evertiert und der Talus adduziert mit dem Unterschenkel und plantarflektiert das Subtalar-Gelenk. Dieser Vorgang geschieht umgekehrt bei der Supination.

Wie viel Plantarflexion das STG zulässt, hängt direkt von der Stabilität des Chopart-Gelenks ab.

Während der Gangabwicklung lässt sich am vorderen Kniegelenk die sehr geringe Bewegung des Beines nach innen und außen verfolgen. Um die Bewegung zu verfolgen, ist es empfehlenswert, eine Markierung als Klebepunkt oder mit Filzstift zu verwenden.

Das Chopart-Gelenk

Die verfügbare Bewegung im STG wird durch das Chopart-Gelenk mitbestimmt. Es verläuft zwischen dem Calcaneo-Cuboid- und dem Talo-Navicular-Gelenk. Beide Gelenkflächen verschränken sich ineinander (= Stabilität) bzw. lockern sich (= Beweglichkeit). Man nimmt an, dass das Calcaneo-Cuboid-Gelenk den größten Einfluss auf das Chopart-Gelenk ausübt.

Der verfügbare Bewegungsumfang im Chopart-Gelenk wird durch das STG reguliert. **Ein stabiles Chopart-Gelenk zeigt ein hohes bis normales mediales Fußgewölbe, wogegen ein niedriges bis flaches mediales Fußgewölbe auf ein instabiles Chopart-Gelenk deutet.**

Allgemein wird der Negativabdruck einer Orthose hergestellt, wenn das STG in Neutralstellung und das Chopart-Gelenk vollständig proniert (stabilisiert) sind. Hierdurch lässt sich das Vorfuß-/Rückfuß-Verhältnis erkennen.

8

Physik, Kräfte, Hebel, Momente und Druckzentren

8.1 Kenntnisse zur Physik

Der Fuß unterliegt, wie alle organischen Systeme und ebenso wie die Materie, physikalischen Gesetzen. Wir neigen dazu, das zu vergessen, weil wir unseren Fuß in fast jede Richtung bewegen und belasten können. In diesem Zusammenhang stellt sich die Frage, warum das Fußgefüge unter der manchmal enormen Körperbelastung nicht zusammenbricht.

Um die Fragen rund um die Konstruktion und Funktion des Fußes zu klären, benötigen wir die Physik.

8.2 Krafteinwirkungen auf den Fuß

Der Fuß sowie der Körper können sich in allen drei Ebenen gleichzeitig bewegen. Der einfachste Weg, die Krafteinwirkungen auf den Fuß in diesen Ebenen zu verstehen, ist die praktische Anwendung.

Die Kraft, welche das 5. Metatarsalköpfchen von plantar nach dorsal drückt, verursacht die Pronation des unteren Sprunggelenks/Subtalar-Gelenks (STG). Die Kraft, die das 5. Metatarsalköpfchen von dorsal-lateral nach plantar-medial drückt, bewirkt die Supination des STG. Die Veränderung der Kraftrichtung ändert die Krafteinwirkung in Bezug auf die STG-Achse. Am leichtesten ist diese Kraft durch Vektoren zu bestimmen.

Jede Art der Krafteinwirkung auf den Fuß ist deshalb von Bedeutung, weil sie sich auf das Therapiekonzept (z.B. Physiotherapie, Orthose, Taping ...) auswirkt.

In diesem Kapitel wird eine Rückschau auf die schulischen Grundlagen der Physik speziell in Bezug auf den Fuß gehalten.

Begriffe

Biomechanik
Sie ist die Lehre von Struktur und Funktion biologischer Systeme durch Methoden aus der Mechanik – einem Teilgebiet der Physik.

Kinematik (Bewegungslehre) beschreibt nur die Bewegung eines Körpers. Sie beschränkt sich auf rein geometrisch (die Ebene und den Raum) betreffende Bewegungsverhältnisse (z. B. Umwandlung von Bewegungen oder Zugkräften) ohne Einfluss von Kräften.

Kinetik
Diese Wissenschaft beschäftigt sich mit den auf den Körper (innerlich sowie äußerlich) einwirkenden Kräften und den dadurch hervorgerufenen (induzierten) Bewegungen. Die podologische Biomechanik beschäftigt sich hiermit hauptsächlich.

Statik
Die Statik beschäftigt sich mit Körpern im ruhenden Gleichgewicht. Hierbei tritt keine Bewegung auf.

Lineare Bewegung
Um eine lineare Bewegung zu beschreiben, benötigen wir Parameter (kennzeichnende Größen) wie: Position, Zeit, Geschwindigkeit und Beschleunigung. Während des Gehens wird die Bewegung des Fußes der linearen Bewegung angenähert.

Die Position ändert sich nicht, solange der Fuß den Boden berührt. Die Entfernung ändert sich vom Ursprungspunkt, wenn der Fuß frei nach vorne schwingt.

Die Beschreibung der Fußbewegung ist keine leichte Aufgabe. Ebenso schwierig ist die Beschreibung der Kräfte, die eine Bewegung verursachen oder durch sie verursacht werden.

Skalare und Vektoren
Skalare bestehen aus Zahlenwerten ohne räumliche Richtung (z. B. die Masse, die Zeit ...). **Vektoren** setzen sich aus einer Richtung (dargestellt durch einen Pfeil) und einem Zahlenwert zusammen.

Die physikalischen Größen wie Bewegung, Geschwindigkeit und Beschleunigung sind jede an eine Richtung gebunden. Ein Gegenstand bewegt sich nicht nur mit 5 km/h sondern er bewegt sich auch in eine bestimmte Richtung mit 5 km/h. Die Masse eines Gegenstandes allein besitzt dagegen keine Richtung. Dies macht den Unterschied zwischen den vektoriellen und skalaren Größen deutlich.

Vektoren besitzen einen Betrag und eine Richtung.
Skalare besitzen keine Richtung.

Kraftvektoren
Vektorielle Größen lassen sich als Pfeil darstellen. Die Richtung des Pfeils zeigt an, in welche Richtung die Kraft wirkt. Die Länge des Vektors zeigt die Größe des Betrages an.

Vektoren sind sehr nützlich, um Kräfte darzustellen und mit ihnen zu rechnen. Wenn die zwei Pfeile der Abb. 8.1 miteinander verbunden (addiert) werden, entspricht der daraus resultierende Pfeil (= die Resultierende) der tatsächlich wirkenden Kraft.

Die Benennungen der Vektoren sind willkürlich und können frei gewählt werden.

Addition von Kraftvektoren mit gleicher Richtung

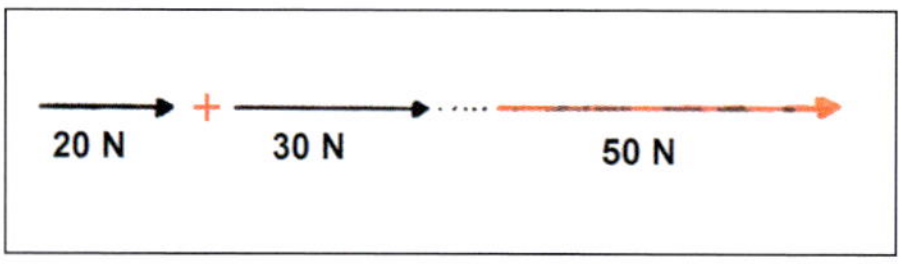

Abb. 8.1: Roter Kraftvektor = Resultierende (= Ergebnis)

Addition von Vektoren mit unterschiedlichen Richtungen

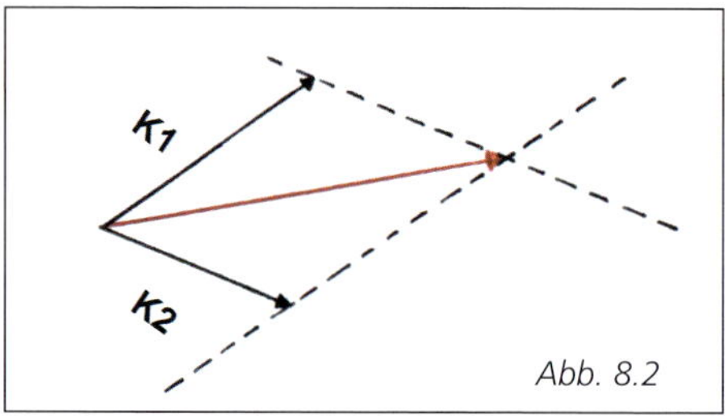

Abb. 8.2

Der Schnittpunkt der Parallelen zu den Kraftrichtungen von K1 und K2 (Abb. 8.2) ergibt die Resultierende (roter Kraftvektor) der Kraftrichtungen von K1 und K2 vom gemeinsamen Schnittpunkt aus. Das Ergebnis der tatsächlichen Kraft (= Resultierende) lässt sich abmessen. (Voraussetzung ist, dass die Zahlenwerte der Pfeillänge entsprechen.)

Addition von Vektoren am Beispiel der Krafteinwirkung des M. peroneus longus

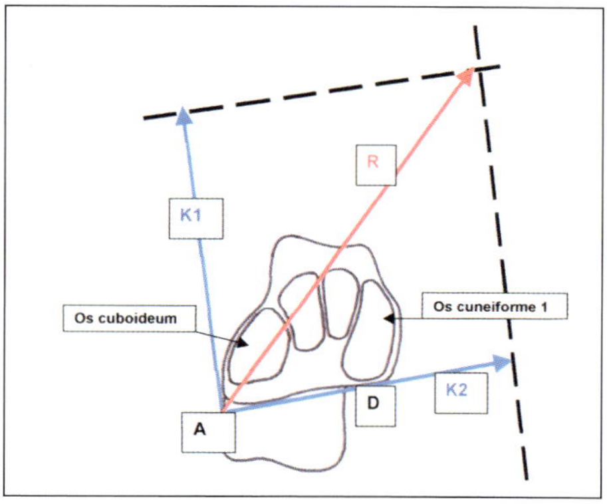

Abb. 8.3: Die Grafik zeigt den Querschnitt des Fußes an der Lisfranc-Gelenklinie.

Der **Punkt A der Muskelsehne am Knochen ist einer der Angriffspunkte, an dem sich die Kraft** des Muskels **auswirkt**. Punkt D bezeichnet den Drehpunkt des Fußes.

Die **Richtung des blauen Pfeils K1** gibt die Kraft-Verlaufsrichtung zum Ursprung des Muskels an. Die **Richtung des blauen Pfeils K2** die Verlaufsrichtung der gleich großen Gegenkraft.

Die Größe der Kraft wird durch die **Länge des Pfeils** (K1) ausgedrückt. Hierzu kann ein beliebiger Maßstab gewählt werden. Um eine quantitative Berechnung (Berechnung der vorhandenen Kraftgrößen) durchzuführen, ist die Darstellung in der Regel einfacher, wenn 1 cm Vektorlänge der Kraft von 100 N[8] entspricht.

8 100 N entsprechen dem Gewicht von 1 kg. Diese Anmerkung dient lediglich dem leichteren Verständnis, da die Kraft (N) regulär nicht mit der Masse (kg) gleichzusetzen ist.

Das **Ergebnis** (Resultat) **dieser Krafteinwirkung** des Muskels bildet die Resultierende (R). Sie wird durch die Verbindung des Punktes A mit dem Schnittpunkt der gestrichelten Linien erhalten. Sie verlaufen ebenfalls parallel zu den rechtwinklig angeordneten Krafteinwirkungslinien.
Durch die Resultierende (R) lässt sich die Auswirkung der Muskelkontraktion auf die Knochen (Os cuneiforme 1-3 und Os cuboideum) darstellen, welche durch diese Kraft komprimiert oder verschoben werden.
Setzt man die Komponenten in ein Verhältnis zueinander, ergibt sich aus der grafischen Darstellung ein ungefähres Kräfteverhältnis **(K1:R)** von ≈ **1:1,4**.

Daraus ist zu schließen, dass die komprimierende Kraft auf die Knochen ca. 1,4-mal so groß ist wie die Kraft durch die Muskelkontraktion.

Maßstab in der Originalzeichnung: 1 cm Vektorlänge entspricht der Kraft von 100 N[8].

Zerlegung von Vektoren in Komponenten

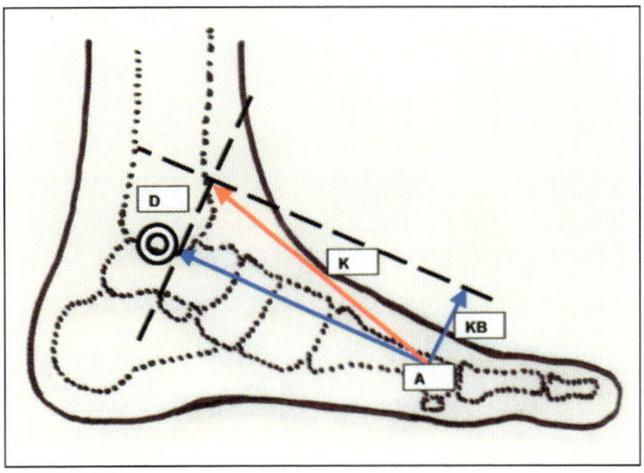

Abb. 8.4: Zerlegung von Vektoren am Beispiel der Dorsalextension des Vorfußes

Ist ein Körper (z. B. Knochen, Körperteil) an einem Ende drehbar gelagert (Drehpunkt D) und wirkt auf ihn im Angriffspunkt A die Kraft K ein, so wird nur eine Komponente der Kraft (KB) zur Bewegung des Körpers beitragen.

Die beiden Komponenten lassen sich konstruieren, indem man eine Linie durch Angriffspunkt (A) und Drehpunkt (D) legt und im rechten Winkel dazu eine zweite Linie durch den Angriffspunkt (A) zieht. Zu den Linien werden dann die Parallelen (gestrichelt) gezogen. Die Diagonale (= Resultierende) des Rechtecks bildet die Kraft K für die Dorsalextension des Fußes.

Die zeichnerische Darstellung von Vektoren hat den Vorteil anschaulich zu sein.

Die schiefe Ebene
Zur Berechnung der Kräfte, bei denen der Körper (Hautoberfläche, Gelenke) Abtriebskräften ausgesetzt ist, sind ebenfalls Vektoren anwendbar.

In diesem Beispiel beträgt die auf die schiefe Ebene wirkende Kraft 400 N. Sie wird als Kraftvektor (R) lotrecht von der Auftrittsfläche des Fußes gezeichnet. Der Maßstab in der Originalzeichnung beträgt: 1 cm ~ 100 N.

Der Druck (D) übt seine Kraft im rechten Winkel zur schiefen Ebene aus. Die Hangabtriebskraft (A) verläuft parallel zur schiefen Ebene.

Indem eine Parallele zur Hangfläche durch die Spitze des Kraftvektors R (gestrichelte Linie) gezogen wird, erhalten wir die Werte für den Druck (D) auf die plantare Hautfläche in Bezug zur Hangabtriebskraft (A).

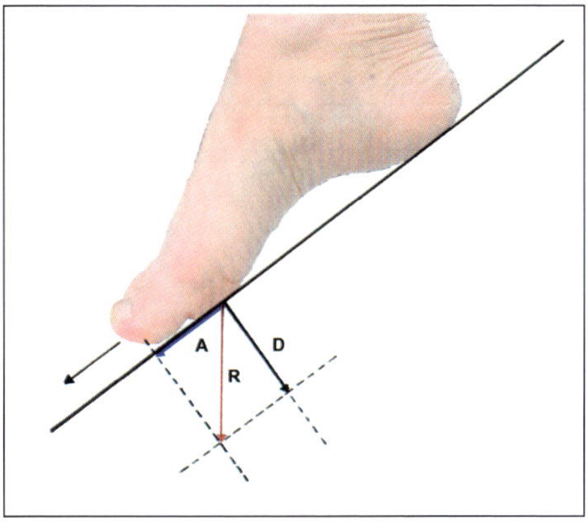

Abb. 8.5: Bestimmung der Kraftkomponente für die Vorfußbelastung (gemessen)

Bestimmung der Kraftkomponente für die Vorfußbelastung (gemessen):

- auf die schiefe Ebene wirkende Gewichtskraft (R): 400 N (willkürlich gewählter Wert)
- im rechten Winkel zur schiefen Ebene wirkender Druck (D): 330 N (Wert durch Messung aus der Zeichnung entnommen)
- parallel zur schiefen Ebene verlaufende Hangabtriebskraft (A): 250 N (Wert durch Messung aus der Zeichnung entnommen)

Bei der auf die schiefe Ebene einwirkenden Kraft von 400 N entstehen 330 N Druck auf der Hautoberfläche bzw. der Auftrittsfläche und 250 N an Hangabtriebskräften.

Maßstab in der Originalzeichnung: 1 cm Vektorlänge entspricht der Kraft von 100 N.

Schubkraft

Auf der ebenen Fläche entstehen bei dem Aufsetzen der Ferse Schubkräfte (den Hangabtriebskräften vergleichbar). Die auf diesen Bereich des Fußes einwirkenden Kräfte sind in gleicher Weise durch Vektoren bestimmbar.

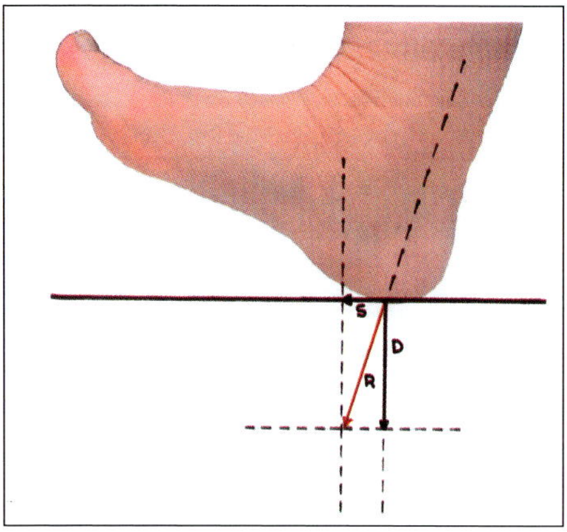

Abb. 8.6: Bestimmung der Kraftkomponente bei Fersenkontakt (gemessen)

Bestimmung der Kraftkomponente bei Fersenkontakt (gemessen):

- auf die Ebene wirkende Ausgangskraft (R): 400 N (willkürlich gewählter Wert)
- im rechten Winkel zur Ebene wirkender Druck (D): 380 N (Wert durch Messung aus der Zeichnung entnommen)
- parallel zur Ebene verlaufende Schubkraft (S): 130 N (Wert durch Messung aus der Zeichnung entnommen)

Durch die auf der ebenen Fläche bei Fersenkontakt auftreffende Kraft von 400 N entstehen 380 N Druck auf der Oberfläche der Haut bzw. der Auftrittsfläche und 130 N an Schubkräften.

Der Begriff „Schockabsorption“ beim Auftreffen der Ferse auf den Boden, ist an diesem Beispiel gut nachvollziehbar.

Maßstab in der Originalzeichnung: 1 cm Vektorlänge entspricht der Kraft von 100 N.

Zusammenfassung der Vorgehensweise für die grafische Darstellung der Kräftezerlegung durch Vektoren am Beispiel der Abb. 8.4

1. Zeichnen des Pfeils vom Ansatz (A) des Muskels zum Drehpunkt (D) des von ihm bewegten Gelenks oder Knochens
2. Zeichnen der Kraftverlaufsrichtung der bewegungswirksamen Kraft (Linie KB) im rechten Winkel zur Linie AD. (In der Skizze hat dieser Pfeil nur wenig Länge, da die Dorsalextension im allgemeinen nur ca. 10° beträgt)
3. Durch Parallelverschiebung der Linien AD und KB (schwarz gestrichelt gezeichnet) entsteht das sogenannte **Kräfteparallelogramm**.
4. Die Spitze des Kraftpfeils K (in der Grafik rot gezeichnet) bildet dabei immer eine Diagonale vom Ansatzpunkt (A) zu dem Schnittpunkt der parallel verlaufenden (gestrichelt gezeichneten) Linien. Sie bezeichnet in diesem Fall die Ausgangskraft für eine Bewegung.

Bewegungsänderung

Bewegungsänderungen sind immer mit Kräften verbunden. Zum besseren Verständnis hierzu sind die Newton´schen Gesetze hilfreich.

Die Newton´schen Gesetze

1. Gesetz (Trägheitssatz): Ein Körper verbleibt im Ruhezustand oder in gleichförmiger linearer Bewegung, wenn nicht eine externe Kraft auf diesen Zustand einwirkt.

Mit anderen Worten: Jeder Körper besitzt eine Trägheit. Wenn sich etwas im Ruhezustand oder in Bewegung befindet, muss eine externe Kraft einwirken, um diesen Zustand zu ändern.

Der Fuß unterliegt physikalischen Gesetzmäßigkeiten. Für die Bewegung des Fußes besitzt das 1. Newton´sche Gesetz eine wichtige Aussage. Eine Kraft muss aufgewendet werden, um die Bewegung des Fußes entweder zu starten oder zu stoppen.

Wenn sich eine Bewegung des Fußes ändert, muss diese Bewegungsänderung auf eine Kraft zurückzuführen sein. Es gibt verschiedene Urheber, welche Kraft auf den Knochen ausüben können: der Boden/die Standfläche, die Muskeln, die Sehnen, Bänder oder andere Knochen. Wenn hiervon ein Körperteil zu viel Belastung (Stress) empfängt, entstehen Schmerzen.

Erreicht ein Gelenk das Ende seines Bewegungsumfangs, muss es eine Ursache geben, welche die Bewegung stoppt. Die anatomische Struktur des Körperteils (z. B. Muskeln, Bänder, Knochenvorsprünge ...) kann eine Kraft verursachen, um die Bewegung zu stoppen.

2. Gesetz (Beschleunigungssatz): Die Beschleunigung (d. h. die Änderung einer Geschwindigkeit) ist der Kraft direkt proportional, der Masse aber umgekehrt proportional. Das heißt: für mehr Beschleunigung wird mehr Kraft benötigt. Je mehr Masse, desto geringer die Beschleunigung.

3. Gesetz (Wechselwirkungssatz): Die Krafteinwirkungen zweier Körper aufeinander sind stets gleich und von entgegengesetzter Richtung.
Beispiele:
- Ein gespannter Muskel übt an seinem Ursprung sowie Ansatz je eine Kraft aus.
- Eine belastete Einlegesohle drückt gleichermaßen auf den Boden und gegen die Fußsohle.

Einwirkung von Kräften auf den Fuß

Im Stand wirken auf den Fuß die Schwerkraft (Gravitation) des Körpers und die Bodenreaktionskräfte (der Bodenwiderstand) auf den Körper ein. Im Ruhezustand sind die Krafteinwirkungen zweier Körper aufeinander stets gleich und von entgegengesetzter Richtung. Die Wirkung der Kraft verläuft vertikal. Die Größe der Kraft bestimmt das Körpergewicht.

Mit Blick auf den Bodenwiderstand und dessen Ursache kann man diese Kräfte am besten verändern, indem man deren Einwirkungsort am Fuß verlagert. Im Stand werden sich die Bodenreaktionskräfte und ihre Richtung nur wenig verändern. Eine Orthose dagegen kann die Einwirkung der Bodenreaktionskräfte auf den Fuß unmittelbar verändern.

Während des Gehens besitzen die Bodenreaktionskräfte verschiedene Komponenten: Es bestehen anteriore/posteriore und mediale/laterale Kräfte.

Nach der Schwungphase berührt der Fuß den Boden und muss die nach vorne beschleunigte Körpermasse abfangen. In diesem Augenblick üben die Bodenreaktionskräfte (der Bodenwiderstand) eine posterior wirkende Kraft auf den Fuß aus. Für den propulsiven Gang gibt es einen anterior wirkenden Bodenwiderstand für den Fuß. Dies macht deutlich, dass nicht nur der vertikal einwirkende Bodenwiderstand mit Friktion (Reibung) einhergeht. Es entsteht ebenfalls Reibung durch leichtes Weggleiten des Fußes während des Gehens unter Beteiligung des entsprechenden Bodenwiderstandes.

Druck

Eine sehr oft in der Podologie verwendete physikalische Größe ist der Druck. Druck (D) definiert sich durch das Verhältnis von Kraft (K) zur Fläche (F).

Formel: $D = K : F$

Druck hat die Eigenschaft, sich nach allen Seiten gleichmäßig auszudehnen/zu verteilen. Berühre ich die Haut mit einer Nadel, ist der Druck auf eine sehr kleine Fläche zentriert. Geschieht diese Druckeinwirkung bei gleicher Kraft mit einem stumpfen Gegenstand, kann sich der Druck auf eine größere Fläche verteilen. Die Wichtigkeit dieser Feststellung kann folgendes Druckverhältnis verdeutlichen, wenn der Bodenwiderstand auf ein umschriebenes Hautgebiet einwirkt:

Falls der Bodenwiderstand (die Bodenreaktionskraft) höher ist als der Blutdruck in den Gefäßen, kann die Blutversorgung nicht mehr gewährleistet sein und das Gewebe nicht mehr ausreichend mit Sauerstoff versorgt werden.

Eine Atmosphäre des Drucks entspricht 760 mm der Quecksilbersäule (Hg) oder 10,15 N (Newton) pro cm^2. Der Druck in den Gefäßen des Körpers wird allgemein in mmHg und der Druck unter dem Fuß in N (Newton) pro cm^2 angegeben. Physikalisch-technische Einheit heute N pro m^2 = 1 Pa (Pascal).

Die Behandlung von schlecht durchbluteten (arteriopathischen) Füßen mit angepasstem Schuhwerk (z. B. 2-Schalen Cast) verringert die Druckbelastung des Fußes, indem seine Kontaktfläche im Schuh vergrößert wurde. (Es ist leichter, die Kontaktfläche für den Fuß um 50 % zu vergrößern, als das Gewicht des Patienten um 50 % zu reduzieren.)

Kraftstoß und Impuls (Schockwirkung)

Der Impuls (p) setzt sich bei gleichförmigen Bewegungen aus dem Produkt von Masse (m) und Geschwindigkeit (v) zusammen ($p = m \times v$)

Wenn der Fuß des Patienten nach einem Schritt den Boden berührt, besitzt der Kraftstoß zunächst den Wert Null. Es muss der Bodenwiderstand wirksam werden, um den Kraftstoß für den Körper zu ändern (Impulsänderung). Der Betrag für die Krafteinwirkung kann für einen längeren Zeitraum kleiner sein oder bei einer größeren Krafteinwirkung für einen kürzeren Zeitraum wirken. Je kürzer die Zeit, desto höher die Spitzenbelastung (Schock). Unter Spitzenbelastung ist die für diesen Augenblick höchste Krafteinwirkung zu verstehen. Normalerweise brechen bzw. reißen anatomische Strukturen, wenn die Stressbelastung ihre Grenzen erreicht hat. (Die Grenze der Stressbelastung ist dann erreicht, wenn die anatomischen Strukturen der einwirkenden Kraft – ohne Schaden zu nehmen – noch widerstehen können.) Das ist der Grund, warum eine Schockdämpfung in Betracht gezogen werden sollte, um Verletzungen oder Schmerzen zu begrenzen.

Die Spitzenbelastung (Schock) kann verringert werden, in dem man den Zeitablauf der Krafteinwirkung vergrößert. Die Zeit der Krafteinwirkung kann z. B. dadurch vergrößert werden, indem man die Kraft z. B. Materialien deformieren lässt, wenn die Bodenreaktionskraft für den Fuß wirksam ist. Dies ist der Grund, warum weiche Silikon- oder auch Schaumstoffpolster in bestimmten Schuhen verarbeitet werden. Eine weiche Halbsohle kann die Spitzenbelastung verringern, in dem sie den Zeitraum der Fußbelastung vergrößert. Es muss aber nicht immer besser sein, den Weichheitsgrad zu erhöhen. Eine zu weiche Sohle kann sehr leicht so zusammengedrückt werden, dass die Krafteinwirkung auf den Fuß nahezu übertragen wird.

Eine viskose Halbsohle im Schuh kann als Dämpfungsmittel dienen. Nachdem die Kraft die Halbsohle verformt, hat sie bis zur nächsten Schrittabwicklung wieder ihre normale Höhe erreicht. Durch ständige Belastung kann allerdings durch Materialermüdung die dämpfende Wirkung ausbleiben. Ein viskoser Dämpfer reagiert nicht wie eine elastische Feder (= Energieabsorption). Eine elastische Stahlfeder kann die Energie wieder freisetzen, wogegen ein „Dämpfer“ die Energie in Wärme umwandelt.

Die Gelenke unseres Körpers können wie Dämpfer wirken, um Schock zu absorbieren (in sich aufzunehmen). Wenn ein Mensch von einer Höhe herunterspringt, beugt er seine Knie, um Schock absorbieren zu können. Das Kniegelenk in Verbindung mit dem M. quadriceps femoris wirkt als Feder, um den Bodenwiderstand zu absorbieren. Die Federwirkung kann durch den Grad der Anwinkelung des Knies verändert werden. Je gestreckter das Bein, desto härter die Federwirkung.

Darstellung der Kniegelenk-Kompression durch unterschiedliche Kniebeugungen anhand von Kraftvektoren

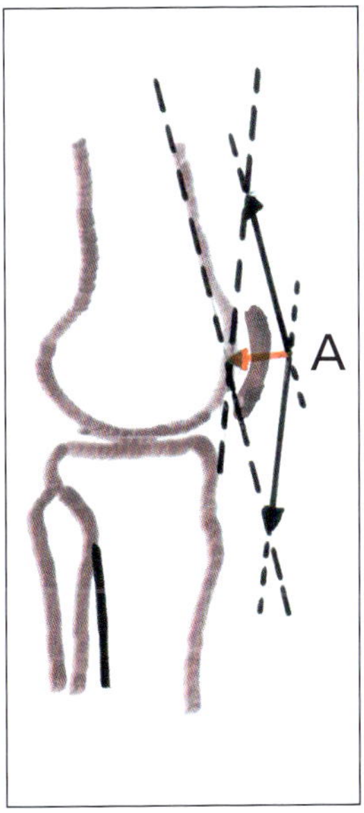

Abb. 8.7: Geringe Druckbelastung des Gelenks bei leicht angewinkeltem Knie. (Angriffspunkt = A) Es wurde von einer Kraftwirkung der Muskulatur (M. quadriceps femoris) und Bänder von 300 N ausgegangen. Roter Pfeil = Resultierende stellt die Kniegelenkbelastung dar. In der Originalzeichnung entspricht 1 cm Vektorlänge der Kraft von 100 N.

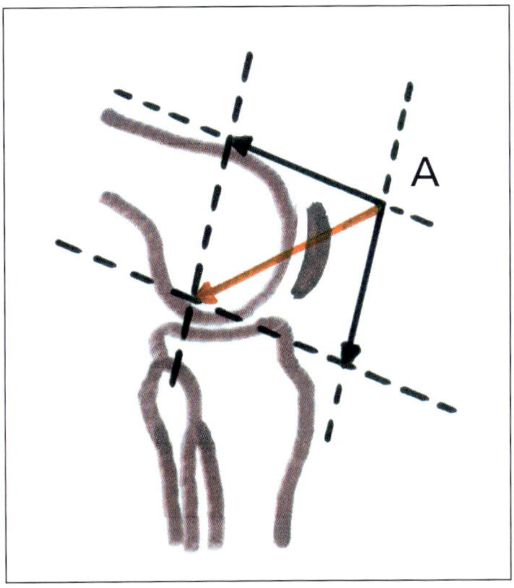

Abb. 8.8: Zunahme der Druckbelastung des Knies bei stärker angewinkeltem Knie. (Angriffspunkt = A) Es wurde von einer Kraftwirkung der Mus-ku-latur (M. quadriceps femoris) und Bänder von 300 N ausgegangen. Roter Pfeil = Resultierende stellt die Kniegelenkbelastung dar. In der Originalzeichnung entspricht 1 cm Vektorlänge der Kraft von 100 N.

Verletzungen durch fehlende Schockabsorption

Die Spitzenbelastung (Schock) bei Fersenkontakt betrifft nur den Unterschenkel. Sie wirkt zu dem Zeitpunkt, wenn die Ferse den Boden berührt. Die Heftigkeit des Bodenkontaktes wird durch die Person selbst bestimmt, die unbewusst die Fersenstellung beeinflusst. Der Grund, warum der Körper oberhalb des Kniebereichs von der Spitzenbelastung wenig beeinflusst wird, liegt darin, dass die Tibia (Schienbein) schneller die Belastungskräfte aufnimmt, als der Femur (Oberschenkel). Auf den übrigen Körper wirken die Kräfte durch die Fortbewegung weniger ein, weil das Knie gebeugt wird.

Ähnlich ist der Unterschied, wenn man einen Tennisball und ein „Körnerkissen“ gleicher Masse mit der Hand abfängt. Der Ball wird mehr Schmerzen verursachen, weil die gesamte Masse sofort auf die Hand einwirkt. Beim „Körnerkissen“ dagegen verteilt sich die Kraft nach Berührung der Hand über einen längeren Zeitraum hinweg.

Wenn der Fuß einer Spitzenbelastung ausgesetzt ist, erhält das obere Sprunggelenk nahezu die gleiche Belastung. Sie kann (z. B. durch Sport) bei ca. dem elffachen des Körpergewichts liegen. Diese Belastung ist während der mittleren Standphase (mid stance) am höchsten.

Hauptsächlich wirken hier komprimierende Kräfte (Abb. 8.7 und 8.8), welche durch Kontraktion des M. gastrocnemius und M. soleus entstehen. Beide Muskeln bewirken die Plantarflexion des oberen Sprunggelenks und müssen der Trägheit des Körpers entgegenwirken. Deshalb entsteht mehr Stresseinwirkung auf den Talus und die Tibia während der Standphase (stance phase), als während der Kontaktphase der Ferse mit dem Boden. Dieser Stress kann auch nicht durch eine weiche Schuhbettung beeinflusst werden. In Bezug auf das obere Sprunggelenk verursacht der Schock beim Fersenkontakt während des Laufens beim Sport weniger Krafteinwirkung auf die Knochen, als die oben genannte aktive Muskelkontraktion. Die Verletzungen, welche hier entstehen können, verursachen meist einen Bruch des Talus-Kopfes. Bedingt durch die starke Muskelkontraktion ist es sehr unwahrscheinlich, dass ein Bruch des Talus-Kopfes durch den Bodenwiderstand während des normalen Laufens verursacht wird.

Hebelgesetze

Warum das Skelettsystem in Verbindung mit der Muskulatur effektiv sein kann, ist auf Hebelgesetze zurückzuführen. Ebenfalls wirken einige podologische Behandlungsmethoden (z. B. Orthonyxie-Spange nach Fraser auf der menschlichen Nagelplatte) zu einem Teil nach Hebelgesetzen.

Ein Hebel entsteht, wenn ein starrer Gegenstand (z. B. Stab, Stange) oder federharter Stahl (z. B. bei der Orthonyxie) um eine Achse gedreht werden kann. Je nach Länge des Hebels und der Lage des Drehpunktes um die Achse ist eine Last (z. B. ein Gegenstand) leichter zu heben bzw. zu bewegen. Die Drehmomente (mechanische Drehkraft) wirken dabei jeweils in entgegengesetzter Richtung.
Man unterscheidet zwischen dem:
- einseitigen Hebel und dem
- zweiseitigen Hebel

Beispiele für einseitige Hebel

Abb. 8.9

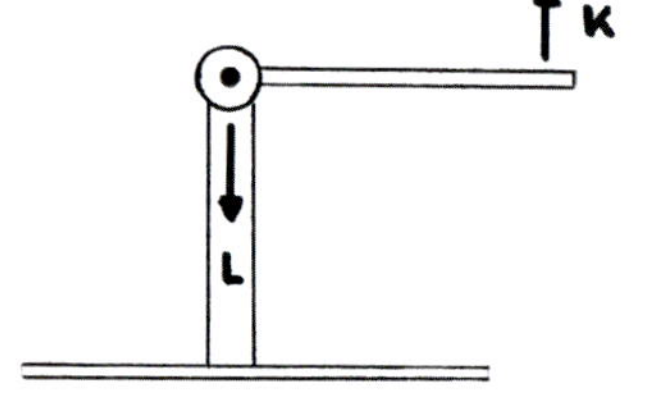

Abb. 8.10

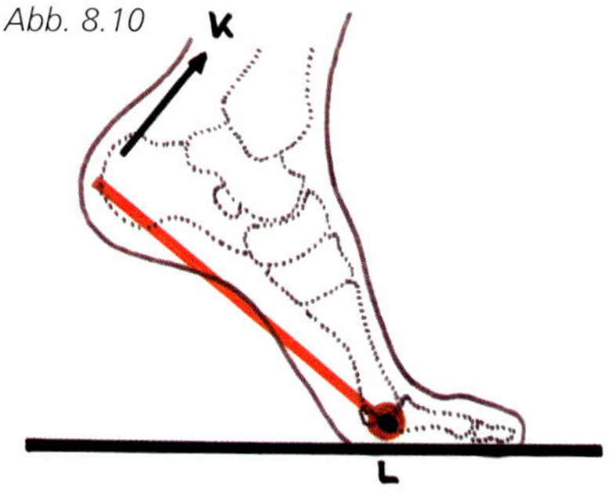

In der Abb. 8.9 befindet sich die Last (L) direkt unterhalb des Drehpunktes. Die Kraft (K) wirkt über einen Hebel (Kraftarm) auf den Drehpunkt in entgegengesetzter Richtung.

Die Modelle verdeutlichen die Wirkung des einseitigen Hebels am Fuß. Die Kraft (K) wird durch den an der Ferse ansetzenden M. triceps surae auf den Drehpunkt übertragen. Am Fuß befinden sich überwiegend einseitige Hebel.

Beispiel für den zweiseitigen Hebel

Abb. 8.11

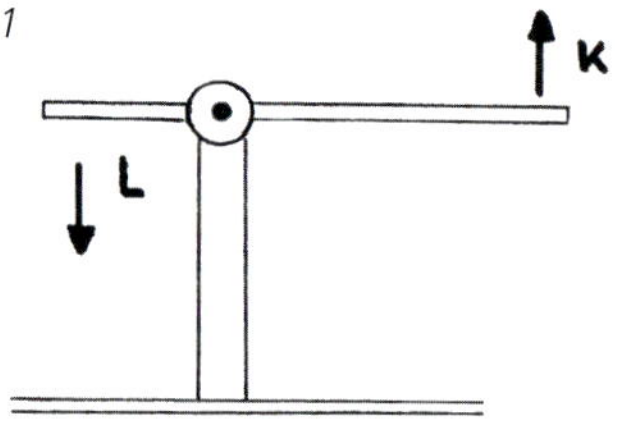

Der zweiseitige Hebel besteht aus dem Kraftarm (K) und dem Lastarm (L). Je nach Lage des Drehpunktes lässt sich die „Last“ leichter (oder schwerer) durch den Kraftarm bewegen. Je länger der Kraftarm im Verhältnis zum Lastarm, desto weniger Kraft ist aufzuwenden. Je länger der Lastarm im Verhältnis zum Kraftarm, desto mehr Kraft ist erforderlich.

Das Drehmoment

Es definiert eine mechanische Drehkraft, die außerhalb des Drehpunktes auf einen drehbaren Körper bzw. Hebel einwirkt. Die Einheit für das Drehmoment ist das Nm (Newtonmeter).

9

Rückfuß varus

Definition

Der Rückfuß varus ist eine strukturell bedingte Anomalie, bei welcher der Calcaneus im Verhältnis zum unteren Drittel der Mittellinie des Unterschenkels invertiert steht, wenn sich das Subtalar-Gelenk (STG) in Neutralstellung befindet.

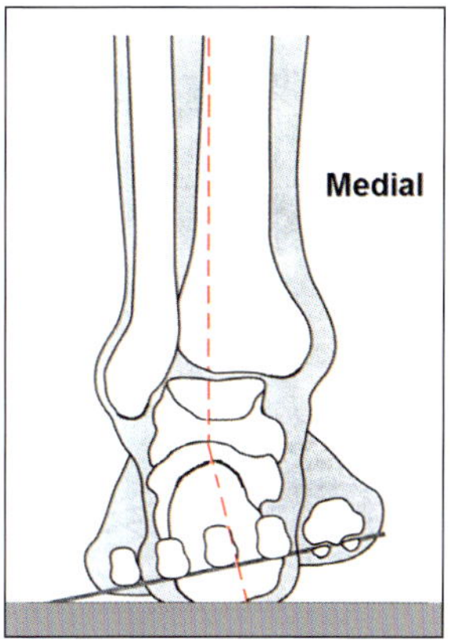

Abb. 9.1: Rückfuß varus des linken Fußes

Befund für den Rückfuß varus im Stand

Das STG des Fußes wird in Neutralstellung gebracht. In dieser Position stehen dann der Rückfuß und der Vorfuß im gleichen Winkel invertiert in Bezug zum Boden. In Begleitung dazu ist der 1. Strahl gewöhnlich so plantarflektiert, dass der Vorfuß vollständigen Bodenkontakt zu besitzen scheint. In diesem Fall lässt sich die mediale Seite des Vorfußes leicht vom Boden abheben.

Ätiologien

Ein Rückfuß varus kann verursacht werden:

1. Durch die Varus-Stellung der Tibia in der Frontal-Ebene. Sie ist die am häufigsten vorkommende Ätiologie. Hierbei steht das untere Drittel der Mittellinie des Unterschenkels invertiert zum Boden, wenn sich das STG in Neutralstellung befindet. Durch die Einheit mit dem Talo-Crural-Gelenk (oberes Sprunggelenk) steht der Calcaneus in Bezug zur Tibia und zur Bodenfläche ebenfalls invertiert.
   Durch die beeinflussende Komponente der Tibia auf das STG ergeben sich z. B. bei 7° Varus-Stellung der Tibia und 4° Varus-Stellung des STG in Neutralstellung insgesamt 11° Varus-Stellung des Rückfußes.

2. Durch die Verdickung der fibulären Epiphyse wird eine invertierte Stellung des Talo-Crural-Gelenks verursacht. Ein von anterior-posterior aufgenommenes Röntgenbild kann diese Anomalie aufklären.

3. Durch die Varus-Form des Talus-Knochens. Bei dieser Anomalie ist die mediale Seite des Talus schmaler als die laterale. In normaler Sprunggelenkposition ist die Deformität klinisch jedoch nicht sichtbar.

4. Durch eine von der Frontal-Ebene ausgehende Drehung besitzt der Calcaneus eine invertierte (Varus-)Stellung. Sie ist durch Sichtbefund gut feststellbar.
   Die Ursache liegt an der fötalen Entwicklung des Fußes, der in diesem Stadium in einem Varus-Winkel zum Unterschenkel steht. Als Säugling müsste sich die Varus-Stellung durch Valgus-Rotation des Fersenbeins verringert haben. Das Ergebnis sollte eine senkrechte Fersenstellung sein, wenn das Kind zu laufen beginnt.

Alle oben genannten Anomalien verursachen eine größere Inversion und eine geringere Eversion des Calcaneus in Bezug zur Mittellinie des Unterschenkels im Vergleich zum normalen Fuß.

Alle zeigen dieselben Symptome und erfordern die gleiche Behandlung, falls es die Schwere der Deformität erfordert.

Beispiel für einen Rückfuß varus:

Die Messungen am Fuß haben folgende Werte ergeben:
27° Inversion des Calcaneus durch Supination
3° Eversion des Calcaneus durch Pronation
Die Summe des **gesamten Bewegungsumfangs (BU)** beträgt **30°**.

Da der Bewegungsanteil des STG im Verhältnis zu 2/3 Supination und 1/3 Pronation steht, teilen sich die Werte wie folgt auf:
2/3 des gesamten BU von 30° = 20° Supination
1/3 des gesamten BU von 30° = 10° Pronation

Das Resultat ergibt die Neutralstellung des Subtalar-Gelenks (STG) von 7° Inversion in Bezug zur Mittellinie des Unterschenkels. Bei dieser Stellung des STG werden bei 7° Inversion + 3° Eversion insgesamt 10° des errechneten Bewegungsumfangs erreicht, wenn die Pronation der Ferse bei 7° Inversion beginnt.

Wenn sich – wie in diesem Fall – das STG bei 7° Inversion in Neutralstellung befindet und das Chopart-Gelenk vollständig proniert ist, steht der Vorfuß im rechten Winkel zum Rückfuß, d. h. Vor- und Rückfuß stehen beide invertiert zur Mittellinie des Unterschenkels.

Anmerkung:
In Neutralstellung des STG gilt das Chopart-Gelenk als vollständig proniert.

Durch maximale Pronation des STG vergrößert sich der Bewegungsumfang im Chopart-Gelenk. Wenn – wie im oben genannten Beispiel – das STG durch Pronation 3° in Beziehung zur Mittellinie des Unterschenkels evertieren kann, wäre der Vorfuß in der Lage, mehr als 3° (max. 7° in der Längsachse des Chopart-Gelenks) Pronation im Chopart-Gelenk zu erreichen. Deshalb könnte der Vorfuß mehr evertieren als der Rückfuß, wenn beide – Chopart-Gelenk und STG – vollständig proniert sind.

Im Gegensatz dazu wird der Bewegungsumfang im Chopart-Gelenk geringer sein, wenn das STG vollständig supiniert ist (hier: 27°).

Unkompensierter Rückfuß varus

Wenn keine Pronation des Rückfußes möglich ist, um die Deformität auszugleichen, bleibt der Calcaneus in demselben Grad zur Bodenfläche invertiert, wie die Fehlstellung an Graden ausmacht. Der Vorfuß liegt in gleicher Ebene zum Rückfuß und ist dabei ebenfalls um einige Grade invertiert. Unter Umständen ist dem 1. Strahl eine Plantarflexion möglich, um damit den Vorfuß zu stabilisieren.

Anzeichen und Symptome:
Diese Deformität führt zu einem „versteiften Fußtyp", der unfähig ist Schock zu absorbieren, weil ihm die Möglichkeit zur Pronation fehlt. Hierdurch bekommt die mediale Fußseite kaum Bodenkontakt. Entlang der lateralen Außenkante des Fußes entsteht eine enorme Mehrbelastung.
Als Folge entstehen:
- Callositas-Bildung an dem lateralen Fersenrand
- Clavus-Bildung unter dem 5. Metatarsalköpfchen
- Inversionsstauchungen der Fußknöchel (Überdehnung der lateralen Bänder)
- Wenn sich ein plantarflektierter 1. Strahl entwickelt, kann eine Exostose über dem Metatarso-Cuneiformen-Gelenk oder ein Hallux flexus entstehen.

Da bei dieser invertierten Fußstellung **keine Schockabsorbtion** eintritt, entstehen Schäden an anderen Gelenken wie z.B. am Knie, der Hüfte sowie Schmerzen im unteren Rückenbereich (Kreuzschmerzen).

Während der Gangabwicklung geschieht die Schockabsorption unter normalen Umständen, indem das STG unmittelbar nach dem Fersenkontakt proniert. Der Talus adduziert, dreht die Tibia einwärts und schließt das Kniegelenk – unterstützt vom M. popliteus – auf. Dieser schockabsorbierende Mechanismus kann nicht funktionieren, wenn die Varus-Stellung des Rückfußes unkompensiert ist. Die Ferse wird dann stark belastet und die Schuhabsätze an der Außenkante abgelaufen.

Kompensierter Rückfuß varus

Die laterale Seite des Fußes trägt das meiste Gewicht, wenn sich das STG in Neutralstellung befindet. Diese laterale Überlastung verursacht durch den Bodenwiderstand eine Pronation, wenn der Patient entspannt steht und ausreichende Beweglichkeit im STG besitzt. Das STG proniert, bis der Calcaneus im rechten Winkel steht und sich damit das Gewicht über den Vorfuß und die Ferse verteilt. Durch die STG- und Chopart-Gelenk-Pronation wird die laterale Belastung, die von einem Rückfuß varus ausgeht, kompensiert.

Anmerkung:
Der Anteil der notwendigen Pronation, um das Subtalar-Gelenk aus seiner „neutralen" Varus-Stellung in eine völlig waagerechte Stellung zu bringen, wird von einigen Autoren auch als anormale Pronation bezeichnet.

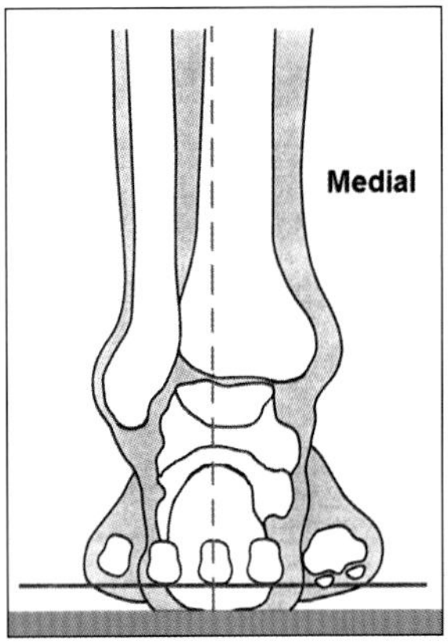

Abb. 9.2: Kompensierter Rückfuß varus des linken Fußes

Beispiele für den kompensierten Rückfuß varus

1)
25° Inversion des Calcaneus zum Unterschenkel (2/3 = 20°)
5° Eversion des Calcaneus zum Unterschenkel (1/3 = 10°)
Die **Summe des gesamten Bewegungsumfangs** beträgt **30°.**
Es ergibt sich daraus die Neutralstellung des Subtalar-Gelenks (STG) bei 5° Inversion in Bezug zur Mittellinie des Unterschenkels.

Bei dieser Stellung des **Subtalar-Gelenks (STG)** werden durch 5° Inversion + 5° Eversion insgesamt 10° Bewegungsumfang erreicht, wenn die Pronation der Ferse bei 5° Inversion beginnt.

Eine ausgleichende Pronation des Rückfußes ist möglich.

2)
25° Inversion des Calcaneus zum Unterschenkel (2/3 = 20°)
5° Eversion des Calcaneus zum Unterschenkel (1/3 = 10°)
5° Varus-Stellung der Tibia
Die **Summe des gesamten Bewegungsumfangs** beträgt **30°.**
Die Neutralstellung des STG beträgt – wie oben – die gleichen 5° Inversion in Bezug zur Mittellinie des Unterschenkels.

Es kommen bei diesem Patienten noch 5° Tibia varus Stellung (in Bezug zum Boden) hinzu.

Das Ergebnis lautet nun insgesamt 10° invertierte Neutralstellung der Ferse in Bezug zum Boden.

Bei entspannter Fersenstellung steht die Ferse im rechten Winkel zum Boden und das STG ist vollständig proniert. Das Chopart-Gelenk wird ebenfalls bei intertarsaler Gelenkstabilität vollständig proniert sein.

Symptome eines kompensierten Rückfuß varus:
- An der lateralen Fußseite sind keine Schäden zu erkennen, weil der Calcaneus und der gesamte Fuß waagerecht stehen.
- Der Fuß besitzt nur ein geringes mediales Fußgewölbe.
- Der 1. und 5. Strahl sind hypermobil. Dies ist bedingt durch die Pronation des STG, wodurch das Chopart-Gelenk nicht mehr stabilisiert ist. Diese Hypermobilität kann durch kompensatorische Mechanismen Vorfußbeschwerden (wie z. B. Metatarsalgie, Morton Neuralgie) verursachen.

- Durch die Überanspruchung der resupinierenden Muskeln M. tibialis posterior, M. soleus und die langen Zehenbeuger kann leichter ein Ermüdungsgefühl in den Beinen entstehen.
- Clavus unter dem 2. Mittelfußköpfchen Bei einem kompensierten Rückfuß varus mit hypermobilem 1. Strahl wirken starke Scherkräfte auf das 2. Mittelfußköpfchen ein und verursachen eine anormale Pronation. Falls die Haut sich nicht mitbewegen kann, entsteht Callositas oder ein Clavus unter dem 2. Mittelfußköpfchen.

Anmerkung:
Bei einer übermäßigen (anormalen) STG-Pronation entsteht ein hypermobiler 1. Strahl. Er verursacht eine Muskeldisbalance des Peroneus longus. Bei Supination des Rückfußes unterstützt dieser Muskel eine Plantarflexion des 1. Strahls mehr als bei einer Pronation.

Als zweites entsteht durch den Bodenwiderstand eine Vorfuß-Pronation, welche zuerst auf den hypermobilen 1. Strahl trifft, bevor die Muskulatur kontrahieren kann.

Ein andere Ursache für den hypermobilen 1. Strahl kann eine knöcherne Fehlstellung sein, welche an den Talo-navicular- und den Navicular-cuneiform-Gelenken vorkommt. Hierdurch entsteht ein anormales, nach dorsal verschobenes 1. Metatarsalköpfchen, besonders während der Gehabwicklung. Die Fehlstellung ist das Ergebnis eines sehr hohen vertikal auf den 1. Strahl einwirkenden Bodenwiderstandes.

Teilweise kompensierter Rückfuß varus

Dieses Bild entsteht, wenn nur noch wenig Bewegung im unteren Sprunggelenk möglich ist. Sie reicht nicht aus, um die auf den Fuß einwirkenden Kräfte zu kompensieren.

Beispiele für den teilweise kompensierten Rückfuß varus

1)
30° Inversion des Calcaneus zum Unterschenkel (2/3 = 20°)
0° Eversion des Calcaneus zum Unterschenkel (1/3 = 10°)
5° Varus Stellung der Tibia
Die **Summe des gesamten Bewegungsumfangs** beträgt **30°.**
Die Neutralstellung des Subtalar-Gelenks (STG) beträgt 10° Inversion in Bezug zur Mittellinie des Unterschenkels.

Es besteht ein Rückfuß varus von 10° in Bezug zum Unterschenkel.

Bei diesem Patienten kommen noch 5° Tibia-varus-Stellung (in Bezug zum Boden) hinzu.

Das Ergebnis lautet 15° invertierte Neutralstellung der Ferse in Bezug zum Boden.

Bei entspannter Fersenstellung zum Boden besteht (durch die Tibia) eine um 5° invertierte Fersenstellung. Das STG ist hierdurch vollständig proniert.

Ich setze voraus, dass der Vorfuß bei entspannter Fersenstellung Bodenkontakt hat (im Grunde ca. 5° evertiert zum Rückfuß steht), weil durch die Pronation des STG das Chopart-Gelenk einen vergrößerten Bewegungsumfang (bis zu 7°) besitzt. Dies wird aber die Ferse nicht in eine vollständige Kompensation bringen.

Anmerkung:
Um den Bewegungsumfang für die Chopart-Gelenk-Pronation zu bestimmen, muss zuerst das Vorfuß-/Rückfuß-Verhältnis bei vollständiger Pronation des STG ermittelt werden. Danach muss das Vorfuß-/Rückfuß-Verhältnis und das STG in Neutralstellung mit dem zuerst erhaltenen Wert verglichen werden.

2)
30° Inversion des Calcaneus zum Unterschenkel (2/3 = 24°)
6° Inversion des Calcaneus zum Unterschenkel (1/3 = 12°)

Die **Summe des gesamten Bewegungsumfangs** beträgt **36°.**
Die Neutralstellung des STG beträgt 12° Inversion in Bezug zur Mittellinie des Unterschenkels. (= 12° Rückfuß-varus-Stellung)

Es bestehen bei entspannter Fersenstellung 6° Inversion und das STG ist vollständig proniert. Der Vorfuß steht weniger als 6° zum Boden invertiert, weil das Chopart-Gelenk proniert ist.

Zur Erinnerung: Um bestimmen zu können, ob der Vorfuß Bodenkontakt haben wird, muss der Bewegungsumfang des Chopart-Gelenks bei vollständig proniertem STG gemessen werden.

Falls 6° Eversion im Chopart-Gelenk zur Verfügung steht, wird der Vorfuß Bodenkontakt haben.

In Neutralstellung sind 12° Inversion der Ferse vorhanden. Hierbei steht der Vorfuß zum gleichen Grad invertiert wie der Rückfuß.

Symptome eines teilweise kompensierten Rückfuß varus

Je ausgeprägter die Deformität, desto mehr besteht die Möglichkeit, dass der Fuß während des Abstoßens vom Boden (Propulsion) in die Pronation gerät und dadurch hypermobil wird. Hierdurch sind die Metatarso-Phalangeal-Gelenke instabil, verschieben sich und verursachen Scherkräfte auf dem Gewebe. Das Ausmaß der Symptome ist davon abhängig, wie stark das Subtalar-Gelenk während der Propulsion pronieren kann.

Wenn sich durch abduktorische Drehung des Fußes das Körpergewicht nach medial verlagert (um eine Propulsion zu bewirken), kann es auf der medialen Seite des Hallux zur Hornhautbildung kommen. Clavi unter den 4. und 5. Mittelfußköpfchen treten auf, wenn der Vorfuß – bei vollständiger Pronation des STG und des Chopart-Gelenks – nicht vollständig den Boden berührt. Der Grad der Vorfuß-Inversion sowie der Bewegungsumfang des 5. Strahls bestimmen den Entstehungsort der plantaren Clavi unter dem 4. und/oder 5. Mittelfußköpfchen.

Wenn der 5. Strahl ausreichend dorsalextendieren kann, wird der Clavus nur plantar unter dem 4. Mittelfußköpfchen entstehen.

Wenn der 5. Strahl plantarflektiert ist, wird der Clavus nur plantar unter dem 5. Mittelfußköpfchen entstehen.

Beim **kompensierten Rückfuß varus** proniert das STG durch den Bodenwiderstand, wenn der Patient entspannt steht und eine ausreichende Beweglichkeit im STG besitzt. Das Körpergewicht verteilt sich über die Ferse und den Vorfuß. Der Calcaneus steht im rechten Winkel zum Boden.

Bei der **teilweisen** (nicht vollständigen) **Kompensation** des Rückfuß varus muss bei der entspannten Fersenstellung so viel Bewegung in der Ferse vorhanden sein, dass das STG vollständig pronieren kann.

Bei dem **unkompensierten** Rückfuß varus bleibt bei entspannter Fersenstellung die Inversionsstellung erhalten. Es besteht keine Bewegung im STG und dem Chopart-Gelenk.

Anormale Gangbilder durch den Rückfuß varus

Es kann eine anormale Pronation des Subtalar-Gelenks vorkommen, wenn Stressfaktoren in der Standphase auf den Vorfuß einwirken.

Der Unterschenkel dreht unter Beteiligung des STG sowie Chopart-Gelenks mehr als normal nach Innen. Eine geringe Supination entsteht in der Propulsionsphase (Abstoß vom Boden). Dies tritt am häufigsten bei Fersenkontakt des gegenüberliegenden Fußes auf. Der Calcaneus invertiert zwar, aber meist nicht bis zur Neutralstellung der Ferse.

Mögliche Merkmale eines Rückfuß varus im Stand

- Die Neutralstellung der Ferse zum Boden ist invertiert.
- Die Ferse steht in entspannter lotrechter Stellung zum Boden und der Vorfuß ist proniert.

- Der Vorfuß steht im Verhältnis zum Rückfuß stärker abduziert wegen der Pronation des Chopart-Gelenks bei intertarsaler Gelenkstabilität.
- Das Chopart Gelenk ist proniert, der Unterschenkel ist nach innen gedreht.
- Eine gedachte (imaginäre) Mittellinie des Unterschenkels trifft die mediale Seite des Vorfußes.

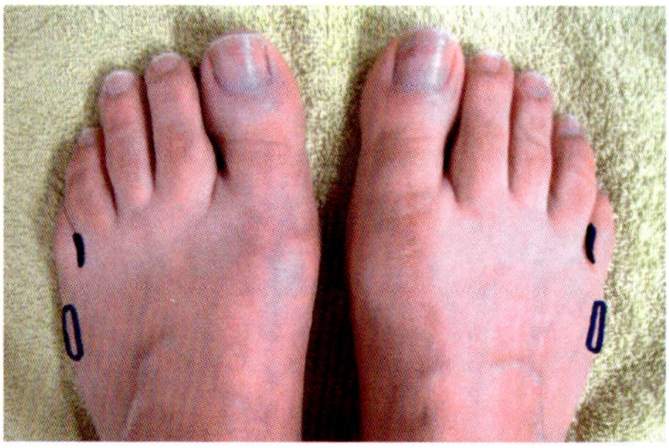

Abb. 9.3: Auswirkungen des Rückfuß varus: dorsale Knochenexostose, „Schneiderballen", adduzierte 5. Zehe (Cm), Hammerzehen 2, 3, 4.

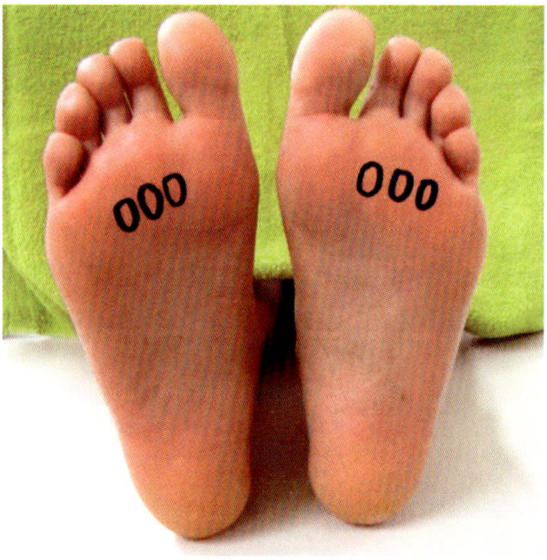

Abb. 9.4: Auswirkungen des Rückfuß varus: Callositas/Plantare Clavi unter den Metatarsalköpfchen 2, 3, 4

Fuß-Fehlstellungen (Deformitäten)

Schneiderballen

(engl.: tailor´s bunion)

Sehr deutlich besteht diese Deformität bei teilweiser oder vollständiger Kompensation eines Rückfuß varus durch laterale Überlastung.

Adducto varus Hammerzehe der 4. und 5. Zehe

Diese Deformität tritt sehr viel deutlicher bei teilweiser Kompensation oder dem kompensierten Rückfuß varus auf. Sie kommt dort am häufigsten vor.

Hallux abducto valgus, dorsale Knochenexostose

Der Hallux abducto valgus tritt weniger ausgeprägt bei teilweiser Kompensation des Rückfuß varus auf, weil weniger Belastung auf der medialen Fußseite liegt. Der dorsale Knochenhöcker tritt in Verbindung mit dem hypermobilen 1. Strahl auf.

Traumen

Inversionstrauma (Verstauchung durch Inversion)

Am häufigsten entseht dieses Trauma dadurch, dass der Calcaneus diese Deformität nicht vollständig kompensieren kann (z. B. beim teilweise kompensierten Rückfuß varus).

Muskulatur

Ermüdung der Muskulatur

Sie gehört zu den am häufigsten, aber weniger heftigen Beschwerden.

Falls akute Beschwerden vorhanden sind, ist meist eine andere Pathologie die Ursache. Die Kompensation für einen Rückfuß varus ruft gewöhnlich keine bedeutsamen Pronationskräfte hervor. Es werden gewöhnlich keine Subluxationen entstehen.

Behandlung

Die Varus-Stellung des Rückfußes kommt häufig vor. Durchschnittlich steht in der Bevölkerung die Ferse 2° - 3° zur Ebene des Bodens invertiert. Behandlungsbedarf kann bestehen, wenn die Varus-Stellung:

- bei Erwachsenen mehr als > 4° - 5°
- bei Kindern über 5 Jahre mehr als > 6° - 8° beträgt.

Selbst bei diesen Werten kann der Rückfuß varus beschwerdefrei sein.

Wenn ein Rückfuß varus Schmerzen verursacht, sollte die Funktion des Fußes möglichst verbessert werden. Im Allgemeinen wird der Patient es schon als angenehm empfinden, wenn das Subtalar-Gelenk beweglicher wird. Je nach Ausprägung der Deformität ist es jedoch sehr schwer, diese Funktionsverbesserung des STG zu erreichen.

Gewöhnlich wird die Deformität nicht behandelt, wenn das STG in der Lage ist, nahezu normal zu pronieren. Wenn allerdings die Ferse im Stand mehr als > 10° invertiert steht, ist auch eine Orthose nicht mehr in der Lage, diese Fehlstellung zu korrigieren (Siehe dazu Kapitel: „Orthosenherstellung").

Auswertung des röntgenologischen Befunds

Röntgenaufnahmen sind für eine biomechanische Untersuchung sehr wertvoll. Die Aufnahmen werden gewöhnlich von anterior/posterior und von lateral bei normalem Fußabstand und entspannter Stellung des Fußes gemacht.

Wenn außer einem Rückfuß varus keine andere Anomalie vorliegt, wird die „**Cyma-Line**" (englische Bezeichnung) im Röntgenbild nicht unterbrochen sein.

Anmerkung:
Die Cyma-Line stellt sich als umgekehrte S-Linie im von lateral aufgenommenem Röntgenbild dar. Sie zeichnet sich zwischen dem Talus/Calcaneus auf der einen und dem /Naviculare auf der gegenüberliegenden Seite ab.

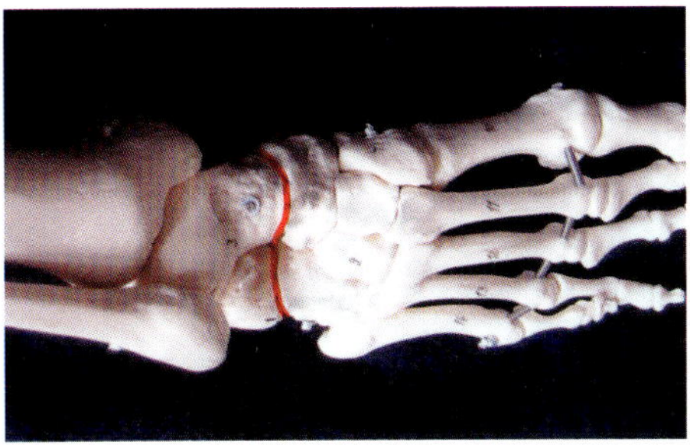

Abb. 9.5: Cyma-Line (engl.)

Wenn ein kompensierter Rückfuß varus vorhanden ist, kann die Cyma-Line nicht oder wenig unterbrochen sein. Das liegt daran, dass der Calcaneus (durch den Rückfuß varus) weniger evertiert zum Boden steht und so eine geringere „Vorwärtsbewegung" des Talus auf dem Calcaneus stattfindet. Folglich ist das Talo-navicular-Gelenk auch nicht nach anterior verschoben. Bei einem stark pronierten Fuß mit intakter Cyma-Line ist ein Rückfuß varus meistens sicher vorhanden.

Falls eine unterbrochene Cyma-Line oder Subluxation zu erkennen ist, stimmt der Befund für einen kompensierten Rückfuß varus allein nicht mehr. Es ist dann eine andere Ursache für die evtl. aufgetretenen Schmerzen verantwortlich.

10

Rückfuß valgus

Definition

Der Rückfuß valgus ist eine sehr seltene strukturell bedingte Anomalie, bei welcher der Calcaneus im Verhältnis zur Mittellinie des Unterschenkels evertiert steht, wenn sich das Subtalar-Gelenk (STG) in Neutralstellung befindet. Im späteren Verlauf kann daraus ein Pes planus (Flachfuß) entstehen.

Befund für den Rückfuß valgus

Der Rückfuß valgus ist unbedingt von einem pronierten Fuß zu unterscheiden. Da er in der Frontal-Ebene evertiert steht, ist das Aussehen einem Pes planus (Flachfuß) sehr ähnlich.

> Beim Rückfuß valgus steht die Ferse in neutraler sowie entspannter Stellung evertiert.

Während der Gangabwicklung wird der Fuß im Augenblick der Belastung im STG pronieren. Oft wird hierbei der Taluskopf den Boden zuerst berühren, bevor das STG bis zum Ende seines Bewegungsumfangs proniert. Dies passiert dann, wenn der Rückfuß valgus in der Neutralstellung des STG bereits mehr als 10° Eversion aufweist.
Wenn der Taluskopf in diesem Fall eine gewichtstragende Funktion übernimmt, liegt das auch an der evertierten Stellung des Calcaneus. Er bringt den Talus näher an den Boden heran, was sich für den Fuß als sehr stabilisierend erweist. Selbst wenn die Grade der Fersen-Eversion noch höher liegen, werden selten Beschwerden auftreten. Sollte der Patient doch über Schmerzen berichten, können fast immer andere Ursachen dafür in Frage kommen. Die Symptome sind nicht auf eine zu starke Pronation zurückzuführen, weil der Fuß nur stärker proniert zu sein scheint. (Der nahe am Boden liegende Talus schafft Stabilität).

Akute Schmerzen können auftreten, wenn weniger als 10° Eversion bei Neutralstellung des STG vorhanden sind. Das STG neigt dazu, bis zum Ende seines Bewegungsumfangs zu pronieren, weshalb hierdurch sehr leicht Subluxationen im Rückfuß entstehen.

Beispiele für einen Rückfuß valgus

1)
Die Messungen am Fuß haben folgende Werte ergeben:
15° Inversion des Calcaneus durch Supination
15° Eversion des Calcaneus durch Pronation
Die **Summe des gesamten Bewegungsumfangs (BU)** beträgt **30°**.

Da der Bewegungsanteil des unteren Sprunggelenks im Verhältnis zu 2/3 Supination und 1/3 Pronation steht, teilen sich die Werte wie folgt auf:
2/3 des gesamten BU von 30° = 20° Supination
1/3 des gesamten BU von 30° = 10° Pronation
Hiernach ergibt sich die Neutralstellung des Subtalar-Gelenks von 5° Eversion in Bezug zur Mittellinie des Unterschenkels.

2)
Die Messungen am Fuß haben folgende Werte ergeben:
4° Valgus-Stellung der Tibia
15° **Inversion** des Calcaneus durch Supination
15° **Eversion** des Calcaneus durch Pronation
Die **Summe des gesamten Bewegungsumfangs (BU)** beträgt **30°**.

Da der Bewegungsanteil des unteren Sprunggelenks im Verhältnis zu 2/3 Supination und 1/3 Pronation steht, teilen sich die Werte wie folgt auf:
2/3 des gesamten BU von 30° = 20° Supination
1/3 des gesamten BU von 30° = 10° Pronation
4° Valgus-Stellung der Tibia müssen addiert werden. Hiernach ergibt sich die Neutralstellung des Subtalar-Gelenks von 9° Eversion in Bezug zur Mittellinie des Unterschenkels.

In entspannter Stellung des Fußes beträgt die Eversion der Ferse 19°, wenn nicht vorher der Taluskopf den Boden erreicht hat und das STG vollständig pronieren konnte.

3)
Die Messungen am Fuß haben folgende Werte ergeben:
15° Inversion des Calcaneus durch Supination
24° Eversion des Calcaneus durch Pronation
Die **Summe des gesamten Bewegungsumfangs (BU)** beträgt **39°**.

Da der Bewegungsanteil des unteren Sprunggelenks im Verhältnis zu 2/3 Supination und 1/3 Pronation steht, teilen sich die Werte wie folgt auf:
2/3 des gesamten BU von 39° = 26° Supination
1/3 des gesamten BU von 39° = 13° Pronation
Hiernach ergibt sich die Neutralstellung des Subtalar-Gelenks von 13° Eversion in Bezug zur Mittellinie des Unterschenkels.

Wenn die Neutralstellung des STG bereits 13° Eversion beträgt, wird der Taluskopf hier bereits den Boden berühren, bevor das STG vollständig pronieren kann. Das Bild ergibt einen typischen Plattfuß mit leichter Abduktion des Vorfußes in Bezug zum Rückfuß.

Der Fuß weist keine Beschwerden auf. Hautirritationen können durch Unterstützungen des medialen Fußgewölbes (z. B. Einlagen) oder durch eine versteifte Sprengung des Schuhs entstehen.

Ätiologie

Es gibt nur sehr wenige Literaturquellen, woraus die Ätiologie eines Rückfuß valgus herzuleiten ist.
Ein Rückfuß valgus kann entstehen durch:
- die evertierte Stellung des Talo-Crural-Gelenks (oberes Sprunggelenk) in der Frontal-Ebene
- die Formveränderung der tibialen Epiphyse. Die Epiphyse stellt sich auf der medialen Seite dicker dar, als auf der lateralen. Hierdurch steht der Calcaneus in Bezug zur Tibia und ebenfalls zum Boden evertiert.
- die Valgus-Drehung des Calcaneus (sehr selten)
- die Valgus-Stellung der Tibia (selten)

Kompensation für einen Rückfuß valgus

Falls der Rückfuß-valgus-Winkel in Neutralstellung > 4° beträgt, wird das STG bis zum Ende seines Bewegungsumfangs durch die Belastung des Körpergewichts pronieren, bis der Talus den Boden berührt. Bei diesem Fuß – obwohl er stark proniert ist – steht der Vorfuß zum Rückfuß im Stand nicht so stark abduziert wie man vermuten könnte. Der Grund liegt an der supinatorisch wirkenden Kraft der Längsachse des Chopart-Gelenks.

Der Rückfuß valgus kann durch die Bewegung des STG während des Stehens nicht kompensiert werden. Eine – allerdings seltene – Ausnahme besteht, wenn der Rückfuß valgus in Verbindung mit einer Varus-Stellung der Tibia auftritt.

In diesem Fall würde das STG in Neutralstellung bleiben, wenn beide (STG und die Varus-Stellung der Tibia) die gleichen Abweichungen besitzen. Aber weder der Rückfuß valgus noch die Tibia-Stellung werden untereinander eine echte Kompensation bewirken. Beide bestehen gleichzeitig, aber unabhängig voneinander.

Anormale Gangabwicklung durch einen Rückfuß valgus

Der Rückfuß valgus verursacht eine konstante (ständige) Pronation während der gesamten Standphase der Gangabwicklung. Deswegen ist das Gangbild apropulsiv, ohne Abstoßkraft des Fußes vom Boden.

Akute Beschwerden werden gewöhnlich nur bei den Patienten gesehen, welche in Verbindung mit einem Rückfuß valgus eine Eversion der Ferse von 4° bis 10° in Neutralstellung aufweisen und das STG bis zum Ende seines Bewegungsumfanges proniert. Falls mehr als 10° Eversion bei Neutralstellung vorhanden sind, können sich die Beschwerden verringern, weil durch den Bodenkontakt des Taluskopfes Stabilität entsteht.

Mögliche Beschwerden:

- Schmerzen im medialen Fußgewölbe. Gewöhnlich entstehen diese Beschwerden durch die Instabilität des Chopart-Gelenks.
- Ermüdung der Muskulatur durch mehr Muskelaktivität während der Standphase des Gangzyklus.
- Ein Clavus unter dem 2. Mittelfußköpfchen. Dies entwickelt sich jedoch nur, wenn starke Scherkräfte unter dem Vorfuß entstehen.
- Bildung eines Hallux abducto valgus.

Siehe dazu Kapitel: „Orthosenherstellung“.

11

Vorfuß varus

Definition des Vorfuß varus

Der Vorfuß varus ist eine **strukturell bedingte Anomalie**, bei welcher der **Vorfuß invertiert zum Rückfuß** steht, wenn sich das **Subtalar-Gelenk (STG) in Neutralstellung** befindet und das **Chopart-Gelenk vollständig proniert** ist. Bei Belastung des Vorfußes steht die Ferse weiterhin vertikal zum Boden, während das Chopart-Gelenk maximal proniert und stabilisiert ist.

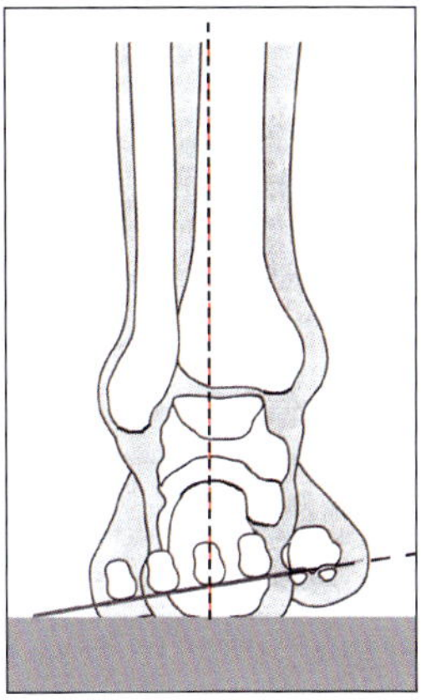

Abb. 11.1: Vorfuß varus des linken Fußes

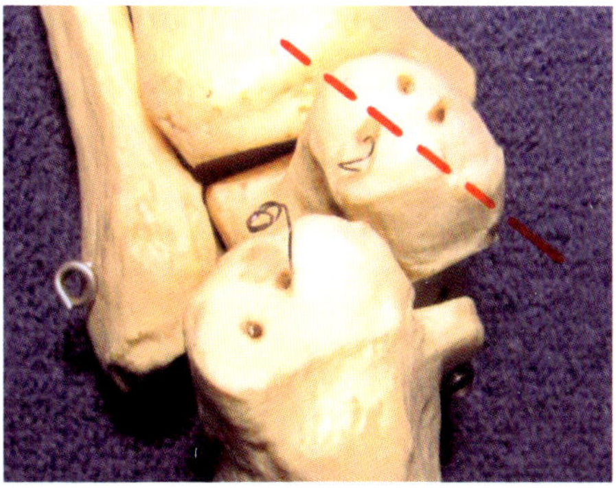

Abb. 11.2: Achse (rot gestrichelt) des invertierten Taluskopfes bei einem Vorfuß varus (Darstellung an einem Modell des rechten Fußes)

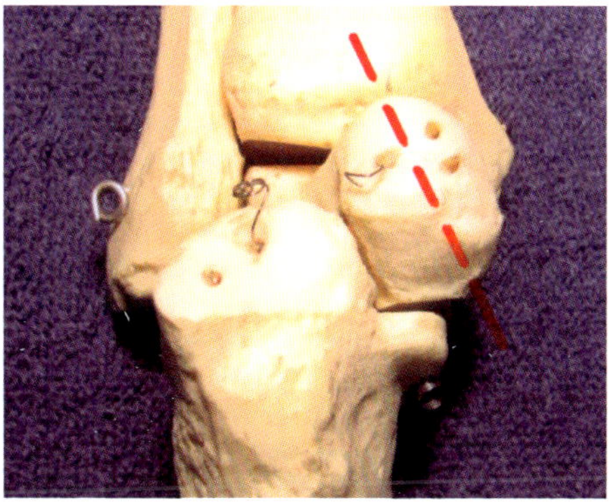

Abb. 11.3: Achse (rot gestrichelt) des Taluskopfes eines normalen Fußes, bei dem die Ferse und der Vorfuß parallel zur Bodenfläche liegen (Darstellung an einem Modell des rechten Fußes)

Ätiologie des Vorfuß varus

Die häufigste Entstehungsursache eines Vorfuß varus ist die Störung der fötalen Entwicklung während der normalen Valgus-Torsion des Taluskopfes und -halses. Beide stehen beim fötalen Fuß in der Transversal-Ebene invertiert im Vergleich zum Fuß des Erwachsenen.

In den ersten sechs Lebensjahren durchlaufen Kopf und Hals des Talus eine Valgus-Rotation. Der Vorfuß und die Metatarsalknochen evertieren allmählich im gleichen Umfang, wie sich der Talus entrollt. Um das 6. Lebensjahr herum sollten die Metatarsalen, in derselben Ebene wie die Fersenbeinfläche, parallel zum Boden liegen. Falls der Vorfuß nach Abschluss der Valgus-Rotation invertiert bleibt, liegt eine Varus-Stellung des Vorfußes vor. Man kann deshalb auch von einer knöchernen Anomalie des Chopart-Gelenks sprechen, von dem der Taluskopf ein Bestandteil ist.

Falls die Valgus-Torsion des Taluskopfes und -halses nicht eingetreten ist, entsteht ein flacherer Bogen zu den Knochen des Rückfußes, weshalb auch sein dorsaler Bereich flacher erscheint. Die mediale Seite der Chopart-Gelenk-Region des Fußes wird von dorsal nach plantar schmaler als gewohnt aussehen.

Für eine invertiert stehende Vorfuß-Deformität kann ebenfalls ein plantarflektiertes Würfelbein (Os cuboideum) verantwortlich sein. Es verursacht im Verhältnis zu den Metatarsalköpfchen 1 bis 3 eine Plantarflexion der Metatarsalköpfchen 4 und 5. Die übrigen Rückfußknochen (Os naviculare, Ossa cuneiforme, Talus und Calcaneus) zeigen in der Frontal-Ebene einen normalen bogenförmigen Verlauf. Genau genommen existieren nach dieser ätiologischen Variante zwei Ebenen. Wenn sich das STG in Neutralstellung befindet und das Chopart-Gelenk vollständig proniert ist, steht die plantare Fläche des Vorfußes invertiert, weil die 4. und 5.Metatarsalköpfchen plantarflektiert sind. Ursache ist die veränderte Stellung von Os cuboideum und Calcaneus. Die Position der 4. und 5. Metatarsalköpfchen zu dem Os cuboideum (ohne Einbeziehung des Calcaneus) ist dagegen unauffällig.

Wenn allerdings das Os cuboideum sehr plantarflektiert ist, entsteht ein Neigungswinkel des Calcaneus, der einem pronierten Hohlfuß ähnlich sieht. Obgleich ein hohes mediales Fußgewölbe besteht, ist die Longitudinalachse des Chopart-Gelenks nicht supiniert.

Der Fuß bleibt – als Kompensation für das plantarflektierte Cuboid – proniert.

Eine invertiert stehende Vorfuß-Deformität kann – als weitere Ätiologie – auch durch einen plantarflektierten 5. Metatarsalknochen verursacht sein. Zum einen steht hierbei die Ebene der Metatarsalköpfchen 1 bis 5 invertiert zur Ebene des Calcaneus. Zum anderen steht die Ebene der Metatarsalköpfchen 1 bis 4 im rechten Winkel zur Mittellinie des Calcaneus.

Beispiel für den Befund eines Vorfuß varus

Der Vorfuß steht invertiert zum Rückfuß und zum Boden, wenn sich das STG in Neutralstellung befindet. Weil die Vorfußstellung auch in Bezug zum Boden definiert wurde, muss die Rückfußstellung darin einbezogen werden.

4° Inversion des Vorfußes in Neutralstellung
4° Inversion des Rückfußes in Neutralstellung
Ergebnis: In Neutralstellung der Ferse addiert sich die Vorfußstellung zu 8° Inversion zur Bodenfläche.

- Die übrigen Rückfußknochen (Os naviculare, Ossa cuneiforme und Os cuboideum) ergeben eine abgeflachte Fußoberfläche. Der bogenförmige Verlauf der Rückfußknochen stellt sich beim Vorfuß varus in der Frontal-Ebene weiter gezogen dar als beim normalen Fuß. Dieser abgeflachte Bogen der Rückfußknochen lässt den Fuß breiter erscheinen.
- Bei **Neutralstellung des Fußes im Stand trägt das 1. Metatarsalköpfchen kein Körpergewicht**. Zum Test muss hierfür ein Finger unter das 1. Mittelfußköpfchen gehalten werden. Bei einem Patienten mit Vorfuß varus liegt kaum Belastung auf dem Finger, weil der 1. Strahl nicht plantarflektiert werden kann.
- Mit dem STG in Neutralstellung wird eine Pronation des Chopart-Gelenks fast nicht möglich sein. Um das zu testen, muss das STG in Neutralstellung gebracht und versucht werden, den medialen Bereich der Metatarsalen nach plantar zu drücken. Hierdurch ist ein deutlicher Widerstand zu spüren.

Vorfuß-varus-Kompensation

Der Vorfuß varus ist vollständig kompensiert, wenn der Vorfuß vollständig den Boden berührt. Dies wird durch STG und/oder Chopart-Gelenk-Pronation erreicht. Wenn der Vorfuß in Bezug zum Boden – nach STG- und Chopart-Gelenk-Pronation – invertiert bleibt, dann ist diese Deformität nur teilweise kompensiert. Wenn der Vorfuß-varus-Winkel größer als > 3° ist, werden STG und Querachse des Chopart-Gelenks bis zum Ende ihres Bewegungsumfangs mit Hilfe der Calcaneus Eversion pronieren. Dies geschieht, obgleich STG- und Chopart-Gelenk-Pronation nicht nötig sind, um diese Deformität zu kompensieren.

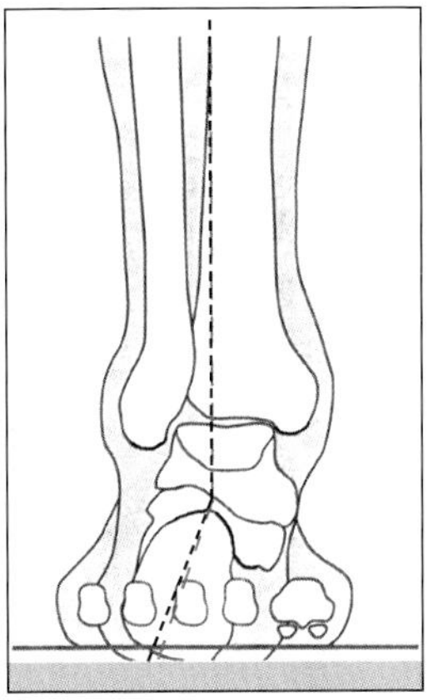

Abb. 11.4: Kompensierter Vorfuß varus des linken Fußes

Wenn der Vorfuß-varus-Winkel größer ist als die maximal mögliche Eversion der Ferse (mit Pronation des STG), wird das Chopart-Gelenk mit zur Kompensation beitragen.

1. Beispiel für eine Vorfuß-varus-Kompensation

Vorfuß-varus-Winkel in Neutralstellung der Ferse = 7°
Im STG verfügbare Calcaneus-Eversion (Pronation) = 5°
Bei vollständig proniertem STG würde – bei diesem Beispiel – der Vorfuß um 2° weiterhin invertiert zum Boden stehen.

Wenn das Chopart-Gelenk den Vorfuß bis zum Ende seines Bewegungsumfangs um 2° (in Bezug zum Boden) evertieren würde, könnte eine vollständige Kompensation erreicht werden.

2. Beispiel für eine Vorfuß-varus-Kompensation

Gesamter Bewegungsumfang des STG: 30°.
Dieser Bewegungsumfang teilt sich auf in:

Inversion	20° (= 2/3)
Eversion	10° (= 1/3)

Es wird ein **Vorfuß-varus-Winkel** von 6° gemessen.

Wenn der Calcaneus in Bezug zum Boden 6° evertiert (10° Eversion stehen zur Verfügung), steht der Vorfuß parallel zur Bodenfläche und ist damit vollständig kompensiert.
Es ist aber in diesem Fall möglich, dass durch Kompensation des Vorfuß varus ein Vorfuß supinatus entsteht.

Begründung:
Bei einem Calcaneus, der mehr als 6° evertiert, wird das STG durch das Körpergewicht bis zum Ende seines Bewegungsumfangs pronieren. Dadurch evertiert der Calcaneus 4° mehr als notwendig, um den Vorfuß varus zu kompensieren. Hierdurch wirkt auf der medialen Seite des Vorfußes eine supinierende Kraft auf die Längsachse des Chopart-Gelenks ein, und kann deshalb zu einem **Vorfuß supinatus** führen.

In einer Variante dieses Beispiels besitzt die Längsachse des Chopart-Gelenks keine supinierende Bewegung von 4°. Die Folge ist, dass die 2. + 3. + 4. Metatarsalköpfchen evertiert stehen und dadurch der 1. Strahl überlastet wird. Es kann sich dadurch eine Dorsalextension und Inversion des 1. Strahls entwickeln. Dieser 1. Strahl wird hypermobil, wenn das Chopart-Gelenk nicht genug Stabilität besitzt. Als Folge kann sich durch die Scherkräfte unter dem 2. Mittelfußköpfchen ein Clavus entwickeln.

3. Beispiel für eine Vorfuß-varus-Kompensation

Inversion	26°
Eversion	7°

Gesamter Bewegungsumfang des STG: 33°.
Es wird ein **Vorfuß-varus-Winkel** von 6° gemessen.

Der gesamte Bewegungsumfang (BU) von 33° teilt sich auf in:
Inversion 2/3 des BU = 22°
Eversion 1/3 des BU = 11°

Die Neutralstellung der Ferse beträgt 4° Inversion. (= 11°-7°)
Bei Neutralstellung der Ferse von 4° Inversion würde der Vorfuß 10° invertiert

in Bezug zum Boden stehen (6° Vorfuß varus + 4° Rückfuß varus).

Die STG-Eversion (Pronation) wird den Vorfuß in eine 1° invertierte Stellung in Bezug zum Boden bringen.

Die errechnete Stellung des Rückfußes betrug 11° Eversion.

Die berechnete Stellung des Vorfußes betrug 10° Inversion.

Es verbleiben somit 1° Eversion des Rückfußes, die den Vorfuß varus vollständig kompensieren. Es kann bei diesem Patienten kein Vorfuß supinatus vorhanden sein, weil beide Achsen des Chopart-Gelenks vollständig proniert sind.

Beispiel 4:
Gesamter Bewegungsumfang des STG:
Inversion 30°
Eversion 0°
Es wird ein Vorfuß-varus-Winkel von 9° gemessen.

Die entspannte Fersenstellung im Stand ist rechtwinkelig zum Boden (am Ende der STG-Eversion von 0°).

Ohne die Chopart-Gelenk-Pronation zu berücksichtigen, steht bei entspannter Fersenstellung der Vorfuß 9° invertiert zum Rückfuß und zum Boden.

Um den Vorfuß varus zu kompensieren, müssen 9° Eversion im Chopart-Gelenk in Bezug zu einem vollständig pronierten Rückfuß verfügbar sein.

Konkret kann die Messung des Vorfuß-/Rückfuß-Verhältnisses und das Vorhandensein eines Vorfuß varus nur bei vollständig proniertem STG und Chopart-Gelenk abgeklärt werden.

Da grundsätzlich nur 5° bis 7° unabhängige Chopart-Gelenk-Pronation verfügbar sind, wird dieser Patient einen teilweise kompensierten Vorfuß varus besitzen. Der Vorfuß des Patienten wird in entspannter Fersenstellung in Bezug zum Boden invertiert stehen. Durch den Bodenwiderstand und das Körpergewicht werden auf der lateralen Seite des Vorfußes erhebliche Belastungen auftreten.

Ein unkompensierter Vorfuß varus würde bedeuten, dass keine Bewegung im STG oder Chopart-Gelenk mehr verfügbar ist. Das Fehlen der Bewegung kann angeboren, durch Arthritis, Operation oder Trauma bedingt sein. Für eine teilweise oder vollständige Kompensation ist aber jedwede verfügbare Bewegung im STG oder Chopart-Gelenk notwendig.

Ein teilweise kompensierter Vorfuß varus kann alle Stadien durchlaufen, die auch bei einem kompensierten Vorfuß varus vorkommen.

Gangveränderungen bei einem kompensierten Vorfuß varus

Der Fuß ist während der gesamten Stand- und Schwungphase der Gangabwicklung aufgrund der STG-Stellung proniert. Eine geringe supinatorische Bewegung kann nach dem Abheben der Ferse eintreten, dennoch bleibt die Position des STG unverändert. Das STG proniert bei Fersenkontakt und das Chopart-Gelenk proniert bei der Vorfußbelastung. Es gibt keine Supination des Rückfußes vor dem Fersenkontakt des gegenüberliegenden Fußes in der Abstoßphase. Hierdurch bleibt der 1. Strahl instabil, weil durch die pronierte Rückfußstellung volle Beweglichkeit des Chopart-Gelenks besteht. Der Gang ist apropulsiv (wenig vom Boden abstoßend). Der Fuß hebt erst vom Boden ab, wenn der andere bereits das Körpergewicht trägt. Das Chopart-Gelenk supiniert erst wieder, wenn die Zehen vom Boden abheben.

Endstadium eines Vorfuß varus ist ein klassischer Flachfuß mit sehr wenig Bewegung während der Gangabwicklung. Eine starke Pronation entsteht bei vollständiger Vorfußbelastung. Im Endstadium erstreckt sich diese Krafteinwirkung vom Abheben der Ferse bis zum Bodenkontakt des gegenüberliegenden Fußes.

Vergleichende Gangabwicklung zwischen einem normalen Fuß und dem Vorfuß varus

Je ausgeprägter der Vorfuß varus, desto länger dauert die Pronationsphase an. Es ist möglich, dass der Vorfuß varus während der gesamten Stand- und Schwungphase proniert.

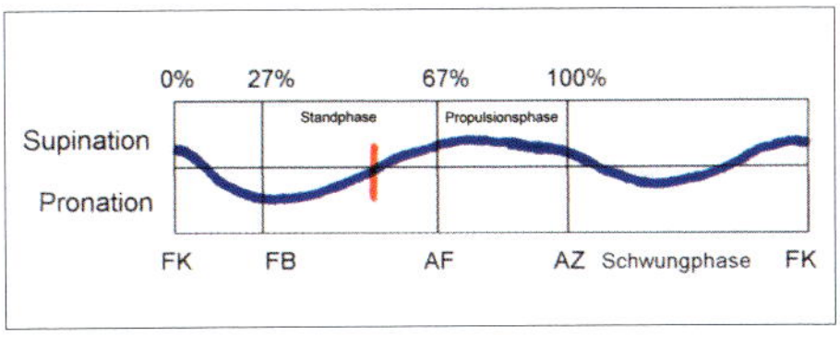

Abb. 11.5: Gangzyklus eines normalen Fußes
Rot = Kipppunkt von der Pronation in die Supination
FK = Fersenkontakt
FB = Fußbelastung
AF = Abheben der Ferse
AZ = Abheben der Zehen

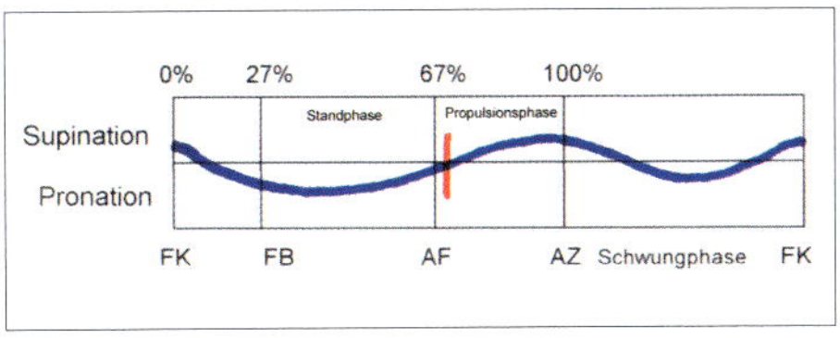

Abb. 11.6: Gangzyklus eines Vorfuß varus
Rot = Kipppunkt von der Pronation in eine mögliche Supination
FK = Fersenkontakt
FB = Fußbelastung
AF = Abheben der Ferse
AZ = Abheben der Zehen

Symptome des kompensierten Vorfuß varus

Ermüdung der Muskulatur

Bei jedem proniertem Fuß ist die Muskelaktivität während der Standphase der Schrittabwicklung höher.

Clavus unter dem 2. Metatarsalköpfchen

Unter dem 2. Metatarsalköpfchen wird ein Clavus dann auftreten, wenn die Bewegung des STG den Vorfuß varus allein kompensiert.

Falls ein teilweise kompensierter oder unkompensierter Vorfuß varus besteht, wird der Clavus unter der lateralen Seite des Vorfußes, direkt plantar unter dem 4.und/oder 5.Metatarsalköpfchen, entstehen.

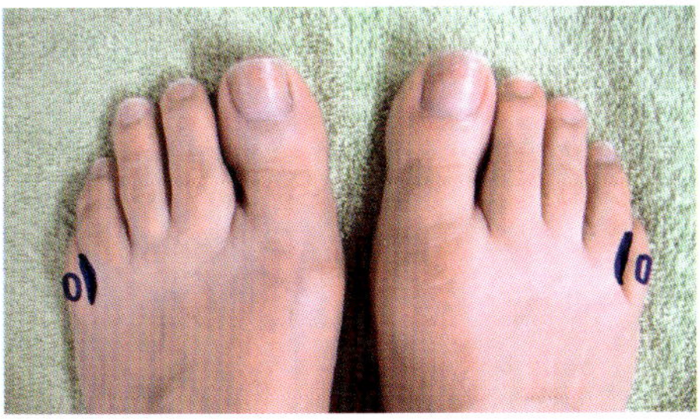

Abb. 11.7: Auswirkungen eines Vorfuß varus: Clavus auf und zwischen der 5.Zehe, Hallux abducto valgus, -limitus, -rigidus, adducto-varus Stellung der 5.Zehe / Schneider Ballen

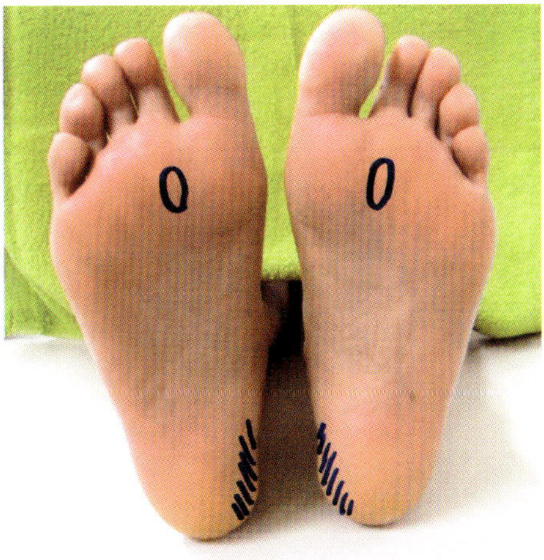

Abb. 11.8: Auswirkungen eines Vorfuß varus: Callositas/Clavus hauptsächlich unter dem Metatarsalköpfchen 2, Callositas mediale Fersenseite

Adduzierte 4. und 5. Hammerzehe (Digitus malleus adductus 4. + 5.)

Bei Füßen mit starker Pronation steht der Vorfuß in Bezug zum Rückfuß abduziert. Diese Stellung des Vorfußes verursacht eine laterale Verschiebung der Zehen. Danach entwickelt der **M. flexor digitorum longus (MFDL)** eine starke medial wirkende Kraft am Ansatz der distalen Phalanx der 3. + 4. + 5. Zehen. Auch der M. quadratus plantae entwickelt einen solchen Zug auf die Sehne des **MFDL**.

Diese nach medial ziehende Kraft wirkt adduzierend auf die 3. + 4. + 5. Zehe. Da die Sehne an der plantaren Fläche der distalen Zehenphalangen ansetzt, entsteht eine Varus-Drehung. Die 5. Zehe ist durch diese adducto-varus Position besonders betroffen, weil sie am Weitesten lateral liegt. Die 2. Zehe bleibt davon unberührt, weil der Sehnenzug des **MFDL** sich trotz abduzierter Stellung des Vorfußes in Bezug zum Rückfuß nicht ändert.

Durch die Inversion der betroffenen Zehen adduzieren die mittleren und distalen Phalangen mehr als die proximal liegenden. Die Adduktion verursacht, dass die jeweils medial liegende Zehe von der lateralen Zehe unterwandert wird. Folglich unterwandert die 5. Zehe gewöhnlich die 4. Zehe. Wenn sich die dorsal-laterale Seite der Zehe stark wölbt, schafft sie dadurch die Prädisposition (Vorbedingung) für die Bildung eines Clavus.

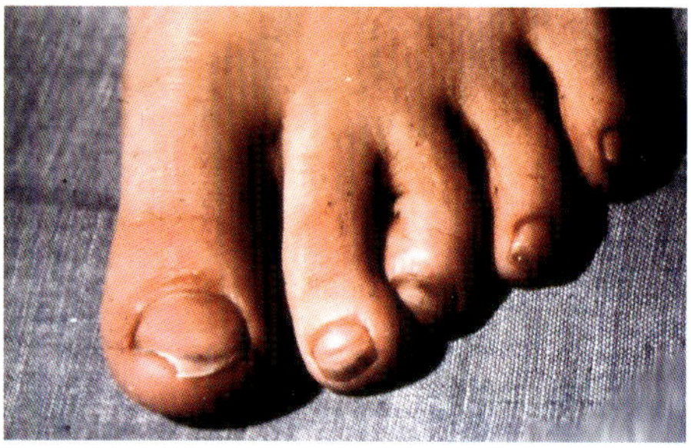

Abb. 11.9: Adducto varus Stellung der Zehen 3.–5 des linken Fußes.

„Schneiderballen" (Digitus quintus varus)

Der „Schneiderballen" bezeichnet eine Deformität, welche eine dorso-laterale Vorwölbung des 5. Metatarsalkopfes aufweist. In Verbindung mit einem Vorfuß varus besteht an der lateralen Seite des Fußes eine höhere Gewichtsbelastung. Zur Kompensation entsteht eine Pronation des Fußes, was die Beweglichkeit der 5. Metatarsale erhöht. Hierdurch kann der Bodenwiderstand den 5. Metatarsale maximal pronieren und dorso-lateral vorwölben. Durch starken Reiz auf diese Vorwölbung (z. B. durch das Oberleder des zu engen Schuhs) kann eine Schleimbeutelentzündung entstehen.

Häufig ist mit dem „Schneiderballen" eine adducto-varus Stellung der 5. Zehe verbunden. Sie ist dann besonders deutlich, wenn der 5. Metatarsalknochen anormal proniert steht.

Wenn der Muskelansatz der 5. Zehe die Phalangen davor bewahrt, sich der Stellung des 5. Metatarsalknochens anzupassen, nimmt die 5. Zehe nur eine adduzierte Varus-Stellung ein.

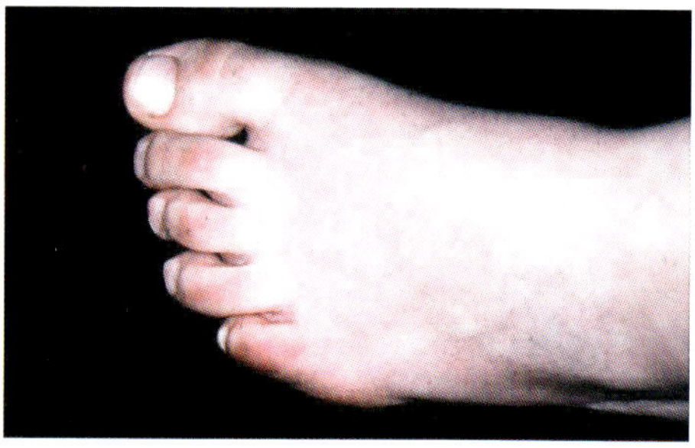

Abb. 11.10: Digitus quintus varus („Schneiderballen") der 5. Zehe des linken Fußes

Behandlung der Auswirkungen eines Vorfuß varus

- Eine **Muskelermüdung** reagiert gut auf die Behandlung mit einer Orthose, wenn die STG- und Chopart-Gelenk-Pronation korrigiert werden kann.
- Der **Clavus unter dem 2. Mittelfußköpfchen** spricht gewöhnlich eher auf die Behandlung mit einer Orthose an, als die Clavi unter den restlichen Metatarsalköpfchen. Zwar wirken sich die Scherkräfte (durch die Orthose) auf das 2. Metatarsalköpfchen weniger intensiv aus, die Belastung der lateralen Vorfußseite ist dafür umso höher. Der Behandlungserfolg für die Clavi ist deshalb auf dieser lateralen Seite nicht so schnell zu erwarten.
- Bei einer **adducto-varus Hammerzehe 4 und 5** reduzieren sich die Scherkräfte, wenn der Vorfuß mehr invertiert steht. Deshalb kann sich die adducto-varus Kontraktion der 4. und

5. Zehe durch eine Orthosen-Behandlung verschlimmern. Es können sich evtl. weitere Clavi bilden. Es ist davon abhängig, wie weit die Verformung der Hammerzehe fortschreitet. Die Sehne des M. flexor digitorum brevis kann einen geringen nach medial gerichteten Ansatz zeigen. Meistens ist jedoch der Muskelansatz so, dass eine geradlinige Bewegung der Zehengelenke in der Sagittal-Ebene erfolgt.

Die Sehne des M. flexor digitorum longus kann ebenfalls einen nach medial gerichteten Ansatz zeigen, weil die Mm lumbricales und der M. quadratus plantae mit der Sehne des M. flexor digitorum longus eine funktionelle Einheit in Bezug auf die Zehenbewegung bilden.

Bei der Pronation ist der laterale Zug des M. quadratus plantae verringert, erzeugt aber dadurch einen mehr medial gerichteten Zug auf den M. flexor digitorum longus. Bei einem kompensierten Vorfuß varus entsteht mit der starken Pronation eine Abduktion des Vorfußes in Bezug zum Rückfuß. Diese abduzierte Stellung des Vorfußes lässt einen mehr medial wirkenden Zug auf die Sehne des M. flexor digitorum longus entstehen, der in gleicher Weise durch den M. quadratus plantae unterstützt wird. Diese Kraft wirkt sich besonders auf die 5. Zehe, weniger auf die 4. und 3. Zehe aus. Weil die Sehne des M. flexor digitorum longus auf der plantaren Seite der distalen Phalanx ansetzt, entsteht eine Varus Drehung des Zehs. Die 2. Zehe bleibt hiervon unberührt.

Die Mm lumbricales und die plantaren Mm interossei sind die einzigen Muskeln des 5. Zehs, welche der Varus Drehung nicht folgen. Beide Muskeln setzen auf der medialen Seite der Grundphalanx und einem Teil der Streckersehne an. Wenn mit dem Zeh nun eine Varus Drehung erfolgt, werden diese Muskeln gestreckt. Mit dieser Streckung entsteht an der Grundphalanx ein Widerstand gegen die Varus Drehung, die sich aber nicht auf die End- und Mittel- Phalangen auswirkt. Das ist der Grund, warum die beiden mehr distal liegenden Phalangen eine größere adducto-varus-Stellung einnehmen, als die proximal liegenden. Die dorso-laterale Seite der Grundphalanx wölbt sich vor. Dies schafft die Prädisposition (Vorbedingung) für ein Clavus.

Wenn die oben beschriebene adducto-varus-Stellung zwischen dem proximalen und mittleren Phalangen fixiert ist, entsteht eine Ankylose (Versteifung) des Gelenks.

- Der **„Schneiderballen“** (Digitus quintus varus) kann ausgeprägter sein, falls der 5. Strahl keine Stabilität besitzt und der darauf einwirkende Bodenwiderstand stärker ist.
  Eine echte Exostose wird nur vorhanden sein, wenn eine Subluxation im 5. Metatarsal-Cuboid-Gelenk stattgefunden hat. Eine deutliche Abduktion des 5. Stahls geschieht nur dann, wenn eine Subluxation am 5. Metatarsal-Cuboid-Gelenk eingetreten ist. Dies kann ein Zeichen dafür sein, dass der 5.Strahl ausreichend stabil ist eine Orthosenbehandlung bei invertiertem Vorfuß zu vertragen. Das erste Anzeichen einer Pronation des 5. Strahls ist der laterale Vorsprung des plantaren-lateralen Condylus (Knochenendes). Eine Subluxation des 5. Strahls ist eingetreten, wenn die Abduktion größer ist, als der Vorsprung des lateralen Condylus (Knochenendes) ausmacht. In diesem Fall wird eine größere Krafteinwirkung durch die Orthose nicht vertragen und die Wahrscheinlichkeit steigt, dass die Deformität noch verstärkt wird.
  Der M. abductor digitus quintus setzt an der plantar-lateralen Basis der Grundphalanx der 5. Zehe an. Mit einer evertierten Stellung des 5. Strahls wird der M. abductor digitus quintus nach plantar verschoben. Dadurch erfolgt eine verringerte Abduktion der 5. Zehe und eine vermehrte Varus-Ro-

tation der 5. Zehe durch Plantarflexion der lateralen Seite der Grundphalanx. Deshalb wird ein „Schneiderballen" gewöhnlich eine adducto-varus-Stellung der 5. Hammerzehe verursachen.
Die Behandlung des Vorfuß varus erfordert eine Unterstützung des Fußes in invertierter Stellung. Das Ergebnis ist eine Veränderung der Bewegungsachse des 5. Strahls unter Einbeziehung des Bodenwiderstandes. Weil die Achse des 5. Strahls invertierter steht, ist der Anteil der Bewegung in der Sagittal-Ebene reduziert. Folglich verringert dies auch die Tendenz, dass der 5. Strahl subluxiert.
Die Behandlung mit einer Orthose wird generell erfolgreich sein, falls noch keine Subluxation des 5.Metatarsal-Cuboid-Gelenks eingetreten ist.

- Die Beschwerden bei einem **Hallux abducto valgus und Hallux rigidus** können durch eine Orthose mit Beeinflussung der anormalen Funktion des Fußes zurückgehen.
Es verringern sich zum Beispiel die Beschwerden der Gelenkirritation durch Beeinflussung der Pronation. Je stärker der Hallux abducto valgus abgewinkelt ist, desto schwieriger sind allerdings seine Auswirkungen zu behandeln. Falls das 1. Metatarso-Phalangeal-Gelenk subluxiert ist, lässt sich die abducto-valgus-Kontraktion an diesem Gelenk ohne Operation nicht mehr beheben.
Die Entstehung eines Hallux abducto valgus mit schmerzhaftem Gelenk kann auch evtl. mit einer rheumatoiden Arthritis (Gelenkentzündung) zusammenhängen. Es ist folglich zwischen dem arthritisch und dem biomechanisch bedingten „Ballen" zu unterscheiden.
Wenn der Patient einen arthritisch bedingten „Ballen" oder eine anormale Fußfunktion besitzt, wird die Orthose nur die mechanische Irritation des Gelenks verringern, nicht aber die durch Arthrose bedingten Symptome.
Wenn an die Behandlung eines teilweise kompensierten Vorfuß varus gedacht wird, kann die Stellung des Vorfußes nur selten durch eine Orthose korrigiert werden.

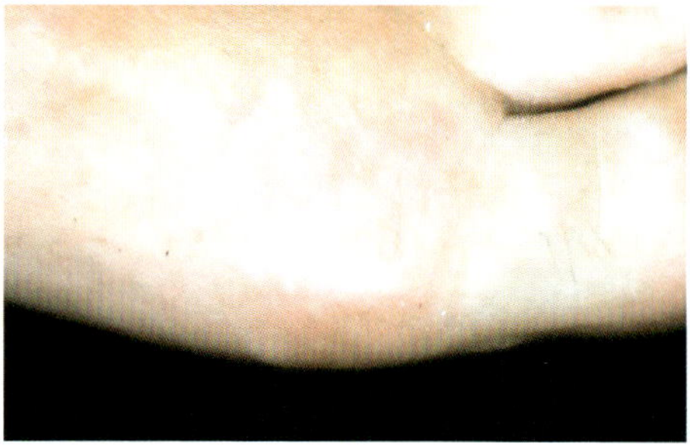

Abb. 11.11: Hallux rigidus des linken Fußes (von dorsal gesehen)

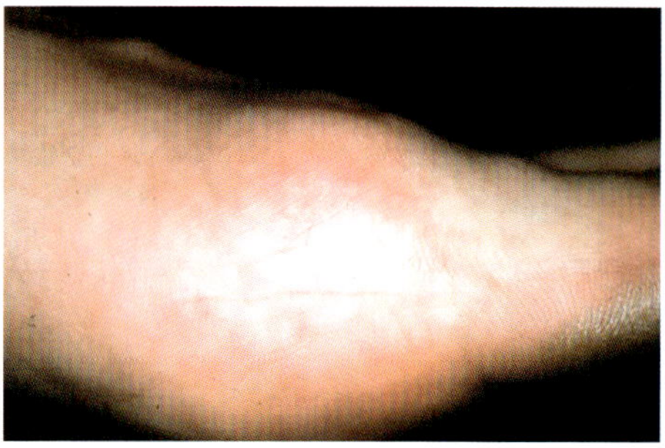

Abb. 11.12: Hallux rigidus des gleichen Fußes von medial gesehen

Röntgenologischer Befund

Wenn das STG und das Chopart-Gelenk pronieren, um den Vorfuß varus zu kompensieren, liegen die übrigen Knochen des Rückfußes – von dorsal nach plantar gesehen – enger zusammen und schaffen dadurch eine deutliche Überlagerung des Naviculare über dem Os Cuboideum. Von der lateralen Aufnahmeposition ist dies deutlich zu erkennen.

Die S-Linie (Cyma-Line) ist auf dem von lateral aufgenommenen Röntgenbild anterior unterbrochen. Das Talo-Navicular-Gelenk liegt weiter anterior in Bezug zum Calcaneo-Cuboid-Gelenk. Die Unterbrechung der Cyma-Line tritt bei kompensiertem Vorfuß varus und auch bei anderen Deformitäten auf.

Zusammenfassung der Behandlung

Die Varus-Stellung des Vorfußes ist eine knöcherne Deformität.

Das therapeutische Ziel sollte darin liegen, die Pronationsneigung des STG zu verhindern. Hierzu eignet sich ein Varus-Keil, der an der Orthose in Höhe des Vorfußes angebracht wird. Der Keil wirkt der Vorfußdeformität entgegen. Seine Auswirkung muss der Therapeut durch die biomechanische Betrachtung des Falles kalkulieren.

Zuvor sollte die Behandlung auch Differentialdiagnosen (Gegenüberstellung mit ähnlichen Krankheitsbildern) einbeziehen, die ähnliche Beschwerden zeigen. Ist die Inversion das Ergebnis von Muskelkontrakturen, kann diese durch physiotherapeutische Behandlung vermindert werden.

Siehe dazu auch Kapitel „Orthosenherstellung“.

12

Vorfuß valgus

Definition

Der Vorfuß valgus ist eine strukturell bedingte Anomalie, bei welcher der Vorfuß in Bezug zum Rückfuß evertiert steht, wenn sich das Subtalar-Gelenk (**STG**) in Neutralstellung befindet und das Chopart-Gelenk vollständig proniert ist.

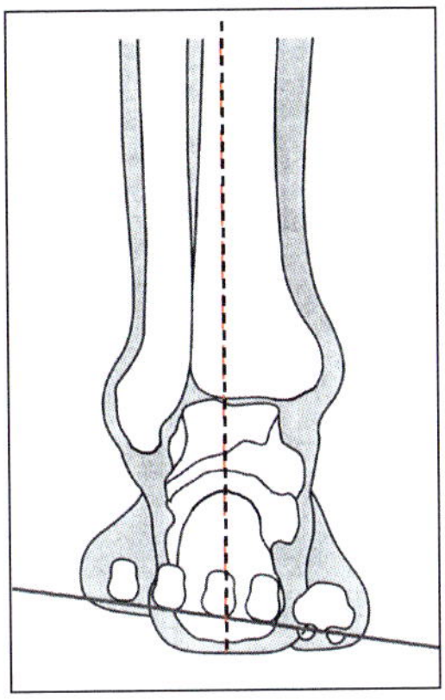

Abb. 12.1: Vorfuß valgus des linken Fußes

Ätiologie

Es handelt sich meist um eine vererbte Deformität. Während der normalen Ontogenese (Entwicklung des Körpers) entstehen am Skelett zahlreiche Veränderungen. Viele Knochen machen eine Drehung um ihre Längsachse. Gleichzeitig nehmen sie an Länge und Umfang zu.

Eine totale Valgus-Stellung des Vorfußes hängt mit der Drehung des Talus zusammen. Die Drehung des Talus wird aus dem Winkel zwischen den Längsachsen des Taluskopfes und des Taluskörpers bestimmt.

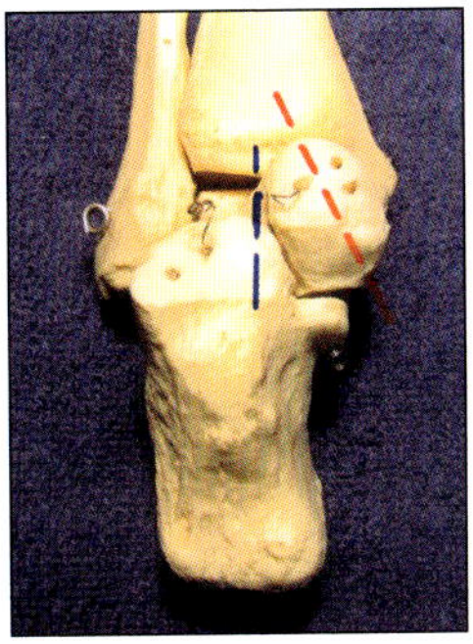

Abb. 12.2: Winkel (ca. 40°) zwischen den Längsachsen des Taluskörpers (blaue gestrichelte Linie) und Taluskopfes (rot gestrichelte Linie). In der Darstellung wird der Taluskörper von dem im Vordergrund liegenden Caput calcanei zum großen Teil verdeckt. Die Abbildung zeigt den rechten Fuß.

Der normale Taluskopf/-körper-Winkel beträgt beim Erwachsenen ca. 40°. Bei einem sechs Wochen alten Fötus besteht (durch die invertierte Stellung des Talus) nur ein Winkel von ca. 20°. Die Talus-Torsion in Valgusrichtung nimmt also im Laufe der Fußentwicklung zu. Als Folge hat jede Änderung in der Talustorsion einen Einfluss auf die Stellung des Vorfußes zum Rückfuß.

Die Talustorsion ist beendet, wenn die Ebene der Metatarsalen 1 bis 5 zur Fersenfläche im rechten Winkel liegen.

Von einem Vorfuß valgus wird dann gesprochen, wenn die Valgustorsion des Talus weiter zugenommen hat. Die Metatarsalen 1 bis 3 liegen danach plantarer als die Metatarsalen 4 und 5.

Dieses anormale Vorfuß-/Rückfuß-Verhältnis wird nie in jüngeren Jahren, sondern erst später festgestellt.

Befund für einen Vorfuß valgus

Im Stand kann der Vorfuß valgus bereits unterschiedliche Formen aufweisen. Sie sind meist auf eine bestehende Kompensation zurückzuführen.

Wenn der Vorfuß valgus durch Supination der Längsachse des Chopart-Gelenks kompensiert ist, kann dies einen normalen Fuß vortäuschen.

Ferner kann ein niedriges mediales Fußgewölbe vorhanden sein, weil das Subtalar-Gelenk (STG) proniert und die Längsachse des Chopart-Gelenks supiniert ist. Dies kann auch durch eine pronationsverursachende Anomalie auftreten, um den Vorfuß valgus zu kompensieren.

Es ist auch ein höheres mediales Fußgewölbe möglich, wenn der Vorfuß valgus durch Supination der Querachse des Chopart-Gelenks kompensiert ist.

Kompensationsmechanismen

Ein Fuß muss sich, trotz anormaler Strukturabweichungen seiner Knochen, den Bodenunebenheiten anpassen oder sie ausgleichen können. Eine totale Valgusstellung des Vorfußes, der keine Gelenkbeweglichkeit besitzt, wird mit seiner lateralen Seite niemals den Boden berühren. Dieser fehlende Ausgleich einer Bewegung wird als „unkompensierte Deformität" bezeichnet. Eine normale Gelenkbeweglichkeit vorausgesetzt, können Ausgleichsbewegungen den Fuß bei Belastung in eine waagerechte Stellung bringen. Dies würde man unter einer „kompensierten Deformität" verstehen.

Generell wird die Ausgleichsbewegung in einem Gelenk stattfinden, welches der Fehlstellung am nächsten liegt. Hierbei ist vorausgesetzt, dass eine Bewegung in der geforderten Richtung möglich ist.

Um eine totale Valgusstellung des Vorfußes auszugleichen, muss eine Inversion stattfinden, d. h. eine Bewegung in der Frontal-Ebene. Die Längsachse des Chopart-Gelenks erlaubt diese Bewegung, wobei der Ausgleich durch Supination dieser Längsachse entsteht.

Untersuchungen der normalen Fußfunktion haben gezeigt, dass während der Gangabwicklung der Vorfuß durch Pronation fest mit dem Rückfuß verbunden sein muss. Es wird hiermit das Körpergewicht auf einen stabilen Vorfuß übertragen. Jedwede Supination des Vorfußes, die als Kompensation für eine andere Deformität entstehen kann, lockert das Chopart-Gelenk und führt zur Instabilität des Vorfußes.

Allgemein lässt sich der Kompensationsmechanismus bei der Gangabwicklung dieser Deformität wie folgt beschreiben:

- Der Fersenkontakt mit dem Boden ist normal.
- Die mediale Seite des Vorfußes berührt zuerst den Boden, besonders das 1. Metatarsalköpfchen.
- Eine Kompensation entsteht durch Supination der Längsachse des Chopart-Gelenks. Der 1. Strahl wird dorsalextendiert.
- An der Ausgleichsbewegung nicht beteiligt ist das Subtalar-Gelenk (STG).

Kompensation des Vorfuß valgus durch Supination des STG

Der Calcaneus steht invertiert und der Vorfuß scheint supiniert zu sein. Nach den klinischen Erfahrungen stellt sich das STG supiniert dar. Der Vorfuß ist nahezu adduziert in Bezug zum Rückfuß und ebenso ist ein höheres mediales Fußgewölbe vorhanden.

Die STG-Supination entsteht durch die Außendrehung des Unterschenkels, wodurch der fibulare Malleolus sich mehr nach posterior bewegt. Dies schafft ein sehr charakteristisches Bild für eine Röntgenaufnahme von lateral. Wenn für einen mehr nach posterior verlagerten fibularen Malleolus die Ursache klinisch festgestellt werden kann, ist als Differentialdiagnose entweder eine Malleolartorsion nach außen (selten) oder eine STG-Supination möglich.

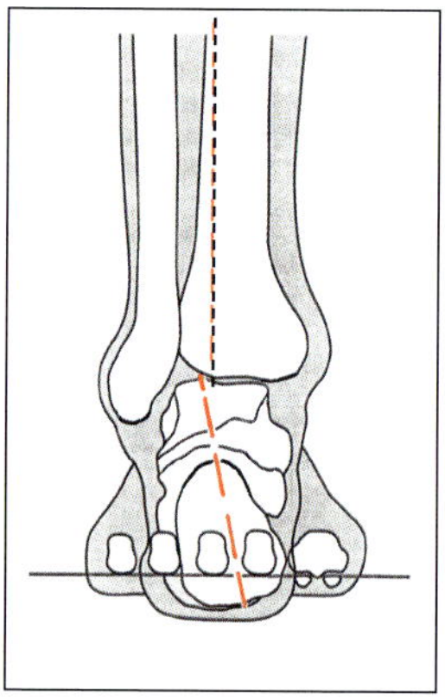

Abb. 12.3: Kompensation des Vorfuß valgus durch Supination des STG. Die Skizze zeigt den linken Fuß.

Bei der Kompensation durch das STG kann der Vorfuß valgus Ähnlichkeit mit einem unkompensierten oder teilweise kompensierten Rückfuß varus oder einem kompensierten plantarflektierten 1. Strahl aufweisen. Das liegt daran, dass der plantarflektierte 1. Strahl (siehe dort) mehr Supination verlangt, als für dieselben Gradanteile bei einem Vorfuß valgus. Es ist die Folge einer nicht ausreichenden Supination der Längsachse des Chopart-Gelenks, um den plantarflektierten 1. Strahl zu kompensieren. Das 2. und 3. Metatarsalköpfchen muss zum 1. Strahl im Verhältnis zum Boden invertieren, was durch die Längsachse des Chopart-Gelenks nicht erbracht werden kann. Deshalb verlagert sich die invertierend wirkende Kraft zum Rückfuß und bewirkt so eine Supination des STG.

Im Vergleich zur Ähnlichkeit des Vorfuß valgus mit dem Rückfuß varus ist Folgendes zu sehen:

- Beim Rückfuß varus besteht eine **größere Konkavität auf der lateralen Seite** des Calcaneus in Bezug zur lateralen Seite des Unterschenkels. Beim Vorfuß valgus stellt sich eine geringere Konkavität auf der lateralen Seite des Calcaneus dar.
- Der **Talus** ist **durch** die mediale **Vorwölbung des Taluskopfes adduziert**. Beim Vorfuß valgus ist das nicht der Fall.
- Der Unterschenkel ist beim Rückfuß varus nach innen gedreht. Beim **Vorfuß valgus** ist der Unterschenkel **nach außen** gedreht.
- Der Vorfuß steht beim Rückfuß varus nahezu abduziert zum Rückfuß. Beim Vorfuß valgus ist der **Vorfuß** in Bezug zum Rückfuß nahezu **adduziert**.

Kompensation des Vorfuß valgus durch Supination der Längsachse des Chopart-Gelenks

Voraussetzung für die Kompensation des Vorfuß valgus ist ein ausreichender Bewegungsumfang des STG und Chopart-Gelenks.

Im Allgemeinen wird der Vorfuß valgus vollständig kompensiert, wenn im Rahmen des allgemeinen Bewegungsumfanges des Chopart-Gelenks seine Längsachse supiniert. Diese Art der Kompensation lässt den Fuß im Stand normal erscheinen. Die Kompensation des Vorfuß valgus durch die Längsachse des Chopart-Gelenks kann deshalb nicht allein durch die Standposition beurteilt werden.

Um den Fuß von einem normalen Fuß unterscheiden zu können, wird ein evertierend wirkender Keil unter das 5. Metatarsalköpfchen gelegt. **Indem der Vorfuß lateral vom Boden angehoben wird, evertiert der Vorfuß. Der Calcaneus evertiert nicht.** (Bei einem normalen Fuß würde der Calcaneus ebenso wie der Vorfuß evertieren.)

> Wenn die Längsachse des Chopart-Gelenks die Deformität kompensiert, wird auch vom flexiblen Vorfuß valgus gesprochen.

Kompensation des Vorfuß valgus durch Supination der Querachse des Chopart-Gelenks

Bevor die Querachse des Chopart-Gelenks zur Kompensation des Vorfuß valgus beiträgt, muss die Deformität schwer genug sein. Das STG muss supinieren und den Calcaneus mindestens ca. 4° invertieren. Es kommt selten vor, dass der Calcaneus mehr als 5° durch die STG-Supination invertieren muss, bevor die Querachse des Chopart-Gelenks supiniert.

Wegen der Bewegungsrichtung der Querachse des Chopart-Gelenks findet die Supination hauptsächlich in der Sagittal- und Transversal-Ebene statt. Das mediale Fußgewölbe scheint sich höher als normal darzustellen. Die Supination bei intertarsaler Gelenkstabilität des Chopart-Gelenks kann auch eine Beugekontraktur der Kleinzehen und eventuell auch der Großzehe bewirken.

> Wenn eine Kompensation des Vorfuß valgus durch Supination des STG und der Querachse des Chopart-Gelenks stattfindet, wird diese Deformität auch als rigider (versteifter) Vorfuß valgus bezeichnet.

Vorfuß valgus Gangbild:

- **Beim Fersenkontakt** steht der **Calcaneus** nur leicht **invertiert**.
- Bei der Vorfußbelastung ist die **Längsachse des Chopart-Gelenks supiniert.**
- Falls die STG-Supination an der Kompensation beteiligt ist, invertiert der

Calcaneus nach ca. 25 % der Gangabwicklung. Zur gleichen Zeit setzt die Supination der Querachse des Chopart-Gelenks ein. Der Rückfuß wird weiter supinieren und bleibt während der ersten Hälfte der Gangabwicklung supiniert. Diese **anormale Supination verursacht** den **Verlust der Schockabsorption**.

- In der späten Standphase der Gangabwicklung – kurz vor dem Abheben der Ferse – pronieren das STG und Chopart-Gelenk sehr schnell. Diese Pronation verursacht eine Instabilität des Fußes. Das Chopart-Gelenk ist **nicht** vollständig proniert und wird durch den Bodenwiderstand weiter evertiert. Verantwortlich für die schnelle Pronation des STG und Chopart-Gelenks ist auch die Peroneusmuskulatur.
  Der **Gang wirkt** gewöhnlich **apropulsiv**.
- Bei dem proniert stehenden Fuß ändert sich durch das Körpergewicht die Richtung der Kraftwirkung von lateral nach medial. Das starke Drehmoment nach innen verursacht auf der lateralen Seite des Kniegelenks einen mechanischen Reiz. Es können **Entzündungsreaktionen auf der lateralen Kniegelenkseite** und den **lateral verlaufenden** Muskeln des Beines entstehen.
- Eine durch die Peroneusmuskulatur bewirkte Pronation kann ein Phänomen verursachen, was den Vorfuß vor dem Abstoß vom Boden nach außen dreht. Dies wird in der englischsprachigen Literatur auch als „**abductory twist**" bezeichnet. Kurz nach dem Abheben der Ferse tritt eine „ Außendrehung des Vorfußes" auf. Dies kommt stets mit einer deutlich pronierten Fußstellung während der Abstoßphase (Propulsion) vor (z. B. Pes equinus oder Vorfuß varus). Da sich das gewichtstragende Bein durch die Pronation bereits nach innen gedreht hat, ist in dieser Phase nur der Vorfuß auf dem Boden. Das Schwungbein kann deshalb eine abduzierende Drehung auf der Vorfußfläche des Beines entstehen lassen, weil sich der Reibungswiderstand (durch die vom Boden abgehobene Ferse) verringert hat.

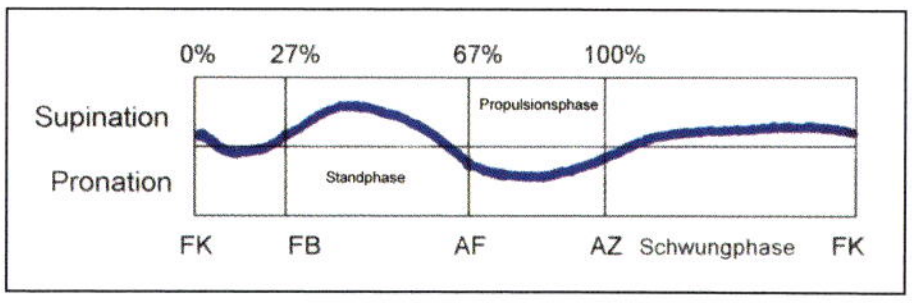

Abb. 12.4: Gangzyklus eines Vorfuß valgus
FK = Fersenkontakt
FB = Fußbelastung
AF = Abheben der Ferse
AZ = Abheben der Zehen

Symptome des Vorfuß valgus, die durch Supination der Längsachse des Chopart-Gelenks kompensiert worden sind (Abb. 12.5)**:**
Die Deutlichkeit der Symptome ist jeweils abhängig von dem Ausmaß der Vorfuß-valgus-Kompensation. Es können:

- **plantare Clavi unter dem 1. und 5. Metatarsalköpfchen** durch die Supination der Längsachse des Chopart-Gelenks entstehen. Der Clavus unter dem 1. Metatarsalköpfchen wird verursacht, weil das Metatarsalköpfchen bei dem Vorfußkontakt zuerst das Körpergewicht aufnimmt. Es bleibt auch während der Standphase und der Propulsionsphase (Abstoß des Fußes vom Boden) belastet. Der Clavus unter dem 5. Metatarsalköpfchen kann durch die kompensatorische Supination entstehen.
  Es bildet sich **keine Hyperkeratose zwischen den 2. und 4. Metatarsalköpfchen**. Das liegt daran, dass der Vorfuß durch Supination invertiert und daher das 2. und 3. Metatarsalköpfchen kaum den Boden berühren. **Falls der 5. Strahl dorsalextendiert, wird sich ein Clavus unter dem 4. Metatarsalköpfchen bilden**.
- **Ermüdungen der Unterschenkelmuskulatur** wegen der erhöhten Muskelaktivität durch den instabilen Vorfuß auftreten.
- **laterale Kniebeschwerden** auftreten, die der Patient nicht unbedingt auf den

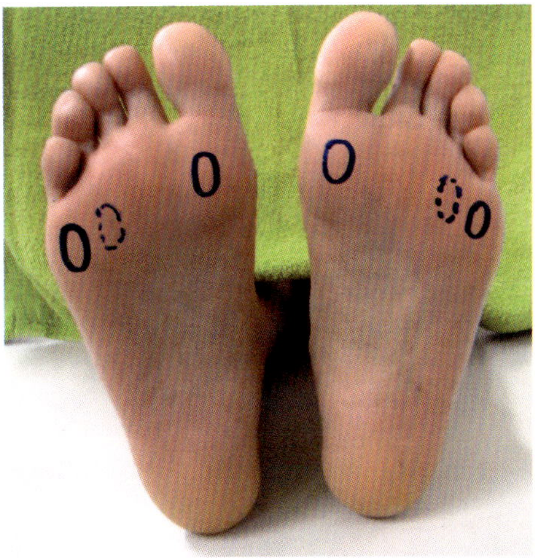

Abb. 12.5: Symptome des Vorfuß valgus, die durch Supination der Längsachse des Chopart-Gelenks kompensiert wurden: plantare Clavi unter dem 1. und 5. Metatarsalköpfchen. Durch Dorsalextension des 5. Strahls auch ein Clavus unter dem 4. Metatarsalköpfchen möglich.

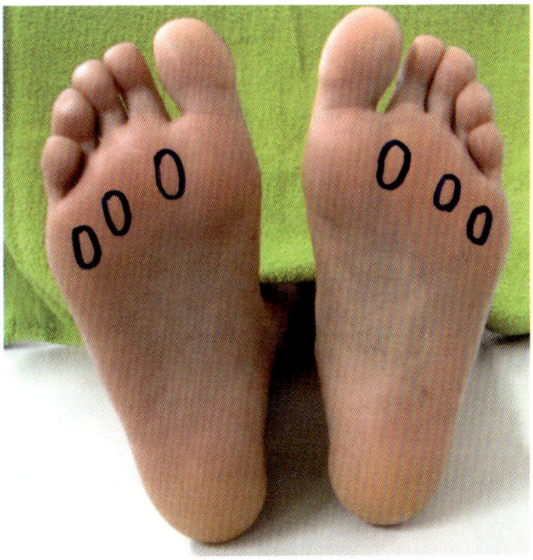

Abb. 12.6: Symptome des Vorfuß valgus, die durch Supination des Chopart-Gelenks und Pronation des STG kompensiert wurden: plantares Clavus unter dem 2. und/oder 4. und/oder 5. Metatarsalköpfchen

Fuß beziehen wird. Durch Palpation der lateralen Knieseite, speziell über dem lateralen Ansatz der Oberschenkelmuskulatur und des M. tensor fasciae latae kann der Schmerz ausgelöst werden. Die Beschwerden an der lateral verlaufenden Oberschenkelmuskulatur entstehen während der Pronation am Ende der Standphase der Gangabwicklung. Die Belastung der Muskeln entsteht dadurch, dass sie Stabilität gegen die Innendrehung des Unterschenkels – (durch den pronierenden Fuß) aufbringen müssen. Um eine leichte Kniebeugung von der gestreckten Position zu ermöglichen, dreht der Unterschenkel normalerweise langsamer nach außen als der Oberschenkel.

Laterale Kniebeschwerden lassen sich gut mit Orthosen behandeln.

- sich durch die höhere Gewichtsbelastung die Sesambeinchen unter dem Kopf der 1. Metatarsale entzünden und eine **Tibiale sesamoiditis** (das mediale Sesambeinchen betreffende Sesamoiditis) hervorrufen. Häufiger tritt sie allerdings bei einem gespaltenen Sesambeinchen auf.

Anmerkung: Die Ursachen der Kniebeschwerden müssen von denen am Meniskus und den am lateralen Bandansatz verursachten Schmerzen abgegrenzt werden.

Symptome des Vorfuß valgus, die durch Supination des Chopart-Gelenks und Pronation des STG kompensiert wurden (Abb. 12.6)**:**
(Wenn das STG proniert ist, besitzt der Vorfuß weniger Stabilität, weil die im Chopart-Gelenk verfügbare Bewegung zunimmt.)

- **Plantares Clavus unter dem 2. und/oder 4. und/oder 5. Metatarsalköpfchen.** Der 1. Strahl ist durch die pronierte Stellung des STG hypermobil und kann ein Clavus unter dem 2. Metatarsalköpfchen bilden.
- **Entwicklung eines Hallux abducto valgus**
- **Entwicklung eines Digitus quintus varus („Schneiderballen")**
- **Bildung von adducto-varus Hammerzehen der 4. und 5. Zehe**

Symptome des Vorfuß valgus, die durch Supination des STG und Chopart-Gelenks (Longitudinal- und Querachse) kompensiert wurden:

- **Ermüdung der Unterschenkelmuskulatur** wegen der erhöhten Muskelaktivität durch den instabilen Vorfuß
- **Clavus unter dem 1. und 4. und/oder 5. Metatarsalköpfchen.** Sie entstehen durch die supinierte Stellung des Fußes
- **Tibiale sesamoiditis** durch höhere Gewichtsbelastung auf die Sesambeinchen des 1. Metatarsalkopfes
- **Beugekontraktur aller Kleinzehen.** Wenn die Querachse des Chopart-Gelenks beteiligt ist, kann die Großzehe (Hallux) zu einem gewissen Grad kontrakt werden. Bei intertarsaler Gelenkstabilität plantarflektieren die Metatarsalköpfchen, wodurch die Basisphalangen der Zehen einen überwiegend dorsal liegenden Randkontakt innerhalb des Metatarso-Phalangeal-Gelenks erhalten. Die Muskulatur der Flexoren wird hierdurch mehr gespannt und führt zur Beugung der Zehen. Es ist möglich, dass sich die Extensoren überstrecken und die gebeugte Stellung der Großzehe (Hallux) sowie der Kleinzehen (Digiti) begünstigen.
- **Chronische laterale Instabilität des oberen Sprunggelenks,** weil der Calcaneus durch die STG Supination invertiert steht. Kleine Unebenheiten des Bodens können zu einer Verstauchung durch Inversion des Rückfußes führen. Der Fuß ist nicht mehr fähig, diese invertierte Fußstellung zu kompensieren.
- Durch den oberen Fersenkappenrand des Schuhs wird die invertiert stehende Ferse ständig an ihrem hinteren Rand (retrocalcaneal) gereizt. **An der proximal lateral-dorsalen Seite des Calcaneus entstehen dadurch Vorwölbungen**, die schließlich zu einer Bursitis führen können.
- **Laterale Kniebeschwerden** entstehen unter anderem durch Supination der Längsachse des Chopart-Gelenks. Die proximale Tibia verschiebt sich nach lateral. Hierdurch entsteht an ihrer lateralen Seite ein starker Zug, der sich auf der proximal medialen Tibiaseite komprimierend auswirkt. Die Ursache liegt an der Supination des STG während der Standphase der Gangabwicklung. Es entstehen Schmerzen an dem lateral verlaufenden Ligamentum collaterale fibulare.

Die Schmerzen können von lateral liegenden Schmerzen der Oberschenkelmuskulatur wie folgt unterschieden werden: Das Knie wird in extendierter Stellung gehalten und in der Frontal-Ebene gedreht. Hierdurch fühlt sich das Ligamentum collaterale fibulare gespannt an, nicht aber die Oberschenkelmuskulatur oder der M. tensor fasciae latae.

Die Patienten versuchen dem Schmerz durch Beugung des Knies auszuweichen.

Das Knieproblem kann gut mit Orthosen behandelt werden.

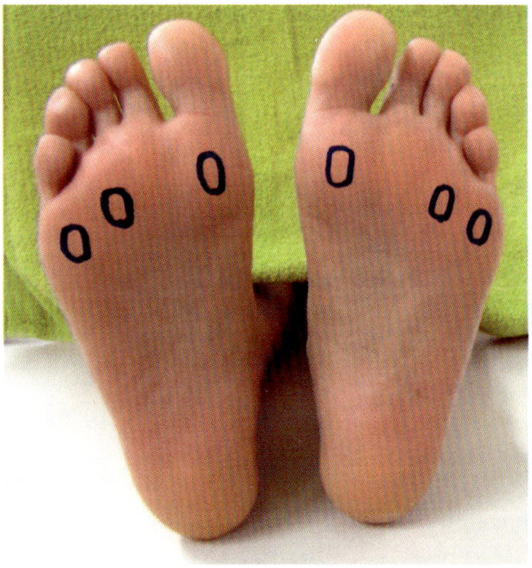

Abb. 12.7: Symptome des Vorfuß valgus, die durch Supination des STG und Chopart-Gelenks (Longitudinal- und Querachse) kompensiert wurden: Clavus unter dem 1. und 4. und/oder 5. Metatarsalköpfchen.

Röntgenologischer Befund

In der Röntgenaufnahme (von lateral aufgenommen) verändert sich durch die Pronation des STG das übliche Erscheinungsbild des Fußes.

Das Röntgenbild des Vorfuß valgus zeigt eine supinierte Stellung des Chopart-Gelenks.

Diese Veränderung hängt natürlich davon ab, wie der Vorfuß valgus kompensiert worden ist. Es gibt eine große Bandbreite individueller Veränderungen:

- Bei dem Vorfuß valgus ist die **Cyma-Line** (S-Linie) von lateraler Seite gesehen **posterior nicht unterbrochen**. Wenn der **Talus plantarflektiert** ist, kann jedoch die Cyma-Line im Röntgenbild **anterior unterbrochen** sein.
- Zieht man auf dem Röntgenbild vom Talus ausgehend eine seitliche **Mittellinie** durch seinen **Hals und Kopf nach distal**, verläuft sie beim Vorfuß valgus **dorsal über dem 1. Metatarsalköpfchen**. Im Vergleich zur ähnlichen Deformität des plantarflektierten 1. Strahls liegt hier die Linie über dem 1. Metatarsalköpfchen dorsal höher.
- Der **Sinus tarsi** (innerer Hohlraum zwischen Talus und Calcaneus) **ist offener** (noch offener als beim adduzierten Fuß).

Behandlung

Ziel der Behandlung ist es, die anormale Supination des Chopart-Gelenks einzuschränken.

Dies kann durch eine Orthose mit Valgus-Keil erreicht werden. Sie verringert die Scherkräfte unter den plantaren Mittelfußköpfchen und vermeidet die darunter entstehenden Verhornungen. Außerdem kann der Zug auf die plantaren Fascien mit einer Orthose entlastet werden. Der Hypermobilität des 1. Strahls und der damit einhergehenden Fehlstellung des Metatarso-Phalangeal-Gelenks wird vorgebeugt.

Siehe dazu Kapitel „Orthosenherstellung“.

13

Plantarflektierter 1. Strahl

Definition

Der plantarflektierte 1. Strahl ist eine strukturell bedingte Anomalie, bei welcher der 1. Strahl mehr Plantarflexion als Dorsalextension in Bezug zur Ebene der Metatarsalköpfchen 2 bis 5 besitzt. Die Ebene der Metatarsalköpfchen 1 bis 5 steht in Bezug zum Calcaneus evertiert. Die Ebene der Metatarsalköpfchen 2 bis 5 steht im rechten Winkel zum Calcaneus, wenn sich das 1. Metatarsalköpfchen über die waagerechte Ebene hinaus nach plantar bewegen kann (Abb. 13.2). Der durchschnittliche Bewegungsumfang des 1. Strahls beträgt 10 -12 mm.

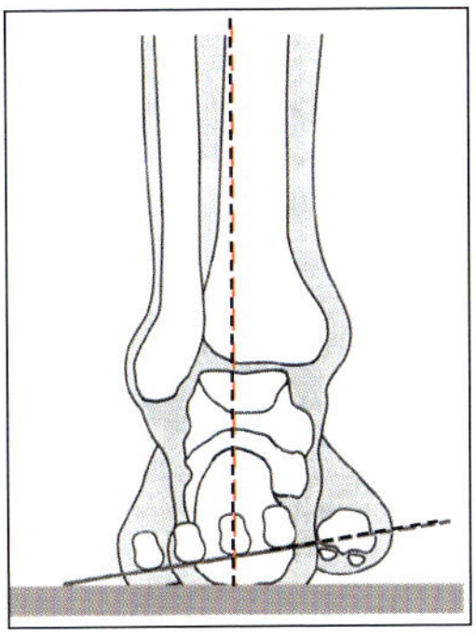

Abb. 13.1: Skizze des plantarflektierten 1. Strahls. Invertiert stehende Ebene der Metatarsalköpfchen 2 bis 5 in Bezug zum Calcaneus. Die Skizze zeigt den linken Fuß.

Abb. 13.2: Skizze des plantarflektierten 1. Strahls. Evertiert stehende Ebene der Metatarsalköpfchen 1 bis 5 in Bezug zum Calcaneus. Die Skizze zeigt den linken Fuß.

Um einen plantarflektierten 1. Strahl von anderen Deformitäten (z. B. Vorfuß valgus) abgrenzen zu können, muss das Subtalar-Gelenk in Neutralstellung und das Chopart-Gelenk vollständig proniert sein.

Ätiologie

In der Regel wird zwischen der angeborenen und der erworbenen Deformität des 1. Strahls unterschieden. Bei der **angeborenen Deformität** besitzen der rechte ebenso wie der linke Fuß den gleichen Deformitätsgrad und den gleichen Bewegungsumfang des 1. Strahls. In Verbindung mit der genetischen Veranlagung (Disposition) wird ein hohes, dem Hohlfuß ähnlichen, mediales Fußgewölbe gesehen.

Bei der **erworbenen Deformität** besteht ein eingeschränkter Bewegungsumfang des 1. Strahls (weniger als 10 mm) meist nur bei einem Fuß. Der Bewegungsumfang ist im Allgemeinen beim rechten und linken Fuß unterschiedlich. Der gleiche Patient kann beides aufweisen – eine angeborene und erworbene Deformität des plantarflektierten 1. Strahls.

Der plantarflektierte 1. Strahl weist viel Ähnlichkeit mit dem Vorfuß valgus auf. Es handelt sich jedoch um Deformitäten, die voneinander unterschieden werden müssen.

Es gibt unterschiedliche Ursachen für die erworbene Deformität:

- durch einen Spasmus des M. peroneus longus, der den 1. Strahl plantarflektiert. Dadurch fühlt sich die Sehne des M. peroneus longus unmittelbar posterior vom lateralen Malleolus fest an.
- durch eine plantar wirkende Kontraktur des Metatarso-Phalangeal-Gelenks und teilweiser Ankylose (Versteifung des Gelenks).
- durch ein Trauma, welches den 1. Strahl nach plantar verschiebt (z. B. durch eine Fraktur des 1. Metatarsalknochens).
- durch einen starken M.peroneus longus, der den 1. Strahl plantarflektiert. Dies kann nach einer Poliomyelitisinfektion oder nach einer Verlängerung der Achillessehne vorkommen.
- durch einen teilweise kompensierten Rückfuß oder Vorfuß varus. Wenn der Vorfuß in invertierter Stellung bleibt, wird der 1. Strahl durch den M. peroneus longus plantarflektiert.

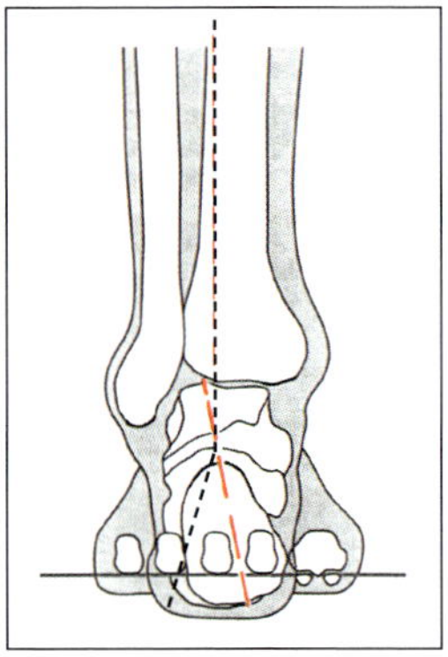

Abb. 13.3: Kompensation des plantarflektierten 1. Strahls durch Supination des Subtalar-Gelenks. Alle Mittelfußköpfchen befinden sich auf einer Ebene. Die Skizze zeigt den linken Fuß.

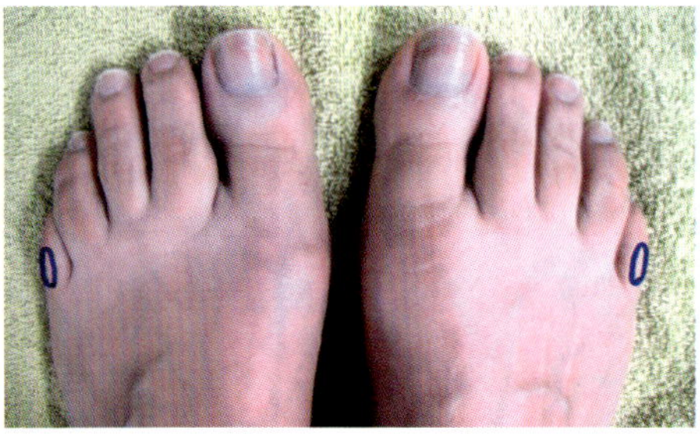

Abb. 13.4: Auswirkungen des plantarflektierten 1. Strahls: Callositas/Clavi dorsal der 5. Zehe

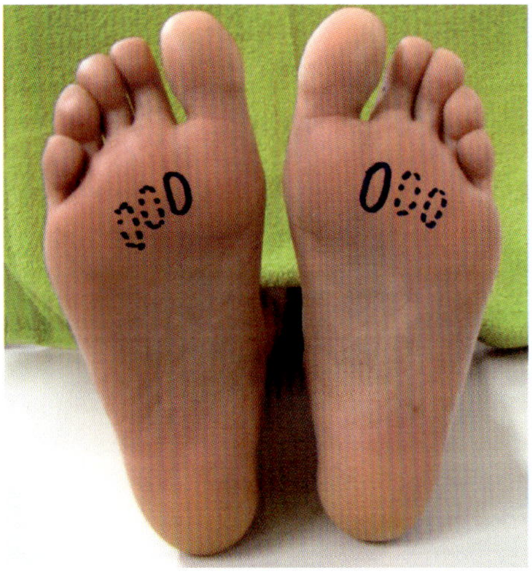

Abb. 13.5: Auswirkungen des plantarflektierten 1. Strahls: plantar der Metatarsalköpfchen 2 und/oder 3 und 4.

Kompensationsmechanismen für einen versteiften plantarflektierten 1. Strahl

In dem unkompensierten Zustand würden nur die Ferse und das 1. Metatarsalköpfchen Kontakt zum Boden haben. Abhängig von dem Schweregrad und der Beweglichkeit des 1. Strahls wäre eine geringe Dorsalextension als Ausgleich möglich.

Durch Supination der Querachse des Chopart-Gelenks kann eine geringe Kompensation erfolgen. Die Bewegung um diese Achse lässt jedoch nur eine geringe Inversion zu, sodass der Ausgleich unvollkommen bleibt.

Die einzige ausreichende Gelenkbewegung für die Entlastung des 1. Strahls ist die Inversion des Subtalar-Gelenks (STG) (Abb. 13.3). Durch Supination dieses Gelenks bekommt die laterale Fußseite mehr Bodenkontakt. Für diese Bewegung im STG wirkt sich nachteilig aus, dass der M. peroneus longus eine noch wirksamere Plantarflexion des 1. Strahls hervorruft. Im Gegenzug dazu müsste das STG weiter supinieren. Als Folge entsteht eine zunehmende Fehlstellung, die erst zum Stillstand kommt, wenn das STG nicht weiter supinieren kann.

Besonderheiten der Gangabwicklung bei einem versteiften plantarflektierten 1. Strahl :

- Der Fersenkontakt mit dem Boden ist normal.
- In der frühen Standphase der Gangabwicklung hat das 1. Metatarsalköpfchen bzw. mediale Sesambeinchen (anstelle der lateralen Fußaußenseite) Bodenkontakt.
- Der Körper muss anschließend die laterale Fußseite in Bodenkontakt bringen. Hierzu wird das STG supiniert. (Bezeichnung auch als **supinatorische Schaukelbewegung des Fußes**).
- Die Supination des STG geschieht zu einem Zeitpunkt, wo es eigentlich pronieren und der Unterschenkel eine Innenrotation ausführen sollte. Durch die Supination wird die Innendrehung des

Unterschenkels abrupt unterbrochen und eine Außendrehung des Beines erzwungen. Für die Gelenke, Muskeln und Bänder des Unterschenkels entsteht ein traumatischer Prozess, aus dem sich eine laterale Instabilität des Beines und Fußes entwickeln kann.
- Um das Körpergewicht von der lateralen zur medialen Seite des Fußes und beim Abheben der Ferse auf den gegenüber liegenden Fuß zu verlagern, muss während der Propulsion eine Pronation erfolgen. Dadurch sind starke Scherkräfte an den Knochen und auf der Haut wirksam.

Es ist möglich, dass ein Fuß mit dieser Fehlbelastung die Fähigkeit verliert, im STG zu pronieren und dann während der gesamten Gangabwicklung supiniert bleibt.

Behandlung

Ziel der Behandlung ist es, die anormale Supination des STG zu verhindern, die als Ausgleichsbewegung während der Gangabwicklung entsteht. Die Schwierigkeit für diese nicht immer erfolgreiche Behandlung des plantarflektierten 1. Strahls liegt darin, dass der Vorfuß bei dieser Deformität zwei Ebenen besitzt:
- die Ebene der Metatarsalköpfchen 1 bis 5 (die in Bezug zum Calcaneus evertiert steht)
- die Ebene der Metatarsalköpfchen 2 bis 5 (welche in Bezug zum Calcaneus invertiert steht)

Der Kontakt der Orthose zum Vorfuß ist deshalb unzureichend und ebenso die Kontrolle über die STG-Funktion und das Chopart-Gelenk.

Es ist versucht worden, den 1. Strahl im Negativabdruck in Dorsalextension zu bringen. Dies war aber nicht effektiv, weil sich der 1. Strahl bereits – ohne Einwirkung der Orthose – durch den Bodenwiderstand in dorsalextendierter Stellung befand. Eine Orthose hat danach im plantaren Bereich des 1. Strahls nur Irritationen verursacht.

Eine einzige Abänderungsmöglichkeit der Orthose für den plantarflektierten 1. Strahl ist, dass beim Positivmodell die Konkavität des vorderen Fußgewölbes – zwischen dem 1. und 5. Metatarsalköpfchen – vergrößert wird. Man erzeugt dadurch bei der fertigen Orthose eine höhere Konvexität in der Mitte des vorderen Orthosenrandes. Das dient dem Zweck, die invertierte Stellung der Metatarsalköpfchen 2 bis 5 in Bezug zu dem plantarflektierten 1. Strahl zu erhalten. Bei einem plantarflektierten 1. Strahl liegt die Konkavität zwischen der medialen und lateralen Fläche des Positivmodells bei mindestens 3 mm. Zu dieser Korrektur des Positivmodells darf kein Gips auf der lateralen und medialen Fläche aufgetragen werden.

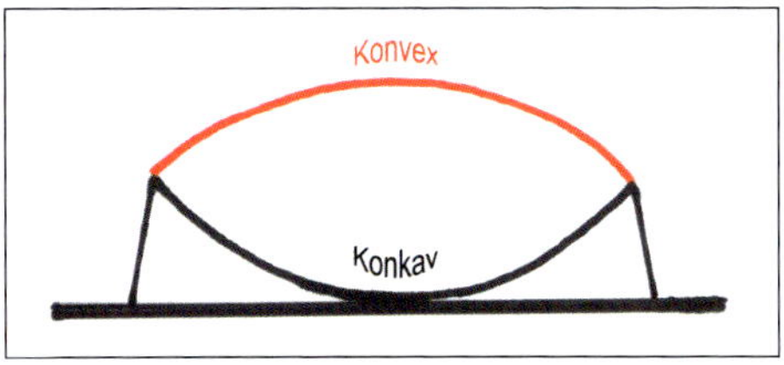

Abb. 13.6: Unterscheidung zwischen konvexer (gewölbter) und konkaver (vertiefter) Form

Man wendete diese Abänderung (die Konvexität des vorderen Fußgewölbes) hauptsächlich bei Patienten an, die vor einer operativen Keilosteotomie mit einer Orthose versorgt wurden.

Bei Patienten mit plantarflektiertem 1. Strahl und Varusstellung der Metatarsalköpfchen 2 bis 5 kann man nicht genau wissen, ob in erster Linie ein Vorfuß varus besteht oder ob sich die Metatarsalköpfchen 2 bis 5 in einer Vorfuß-Supinatus-Stellung befinden. Es ist deshalb dem Patienten mit plantarflektierten 1. Strahl und Varusstellung der Metatarsalköpfchen 2 bis 5 die Änderungsmöglichkeit der Orthose innerhalb eines Zeitraums von 4 bis 6 Monaten anzubieten.

Innerhalb dieser Zeit sollte die Ebene der Metatarsalköpfchen 2 bis 5 durch die Orthose ein vollständig proniertes

Chopart-Gelenk aufweisen. Der Bewegungsumfang des 1. Strahls muss genau getestet werden, weil sich die Ebene der Metatarsalköpfchen 2 bis 5 ändert. Der Bewegungsumfang des 1. Strahls wird dies ebenfalls tun.

Bei der Methode mit vorderer Abstützung muss der Keil (keilförmiger Aufbau des Gipses) beim Positivmodell mehr lateral als medial angebracht werden, weil mehr Kraft auf die laterale Seite verlagert werden muss. Dies ist für beide, den Vorfuß valgus und plantarflektierten 1. Strahl anwendbar.

Wenn die Therapie erfolgreich ist, muss sich während dieser Zeit die Ebene der Köpfchen 2 bis 5 verändert haben.

Die Anleitung für die Herstellung einer Orthose gilt ebenso für den Vorfuß valgus wie für den plantarflektierten 1. Strahl.

Siehe dazu auch Kapitel: „Orthosenherstellung“

Röntgenologischer Befund

Die Röntgenaufnahme dieser strukturell bedingten Deformität des plantarflektierten 1. Strahls zeigt eine **supinierte Stellung des Chopart-Gelenks**. Die Deutlichkeit dieser Stellung hängt davon ab, wie der plantarflektierte 1. Strahl kompensiert wurde.

Bei dem plantarflektierten 1. Strahl ist die **Cyma-Line** (S-Linie) von lateraler Seite gesehen **posterior unterbrochen**. Hierauf sollte im Vergleich zu anderen Deformitäten (z. B. Vorfuß valgus) zuerst geachtet werden. Verursacht wird dies durch die supinierte Stellung des Chopart-Gelenks. Wenn man – durch Talushals und -kopf – eine Mittellinie nach distal zieht, verläuft sie dorsal über den 1. Strahl hinweg (im Vergleich zum Vorfuß valgus würde diese Linie hier niedriger verlaufen).

Der Sinus tarsi ist vollständig offen. Es gibt weniger Überlagerung des Os naviculare über dem Os cuboideum als beim gesunden Vorfuß.

Wenn der Talus plantarflektiert ist, kann die Cyma-Line im Röntgenbild anterior unterbrochen sein.

14

Vorfuß supinatus

Definition

Der Vorfuß supinatus (supinierter Vorfuß) ist keine Deformität. Die Längsachse des Chopart-Gelenks ist supiniert und unbeweglich. Der Vorfuß steht im Verhältnis zum Rückfuß invertiert, wenn sich das Subtalar-Gelenk (STG) und das Chopart-Gelenk in Neutralstellung befinden.

Ätiologie

Der Vorfuß supinatus ist die Folge einer Fehlstellung, welche durch die evertierte und pronierte Stellung des Calcaneus (z. B. durch einen kompensierten Equinus Fußtyp) verursacht wird.

Wenn ein Patient lange genug mit evertiertem Calcaneus und dem gesamten Vorfuß auf ebenen Boden gelaufen ist, passt sich die Muskulatur um das Chopart-Gelenk an. Diese hält die Längsachse des Chopart-Gelenks supiniert, während die Querachse des Chopart-Gelenks proniert bleibt.

Ein Vorfuß supinatus entwickelt sich durch eine angepasste Muskulatur, wenn der Calcaneus über die Senkrechte hinaus evertiert.

Befund des Vorfuß supinatus

Verwirrend ist, dass sich für den Vorfuß supinatus fast die gleichen Bedingungen wie für den Vorfuß varus ergeben.

Von der Frontal-Ebene aus gesehen besteht eine normale Wölbung zu den übrigen Rückfußknochen, was sich hier im Gegensatz zum Vorfuß varus unterscheidet. Beim Vorfuß varus verläuft die dorsale Fläche über den Rückfußknochen flach.

Beim Vorfuß supinatus besteht außerdem ein schwammig weicher Widerstand bei Pronation des Chopart-Gelenks, wenn das STG in Neutralstellung gehalten wird. Dies ist ein sehr wichtiger Zusammenhang, um den Vorfuß supinatus vom Vorfuß varus unterscheiden zu können.

Außerdem stellt sich die mediale Vorfußseite – von dorsal nach plantar gesehen – beim Vorfuß supinatus normal dar. Im Gegensatz dazu steht der Vorfuß varus, bei dem die mediale Vorfußseite einen geringeren Bodenkontakt aufweist.

Allgemein wird der Vorfuß supinatus erst nach dem 16. – 18. Lebensjahr gesehen, weil Kinder gewöhnlich nicht ausschließlich auf flachen Böden laufen, um diese anormale Vorfußstellung sichtbar werden zu lassen.

Behandlung

Die invertierte Stellung des Vorfußes beim Vorfuß supinatus verringert sich innerhalb von 2 bis 6 Monaten durch eine Orthose. Dagegen verändert sich der Vorfuß varus nicht durch diese Therapie. Dies ist ein wichtiger Grund, warum die Diagnose für einen Vorfuß supinatus stimmen muss. Nach mehreren Wochen der orthotischen Behandlung können Reizungen auftreten, weil sich die invertierte Stellung des Vorfußes verringert. Dies tritt in dem Fall auf, wenn mehr als 4° bis 5° des Vorfußwinkels verändert wurden. Es ist dann notwendig, eine neue Orthose mit neuem Abdruck zu fertigen.

15

Einteilung der Fußarten mit den damit verbundenen Pathologien

15. Einteilung der Fußarten mit den damit verbundenen Pathologien

15.1 Einleitung

Der Wunsch, eine Einteilung der Fußarten vorzunehmen, entsprang aus der Notwendigkeit, erst einmal eine Definition für den „normalen Fuß“ zu finden. W. Thomsen hat in seinem 1972 aufgelegten Buch „Schreibende Füße“[(1)] diesen normalen Fuß beschrieben. In dem Buch wird von dem völlig armgelähmten kanadischen Rechtsanwalt Mr. Watson berichtet, dessen Füße so beweglich waren wie Hände.

Der normale Fuß (bzw. gesunde Fuß) muss:

- die volle Beweglichkeit des Fußes und damit verbunden intakte Muskulatur, Bänder und Sehnen aufweisen
- ohne Hautschädigungen (Callositas, Clavi) sein
- keine Sekundärerkrankungen wie Hammerzehen (Digiti mallei), Schiefstellung der Großzehe (Hallux abducto valgus) zeigen
- intakte Fußgewölbe haben (d. h. ein Fußlängsgewölbe, ein vorderes Quergewölbe, welches nur im unbelasteten Zustand vorhanden ist[(2)]) Bei Belastung des Vorfußes liegen alle Metatarsalköpfchen auf.

Diese Definition des normalen Fußes macht es leichter, anormale Beschaffenheiten oder Pathologien des Fußes erkennen zu können.

Es tritt in der Praxis die Frage auf, warum einige Füße Pathologien entwickeln und andere nicht. Oder, dass sich bei scheinbar gleichen Fußstrukturen Verletzungsarten (z. B. Verstauchungen ...) besonders häufen. Ebenso verhält es sich mit Therapiemaßnahmen, die zu einem Teilerfolg, zum anderen Misserfolg gebracht haben.

Da es Füße gibt, bei denen sich bestimmte Pathologien mehr oder weniger häufen, ist es sinnvoll ein System zu schaffen, in dem sich bestimmte Auffälligkeiten eines Fußtyps wiederfinden lassen. Die gefundene Klassifikation muss so ausgerichtet sein, dass jeder Fußtyp von allen interdisziplinären Gesundheitsberufen anerkannt werden kann. Wenn alle Punkte berücksichtigt sind, kann die Einteilung der Fußtypen einen direkten Weg für die Befunderstellung weisen und eine effektivere Behandlung ermöglichen.

Die erste logische und wirklich brauchbare Klassifikation wurde nach 1945 durch J. M. Hiss[(3)] geschaffen. Sie basiert darauf, dass mechanisch und pathologisch bedingte Veränderungen der Füße charakteristische Symptome aufweisen, die eine Funktionseinschränkung der Füße nach sich ziehen. Es war zu damaliger Zeit eine völlig neue Erkenntnis. Paul M. Scherer und Jack L. Morris[(4)] ergänzten die Klassifikation von Hiss zu ihrer heutigen Form.

Vorhandene Körperstrukturen besitzen bestimmte Funktionen. Deren Fehlfunktionen schaffen unterschiedliche Krankheitsbilder.

15.2 Die Verfahrensweise

Durch die Bestimmung des Vorfuß-/Rückfuß-Verhältnisses können Rückschlüsse auf die Position und Bewegung des Chopart-Gelenks gezogen werden. Aus diesem Vorfuß-/Rückfuß-Verhältnis lässt sich der Fuß bereits in drei Kategorien einteilen:

- den evertierten Vorfuß valgus
- den im rechten Winkel stehenden Vorfuß
- den invertierten Vorfuß varus

Die Vorfußpathologien wurden neu klassifiziert und darin die Rückfußstellung (in Bezug zum Boden/zur Tibia) weniger beachtet. Der Grund lag an dem stets schwierigen Verständnis, den Einfluss der Tibia (Varus-/Valgus-Stellung) mit in die Rückfußstellung einzubeziehen. Das Fehlen der Untersuchung des Fußes unter Belastung führte dazu, dass die entspannte Fersenstellung im Stand in Zusammenhang mit dem Vorfuß-/Rückfuß-Verhältnis gebracht wurde.

In der Klassifikation werden nur die Fußstellungen evertiert, waagerecht und invertiert verwendet, ohne die Abweichungen in Graden auszudrücken. Es erleichtert die Beschreibung des Fußzustandes sehr.
Indem die drei Vorfußstellungen mit den drei Rückfußstellungen zu Gruppen geordnet wurden, entstand die nachstehende Tabelle.

Vorfuß	evertiert	waagerecht	invertiert
Rückfuß invertiert	1	2	3
Rückfuß waagerecht	4	5	6
Rückfuß evertiert	7	8	9

Tabelle 1: Klassifikation der Fußtypen in Bezug zur Vorfuß-/Rückfuß-Stellung

Die senkrechten Spalten bezeichnen die Stellung des Vorfußes, die waagerecht liegenden Zeilen die Stellung des Rückfußes.

Die Kombination einzelner Zeilen und Spalten ergeben das jeweilige Vorfuß-/Rückfuß-Verhältnis.

Wenn die üblichen Fußtypen (Plattfuß, Füße mit hoher Sprengung ...) in der Klassifikation wiedergefunden werden sollen, finden sich die Füße mit hoher Sprengung in der Tabelle mehr in der oberen Zeile mit niedrigen Zahlen, die Füße mit flachem Fußgewölbe mehr in der unteren Zeile mit hohen Zahlen. Diese Gestaltung der Tabelle kommt der beabsichtigten Methode näher, die Fußtypen und deren Pathologie zusammenzufassen.

Bei der Anwendung dieser Klassifikation (Tabelle 1) traten in der Praxis anfangs Schwierigkeiten auf. Ein Hallux abducto valgus oder ein Hallux limitus und schwerere Deformationen z. B. waren nicht ohne weiteres in der Klassifikation unterzubringen.

Im Zusammenhang mit der oberen 1. Zeile der Tabelle findet sich kein Hallux abducto valgus und nur gelegentlich ein Hallux limitus. In der unteren 3. Zeile kommt der Hallux abducto valgus dagegen häufiger vor und die Schwere der Deformitäten nimmt von der linken zur rechten Seite zu. Vermutlich liegt dies an der Hypermobilität des Fußes. Die Hypermobilität steigt aufgrund der Fersenstellung mit steigender Zahl in der Tabelle an. Jede Fußdeformität steht in dem Tabellensystem für sich. Die Nr. 5 (als normaler/gesunder Fuß) steht in der Mitte und ist von den anderen Deformationen umgeben.

Die Methode erfasst keine neuromuskulären oder genetisch bedingten Fußerkrankungen. Sie erfordern eine eigene Kategorie, weil hierdurch die Bauart und Funktion des Körpers auch entwicklungsbedingt beeinträchtigt sind.

Die vertrauten Fußpathologien wie z. B. der rigide Vorfuß valgus passt zur Nr. 1 und der Plattfuß zu Nr. 7 der Klassifizierung. Dieses System beabsichtigt eine universelle Klassifikation zu schaffen und den unterschiedlichen Fußarten interdisziplinär eine bessere Ausgangsposition für die Fußbehandlung zu ermöglichen.

Vorfuß valgus im Verhältnis zum Calcaneus	**Vorfuß waagerecht im Verhältnis zum Calcaneus**	**Vorfuß varus im Verhältnis zum Calcaneus**
1 Calcaneus invertiert	2 Calcaneus invertiert	3 Calcaneus invertiert
4 Calcaneus waagerecht	5 Calcaneus waagerecht	6 Calcaneus waagerecht
7 Calcaneus evertiert	8 Calcaneus evertiert	9 Calcaneus evertiert

Tabelle 2: Klassifizierung der Fußtypen nach Scherer und Morris[4]

15.3 Pathologie der Fußtypen

Nachdem die Fußarten und ihre charakteristischen Eigenschaften vorgestellt wurden, beschäftigen sich die nachfolgenden Beschreibungen mit der allgemeinen Pathologie dieser Fußarten.

Innerhalb der Klassifizierungen kann es Überschneidungen in Bezug auf die Fersenstellung und die Stabilität/Instabilität des Chopart-Gelenks geben. Die Stellung des Chopart-Gelenks und die Reaktion auf seine Belastung nehmen eine Schlüsselstellung in der Pathologie der Klassifizierungen ein. Mit eingeschlossen werden sollten mögliche Erkrankungen der unteren Extremitäten wie z. B. der Muskulatur, der Faszien/Sehnen, der Haut, des neurologischen/vasculären Systems und der Knochen. Die Strukturen der unteren Extremitäten sind in fünf Gewebsgruppen und fünf Kategorien für die meisten Erkrankungen unterteilt.

Gewebsgruppen der unteren Extremitäten	Kategorien für die Erkrankungen der unteren Extremitäten
Haut	Tumore
Muskeln, Faszien und Sehnen	Infektionen (Entzündungen)
Gefäße	genetisch (vererbt)
neurologisch	mechanische Reizung
Knochen	Stoffwechsel

Tabelle 3: Die Unterteilung der Gewebspathologien

Die Unterteilung in Tabelle 3 ordnet man nun den Fußtypen der Tabelle 2 zu. Auf die mechanisch bedingten Probleme in der Klassifizierung wird besonderer Wert gelegt.

Zu den Fußtypen (Tab. 1 oder 2) werden die Funktion und die Bewegung jeden Fußtyps beim Aufsetzen auf den Boden beschrieben. Dies reicht vom Fersenkontakt bis zur Vorfußbelastung und den dazugehörigen Kompensationsmöglichkeiten.

Typ 1

Ferse invertiert, Vorfuß evertiert (valgus)

Bei Bodenkontakt setzt die Ferse invertiert auf. Während der maximalen Pronation der Ferse bleibt eine Inversion bestehen. Nach der medialen Vorfußbelastung evertiert der Vorfuß, woraus sich drei Situationen ergeben:

a) Eine Kompensation besteht, wenn der Vorfuß valgus den gleichen Betrag wie der Rückfuß varus aufweist.

b) Wenn der Vorfuß valgus einen größeren Winkel als der Rückfuß varus aufweist, wird die mediale Fußseite durch die Längsachse des Chopart-Gelenks supiniert.

c) Wenn der Vorfuß valgus mehr als 5° Eversion in Bezug zum Rückfuß varus besitzt, wird das Subtalar-Gelenk (STG) invertieren, nachdem die Längsachse des Chopart-Gelenks vollständig supiniert ist. Das Chopart-Gelenk weist bei diesem Fuß Stabilität auf. Der Fuß besitzt ein rigides hohes mediales Fußgewölbe.

Mögliche Pathologien Typ 1

Haut:

- plantare Hyperkeratose bei mehr als 5° Vorfuß valgus
- ohne plantare Hyperkeratose bei weniger als 5° Vorfuß valgus

Neurologisch:

- Neurom (Morton Neuralgie) zwischen dem 3. und 4. Metatarsalköpfchen

Muskulatur/Faszien/Sehnen:

- Haglund Ferse
- Funktioneller Equinus
- Fasziitis, wenn die Längsachse des Chopart-Gelenks vollständig supiniert

Knochen:

- Fersensporn (durch ungenügende Schockabsorption)
- Exostose an der hinteren Ferse (retrocalcaneal)
- Instabilität des Talo-Crural-Gelenks (oberes Sprunggelenk)
- Hallux abducto valgus, -limitus, -rigidus bei mehr als 5° Vorfuß valgus

Gangabwicklung:
- adduzierter Gang
- laterale Instabilität, wenn das Subtalar-Gelenk (STG) mehr als 5° invertiert

Typ 2

Ferse invertiert, Vorfuß waagerecht

Bei Bodenkontakt setzt die Ferse invertiert auf. Während der maximalen Pronation der Ferse bleibt eine Inversion bestehen. Der Vorfuß steht waagerecht und berührt durch die Fersenstellung den Boden medial kaum, sodass an seiner lateralen Seite mehr Belastung entsteht. Entweder muss die mediale Seite in Bodenkontakt gebracht oder der Fuß bei der Gangabwicklung abduziert werden.

Mögliche Pathologien Typ 2

Haut:
- Hyperkeratose plantar der 4. und 5. Metatarsalköpfchen

Neurologisch:
- keine Beschwerden

Muskulatur/Faszien/Sehnen:
- Haglund Ferse

Knochen:
- Fersensporn (durch ungenügende Schockabsorption)
- Exostose an der hinteren Ferse (retrocalcaneal)
- Instabilität des Talo-Crural-Gelenks
- Digitus quintus varus („Schneiderballen") plantar
- Digitus quintus varus („Schneiderballen") dorsal mit subluxiertem 5. Strahl

Gangabwicklung:
- Fuß abduziert; abrollen auf der medialen Seite

Typ 3

Ferse invertiert, Vorfuß invertiert (varus)

Bei Bodenkontakt setzt die Ferse invertiert auf. Während der maximalen Pronation der Ferse bleibt eine Inversion bestehen. Die mediale Vorfußseite steht invertiert und berührt den Boden nicht. Die laterale Fußseite ist deshalb mehr belastet. Um die mediale Seite des Vorfußes in Bodenkontakt zu bringen, abduziert der Fuß. Zur Kompensation der Abduktion des Fußes beugt sich das Knie. Der Fuß besitzt ein stabiles Chopart-Gelenk und einen stabilen Rückfuß.

Mögliche Pathologien Typ 3

Haut:
- Hyperkeratose plantar der 4. und 5. Metatarsalköpfchen
- Digitus malleus der 2. Zehe (Hammerzehe) wenn eine Belastung besteht

Neurologisch:
- keine Beschwerden

Muskulatur/Faszien/Sehnen:
- funktioneller Pes Equinus

Knochen:
- Fersensporn
- Exostose an der hinteren Ferse (retrocalcaneal)
- Sinus-Tarsi-Syndrom
- Evertierte Stellung des Talo-Crural-Gelenks (wegen der Fußstellung)
- Genu valgum (und dadurch bedingt Kniebeschwerden)
- Digitus malleus der 2. Zehe wenn belastet
- subluxierte 5. Zehe mit Digitus varus („Schneiderballen")

Gangabwicklung:
- sehr abduziert, um die mediale Fußseite in Bodenkontakt zu bringen
- apropulsiver (wenig vom Boden abstoßender) Gang

Zusammenfassung der Fußtypen 1 bis 3

Die gesamte 1. Zeile (Typen 1 bis 3) der Klassifizierung besitzt einen stabilen Fuß. Ihr gemeinsam ist ein vollständig pronierter Calcaneus mit invertierter Stellung. Dies hält das Chopart-Gelenk und den Vorfuß relativ stabil. Zu den Füßen gehört ein hohes mediales Fußgewölbe, jedoch mit weniger Wölbung bei den Typen 2 und 3. Durch die eingeschränkte Bewegung und Stabilität des 1. Strahls bildet sich leicht ein Hallux rigidus aus. Wenn sich ein „Schneiderballen" gebildet hat entstehen plantare Verhornungen außer bei der Subluxation des 5. Strahls. Hierdurch entsteht eine dorsale Exostose.

Der invertiert stehende Rückfuß neigt zu Exostosen am hinteren (retrocalcanearen) Fersenbereich, was an der maximal pronierten, invertiert stehenden Ferse liegt.

Typ 4
Ferse waagerecht, Vorfuß evertiert (valgus)
Die Ferse berührt invertiert den Boden und proniert danach vollständig bis zur waagerechten Stellung. Der Vorfuß ist evertiert und die Längsachse des Chopart-Gelenks supiniert, um den Vorfuß waagerecht zum Boden zu stellen. Beträgt der Vorfuß-valgus-Winkel 5° bis 7°, geschieht die Bewegung durch die Längsachse des Chopart-Gelenks. Ist die Valgusstellung größer als 7° wird das Subtalar-Gelenk (STG) zusätzlich supinieren müssen, um die laterale Seite des Vorfußes in Bodenkontakt zu bringen.

Die in der zweiten Zeile (Typ 4 bis 6) genannten Klassifizierungen haben einen stabilen Rückfuß und ein ebenso stabiles Chopart-Gelenk.

Mögliche Pathologien Typ 4
Haut:
- Hyperkeratose an der lateralen Fersenseite
- Digitus malleus (Hammerzehe) und Clavi auf der 4. und 5.Zehe
- plantare Hyperkeratosen, wenn ein Vorfuß valgus über 5° besteht

Neurologisch:
- Neurom (Morton Neuralgie) zwischen dem 2. und 3. Metatarsalköpfchen

Muskulatur/Faszien/Sehnen:
- Funktioneller Pes Equinus
- Plantarfasciitis
- Tendinitis der Achillessehne

Knochen:
- Fersensporn
- Exostose an der hinteren Ferse (retrocalcaneal)
- Digitus malleus der 2. Zehe
- Digitus quintus varus („Schneiderballen“) bei über 5° Vorfuß-valgus-Stellung
- Exostose an der gelenkigen Verbindung (Amphiarthrosis) zwischen dem 1. Metatarsale und dem Os cuneiforme
- Hallux limitus, -rigidus

Gangabwicklung:
- normaler, propulsiver Gang
- Bei ausgeprägtem Vorfuß valgus supiniert der Rückfuß erneut in der späten Standphase der Gangabwicklung.

Typ 5
Ferse waagerecht, Vorfuß waagerecht
Die Ferse setzt invertiert auf den Boden auf und proniert bis zur waagerechten Fersenstellung vollständig. Der Vorfuß steht waagerecht mit vollständigem Bodenkontakt. Er ist frei von Auswirkungen (Sekundärschäden) durch die Fußbelastung.

Dieser Fuß zeigt keine Pathologien. Er wird als „normaler Fuß“ bezeichnet. Es ist jedoch möglich, dass sich durch femorale oder tibiale Fehlstellungen geringfügige Beschwerden entwickeln können. Sie entstehen dann oft durch Pronation des STG in der späten Standphase der Gangabwicklung.

Mögliche Pathologien Typ 5
Keine

Typ 6
Ferse waagerecht, Vorfuß invertiert (varus)
Der Calcaneus setzt invertiert auf den Boden auf und proniert bis zur waagerechten Fersenstellung vollständig. Der Vorfuß steht zum Boden invertiert. Der Fuß ist abduziert und das Knie gebeugt, um den medialen Vorfuß in Bodenkontakt zu bringen. Der Rückfuß ist stabil und unter dem medialen Vorfuß wirkt wenig Bodenwiderstand.

Durch die Abduktion und das mediale Abrollen des Fußes besteht ein mäßig propulsiver Gang.

Mögliche Pathologien Typ 6
Haut:
- Hyperkeratosen unter dem 1. und 2. oder 4. und 5. Metatarsalköpfchen
- Digitus malleus der 2. Zehe durch die Mehrbelastung

Neurologisch:
- Neurom (Morton Neuralgie) zwischen dem 2. und 3. Metatarsalköpfchen

Muskulatur/Faszien/Sehnen:
- M. tibialis posterior Beschwerden
- M. tibialis anterior Beschwerden
- Extensoren-Schwäche

Knochen:
- Genu valgum
- Digitus quintus varus („Schneiderballen“)
- Subluxierter 5. Strahl mit dorsalem „Schneiderballen“

Gangabwicklung:
- apropulsiver Gang

Zusammenfassung der Fußtypen 4 bis 6
Die gemeinsamen Eigenschaften der 2. Zeile (Typen 4 bis 6) der Klassifizierung besitzen einen stabilen Rückfuß und ein ebenso stabiles Chopart-Gelenk. Meist ist das der Fall, wenn die Ferse waagerecht oder invertiert steht (wie bei den Fußtypen der 1. Zeile). Die Hallux limitus/rigidus Bildung (z. B. Typ 4) ist meist mit der Supination der Längsachse des Chopart-Gelenks verbunden. Dieser Fußtyp neigt auch zu Exostosen an der hinteren Ferse (retrocalcaneal). Als völlig normaler Fuß präsentiert sich Typ 5 der Klassifizierung.

Typ 7

Ferse evertiert, Vorfuß evertiert (valgus)

Die Ferse berührt invertiert den Boden und das Subtalar-Gelenk (STG) proniert anschließend bis zum Ende seines Bewegungsumfangs. Die Querachse des Chopart-Gelenks kollabiert. Durch die Pronation des Rückfußes supiniert die Längsachse des Chopart-Gelenks. Dieser Fuß ist geradezu besonders anfällig (prädisponiert) für Fußbeschwerden. Er ist hypermobil, weil das Chopart-Gelenk der Eversion des Rückfußes nichts entgegensetzen kann. Wenn die Valgus-Stellung zunimmt, liegt der verfügbare Bewegungsumfang der Längsachse des Chopart-Gelenks nur bei 5° bis 7°. In der Regel verhindert das Körpergewicht eine „Resupination“ des STG. Wenn keine Supination mehr stattfinden kann, führt dies zur Subluxation der Gelenke.

Mögliche Pathologien Typ 7

Haut:
- Hyperkeratosen an der medialen Fersenseite
- Hyperkeratosen bei weniger als 5° Valgus-Stellung unter dem 2. Metatarsalköpfchen
- Hyperkeratosen über 5° Valgus-Stellung unter den 1. - 5. Metatarsalköpfchen
- Digiti mallei 2 bis 5 mit Clavi-Bildung

Neurologisch:
- Neurom (Morton Neuralgie) zwischen dem 2. und 3. Metatarsalköpfchen
- Tarsaltunnel Syndrom (Kompression des N. tibialis durch das Halteband (Retinaculum) der Flexorenmuskulatur. Schmerzauslösung durch Druck am distalen Verlauf des Nervs)
- Fersenschmerzen

Muskulatur/Faszien/Sehnen:
- M. tibialis posterior Beschwerden
- Plantar Fasziitis

Knochen:
- Sinus-Tarsi-Syndrom
- Cuboid-Syndrom (siehe dort)
- Hallux abducto valgus
- Digitus quintus varus („Schneiderballen“)
- Stressfrakturen am 2. und/oder 3. Metatarsale)
- Exostose an der gelenkigen Verbindung (Amphiarthrosis) zwischen dem 1. Metatarsale und dem Os cuneiforme

Gangabwicklung:
- evertierter Calcaneus (dadurch nahezu apropulsiver Gang)
- Pronation in der späten Standphase der Gangabwicklung
- abduzierende Drehung des Fußes vor dem Abstoß vom Boden (engl.: abductory twist)

Typ 8

Ferse evertiert, Vorfuß waagerecht

Die Ferse berührt invertiert den Boden und evertiert anschließend bis zum Ende ihres Bewegungsumfangs. Der Vorfuß steht waagerecht, wodurch die Längsachse des Chopart-Gelenks supinieren kann. Bedingt durch die Eversion des Calcaneus verliert das Chopart-Gelenk seine Stabilität. Dadurch stellt sich der Fuß sowie der Vorfuß hypermobil dar.

Mögliche Pathologien Typ 8

Haut:
- Hyperkeratosen an der medialen Fersenseite
- Hyperkeratosen plantar der Metatarsalköpfchen 2 und 3.
- Digiti mallei 2 bis 5 mit Clavi-Bildung

Neurologisch:
- Neurom (Morton-Neuralgie) zwischen dem 2. und 3. Metatarsalköpfchen
- Tarsaltunnel-Syndrom (Kompression des N. tibialis durch das Halteband (Retinaculum) der Flexorenmuskulatur. Schmerzauslösung durch Druck am distalen Verlauf des Nervs)
- Fersenschmerzen

Muskulatur/Faszien/Sehnen:
- M. tibialis posterior Beschwerden
- Plantar Fasziitis

Knochen:
- Fersensporn
- Hallux abducto valgus medial
- Cuboid-Syndrom
- Sinus-Tarsi-Syndrom
- Stressfrakturen (2. und 3. Metatarsale)

Gangabwicklung:
- evertierter Calcaneus
- Pronation in der späten Standphase der Gangabwicklung
- bei Vorfußbelastung kein mediales Fußgewölbe sichtbar

Typ 9

Ferse evertiert, Vorfuß invertiert (varus)

Die Ferse berührt invertiert den Boden und evertiert anschließend so lange, bis der Vorfuß den Boden berührt. Wenn die Varus-Stellung des Vorfußes mehr als 4° beträgt, kann das Subtalar-Gelenk (STG) bis zu seinem vollständigen Bewegungsumfang pronieren. Bei der Gehabwicklung steht der Fuß evertiert und rollt über seine mediale Seite ab. Das Gangbild ist sehr apropulsiv.

Mögliche Pathologien Typ 9

Haut:
- Hyperkeratosen an der medialen Fersenseite
- Hyperkeratosen plantar und medial des 1. Metatarsalköpfchens
- Hyperkeratose plantar des 2. Metatarsalköpfchens
- Digiti mallei 2 bis 5 mit Clavi Bildung

Neurologisch:
- Neurom (Morton Neuralgie) zwischen dem 3. und 4. Metatarsalköpfchen
- Tarsaltunnel-Syndrom (Kompression des N. tibialis durch Halteband (Retinaculum) der Flexorenmuskulatur. Schmerzauslösung durch Druck am distalen Verlauf des Nervs)
- Fersenschmerzen

Muskulatur/Faszien/Sehnen:
- M. tibialis posterior Beschwerden
- Plantar Fasziitis

Knochen:
- Fersensporn
- Hallux abducto valgus
- Sinus-Tarsi-Syndrom

Gangabwicklung:
- apropulsiver Gang
- abduzierende Fußstellung, wenn die Vorfuß varus Stellung einen größeren Winkelwert aufweist, als die STG-Pronation
- flaches Fußgewölbe (Pes planus/Plattfuß)

Zusammenfassung der Fußtypen 7 bis 9

Die in der 3. Zeile der Klassifizierung aufgeführten Typen 7 bis 9 haben die Eversion des Calcaneus gemeinsam. Diese Füße besitzen ein instabiles Chopart-Gelenk und einen hypermobilen Vorfuß. Man trifft hierbei den Hallux abducto valgus ebenso wie Digitus quintus varus („Schneiderballen) an. Der Fuß ist hypermobil und besitzt ein abgesenktes mediales Fußgewölbe. Die meisten Pathologien treten im Rückfuß auf, weil das Chopart-Gelenk sowie das STG durch das kollabierte mediale Fußgewölbe geschädigt werden. Diese Füße ergeben das typische Bild des Plattfußes.

Im Text aufgeführte Literatur zu Einteilung der Fußarten:

(1) Prof. Dr. med. W. Thomsen „Schreibende Füße" Haug Verlag, Heidelberg, 197, ISBN 3-7760-0177-1
(2) A. Viladot „Pathologie de l´avant.pied" Expansion Scientifique Francaise, Paris, 1979, ISBN 2-7046-1008-8
(3) J.M. Hiss „Functional Footdisorders", Oxford Press, Third Edition, 1949
(4) Paul M. Scherer, DPM; Jack L. Morris DPM; „The Classifikation of Human Foot Types", California College of Podiatric Medicine, San Francisco, 1997

16

Equinus Fußtyp

Pes Equinus, Talipes Equinus

Definition

Der Equinus Fußtyp (Synonyme: Pes Equinus, Talipes Equinus) ist eine Deformität, bei der die Dorsalextension im Talo-Crural-Gelenk (oberes Sprunggelenk) weniger als 10° beträgt. Die eingeschränkte Dorsalextension im oberen Sprunggelenk kommt **in der Regel beidseitig** vor. **Bei der Untersuchung müssen das Subtalar-Gelenk (STG) in Neutralstellung und das Chopart-Gelenk maximal proniert sein**.

Ätiologie

Es werden als Ursache neben angeborenen Veränderungen des Knochenbaues und der Muskulatur auch neurologische Erkrankungen diskutiert. Sie üben einen erhöhten Tonus auf die Muskulatur aus und schränken die Dorsalextension (< 10°) ein.

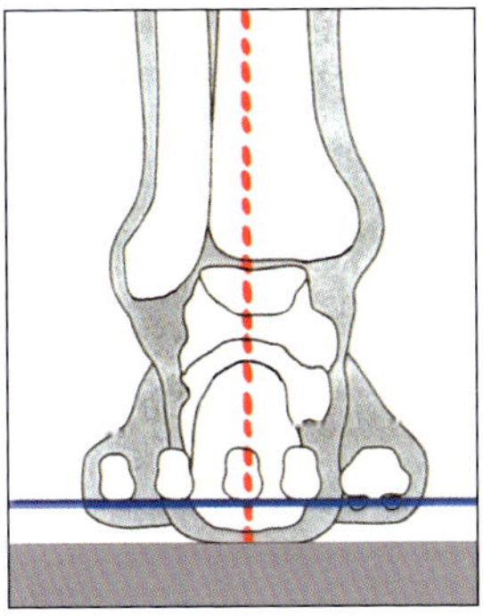

Abb. 16.1: Pes Equinus des linken Fußes

Formen und Auswirkungen des Equinus Fußtyps

Spastische (krampfartige) **Kontrakturen des Triceps surae**

Der Patient klagt über – gewöhnlich chronische – Beschwerden im Rückfuß. Der M. gastrocnemius und der M. soleus befinden sich in einer reflexartigen Kontraktur, um die Bewegung in den schmerzhaften Gelenken des Rückfußes zu stoppen. Eine exakte Messung des Bewegungsumfanges im Talo-Crural-Gelenk ist dann nur durchführbar, wenn die Schmerzen beseitigt sind.

Die häufigste Ätiologie für diese Schmerzen ist die Entzündung des STG oder Talo-Crural-Gelenks (TCG).

Pronation des STG

Eine vollständige und konstante Pronation des STG stellt die häufigste Ursache für M. gastrocnemius und M. soleus Kontrakturen dar.

Das plantarflektierte STG und Talo-Crural-Gelenk (TCG) erlauben dem Chopart-Gelenk mehr Dorsalextension und gewährleistet während der Gangabwicklung eine ausgleichende Kompensation. Sie ist notwendig, weil das TCG in seiner plantarflektierten Stellung verbleibt. Hierdurch kommt es zu einer (adaptierenden) Kontraktur des Triceps surae. Eine Verkürzung des M. triceps surae, die zu einem evertierten Calcaneus führt, kann ebenso eintreten.

Wenn keine dorsalextendierende Kraft auf das Talo-Crural-Gelenk einwirkt, werden der Calcaneus und Talus während des gesamten Gangzyklus plantarflektiert bleiben. Dazu sei angemerkt, dass der starke plantarflektierende M. triceps surae eine schwächere dorsalextendierende Unterschenkelmuskulatur (z. B. M. tibialis anterior, M. extensor digitorum longus) überwinden kann.

Die Kontraktion des Triceps surae tritt am häufigsten nach dem vierzehnten Lebensjahr auf. Die davon betroffenen Kinder haben gewöhnlich einen sedierten (ruhigen) Lebensstil. Der Vermutung nach muss es aber einen anderen Grund für die strukturelle Anomalie der unteren Extremitäten geben, die eine Pronation des Rückfußes verursachen, bevor sich eine Kontraktur durch die Anpassung des M. triceps surae entwickeln kann.

Streckübungen können eine Muskelkontraktur verringern. Die Behandlung mit Orthosen kann ebenfalls diese Art der Kontrakturen verringern, falls ein Vorfuß varus die primäre Ursache hierfür ist.

> Wenn der Equinus angeboren ist, wird eine Orthose höchst unbequem sein und die Pronation nicht beeinflussen können.

Kontraktur des Musculus gastrocnemius

Ein plantarflektiertes TCG kommt selten vor und ist evtl. dazu geeignet, einen Beinlängenunterschied auszugleichen. Falls durch diese Stellung des betroffenen Fußes eine eingeschränkte Dorsalextension vorhanden ist, deutet dies auf einen funktionell bedingten Equinus hin.

Eine Kontraktur des M. gastrocnemius kann auch durch eine ständig flektierte (gebeugte) Kniestellung verursacht werden

Bewertung der Dorsalextension des Talo-Crural-Gelenks (TCG)

Die Dorsalextension des TCG sollte mit gestrecktem und gebeugtem Knie bewertet werden. Es ist darauf zu achten, dass sich dabei das **STG in Neutralstellung** und das **Chopart-Gelenk in maximal pronierter Stellung** befinden.

Um eine genaue Messung der Dorsalextension des Talo-Crural-Gelenks zu erhalten, sind **zwei gedachte Hilfslinien** wichtig.

Die erste Linie verbindet die plantare Fläche des 5. Mittelfußköpfchens mit der plantaren Fläche der Ferse. Als Referenz für eine evtl. verformte plantare Fläche des 5. Metatarso-Phalangeal-Gelenks kann als Hilfslinie auch die vordere Fußfläche (Mittelfußköpfchen 1 bis 4) genommen werden.

Die zweite Linie besteht aus der lateralen eventuell auch medialen Mittellinie des Unterschenkels.

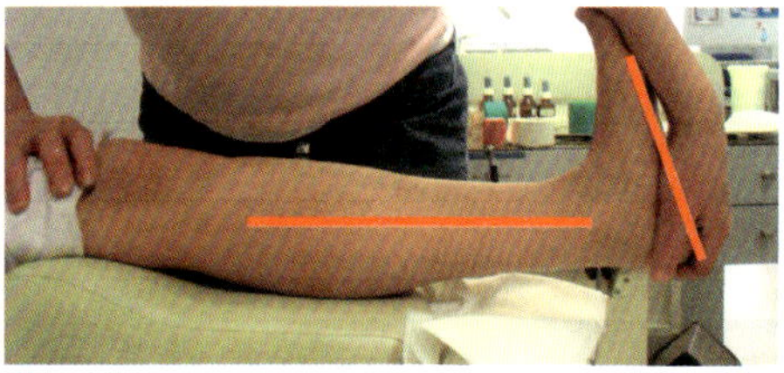

Abb. 16.2: Gedachte Hilfslinien (rot) zur Bestimmung der Dorsalextension des Talo-Crural-Gelenks in Bezug zu den Mittelfußköpfchen 1 bis 4 und zur lateralen Mittellinie des Unterschenkels. Die Abbildung zeigt das linke Bein.

Eine durch den M. gastrocnemius verursachte **Begrenzung der Dorsalextension** des Talo-Crural-Gelenks liegt vor, wenn das Kniegelenk vollständig gestreckt ist. Wenn es anschließend passiv gebeugt wird, besteht eine normale Dorsalextension des TCG. Der Equinus Fußtyp – verursacht durch den M. gastrocnemius – konnte hierdurch bestätigt werden.

Ein M. soleus Equinus (durch den Ursprung des Muskels proximal unterhalb des Kniegelenks) konnte ausgeschlossen werden, weil sich der M. gastrocnemius durch die passive Beugung des Knies entspannte und die normale Dorsalextension des TCG ermöglichte.

Eine durch den M. soleus verursachte Begrenzung der Dorsalextension des TCG verändert sich durch die Kniegelenk Stellung nicht. Es ist aber eine erhöhte Festigkeit des M. soleus Muskelbauchs bei vollständiger Dorsalextension des TCG fühlbar.

Wenn ein Equinus durch den M. soleus vorliegt, kann die Mitbeteiligung des M. gastrocnemius nicht vollständig ausgeschlossen werden. Seinen Einfluss verdeutlicht er durch die palpierbare hohe Festigkeit seines Muskelbauchs bei vollständiger Dorsalextension des TCG.

Das Endgefühl der Dorsalextension des TCG durch die Muskulatur fühlt sich weich an. Ein festes und abruptes Ende der Dorsalextension lässt auf eine knöcherne Begrenzung schließen. Es ist ein hartes Endgefühl bei der Dorsalextension spürbar.

Bei der Dorsalextension ist das **Endgefühl** im Talo-Crural-Gelenk (oberes Sprunggelenk):
- **bei muskulärer Begrenzung weich**
- **bei knöcherner Begrenzung hart**

Ungenauigkeiten bei der Bewertung der Dorsalextension des Talo-Crural-Gelenks.

Ungenauigkeiten können entstehen durch:
- eine plantare Verformung des 5. Metatarso-Phalangeal-Gelenks

- Ödeme des Unterschenkels und des Fußes
- eine Subluxation des Chopart-Gelenks in der Sagittal-Ebene
- Schmerzen im TCG
- ein Genu recurvatum (Überstreckung des Kniegelenks)

Besonderheiten eines genetisch bedingten Equinus Fußtyps

Der **Bewegungsumfang des STG** ist hier in allen drei Ebenen **größer**.

In der Sagittal-Ebene wird am häufigsten eine Subluxation des Rückfußes hervorgerufen. Sie lässt sich feststellen, indem das STG bis zum Ende des Bewegungsumfangs proniert wird. Es gibt hierbei keine feste Begrenzung des Bewegungsumfangs. Stattdessen besteht über den normalen Bewegungsumfang hinaus ein weiches Endgefühl.

Der Ansatz der Achillessehne stellt sich an der Ferse schmal dar.

Kompensationen des Equinus Fußtyps

- Die Pronation der Querachse des Chopart-Gelenks ist die wirkungsvollste Kompensation für eine verringerte Dorsalextension des Talo-Crural-Gelenks, weil diese Achse nahezu parallel zur oberen Sprunggelenkachse liegt.
  Das STG ist an dieser Kompensation kurz nach Belastung des Fußes in der frühen Standphase der Gangabwicklung einbezogen.
- In der Kindheit (vor dem fünften Lebensjahr) kann ein Genu recurvatum gewöhnlich in Verbindung mit einem angeborenen Pes Equinus auftreten. Der unnatürlich starke Zug des M. gastrocnemius erzeugt posterior des Kniegelenks – begünstigt durch die ebenfalls nach posterior schräg abfallende Tibiafläche – eine Hyperextension. Es verkürzt sich der Abstand vom Ursprung des Muskels am Oberschenkel (Femur) zum Ansatz des Muskels an der Ferse.
  Bis zum Alter von ca. fünf Jahren besteht ein normales Genu recurvatum bis zu einem Winkel von ca. 5°. Ab diesem Alter ist eine Hyperextension des Knies nicht mehr normal. Generell ist diese Subluxation des Knies bei Kindern als asymptomatisch und nicht schmerzhaft zu betrachten. Diese Veränderung kommt nicht bei einem normalen Knie des Erwachsenen vor.

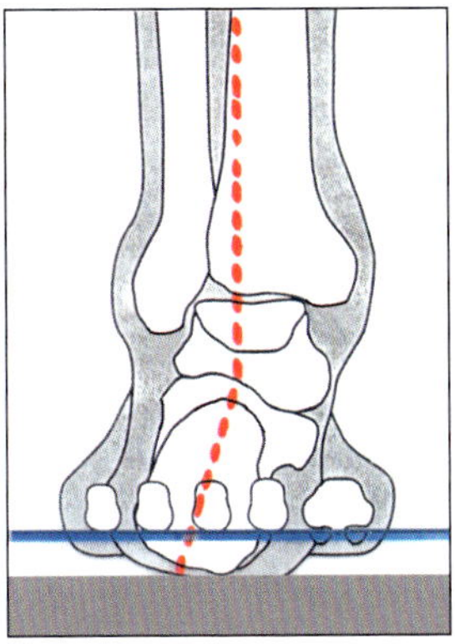

Abb. 16.3: kompensierter Pes Equinus des linken Fußes

Kompensationen des Equinus Fußtyps können entstehen durch:
- ein proniertes STG und eine pronierte Chopart-Gelenk-Querachse
- ein Genu recurvatum (im Kindesalter)

Mögliche Kompensationen des Equinus Fußtyps während der Gangabwicklung

Die abduzierte Fußstellung

Die abduzierte Fußstellung ist eine der möglichen Kompensationen für den Equinus Fußtyp. Durch sie verringert sich die Dorsalextension des oberen Sprunggelenks, weil das Körpergewicht über die mediale Fläche des Fußes abrollen kann. Ein abduzierter Fuß ist in der Sagittal-Ebene funktionell kürzer, als wenn er über seine gesamte Länge abrollen würde.

Kleinere Schritte

Kleinere Schritte benötigen weniger Dorsalextension des Fußes in Bezug zum Unterschenkel. Durch den „steppartigen Gang“ kann die Equinus Deformität kompensiert werden.

Vorzeitige Fersenanhebung
Falls eine vorzeitige Fersenanhebung erfolgt, ist der Equinus nicht kompensiert. Diese Situation trifft zu, wenn bei der Gangabwicklung die Ferse des einen Fußes eher angehoben wird, als der gegenüberliegende Fuß Fersenkontakt bekommt. Dies wird deutlich, wenn der Patient die Ganggeschwindigkeit erhöht oder die Schrittlänge verkürzt. Sie bewirkt kaum eine effektive Dorsalextension des oberen Sprunggelenks.

STG- und Chopart-Gelenk-Bewegung
Wenn das STG und das Chopart-Gelenk während der Standphase des Ganges vollständig proniert sind, besteht sehr wenig Bewegung in beiden Gelenken. Der Grund ist die subluxiert pronierte Stellung des STG auch während der Propulsionsphase. Der Fuß wird lediglich vom Boden abgehoben

Wirkung des Musculus soleus
Wenn der Muskel den Equinus nicht kompensiert, entsteht kein Fersenkontakt. Der Vorfuß berührt den Boden zuerst.

Da der M. soleus ein Supinator des STG ist, entsteht stattdessen eine Supination im Rückfuß, welche eine vermehrte Plantarflexion des Vorfußes entstehen lässt.

Rückfuß varus
Wenn ein Pes Equinus zusammen mit einem kompensierten Rückfuß varus besteht, wirken weniger evertierende und subluxierende Kräfte auf das STG ein. Das Ergebnis ist eine größere Stabilität.

Symptome des Equinus Fußtyps speziell bei Kindern
Zu den möglichen Beschwerden gehören Spasmen durch die höhere Aktivität des M. triceps surae. Sie sind für einen wachsenden Muskel nicht normal.

Kein seltenes Bild ist die **adducto-varus-Stellung der 5. Zehe**, die sich bis zum zehnten Lebensjahr entwickeln kann.

Ebenfalls steht ein **Hallux abducto valgus** in unmittelbarem Zusammenhang mit der anormalen Pronation des Fußes. Die Fehlstellung kann bereits vor dem 4. Lebensjahr beginnen. Sie ist typisch für den „Ballen" bei Heranwachsenden.

Die **schnelle Muskelermüdung** führt zu wenig Interesse am Sport. Das bedeutet jedoch nicht, dass der Sport grundsätzlich ohne Erfolg bleibt, wenn die Fußprobleme behoben sind.

Symptome des Equinus Fußtyps bei Erwachsenen
Bei einem unkompensierten Pes Equinus setzt auch bei Erwachsenen eine **schnelle Muskelermüdung** ein.

Als Auswirkung der Pronation des STG und des Chopart-Gelenks entwickelt sich eine **adductovarus-Stellung der Zehen 4 und 5**.

Da der Fuß bereits **vor der Belastung des Vorfußes vollständig proniert** ist, findet kaum Bewegung im Fuß statt. Durch fehlende Scheerkräfte treten deshalb keine Clavi auf.

In Zusammenhang mit der **Pronation des Fußes, einem hypermobilen 1. Strahl und evtl. subluxiertem Hallux valgus** kann **unter dem 2. Mittelfußköpfchen** distal und lateral des 2. Metatarsalköpfchens **ein Clavus entstehen**.

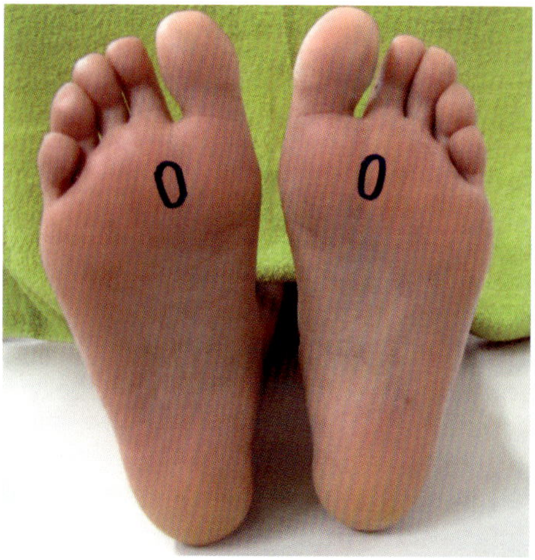

Abb. 16.4: Symptome des Equinus Fußtyps: Clavus unter dem 2. Mittelfußköpfchen

Schuhe mit hohen Absätzen können die Symptome eines Pes Equinus so lange lindern, bis evtl. eine Verlängerung der Achillessehnen vorgenommen wird. Über die möglichen Komplikationen dieser Behandlung ist aufzuklären.

Gymnastische Streckübungen für die Muskulatur

Hierbei spielt die Motivation des Patienten eine entscheidende Rolle. Ein „Durchhalteargument" für diese Übungen ist, dass hierdurch Folgebeschwerden vermieden werden. Für die Durchführung der Übungen vermeidet man möglichst zwanghafte Zeitvorgaben. Deshalb empfiehlt es sich, die Gymnastik – so oft sich die Gelegenheit dazu bietet – einige Minuten lang durchzuführen. Hierdurch entstehen ebenfalls die notwendigen Entspannungsphasen.

1. Übung

Die Füße werden – zur Einschränkung der Pronation – leicht adduziert ca. 25 cm vor einer Wand aufgestellt. Mit der Streckung der Beine wird der Körper mit den Händen gegen die Wand abgestützt. Die Fersen dürfen dabei den Boden nicht verlassen. Im Verlauf der Übungen sollte der Abstand zur Wand – je nach Verträglichkeit – stetig vergrößert werden. Die Streckung der Muskulatur sollte wahrgenommen, aber nicht schmerzhaft sein.

2. Übung

Beide Füße werden parallel zu einander gestellt. Das eine Bein macht einen Schritt nach vorn, das andere Bein bleibt – mit der Ferse grundsätzlich am Boden – gestreckt. Danach wird das Körpergewicht auf den nach vorne gestellten Fuß verlagert, wodurch das hintere Bein mehrmals weiter gestreckt werden kann. Danach folgt der Wechsel mit dem anderen Bein.

3. Übung

Beide Füße werden zur Hälfte auf eine Treppenstufe gestellt, sodass die Fersen keinen Kontakt mehr zur Treppenfläche haben. Die Fersen werden nun unter das Niveau der Stufenfläche „hängen" gelassen. Die Streckung der Muskulatur sollte wahrgenommen, aber nicht schmerzhaft sein.

Orthosen für den Equinus Fußtyp

Funktionelle Orthosen sind nicht erfolgreich, solange kein vollständiger Fersenkontakt besteht. Wenn von der Ferse keine Korrektur ausgeübt werden kann – wie bei dem unkompensierten Pes Equinus – ist es für eine Orthose nicht möglich, die Fußstellung zu verändern.

Siehe dazu Kapitel „Orthosenherstellung"

17

Tarsale Verschmelzungen

Definition

Die Tarsale Verschmelzung oder Coalitio tarsi (engl.: tarsal coalition) ist eine angeborene oder posttraumatische Synostose (knöcherne Verschmelzung) zwischen zwei oder mehr Knochen des Rückfußes, meistens zwischen Talus und Calcaneus.

Ätiologie

Es bestehen drei Arten Tarsaler Verbindungen (Verschmelzungen):

1. als Synostose, einer knöchernen Verbindung
2. als Syndesmose, einer Verbindung durch kollagenes oder elastisches Bindegewebe
3. als Sychondrose, einer Verbindung durch hyalinen Knorpel

Die häufigste Tarsale Verschmelzung entsteht zwischen Talus und Calcaneus. Sie befindet sich an der medialen Seite des Fußes zwischen dem Sustentaculum-tali des Calcaneus und dem Talus. Betroffen wird hierdurch das Subtalar-Gelenk (STG).

Die zweithäufigste Tarsale Verschmelzung betrifft die Calcaneo-Naviculäre-Syndesmose und Calcaneo-Naviculäre-Synchondrose.

17.1 Befund für eine Tarsale Verschmelzung

Ein Bewegungsumfang von weniger als 20° im STG ist eine einfache, aber umso wichtigere Feststellung für die Erkennung einer möglichen Tarsalen Verschmelzung. Obgleich durch Röntgenaufnahmen des Fußes Besonderheiten auffallen, sollte grundsätzlich bei weniger als 20° Bewegungsumfang im STG die Frage nach einer Tarsalen Verschmelzung gestellt werden.

Bei Kindern unter vierzehn Jahren ist die asymmetrische Bewegung des STG auffällig. Die Verschmelzung ist noch nicht verknöchert und deshalb auf dem Röntgenbild nicht erkennbar. Darstellen lässt sich die Tarsale Verschmelzung durch einen Röntgenologischen Befund folglich erst nach 14 bis 15 Lebensjahren.

Durch die klinische Untersuchung fällt eine extreme Pronation des Fußes bei den betroffenen Kindern auf. Eine Orthose würde hier nicht erfolgreich die anormale Pronation beheben können.

Wenn die knöcherne Verschmelzung (Synostose) weiter fortschreitet, wird noch weniger Bewegung im STG vorhanden sein, als bei der syndesmotischen bzw. der synchondrotischen Art.

Bei der Calcaneo-Naviculären-Synostose (Coalitio calcaneo navicularis) kann sich das Os naviculare nicht oder nur eingeschränkt mit dem Calcaneus bewegen.

17.2 Muskelfunktionen bei Tarsalen Verschmelzungen

Spasmen der Peroneus Muskulatur
(Spasmen = unwillkürliche Muskelkontraktionen)
Der Spasmus entsteht als Reaktion der Muskulatur, um das STG und Chopart-Gelenk zu immobilisieren. Der M. peroneus brevis ist hierbei der wirkungsvollere Muskel, weil er sich durch den Bodenwiderstand beim Aufsetzen des Fußes aktiviert. Weniger häufig kommen Spasmen beim M. peroneus longus oder der Wadenmuskulatur vor (siehe System zur Fortbewegung).

Um eine Diagnose zu stellen, sollte man sich allerdings nicht allein auf Spasmen der Peroneusmuskulatur beschränken.

Spasmen der Peroneusmuskeln erzeugen eine Pronation auf das Chopart-Gelenk und das STG.

Hauptsächlich wird durch den M. peroneus brevis die Querachse des Chopart-Gelenks proniert, was (durch den Spasmus) eine verstärkte Pronation auf das STG ausübt. Dies verursacht eine deutliche Abduktion des Vorfußes in Bezug zum Rückfuß. Die Inversion verbunden mit Supination ist eingeschränkt, aber die Eversion mit Pronation nicht. Die Krafteinwirkung in Richtung Supination wird nur so wenig Inversion erzeugen können, bis der peroneale Spasmus an seine Belastungsgrenze stößt. Dies kann leicht an der Sehne des M. peroneus brevis ertastet werden, wenn der Rückfuß supiniert wird. Sie fühlt sich durch die Inversion des Fußes sehr fest an.

Eine Blockierung der peronealen Nerven kann den Spasmus entspannen und die Möglichkeit erhöhen, eine supinatorische Bewegung auszuführen. Der Grad der Eversion mit Pronation bleibt unverändert.

Nach einer Schmerz blockierenden Injektion ist es hilfreich, Stellen mit akuter Schmerzempfindlichkeit zu ermitteln, die in einer Wechselbeziehung zu einer Tarsalen Verschmelzung stehen können. Es muss nach der Blockierung der peronealen Nerven weiterhin eine Einschränkung und Asymmetrie im STG vorhanden sein, um die Diagnose für eine Tarsale Verschmelzung stellen zu können.

Im Vergleichstest ist der Bewegungsumfang des STG und Chopart-Gelenks durch die Tarsale Verschmelzung geringer als beim gegenüberliegenden normalen Fuß.

Anmerkung: Motorische Nerven lassen sich leichter blockieren als sensible Nerven.

Eventuell kann sich ein neues Chopart-Gelenk von dem Calcaneo-Cuboid- zum Navicular-Cuneiform-Gelenk entwickeln. Gewöhnlich hat dieses neue Gelenk ungefähr den gleichen Bewegungsumfang und die Bewegungsrichtung wie die Querachse des Chopart-Gelenks. Deshalb ist dieses Gelenk schwer von dem normalen Chopart-Gelenk zu unterscheiden und nur durch einen röntgenologischen Befund feststellbar.

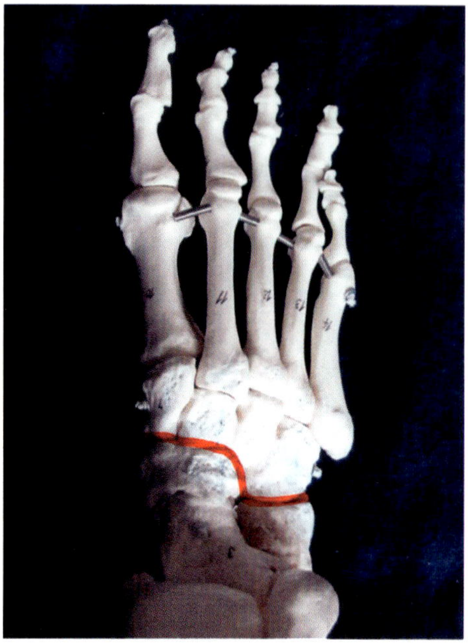

Abb. 17.1: Bildung des neuen Chopart-Gelenks nach Tarsaler Verschmelzung (rote Linie) durch Verbindung vom Calcaneo-Cuboid- zum Navicular-Cuneiform-Gelenk

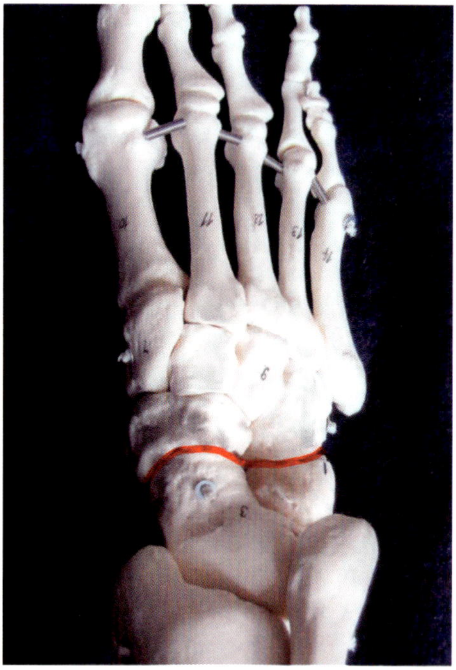

Abb. 17.2: Normaler Verlauf der Chopart-Gelenklinie vom Calcaneo-Cuboid- zum Talo-Navicular-Gelenk (rote Linie).

17.3 Gangabweichung durch eine Tarsale Verschmelzung

Während des Gehens halten die Spasmen des Peroneus Muskels das STG in ständiger Pronation, dies sogar während der Schwungphase des Ganges. Der gesamte Fuß steht während des Gehens abduziert. Die Gewichtsbelastung auf den Vorfuß ist reduziert.

Besonderheiten bei Tarsalen Verschmelzungen:

- Abhängig von der Belastungsaktivität entstehen Schmerzen beim Gehen im Bereich des STG und Chopart-Gelenks. Die Schwere der Schmerzen kann bis zur Arbeitsunfähigkeit führen. Durch Ruhephasen lassen die Schmerzen nach.
- Der Gang des Patienten kann instabil oder hinkend sein. Dies ist dann auffällig, wenn die knöcherne Verschmelzung nur einseitig auftritt. Ursache ist die Immobilisation des STG.
- Zu den Symptomen der Tarsalen Verschmelzung gehört die Überlastung der Peroneusmuskulatur.
- Wahrend der Propulsionsphase (Abstoßphase vom Boden) liegt nur wenig Belastung auf dem Vorfuß. Weil dort keine Scheerkräfte auftreten, finden sich unter der plantaren Fläche des Fußes nur wenig Hyperkeratosen.
- Für das unbewegliche STG ist eine Kompensation (ein Ausgleich) in Verbindung mit einer Orthose wenig erfolgreich.

Röntgenologischer Befund

Talo-Calcaneare-Synostose
Eine Aufnahme von anterior nach dorsal kann eine Randlappung des dorsalen Taluskopfes am Talo-Navicular-Gelenk zeigen.
Zur Erinnerung: Der Talus und Calcaneus sind miteinander verschmolzen und die Bewegung zwischen diesen beiden Knochen ist verringert oder nicht möglich. Ein größerer Bewegungsumfang verbleibt jedoch im Chopart-Gelenk. Deshalb stoßen die dorsalen Flächen der Talo-Navicular-Verbindung gegeneinander und verursachen am dorsalen Taluskopf eine erhöhte Zellproliferation (Zellteilungsrate). Hierdurch nimmt die Knochenmasse an der dorsalen Fläche im Bereich der Synostose zu. Der Gelenkspalt in diesem Gebiet wird sichtbar vermindert, eventuell durch die knöcherne Brücke sogar ausgelöscht.

17.4 Behandlung der Tarsalen Verschmelzung mit Spasmus der Peronealen Muskulatur

Die erste Stufe der Behandlung sollte ein speziell angefertigter Schuh (Cast) sein, um den peronealen Spasmus zu lockern. Der Abdruck sollte während der Blockierung der peronealen Nerven und bei Neutralstellung des STG gemacht werden. Der Schuh (Cast) sollte für 4 Wochen getragen werden. Der Muskelspasmus wird sich verringern, wenn die Entzündungsreaktion durch Immobilisierung der betroffenen Gelenke nachlässt. Eine Kortison-Injektion gegen die Entzündung sollte die Ausnahme darstellen. Bei Kindern sollte – wenn möglich – grundsätzlich darauf verzichtet werden.

Wenn der Laufschuh (Cast) entfernt werden kann und der peroneale Spasmus nicht mehr besteht, kann mit der Herstellung der Orthose begonnen werden. Der zuvor angefertigte Laufschuh sollte während dieser Zeit weiter getragen werden, um ein Wiederauftreten des Spasmus vorzubeugen. Die Orthose kann nur ihre Aufgabe erfüllen, wenn kein peronealer Spasmus vorhanden ist.

Wenn die Orthose die Bewegung an der Tarsalen Verschmelzung verhindern kann, werden weder Entzündung noch Spasmen wieder auftreten.

Siehe dazu Kapitel „Anweisungen zur Orthosenherstellung“.

18

Dorsalextendierter 1. Strahl

Definition

Der dorsalextendierte 1. Strahl (Synonym: Metatarsus Primus Elevatus – MPE) ist eine strukturell bedingte Anomalie, bei der mehr Dorsalextension als Plantarflexion für den 1. Strahl besteht. In Bezug auf seinen Bewegungsumfang besteht mehr Dorsalextension über die Ebene der übrigen Metatarsalköpfchen hinaus, als unter die Ebene der Metatarsalköpfchen (= Plantarflexion). Um einen exakten Wert für den Bewegungsumfang des 1. Strahls zu erhalten, muss sich das Subtalar-Gelenk (STG) in Neutralstellung befinden und das Chopart-Gelenk maximal proniert sein.

Ätiologie

Ein **angeborener** (genetisch bedingter) dorsalextendierter 1. Strahl hat einen gesamten Bewegungsumfang von ca. 10 bis 12 mm. Die Dorsalextension liegt über 5 mm, die Plantarflexion unter 5 mm. Der rechte und ebenso der linke Fuß weisen bei dieser Anomalie den gleichen Bewegungsumfang des 1. Strahls auf.

In Neutralstellung liegt der 1. Strahl von der Ebene der übrigen Metatarsalköpfchen mehr dorsal.

Der **sekundäre dorsalextendierte 1. Strahl** entwickelt sich aus einer Fehlbelastung heraus und besitzt einen geringeren Bewegungsumfang als 10 mm und weniger Plantarflexion als Dorsalextension. Der Bewegungsumfang zwischen dem linken und rechten Fuß ist in diesem Fall unterschiedlich.

Mögliche Ursachen des sekundär dorsalextendierten 1. Strahls:

- eine **chronische Pronation des Subtalar-Gelenks** (STG): Der Calcaneus steht mehr evertiert, als die Längsachse des Chopart-Gelenks invertieren kann. Die Folge ist eine hohe Belastung des 1. Metatarsalköpfchens.
  Falls die Längsachse des Chopart-Gelenks keine Bewegung besitzt, kann die Eversion des Calcaneus grundsätzlich einen sekundär dorsalextendierten 1. Strahl verursachen.
  Er würde sich nicht entwickeln, wenn die Pronation des STG geringer ist, als die Längsachse des Chopart-Gelenks an Inversion erreichen kann.
- Der dorsalextendierte 1. Strahl ist auch **iatrogen** (durch therapeutische Einwirkung) möglich. Er kann z. B. durch eine Keil-Osteotomie an der Basis des 1. Metatarsale verursacht worden sein, um einen Metatarsus primus adductus[9] zu verringern.
  Ebenfalls ist eine unzureichende Fixierung der Keil-Osteotomie möglich.
- **Arthritis** oder auch **Traumen** können als Ursache für einen dorsalextendierten 1. Strahl in Frage kommen.
  Es ist deshalb wichtig, zwischen einem sekundären oder angeborenen (genetisch bedingten) dorsalextendierten 1. Strahl unterscheiden zu können.

Klinische Untersuchung

Der 1. Metatarsale ist lateral-dorsal vorgewölbt. Der Hallux (die Großzehe) ist nach plantar verschoben. Dies zählt zu den auffälligsten Zeichen des dorsalextendierten 1. Strahls.

Er lässt sich nach dorsal mehr bewegen als nach plantar.

Anomalien des Gangbildes

In der späten Stand- und Propulsionsphase der Schrittabwicklung ist die STG- Supination eingeschränkt oder fehlt ganz. Die Plantarflexion des 1. Metatarsalköpfchens in Bezug zur Ebene der übrigen Metatarsalköpfchen bleibt aus. Der Bodenkontakt der medialen Vorfußseite fehlt. Hierdurch verringert sich die Effektivität der Propulsion, weil das STG in Neutralstellung verbleibt oder während dieser Phase proniert. Durch den geringen oder fehlenden Bodenkontakt des Vorfußes kommt es zu einem apro-

9 Metatarsus primus adductus ist eine Anomalie des Kinderfußes, bei der hauptsächlich der 1. Metatarsale in der Transversal-Ebene nach medial adduziert. Es bildet sich dabei auf der medialen Seite eine konkave Fußform aus. (B. Bankhart „Metatarsus varus", Br. Med 1921/2:685)

pulsiven (wenig vom Boden abstoßenden) Gang.

Bei Fersenkontakt und Belastung des Vorfußes ist eine anormale Bewegung zu sehen. Eine Überlastung des 2. Metatarsalköpfchens entsteht während der frühen Standphase. Der Calcaneus kann bis zur Neutralstellung während der Standphase supinieren, ist aber nicht fähig, diese Supination weiter auszuführen. In der Propulsionsphase, bei der die Ferse keinen Bodenkontakt mehr besitzt, wird der Calcaneus folglich nicht weiter invertieren. Deshalb kann die plantare Fläche des 1. Metatarsalköpfchens nicht zur Propulsion beitragen.

Um eine normale STG-Funktion herzustellen, würde in diesem Fall eine Orthose versagen. Da der Rückfuß während der Propulsion keinen Kontakt mehr zur Orthose besitzt, kann sie das STG nicht mehr zur Supination bringen.

Symptome

- Weil das 1. Metatarsalköpfchen kaum mehr belastet wird, entsteht unter dem überlasteten **2. Metatarsalköpfchen ein Clavus**. Er befindet sich direkt unter dem 2. Metatarsalköpfchen, wenn nicht eine andere Anomalie des Fußes die STG-Pronation beeinflusst. Wenn dies der Fall ist, entsteht der Clavus mehr lateral vom 2. Metatarsalköpfchen.
- Da eine begrenzte Plantarflexion des 1. Strahls besteht, kann das Großzehengrundgelenk während der Gangabwicklung nicht nach dorsal gleiten. Eine weitere Bewegung des Gelenks ist nahezu ausgeschlossen.
  Durch Reizung der dorsalen Fläche des 1. Metatarsalköpfchens kann an dieser Stelle Knochensubstanz aufgebaut werden und zu einer fortschreitenden Einschränkung der Dorsalextension führen. Diese osteoarthritische Veränderung kann eventuell zu einem **Hallux rigidus** oder **Hallux limitus** führen. Letztendlich führt dies zu einem vollständigen Bewegungsverlust des 1. Metatarso-Phalangeal-Gelenks.
- Durch die dorsal-distale Vorwölbung des 1. Metatarsale kann sich ein **„dorsaler Ballen“** bilden. Der Hallux ist im 1. Metatarso-Phalangeal-Gelenk nach plantar verschoben und subluxiert.

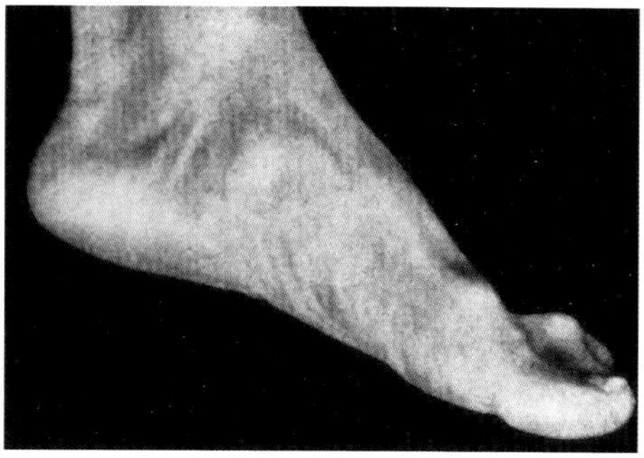

Abb. 18.1: „Dorsaler Ballen" mit Hallux limitus Bildung

  Falls eine „Ballen“-Operation bereits stattgefunden hat und man der Deformität weiter keine Beachtung schenkt, wird der dorsalextendierte 1. Strahl sehr dazu beitragen einen Hallux limitus zu bilden. Auch wenn die Operation einwandfrei durchgeführt wurde, kann die eingeschränkte Dorsalextension der Großzehe dann zum Wiederauftreten des Hallux abducto valgus führen. Deshalb ist der dorsalextendierte 1. Strahl eine Deformität, die eigentlich zuerst behandelt werden sollte.
- Ein **Clavus** kann sich **plantar des Großzehengrundgelenks** bilden. Die Vorbedingungen dazu entstehen kurz vor der Propulsion, in der das 1. Metatarso-Phalangeal-Gelenk nur eine begrenzte Bewegung besitzt. Im Durchschnitt erfordert ein Schritt ca. 65° Dorsalextension im Großzehengrundgelenk.
  Der sehr schmerzhafte Clavus lässt sich nur schwer therapieren. Der Grund liegt an der Hyperextension des interphalangealen Gelenks der Großzehe, um die eingeschränkte Bewegung im 1. Metatarso-Phalangealen-Gelenk zu kompensieren. Hierdurch entstehen

enorme Scherkräfte plantar unter dem interphalangealen Gelenk der Großzehe während der Gangabwicklung.

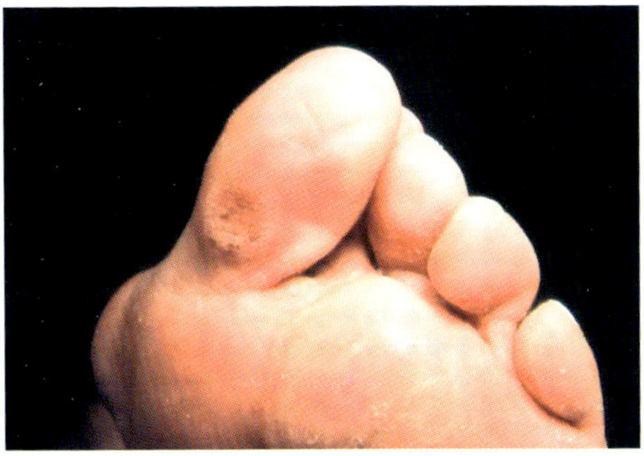

Abb. 18.2: Clavus neurofibrosus unter dem interphalangealen Gelenk der Großzehe

Die **Differentialdiagnose** für einen Clavus plantar der Großzehe kann auch „Subluxation des interphalangealen Gelenks" lauten. Mögliche Ursache sind auch andere Ätiologien, wie z. B. Muskelschwäche oder ein **akzessorischer Knochen** (überzähliger Knochen) am interphalangealen Gelenk. Das Vorkommen ist allerdings sehr selten.

Die Behandlung muss darauf abzielen, die Dorsalextension des 1. Metatarso-Phalangeal-Gelenks zu vermindern. Dies bedarf einer großen rekonstruktiven Arbeit für einen scheinbar bedeutungslosen Bereich des Fußes.

- Durch die Instabilität des Fußes während der Propulsionsphase kann die Muskulatur schnell ermüden. Weil das 1. Metatarso-Phalangeal-Gelenk kaum plantarflektieren kann, ist hiervon ein entscheidender Bereich für die Propulsion betroffen. Eine verstärkte Muskelaktivität muss einsetzen, um die Stabilität des 1. Metatarso-Phalangeal-Gelenks – welches die Pronation während der Propulsion unterstützt – zu gewährleisten.

  Die **Muskelermüdung** (Peroneus sowie lange Beugemuskulatur) **gehört zu den am häufigsten geäußerten Beschwerden.**

Ein genetisch bedingter dorsalextendierter 1. Strahl ist nicht immer erfolgreich durch eine Orthose zu behandeln.

Der sekundär dorsalextendierte 1. Strahl, der sich als Folge der STG-Pronation entwickelt, kann dagegen erfolgreich durch eine Orthose therapiert werden. Sie kann die Pronation vermindern, welche die Entstehung des dorsalextendierten 1. Strahls begünstigt.

Siehe dazu Kapitel „Orthosenherstellung"

Röntgenologischer Befund

Der Hallux ist im 1.Metatarso-Phalangeal-Gelenk nach plantar verschoben und subluxiert. Es ist der „Schlüssel", um den dorsalextendierten 1. Strahl von anderen Anomalien, welche einen dorsalen „Ballen" (z. B. Osteoarthritis) hervorrufen, zu unterscheiden. Diese Veränderung ist besonders gut auf dem Röntgenbild zu sehen.

19

Das Cuboid-Syndrom

Definition

Unter dem Cuboid-Syndrom versteht man eine geringe Subluxation des Calcaneo-Cuboid-Anteils des Chopart-Gelenks. Im Röntgenbild ist keine strukturelle Deckungsgleichheit (Kongruenz) der Gelenkflächen mehr feststellbar.

Das Cuboid-Syndrom wurde in der Fachliteratur unter verschiedenen Bezeichnungen veröffentlicht wie:

- Subluxiertes Cuboid
- Cuboid Verschiebung
- Versteiftes Calcaneo-Cuboid-Gelenk
- Cuboidaler Defekt oder
- Laterale plantare Neuritis (Entzündung der peripheren lateral der Fußseite verlaufenden Nerven)

Weil keine einheitliche Terminologie besteht, wurden die Zusammenhänge dieser Erkrankung nur wenig verstanden. Infolge dessen entstanden Fehldiagnosen und falsche Behandlungsansätze.

Das Cuboid-Syndrom tritt bei Sportlern ebenso wie bei Nicht-Sportlern auf. Bei den Untersuchungen von Sportverletzungen an Füßen(1) fand man heraus, dass bei 4% aller Verletzungsfälle die Schmerzen in dem Bereich des Calcaneo-cuboid Gelenks zu finden waren.

Das Cuboid-Syndrom sollte nicht mit anderen Verletzungen des Os cuboideum verwechselt werden, wie z. B. schwere Subluxationen oder Frakturen. Sie entstehen durch intensive Stoß- oder Druckverletzung, die den Fuß nicht mehr belastbar machen. Ein röntgenologischer Befund ist wichtig, um zwischen schwerwiegenden Traumata und Cuboid-Syndrom unterscheiden zu können.

Anatomie

Calcaneo-Cuboid- und Talo-Navicular-Gelenk bilden zusammen das Chopart-Gelenk.

Das Os cuboideum des Fußes wird lateral sicher von mehreren dorsal und plantar verlaufenden Bändern gehalten. Die Bänder sind dorsal-medial stärker als die plantar-lateral verlaufenden. Deshalb kann sich das Calcaneo-Cuboid-Gelenk durch den Zug der stärkeren Bänder leichter nach medial verdrehen.

Form und Lage des Os cuboideum werden durch die Sehne des M. peroneus longus beeinflusst. Dieser Muskel hat seinen Ursprung im oberen (proximalen) Drittel der Tibia, Fibula und der Fascia cruris. Die Sehne verläuft hinter (posterior) dem lateralen Malleolus bis sie lateral-plantar das Os cuboideum erreicht. Die Verlaufsrichtung der Sehne ändert sich dann nach medial, indem sie die plantare Furche des Os cuboideum durchquert und an der Basis des 1. Metatarsale und dem medialen Os cuneiforme ansetzt.

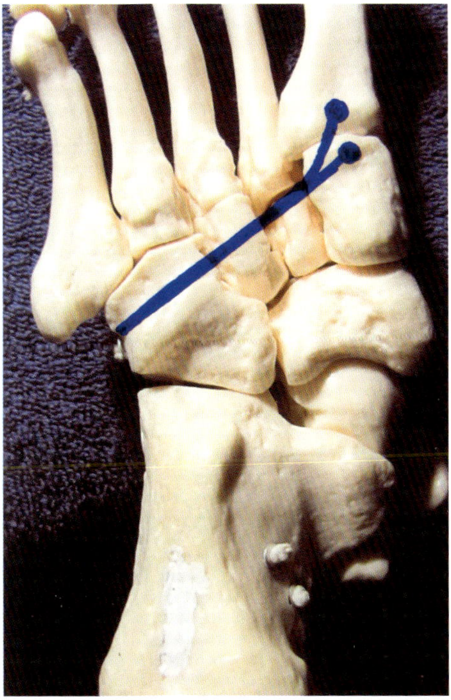

Abb. 19.1: Andeutung des Verlaufs des M. peroneus longus (blaue Linie) durch die plantare Furche des Os cuboideum und dem Ansatz an der Basis des 1. Metatarsale und dem medialen Os cuneiforme. Die Abbildung zeigt den rechten Fuß, plantar.

Die Aktivität des M. peroneus longus setzt mit Beginn der Standphase ein und endet mit dem Abstoß des Fußes vom Boden. Er plantarflektiert den Vorfuß und sorgt für die Stabilität des Fußes, indem er das Os cuboideum als Umlenkung für den Zug seiner Sehne benutzt. Die Stärke der Muskelkontraktion, ihre Kraftrichtung sowie die Position des Subtalar-Gelenks (STG) wirken vermutlich an der Entstehung des Cuboid-Syndroms mit.

Das Chopart-Gelenk besitzt zwei Bewegungsachsen, die Längsachse und die Querachse. Die Bewegungen um diese beiden Achsen können voneinander unabhängig sein. Beide Achsen sind jedoch abhängig von der Stellung des STG. **Wenn beide Achsen maximal proniert sind, ist das Chopart-Gelenk stabilisiert.** Dieser stabilisierende Effekt hängt von der Fersenstellung im Stand und von den anatomischen Strukturen des Calcaneo-Cuboid-Gelenks ab. (Beschreibung durch Bojsen-Moller[2]) Die Gelenkflächen besitzen eine konkav-konvexe Form. Die Bewegungsachse führt waagerecht durch die Mitte des Os cuboideum und den lateralen Bereich des Calcaneus.

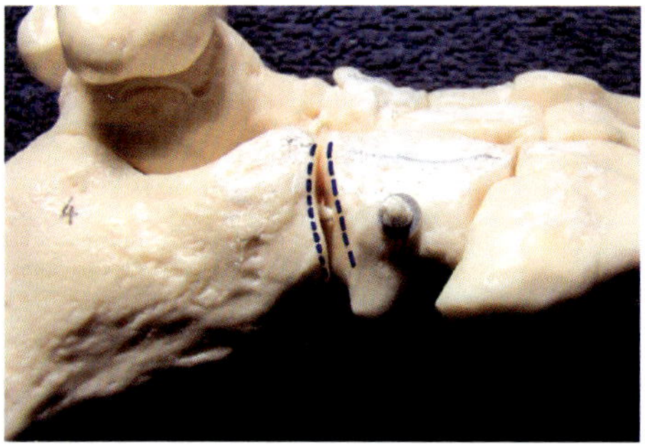

Abb. 19.2: Konkav-konvexe Form des Calcaneo-Cuboid-Gelenks (blaue gestrichelte Linien)
Untere Bildreihe (von li.): Calcaneus, Os cuboideum, Basis Os metatarsale 5
Die Abbildung zeigt das Skelett des rechten Fußes von lateral.

Die angrenzende konkave Fläche des Calcaneus ist das entsprechende Gegenstück zur proximalen Gelenkfläche des Os cuboideum. Für die Gelenkfunktion ist es wichtig, dass das mediale Längsgewölbe Stabilität aufweisen und einer Lockerung des Calcaneo-Cuboid-Gelenks vorbeugen kann. Voraussetzung dafür ist, dass die Gelenkflächen ineinander passen und der distale dorsale Rand des Calcaneus das Os Cuboideum überlappt, um eine übermäßige Pronation des Vorfußes zu stoppen.

Das Vorfuß-/Rückfuß-Verhältnis mit einem stabilisierten Chopart-Gelenk hängt von der Stellung des Subtalar-Gelenks (STG) ab. Wenn das STG supiniert und das Chopart-Gelenk vollständig proniert (stabil) ist, steht der Vorfuß zum Rückfuß mehr invertiert.

Eine supinierte Stellung des STG verringert den Bewegungsumfang für die Supination sowie Pronation des Chopart-Gelenks. Das geschieht, weil das STG von der Neutralstellung aus supiniert und die Chopart-Gelenk-Achsen weniger parallel verlaufen. Die Bewegung des Chopart-Gelenks wird dadurch begrenzt. Auf diese Weise sorgen die Talo-Calcanear-, Talo-Navicular- und das Calcaneo-Cuboid-Gelenk durch Inversion (Supination) für Stabilität.

Während der Fuß vom Boden abstößt, entsteht durch die Stabilisierung des Chopart-Gelenks eine Pronation des Vorfußes. Es entsteht ein Hebel für eine kraftvolle Propulsion des Fußes.

In der normalen (gesunden) Propulsionsphase des Fußes supiniert der Rückfuß, der Vorfuß proniert nach dem Prinzip der Gegendrehung (englisch: counter rotation).

Wenn das STG proniert und das Chopart-Gelenk stabilisiert ist, steht der Vorfuß zum Rückfuß mehr evertiert. Durch eine pronierte Stellung des STG ist dem Chopart-Gelenk mehr Bewegung (Pronation und Supination) möglich. Seine Achsen stehen dann nahezu parallel. Jeder Grad der STG-Pronation erzeugt mehr Instabilität im Chopart-Gelenk. Wenn der Fuß folglich 15% bis 20% der Standphase während der Gangabwicklung erreicht hat, kann sich der Vorfuß unebenem Boden anpassen. Daraus ist zu schließen, dass sich während der Gangabwicklung Rückfuß und Vorfuß einander beeinflussen.

Das Ausmaß der Drehung im Chopart-Gelenk unterliegt einer natürlichen Begrenzung durch Bänder und Muskeln. Die wichtigsten davon befinden sich im plantaren Bereich des Fußes. Es sind die kurzen Fußmuskeln, deren Sehnen überwiegend entlang der plantaren Fläche des Fußes im rechten Winkel zum Chopart-Gelenk verlaufen. Folglich trägt die kurze Fußmuskulatur enorm zur Flexion des Vorfußes und damit auch zur Stabilisierung des Chopart-Gelenks bei.

Die Autoren Mann und Inman[3] konnten durch Fußuntersuchungen beweisen, dass die kurze Fußmuskulatur bei einem proniert stehenden Fuß mehr Aktivität zeigt, als beim normalen Fuß, um das Chopart- und Subtalar-Gelenk (STG) zu stabilisieren.

Ätiologie

Es gibt mehrere Entstehungsursachen für das Cuboid-Syndrom. Es sind:

- Übergewicht
- nicht korrekt gefertigte Orthosen
- Bodenunebenheiten
- nicht passende Sportschuhe
- Überlastungen
- Inversionsverstauchungen
- Überpronation des STG (Instabilität des Chopart-Gelenks)

Die Instabilität des Chopart-Gelenks wird als häufigste Entstehungsursache für das Cuboid-Syndrom angenommen. Man schätzt, dass ca. 80 % der Patienten mit diesem Syndrom eine Überpronation aufweisen.

Mit dem pronierten Rückfuß ist das Chopart-Gelenk instabil. Durch den Sehnenzug des M. peroneus longus wirkt sich besonders der Seilzugeffekt auf das Os cuboideum aus. Der Muskel kann das pronierte instabile Os cuboideum subluxieren, wenn der Rückfuß – für die Propulsion des Vorfußes – in die supinierte Stellung geht (= Prinzip der Gegendrehung/counter rotation). Folglich ist die mechanische Belastung, die eine Luxation bewirken kann, während der Propulsionsphase des Cuboids sehr groß.

Es können für das Syndrom auch anatomisch bedingte Prädispositionen (Veranlagungen) dafür in Frage kommen.

Es bestehen auch Meinungen, dass die Mehrzahl der Cuboid-Syndrome von der Funktion des Chopart-Gelenks abhängen. Speziell ist hier das Calcaneo-Cuboid-Gelenk gemeint, dessen Kongruenz seiner Flächen die Stabilität des Gelenks beeinflusst. Die Voraussetzung für eine solche Gelenkstabilität ist auch – wie bereits erwähnt – der das Os cuboideum überlappende distale dorsale Rand des Calcaneus. Er vermeidet eine zu starke Pronation des Vorfußes in Bezug zum Rückfuß, oder während des Gehens die Supination des Rückfußes in Bezug zum Vorfuß.

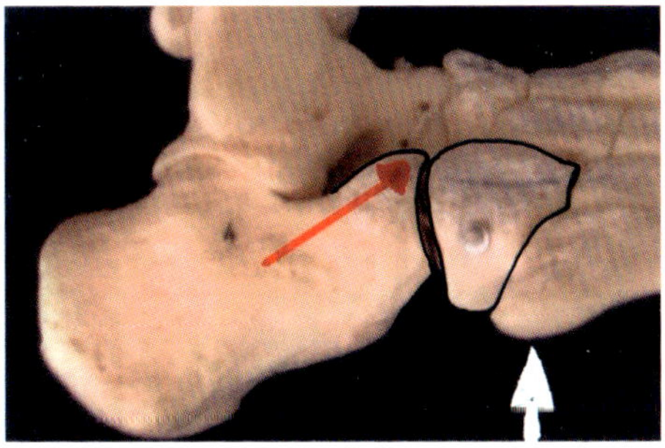

Abb. 19.3: Calcaneo-Cuboid-Gelenk am Fußskelett. Roter Pfeil zeigt auf den überlappenden distalen dorsalen Rand des Calcaneus. Weißer Pfeil deutet auf die Pronationsrichtung des Vorfußes hin. Die Abbildung zeigt das Skelett des rechten Fußes von lateral.

Falls die Struktur des Calcaneo-Cuboid-Gelenks nicht vollständig kongruent (deckungsgleich) ist, sodass es keine Stabilität erreichen kann (z.B. keine oder zu schmale dorsale calcaneare Überlappung zum Os cuboideum) wird es schwer sein, übermäßige Pronation zu verhindern. Es können dann – gleich nach dem Abheben der Ferse während der Propulsionsphase der Gangabwicklung – ein starker Bodenwiderstand die Gewebestrukturen (Bänder, Gelenkkapseln) schädigen. Bereits schon wenige Grade einer Subluxation des Os cuboideum können zu Reizungen führen.

Symptome des Cuboid-Syndroms

Wenn man die zuvor geschilderte Reizung einbezieht, folgen darauf mehr oder weniger schnell chronische Schmerzen. Sie treten gewöhnlich an der plantaren-lateralen Seite des Fußes – im Bereich des Calcaneo-Cuboid-Gelenks – auf. Verhärtungen und Schmerzen können im Verlauf des M. extensor digitorum brevis ertastet und ebenso Schmerzen am Ursprung dieses Muskels und an der Furche (Rinne) für den M. peroneus longus am Os cuboideum ausgelöst werden.

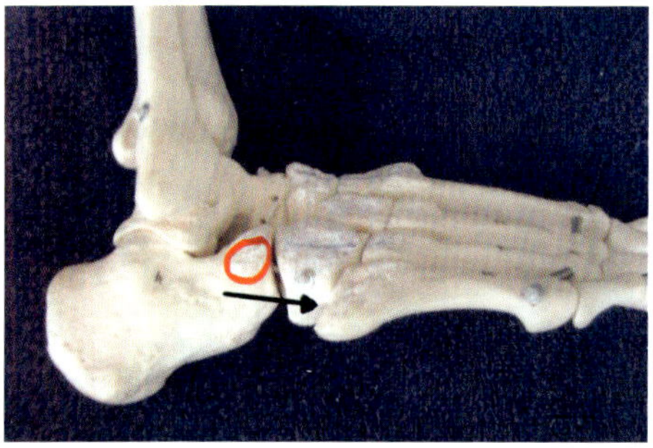

Abb. 19.4: Ursprung des M. extensor digitorum brevis (roter Kreis) und Furche lateral-plantar des Os cuboideum für den Verlauf des M. peroneus longus (schwarzer Pfeil). Die Abbildung zeigt das Skelett des rechten Fußes von lateral.

Allgemein entstehen während der Propulsionsphase die stärksten Schmerzen. Sie können ebenfalls im Stand oder sogar ohne Belastung auftreten. Das Gehen ist grundsätzlich beeinträchtigt. Das sicherste Resultat findet man durch Auslösen der Schmerzen bei Supination der Längsachse des Chopart-Gelenks. Rötung und Schwellung der Cuboid-Region können vorkommen.

Nach Meinung vieler Autoren sind Röntgenaufnahmen für die Diagnose des Cuboid-Syndroms wenig nützlich, weil die Subluxation so gering ist, dass sie kaum wahrnehmbar ist. Falls nach einer Verletzung eine Subluxation stattgefunden hat, ist es möglich, dass das Würfelbein danach wieder in seine anatomische Position zurückkehrt und Inkongruenzen nicht mehr vorhanden sind. In solchen Fällen entstehen die Schmerzen im Augenblick der Cuboid-Gelenk-Luxation. Ein genauer Befund kann in erster Linie nur durch die Anamnese des Patienten und durch die Untersuchung erhalten werden. Da ein exakter Befund des Cuboid-Syndroms schwierig ist, sollten folgende Differenzialdiagnosen abgeklärt werden:

- Stressfraktur des Os-cuboideum
- Stressfraktur der Basis des 4. oder 5. Metatarsale
- Verklebung des Calcaneo-Navicular-Gelenks
- Tendinitis der Peroneus Muskulatur
- Subluxation des Os cuboideum mit starker Beschädigung des umliegenden Gewebes
- Fersenfraktur
- Plantar-Fasziitis
- Tendinitis des M. extensor digitorum brevis
- Sinus-tarsi-Syndrom
- Subluxation der Peroneus-Muskulatur-Sehnen

Behandlung

Die konservative schmerzlindernde Behandlung des Cuboid-Syndroms besteht aus:

- der Physiotherapie
- dem Taping
- Orthosen (zur Neutralstellung)
- Einrenken des Calcaneo-Cuboid-Gelenks
- Kühlung des Gebiets in akuten (entzündeten) Fällen mehrmals am Tag

Das Ziel der Physiotherapie ist, die nur minimal nach dorsal luxierte laterale Fläche des Os cuboideum in der Frontal-Ebene zu repositionieren. Dazu wird seine plantar-mediale Fläche in die dorso-laterale Richtung bewegt.

Zur Einrenkung des Os cuboideum liegt der Patient entspannt auf dem Bauch. Der Unterschenkel muss lotrecht zum Oberschenkel liegen.

Die Finger des Therapeuten greifen um den Vorfuß und die Daumen befinden sich übereinandergelegt unter der plantar-medialen Fläche des Cuboids.

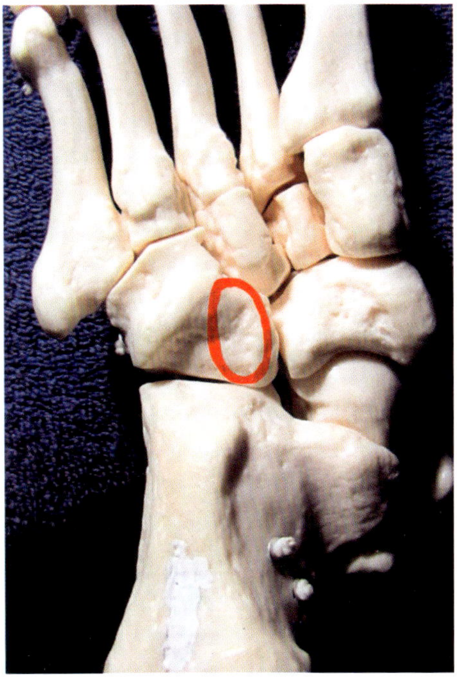

Abb. 19.5: Plantare Seite des Fußskeletts mit plantar-medialen Druckpunkt (rotes Oval) unter dem Os cuboideum.
Die Abbildung zeigt das Skelett des rechten Fußes von plantar.

Die Daumen üben dann, auf der plantar-medialen Fläche des Cuboids, Druck nach dorsal-lateral aus, wobei der Vorfuß mit den über dem Fußrücken liegenden Fingern plantarflektiert wird. Die Plantarflektion des Vorfußes wird in Beziehung zur Ferse mit einer schnellen wippenden Bewegung nach unten ausgeführt.

Anschließend kann ein flaches Polster unter dem Cuboid und ein „Low Dye Tape" zur Stabilisierung des Chopart-Gelenks und zur Linderung der Schmerzen angelegt werden. Falls die Schmerzen andauern, muss die Therapie über einen Zeitraum von ca. 2 bis 3 Wochen ausgedehnt werden.

Eine Orthose ist bei Patienten empfehlenswert, deren Füße pronieren und die Beschwerden wiederholt auftreten. Die Orthose soll die Pronation beheben und die Kongruenz des Calcaneo-Cuboid-Gelenks erhalten.

Im Text aufgeführte Literatur:

(1) Newell SG, Woodle A „Cuboid-syndrome", Physician Sports Medicine 9:71, 1981
(2) Bojsen-Möller, F. „Calcaneocuboid joint and stability of the longitudinal arch of the foot at high and low gear push off", Journal of Anatomy, 129: 165, 1979
(3) Mann, R. und Inman, V.T. „Phasic activity of intrinsic muscles of the foot", Journal of Bone and Joint Surgery 46A: 469, 1964

20

Hallux abducto valgus

Die Bewegung des 1. Metatarso-Phalangeal-Gelenks in der Sagittal-Ebene besitzt eine wichtige Funktion bei der Gangabwicklung. Von den teils strukturell sowie funktionell bedingten Deformitäten wie z. B. der funktionelle Hallux limitus, der Hallux abducto valgus und der Hallux rigidus ist nach Meinung vieler Autoren eine entwicklungsbedingte Bewegungseinschränkung des 1. Metatarso-Phalangeal-Gelenks.

Bisher sind viele Operationen durchgeführt worden, um das besagte Gelenk zu korrigieren.

Über das 1. Metatarso-Phalangeal-Gelenk wurden bisher nur wenige Studien veröffentlicht. Die Erkenntnisse hierüber sind in der Zwischenzeit aber so weit fortgeschritten, dass sie anatomisch sowie biomechanisch ausreichend begründet sind.

Der 1. Strahl

Der 1. Strahl besteht aus den gelenkigen Verbindungen zwischen dem Os naviculare und medialen Os cuneiforme, dem 2. (mittleren) Os cuneiforme und der Basis des 1. Os metatarsale. Die Bewegung des 1. Strahls geschieht als funktionelle Einheit um eine Achse.

Sie verläuft quer von dem proximal plantar-medialen Rand des Taluskopfes zur distalen dorsal-lateralen Seite der Basis des 3. Os cuneiforme.

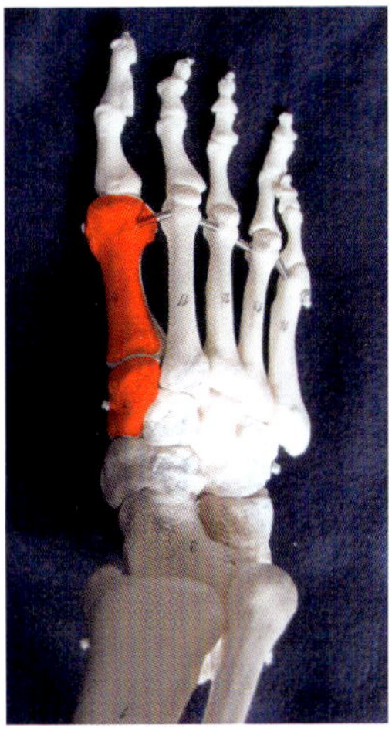

Abb. 20.1: Funktionelle Einheit des 1. Strahls (rot) bestehend aus dem 1. Metatarsale und dem medialen Os cuneiforme. Beide Knochen sind mit festen Bändern miteinander verbunden. Die Abbildung zeigt das rechte Fußskelett.

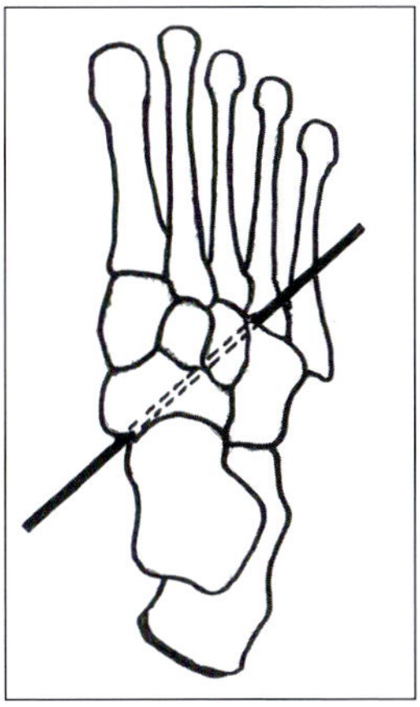

Abb. 20.2: Achse des 1. Strahls quer von dem proximal plantar-medialen Rand des Taluskopfes zur distalen dorsal-lateralen Seite der Basis des Os cuneiforme 3. (Achse liegt zu 45° in der Frontal-Ebene und zu 45° in der Sagittal-Ebene). Die Skizze zeigt das rechte Fußskelett.

Die Bewegungsachsen liegen zu 45° in der Sagittal- und zum gleichen Betrag in der Frontal-Ebene. Der Anteil der Bewegung in der Transversal-Ebene ist sehr gering und deshalb unbedeutend.

Obwohl dem 1. Strahl eine dreidimensionale Bewegung nachgesagt wird, liegt ihr Hauptanteil in der Sagittal- und Frontal-Ebene.

Aufgrund der Achsen des 1. Strahls entsteht eine:

- **Inversion** mit entsprechender **Dorsalextension**
- **Eversion** mit entsprechender **Plantarflektion des 1.Strahls.**

Zur Frage, ob hauptsächlich durch eingeschränkte Dorsalextension des Großzehengrundgelenks (Metatarso-Phalangeal-Gelenk) die Entwicklung eines Hallux abducto valgus und Hallux rigidus gefördert wird, gibt es keine einheitliche Meinung. Der am häufigsten vertretene Standpunkt geht von einer genetischen Prädisposition (Veranlagung) aus.

Von dem Hallux rigidus wird angenommen, dass diese Deformität eher davon abhängt, wie viel Dorsalextension im 1. Strahl während des Gehens vorhanden ist. Anatomisch bedingte Strukturen im Großzehengrundgelenk werden erst in zweiter Linie genannt.

Jede strukturelle (knöcherne) oder funktionelle Deformität, welche unter dem 1. Metatarsalköpfchen während der Standphase der Gangabwicklung mehr Belastung hervorruft, kann den 1. Strahl dorsalextendieren. Es gibt hierzu drei Möglichkeiten:

- jede Deformität, die den Calcaneus evertiert
- ein flexibler Vorfuß valgus oder ein evertiert stehendes Vorfuß-/Rückfuß-Verhältnis
- ein genetisch bedingtes plantarflektiertes 1. Metatarsale

Die oben genannten Fakten verstärken den Bodenwiderstand unter dem 1. Metatarsalköpfchen während des Gangzyklus, wenn die mediale Vorfußseite durch die Deformität auf den Boden gedrückt wird. Jedes Gelenk mit einer intakten Bewegungsachse in der Frontal-Ebene mit der Möglichkeit der Inversion, oder in der Sagittal-Ebene mit der Möglichkeit der Dorsalextension wird versuchen, den Bodenwiderstand zu kompensieren. Zwei Gelenke besitzen Achsen, welche diese Kompensationsbewegung ermöglichen:

- die Längsachse des Chopart-Gelenks (= Inversion der medialen Vorfußseite)
- der 1. Strahl (Dorsalextension und Inversion der medialen Vorfußseite)

Grundlagen über die Stabilität besagen, dass nur eingeschränkte oder keine Bewegung um eine Achse stattfinden kann, wenn der proximal gelegene Abschnitt dieser Achse instabil ist („proximale Stabilitätstheorie"). Die Längsachse (Longitudinalachse) des Chopart-Gelenks hat bei intertarsaler Gelenkstabilität bis zu 7° Inversion zur Verfügung. Als Antwort auf den zuvor beschriebenen stärkeren Bodenwiderstand unter dem 1. Metatarsalköpfchen versucht die Longitudinalachse des Chopart-Gelenks – durch Inversion der medialen Vorfußseite – zur Kompensation beizutragen. Wenn auf Grund der „proximalen Stabilitätstheorie" die Längsachse des Chopart-Gelenks das Ende ihres Bewegungsumfangs zur Inversion erreicht hat und weitere Kompensation erforderlich ist, dorsalextendiert der 1. Strahl um seine Achse und trägt zur Inversion des Vorfußes bei.

Wenn der 1. Metatarsale plantarflektiert und der Hallux bei intertarsaler Gelenkstabilität dorsalextendiert, rückt der Drehpunkt des Metatarso-Phalangeal-Gelenks von plantar-distal nach proximal-dorsal.

Wenn diese Annahme richtig ist, muss auch das Gegenteil eintreten können.

Folglich: Wenn der 1. Metatarsale dorsalextendiert und der Hallux ebenfalls bei intertarsaler Gelenkstabilität nach dorsal extendiert, rückt der Drehpunkt des Metatarso-Phalangeal-Gelenks von proximal-dorsal nach plantar-distal.

Diese Stellung kann die Dorsalextension des Metatarso-phalangeal-Gelenks verringern und seine Gelenkflächen komprimieren.

Wenn sich der Hallux nur wenig dorsal extendieren lässt ist – nach der Definition – ein funktioneller Hallux limitus vorhanden. Es ist möglich, dass die nachfolgende Pathologie davon abhängig ist, wie weit der 1. Strahl dorsal extendieren kann, bevor er das Ende seines Bewegungsumfangs erreicht hat.

Es ist zu vermuten, dass durch die Dorsalextension und Inversion des 1. Strahls ebenfalls das Großzehengrundgelenk mit invertiert. Bei intertarsaler Gelenkstabilität würde sich – als Ergebnis der zuvor genannten Bedingung – die Bewegung des Großzehengrundgelenks in der Sagittal-Ebene verringern, die Bewegung in der Transversal-Ebene zunehmen.

Darüber hinaus würde durch Inversion des Großzehengrundgelenks die plantar-laterale Seite der Großzehe einem größeren Druck gegenüber der Bodenfläche ausgesetzt sein, als die plantar-mediale Seite.

Wenn das Großzehengrundgelenk dieser Fehlfunktion über einen längeren Zeitraum ausgesetzt ist, kann eine Verschiebung (Subluxation) des Hallux und des Metatarsalköpfchens eintreten. Innerhalb der Transversal-Ebene abduziert der Hallux. Durch den Zug der kurzen Fußmuskulatur wechselt er (in der Frontal-Ebene) von der Inversion in die Eversion. An dieser Valgus-Bewegung des Hallux ist hauptsächlich die Sehne des M. abductor hallucis beteiligt, dessen ursprünglich medialer Zug sich mehr lateral verlagert.

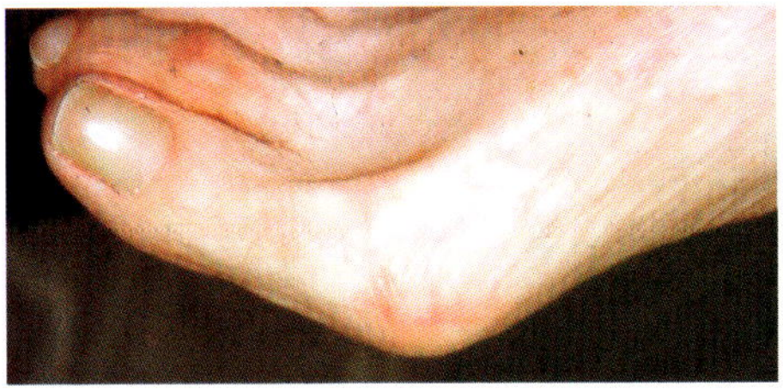

Abb. 20.3: Hallux abducto valgus des rechten Fußes mit Eversion des Hallux.

Der 1. Strahl mit großem Bewegungsumfang im Gelenk wird von einem funktionellen Hallux limitus in eine Deformität des Hallux abducto valgus hinüber wechseln. Umgekehrt würde eine geringe Dorsalextension des 1. Strahls nur zu einer geringen Inversion des 1. Strahls führen. Dem entsprechend würde die vertikale Achse des Großzehengrundgelenks nur wenig dorsal extendieren und invertieren. Es reichen nur 4 mm Dorsalextension des 1. Strahls aus, um die Dorsalextension des Großzehengrundgelenks um ca. 20 % zu verringern.

Die ständige Bewegungseinschränkung in der Sagittal-Ebene und Kompression des Gelenks führt letztendlich zur Arthrose. **Aus einem funktionellen Hallux limitus entsteht ein Hallux rigidus als Endresultat einer verringerten Dorsalextension des 1. Strahls.**

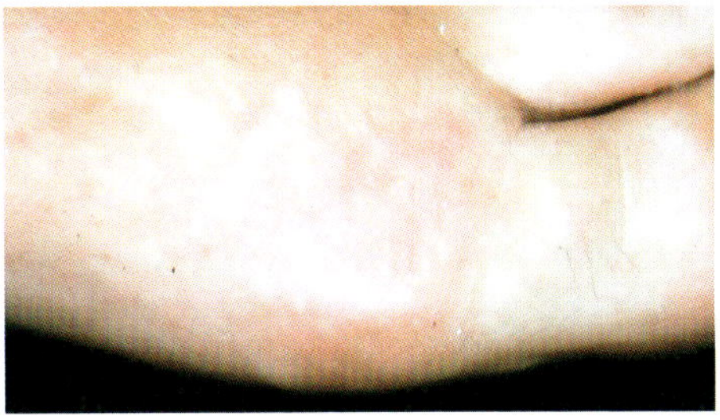

Abb. 20.4: Hallux rigidus des linken Fußes mit typischer knöcherner Verdickung des Gelenks und eingeschränkter Beweglichkeit bzw. Versteifung

Ein Hallux abducto valgus entsteht als Endresultat einer vermehrten Dorsalextension des 1. Strahls.

Da die Bewegung des Großzehengrundgelenks durch die Position des 1. Strahls beeinflusst wird, sollten operative Maßnahmen gegen Pathologien des Großzehengrundgelenks wohl überlegt sein. Es sollte im Vorfeld immer geprüft werden, ob eine physiotherapeutische Maßnahme oder Orthose bei einem Hallux abducto valgus bzw. dem Hallux limitus die Beschwerden oder das Fortschreiten der Deformität vermeiden oder lindern kann.

21

Sesamoiditis

Definition

Die Sesamoiditis (Entzündung der Sesambeine) ist eine Entzündungsreaktion der Sesambeine unter dem Kopf des Metatarsale 1. Es besteht die Unterteilung in fibulares (zur Fibula orientiertes) und tibiales (zur Tibia orientiertes) Sesambein. Die Sesambeine können einzeln oder auch beide gleichzeitig schmerzhaft sein.

Ätiologie

In den meisten Fällen sind übermäßige Druckbelastungen unter dem 1. Metatarsalköpfchen Auslöser für eine Sesamoiditis. Prädisponiert hierfür sind vor allem Sportler, bei denen der Vorfuß mehr Belastung tragen muss als der Rückfuß (z. B. Balletttänzer, Schnellläufer ...).

Für die begleitenden Fußdeformitäten einer Sesamoiditis kommen in Frage:

- ein plantarflektierter 1. Strahl
- ein rigider Vorfuß valgus
- ein stark pronierter Fuß mit ausschließlich medialer Belastung
- genetisch bedingte Fußtypen mit hohem medialen Fußgewölbe

Auch ungeeignetes Schuhwerk kann als Auslöser für eine Sesamoiditis in Frage kommen.

Symptome

Bei genauer Untersuchung weist der betroffene Fuß unter dem Bereich der Sesambeine eine Schwellung im Vergleich zu dem symptomfreien Fuß auf.

Die Schmerzen lassen sich durch direkten Druck auf die Sesambeine auslösen.

Eine seitliche Druckempfindlichkeit an den auch einzeln palpierbaren Sesambeinen kann entweder auf ein (genetisch bedingtes) gespaltenes Sesamoid oder eine Fraktur hindeuten.

Die passive Dorsalextension der Großzehe bis zum Ende ihres Bewegungsumfangs bewirkt in dem entzündeten Gewebe eine Kompression im Metatarso-Phalangeal-Gelenk. Es ruft Beschwerden hervor, die außer einer Sesamoiditis auch von einer Arthritis oder Bursitis des Großzehengrundgelenks hervorgerufen sein können. Schmerzsymptome der Sesamoiditis sind auch durch aktive Gelenkbewegung möglich. Entzündungsreaktionen des Großzehengrundgelenks (z. B. Arthritis) sind von den lokal bedingten Überlastungen zu unterscheiden.

In Verbindung mit einem Hallux valgus oder Hallux rigidus tritt diese Erkrankung nicht (oder äußerst selten) auf.

Leicht zu verwechseln ist eine Sesamoiditis mit einem Enchondrom[10] der Sesambeine. Es zeigen sich die gleichen Symptome wie bei der Sesamoiditis mit Schwellung, schmerzhafter Palpation und ebenso Belastung. Der röntgenologische Befund zeigte in dem veröffentlichten Fall[(1)] ein in mehrere Fragmente zerteiltes fibuläres Sesambein. Eine Entlastung brachte nur kurzzeitigen Erfolg.

Behandlung

Eine sofortige Linderung der Schmerzen wird durch Verminderung der Belastung und einer großflächigen Abpolsterung unterhalb der Sesambeine erreicht. Unter Umständen genügt sogar die Weichbettung des Fußes mit einer (lufgepolsterten) Spenco-Einlegesohle. Wenn dies erfolgreich ist, kann auf weitere diagnostische Verfahren meist verzichtet werden.

Zusätzlich ist auch eine Schuhzurichtung möglich, über die der Vorfuß abrollen und die Dorsalextension der Großzehe verringern kann.

Orthosen, die den Bereich der Sesambeine entlasten, sind einsetzbar, aber für den zu erfüllenden Zweck zu aufwändig.

Empfohlen werden auch kortisonfreie entzündungshemmende Medikamente, um das Abklingen der Beschwerden zu unterstützen.

Eine operative Entfernung der Sesambeine sollte nur nach strenger Indikation erfolgen, da es wenig befriedigende Er-

10 Das Enchondrom ist ein meist gutartiger solitär auftretender Tumor innerhalb eines Knochens. Die Erkrankung führt zu pathologischen Frakturen des betroffenen Knochens.

gebnisse bringt. Ihre Entfernung führt zur Verringerung des Hebelarms der Beugersehne sowie Plantarfascie. Es kann außerdem zur Bildung eines Hallux valgus führen. Die Entfernung des fibulären (lateralen) Sesambeins führte – nach einer Veröffentlichung des Newark Hospitals (Großbritannien) zu einem Hallux varus.

Röntgenologischer Befund

Röntgenaufnahmen sind unerlässlich, wenn der Verdacht auf eine Stressfraktur oder andere Erkrankung besteht.

Eine genetisch bedingte Spaltung des Sesamoids kann einer Fraktur sehr ähneln. Die Röntgenaufnahme sollte diese Unterscheidung ermöglichen.

Im Text aufgeführte Literatur:

(1) „Enchondrom of a lateral Sesamoid", Case Report von J.C.S. Pavier, Newark Hospital, Großbritannien. British Journal of Podiatry, 02/2005

22

Fersensporn/Plantar-Fasziitis

Es wird geschätzt, dass mehr als 2 Mill. Menschen jährlich eine Therapie wegen ihrer Fersenschmerzen benötigen. Die Plantar-Fasziitis (lat.: fasciitis) zählt zu den nicht dermatologisch bedingten Beschwerden, über die Patienten häufig in der Praxis klagen. Zu den Altersgruppen können 8- bis 80-jährige gehören. Davon am meisten betroffen sind Patienten im Alter von 40 Jahren. Die Beschwerden treten bei Nichtsporttreibenden ebenso wie bei professionell Sporttreibenden auf und sind nicht geschlechtsspezifisch. Es ist sehr selten, dass die Fasziitis an beiden Füßen vorkommt. Der Schmerz entsteht nicht durch den im Röntgenbild zu erkennenden knöchernen Auswuchs am Calcaneus, sondern hauptsächlich durch die Entzündung des äußeren (durchbluteten) bindegewebigen Anteils der Plantaraponeurose. Sie hat ihren flächigen Ursprung an dem plantaren Knochenvorsprung der Ferse (Tuber calcanei).

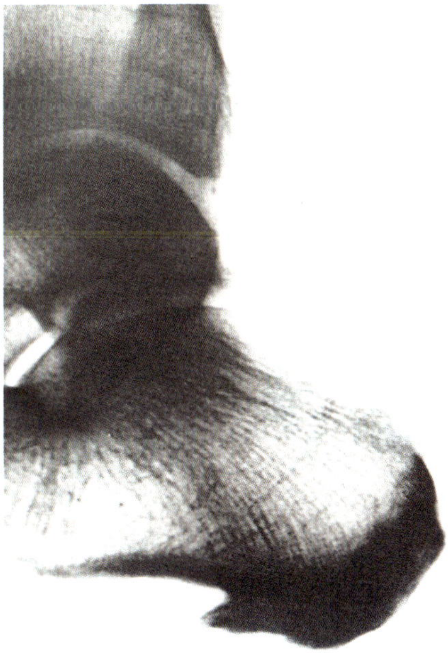

Abb. 22.1: Calcaneus Sporn. Distaler knöcherner Auswuchs am plantaren Tuber calcanei in Richtung des Faszienzugs der Plantaraponeurose

Außerdem setzen in Höhe des Tuber calcanei die Ursprünge der Muskeln

- M. abductor hallucis
- M. flexor digitorum brevis
- M. abductor digiti minimi an.

Deren Überlastung können – außer der Plantaraponeurose – ebenfalls als Schmerzursache in Frage kommen.

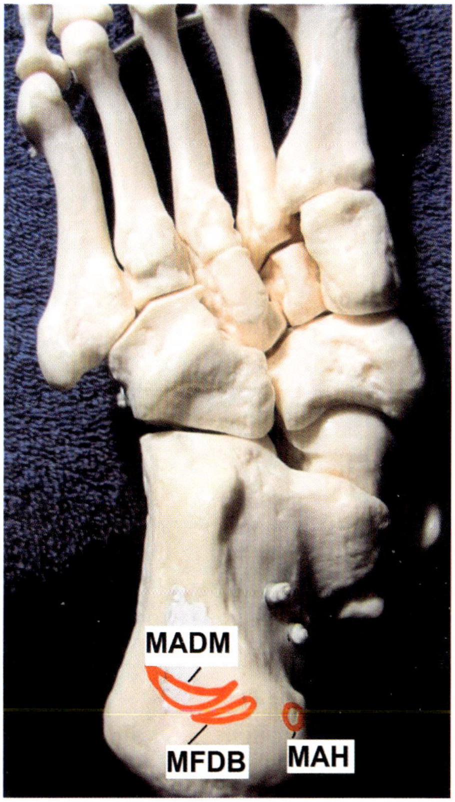

Abb. 22.2: Ursprünge der Muskeln M. abductor hallucis (MAH), M. flexor digitorum brevis (MFDB), M. abductor digiti minimi (MADM). Die Abbildung zeigt das Skelett des rechten Fußes.

Ätiologie

Der Fersenschmerz lässt sich oft nicht genau herleiten, weil hierfür unterschiedliche Ursachen in Frage kommen können. Oft spielen mechanische Einflüsse und Überlastungen eine entscheidende Rolle. Sie bilden demnach auch die Mehrzahl der Fälle. Neuere Ansichten vermuten, dass es ein chronisch degenerativer/reparativer Prozess ist, der entweder:

- durch wiederholte Mikrotraumen zu einem Makrotrauma der Faszie führt oder
- durch degenerative, sich über Wochen und Monate hinziehende, Veränderungen der Faszie bedingt ist.

Eine Übersicht der möglichen Ursachen für eine Fasziitis ist in der untenstehenden Tabelle 1 zusammengestellt.

Die Beschwerden können sich trotz erfolgreicher Behandlung und Schmerzfreiheit nach einiger Zeit – bei entsprechender Disposition – wiederholt einstellen.

Befunderstellung

Befragung

Ob eine Plantar-Fasziitis vorliegt, lässt sich nur durch die Anamnese (Krankengeschichte) und eine sorgfältige klinische Untersuchung feststellen. Dabei bieten die genaue Beschreibung der Schmerzen, wann sie auftreten (bei Belastung/Entlastung), die Aktivitäten am Tag und die Art der getragenen Schuhe wesentliche Anhaltspunkte für den Befund.

Bei der Befragung äußern sich die häufigsten Beschwerden an der Ferse durch:

- Schmerzen bei Belastung des Fußes nach dem morgendlichen Aufstehen oder nach längerem Sitzen.
- Nachlassen der Beschwerden nach längerem Gehen, die jedoch während der Belastung wieder zunehmen können.
- brennend, teilweise auch als schneidend angegebene Schmerzart

Fußuntersuchung

In der klinischen Untersuchung sollte eine Ganganalyse zusammen mit der Beurteilung des Fußtyps vorgenommen werden. Es sollte dabei auf starke Pronation und auf den **Windlass-Effekt** geachtet werden. Der Test für den Windlass-Effekt hat in der amerikanischen Literatur viele Namen wie z. B.:

- **Hicks Test**
- **Jack Test**
- **Hubscher Manöver**

Der Patient steht bei diesem Test im entlasteten Zustand auf dem Boden. Die Basisphalanx der Großzehe wird dann mehr als 45° nach dorsal extendiert, wodurch sich das mediale Fußgewölbe deutlich darstellen sollte. Falls sich die Großzehe weniger als 45° anheben lässt und sich das mediale Gewölbe nur wenig oder nicht darstellt, kann ein funktioneller Hallux limitus vorliegen.

Ursache intrinsisch (innerlich)	**Ursache extrinsisch** (äußerlich)
Übergewicht	langes Stehen oder Laufen (besonders auf harten Oberflächen)
Fersensporn (lediglich als röntgenologischer Befund der Faszienüberlastung)	Schuhe
eingeschränkte Dorsalextension im Talo-Crural-Gelenk	übermäßige Pronation des Rückfußes
Überlastung der kurzen Fußmuskulatur	Trauma (Druck, Stoß)
Verkürzung der Wadenmuskulatur (M. triceps surae) führt bei mehr lateralem Ansatz der Sehne an der Ferse zur Mehrbelastung der Plantaraponeurose	Equinus Fußtyp, Füße mit hohem medialen Fußgewölbe
Verschlechterung der Gewebsqualität der Plantaraponeurose (altersabhängige Degeneration)	abduzierter Vorfuß (mediale Beanspruchung der Fascia plantaris)
Mikrorisse des Bandes	Hallux limitus
	Pes equinus (kompensiert) Rückfuß varus (kompensiert) Vorfuß varus (kompensiert) Vorfuß valgus (unkompensiert)

Tabelle 1: Mögliche intrinsisch/extrinsisch bedingte Ursachen (Pathomechanik) für eine Plantar-Fasziitis

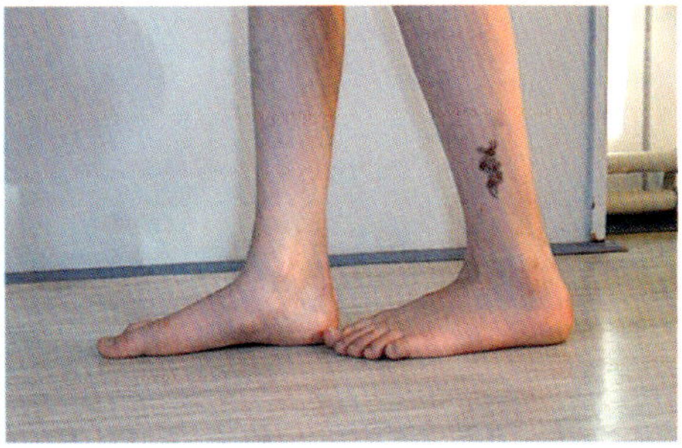

Abb. 22.3: Entspannte Stellung des rechten Fußes im Stand

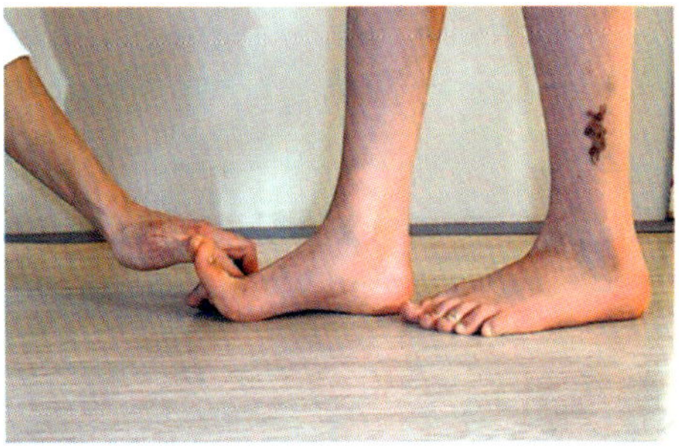

Abb. 22.4: Windlass Effekt durch Dorsalextension der Großzehe am rechten Fuß. Das mediale Fußgewölbe hebt sich mehr vom Boden ab.

Die **Palpation (der Druck) mit dem Daumen auf den medialen Tuber calcanei** kann an dem Ursprung der Plantaraponeurose Schmerzen hervorrufen. Bis zu 75 % kommt die Druckempfindlichkeit bei einer Fasciitis plantaris medial häufiger vor als lateral. Selten sind mediale und laterale Bereiche der Ferse gleich betroffen. **Durch zusätzliche Dorsalextension des Fußes und der Metatarso-Phalangeal-Gelenke wird dieser Schmerz verschlimmert, weil hierdurch die Längsbeanspruchung der Plantaraponeurose zunimmt.**

Es ist ebenfalls möglich, dass der Schmerz medial, am Ursprung des M. abductor hallucis (MAH) wahrgenommen wird. Er verläuft medial entlang der Plantarfascie nach distal und lässt sich durch Bewegung der Großzehe lokalisieren. Der bindegewebige Anteil dieser Muskelsehne kann für sich entzündet und ebenfalls an dem Fersenschmerz beteiligt sein.

Des Weiteren ist durch Dorsalextension des Fußes (bei gestrecktem Knie) eine sehr gespannte Achillessehne fühlbar. Wenn die Sehne mehr lateral am hinteren Fersenbein ansetzt, verstärkt sich die Pronation des Rückfußes und damit die Belastung der Aponeurose.

Die Schmerzen einer Fasziitis können manchmal nachlassen, um danach wieder um so heftiger aufzutreten. Der „Leidensweg“ des Patienten dauert deshalb oft Monate bis ein Arzt oder Therapeut aufgesucht wird.

Tarsaltunnel-Syndrom (durch Nervenreizung verursachter Fersenschmerz)
Die Nerveinengung (Engpass) des Nervus tibialis am Tarsaltunnel kann gleiche Symptome wie eine Plantar Fasziitis in Höhe des medialen Tuber calcanei hervorrufen. Charakteristische Merkmale für die Nerveinengung sind:

- Schmerzen an der medialen Seite des Fußes im Verlauf des Nervus tibialis, die auch zum Bein ausstrahlen können.
- Parästhesien (Missempfindungen: Kribbeln, taubes, brennendes Gefühl, teils mit Schmerzen verbunden).
- und/oder Taubheit im Fuß und Talo-Crural-Gelenk.

Die Stellen, welche bei Palpation oder durch Beklopfen/Percussion (z. B. mit Reflexhammer) die oben genannten Äußerungen hervorrufen können, befinden sich direkt:

- am Verlauf des Nervus tibialis posterior des medialen Malleolus
- über dem Verlauf des Muskelbauchs des M. abductor hallucis
- proximal medial des Knochenvorsprungs vom Os naviculare

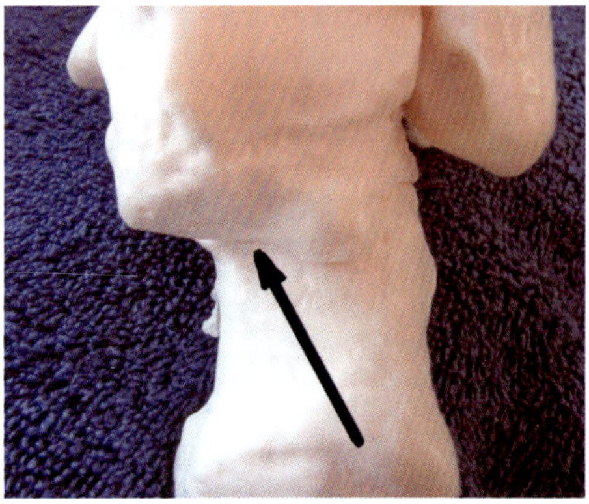

Abb. 22.5: Tarsaltunnel (Pfeil) am Skelett des rechten Fußes.
Unterer Bildteil Calcaneus. Darüber der Talus und die Basis der Fibula (rechts)

Die Symptome eines Tarsaltunnelsyndroms lassen sich ebenfalls durch andere Testverfahren auslösen.

Das **Tinel-Zeichen** kann hervorgerufen werden, indem das Subtalar-Gelenk (STG) kräftig passiv evertiert oder der Hallux dorsalextendiert wird. Es entstehen hierdurch Parästhesien (Missempfindungen).

Eine andere Besonderheit ist das **Valleix-Zeichen**, bei dem sich der Schmerz proximal zum Verlauf des Nervs bei Percussion (beklopfen) auf der Schmerzseite ausbreitet.

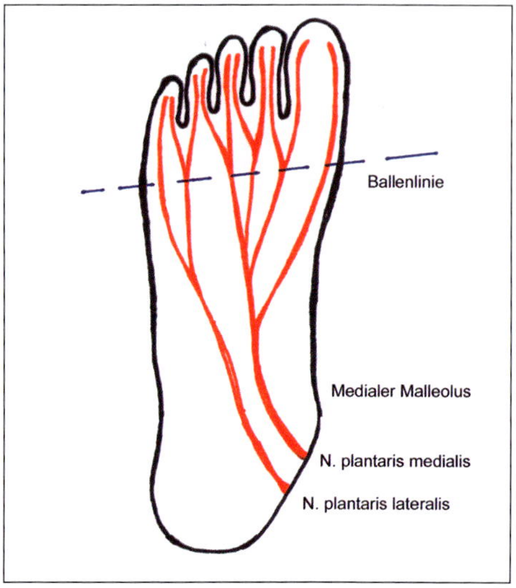

Abb. 22.6: Skizzierter Verlauf der Verzweigung des Nervus tibialis unter der rechten Fußsohle in den Nervus plantaris medialis und Nervus plantaris lateralis. Seine Äste verzweigen sich bis zu den Zehen.

Pathologie	Mögliche unterstützende Diagnoseverfahren
rheumatoide Arthritis (immer beidseitige/bilaterale Beschwerden, Schmerzen auch nachts)	röntgenologisch, Rheumaserologie
Infektionen (Borrelien ...)	Bluttest
Stressfraktur des Calcaneus	Kernspintomographie, Knochenscintigramm
Fettpolster-Syndrom	Drucktest (Fersenmitte)
Tarsaltunnel-Syndrom	Magnetresonanztomographie (MRT)
Morbus Ledderhose/Plantare Fibromatose (Schrumpfung, Verhärtung und Verdickung der Plantaraponeurose)	Ultraschall (Sonographie), Palpation
Tumore (Neoplasmata)	MRT
Nervkompression im Rückenwirbelbereich (Radiculopathie)	Elektromyographie (Nervenleitfähigkeit), MRT
Ruptur der Plantaraponeurose	Ultraschall (Sonographie) Kernspintomographie
Morbus Sever (Verschiebung der Wachstumsfuge des Calcaneus)	röntgenologisch
Fibromyalgie	nur mit Ausschlussdiagnostik durch Labortests und röntgenologischen Befund abzuklären

Tabelle 2: Differentialdiagnosen für Fersenschmerzen

Falls sich der Verdacht auf eine Fasziitis nicht bestätigen lässt oder die Schmerzsymptome auf andere Pathologien schließen lassen, können ärztliche Diagnoseverfahren zur Befundsicherung eingesetzt werden (siehe Tabelle 2).

Therapie der Plantar-Fasziitis

Abgesehen von möglichst zu vermeidenden operativen Maßnahmen und Kortison-Injektionen existieren konservative Behandlungsmöglichkeiten, die gegen den entzündlichen Prozess der Plantar-Fasziitis wirken und die Schmerzen beseitigen können. Wichtig ist die Aufklärung des Patienten, wodurch die Schmerzen (nach eingehender Untersuchung) entstehen und welche Maßnahmen hiergegen sinnvoll sind.
Die Belastung der Plantarfaszie wird durch:

- eine Fersenerhöhung (höhere Absätze, Fersenpolster ...)
- eine mediale Gewölbeunterstützung im Bereich des Sustentaculum tali
- ein Low-Dye- oder High-Dye-Tape (siehe dazu Band 2 „Theorie der med. Fußbehandlung")
- einen lateralen Vorfuß-Keil (Valgus-Keil)

reduziert.

Rückfuß-Keile haben nicht den gleichen Effekt. Es mag unglaubhaft erscheinen, aber um den medialen Strahl zu entlasten benötigt man einen lateralen Vorfuß-Keil und umgekehrt für den lateralen Strahl einen medialen Vorfuß-Keil (Varus-Keil).

Orthosen werden ebenfalls zur Behandlung der Fasziitis diskutiert. Vorfabrizierte Orthopädische Einlagen sind hierfür weniger empfehlenswert als nach biomechanischen Grundlagen vom Fuß hergestellte Orthosen. Ihr Zweck bei einer Fasziitis ist, die übermäßige Pronation des Rückfußes zu stoppen. Im Vergleich zu einer konventionellen orthopädischen Einlage konnte bei einem nicht kontrakten Rückfuß die extreme Pronation von 12° nur um 4° korrigiert werden. Es blieben 8° Pronation erhalten. Die Orthose erzielte 8° Korrektur der Rückfußstellung, sodass für diesen Fall unerhebliche 4° Pronation bestehen blieben.

Eine Lavigne Entlastung gegen die Fasziitis ist nicht mehr üblich (obsolet). Diese Entlastung bestand aus einer halbovalen Aussparung in der Mitte der Orthopädischen Einlage, die den Sporn am Calcaneus entlasten sollte. Er ist jedoch nicht die Ursache der Beschwerden.

Ein weiches Fersenpolster – mit halbovaler Aussparung in der Mitte – soll den Reiz durch den Fersensporn verringern. Es zählt ebenfalls zu den weniger therapiesicheren Maßnahmen, zumal eine Weichlagerung der Ferse die Pronation des Rückfußes verstärken kann.

Zur Unterstützung der Behandlung sind außerdem fußgymnastische Übungen zur Kräftigung der Bein- und Fußmuskulatur erfolgreich. Bei Überlastung der Plantaraponeurose ist eine kräftige Muskulatur in der Lage, die Pronation des Rückfußes zu verringern. (siehe dazu Band 2 „Theorie der med. Fußbehandlung", Fußgymnastik/Massage)

Streckübungen für den M. triceps surae verringern den Zug der Achillessehne am lateralen Ansatz der Ferse. Die Übungen vermeiden die übermäßige Pronation des Fußes durch den M. triceps surae.

Anleitung zu Streckübungen der Wadenmuskulatur:

- Der Patient stellt sich nur mit den Vorfüßen auf einen Treppenabsatz oder eine Stufe.
  Hierdurch können die Rückfüße frei nach unten wippen und einen Zug auf die Wadenmuskulatur ausüben.
- Die gleiche Streckung der Wadenmuskulatur wird erreicht, indem man sich mit beiden Händen an einer Wand abstützt und jeweils ein Bein gestreckt nach hinten stellt. Die Ferse sollte, flach auf den Boden aufgesetzt, die Wadenmuskulatur spürbar spannen.

Gegen die Entzündung wirkende Maßnahmen

Außer der Ruhe/Entlastung können Eispackungen und nicht steroide Medikamente gegen die Entzündung eingesetzt werden.

Für die Eispackung gibt man zerkleinerte Eistücke in einen Plastikbeutel, der anschließend mit einem Handtuch umwickelt wird. Diese Eispackung wird für ca. 15 bis 20 Minuten auf die schmerzende Stelle gelegt. Grundsätzlich sollte die Anwendung nach der Fußgymnastik, den Streckübungen und dem Arbeitstag geschehen.

Leichte Querfriktionen über der Plantarfascie und nach Indikation entlang dem Verlauf des M. abductor hallucis sind ebenfalls erfolgreich eingesetzt worden. Diese Friktionen sind dann sinnvoll, wenn der Befund für eine Plantar-Fasziitis sich nicht sicher abklären ließ. Die Überreizung des M. abductor hallucis kann die gleichen Beschwerden wie eine Plantar-Fasziitis hervorrufen.

Physikalische und andere Therapien

Diese Therapieformen werden normalerweise mit anderen Maßnahmen kombiniert.

Zu den infrage kommenden physikalischen Therapien zählen:

- Iontophorese
- Ultraschall
- (extrakorporale) Schockwellentherapie
- Soft-Laser-Therapie
- Akupunktur

Zu den medizinischen Therapien zählen:

- Homöopathie
- chirurgische Maßnahmen (z. B. die Fascienentlastung, Entkomprimierung des Nervs, Entfernung anormalen Gewebes, Verlängerung der Achillessehne)

Speziell die chirurgischen Maßnahmen werden aufgrund der möglichen Komplikationen (z. B. Infektionen, Instabilität des Fußes, Abflachung des medialen Fußgewölbes) nicht immer positiv bewertet. Die Operation kann jedoch auch als letzter Ausweg von den Schmerzen gesehen werden.

23

Theoretische Grundlagen zur Therapie mit Orthosen

Definition

Unter den Begriffen **Orthosen, Plantarorthosen** sowie **Funktionelle Orthosen** fasst man Hilfsmittel oder Vorrichtungen zusammen, die eine Veränderung der internen sowie externen Krafteinwirkungen auf den Fuß bewirken. Im Vergleich zu Orthopädischen Einlagen ist damit überwiegend die Entlastung des Fußes nach dem Stützprinzip beabsichtigt.

23.1 Unterscheidung zwischen einer orthopädischen Einlage und Orthose

Als Ausgangsmaterial für die Orthopädische Einlage dienen oft vorgefertigte Einlagen-Rohlinge, bei denen von außen (= extrinsisch) abstützende, teils vorgefertigte Formelemente (z. B. Pelotten) angebracht werden. Alle notwendigen Korrekturen werden dabei am Material selbst beschliffen. Für die Anbringung der Formelemente können entweder der Blauabdruck, ein computergestützter Abdruck mittels Sensoren, ein Schaumabdruck oder Gipsabdruck vom Fuß zur Orientierung herangezogen werden.

Die Vorteile der Orthopädischen Einlage liegen an dem relativ geringen Platzbedarf im Schuh und der Möglichkeit, Entlastungen für den Fuß zu schaffen. Dies betrifft zum Beispiel überreizte Mittelfußköpfchen im Vorfuß oder den „Rheumatischen“ ebenso wie „Neuropathischen Fuß“. Bei beiden zuletzt genannten Pathologien steht die Belastungsverteilung auf der plantaren Fußfläche im Vordergrund. Sie ist wichtiger als die Steuerung des Fußes.

Abb. 23.1: Orthopädische Einlagen zur Unterstützung des medialen Fußgewölbes sowie des vorderen Quergewölbes

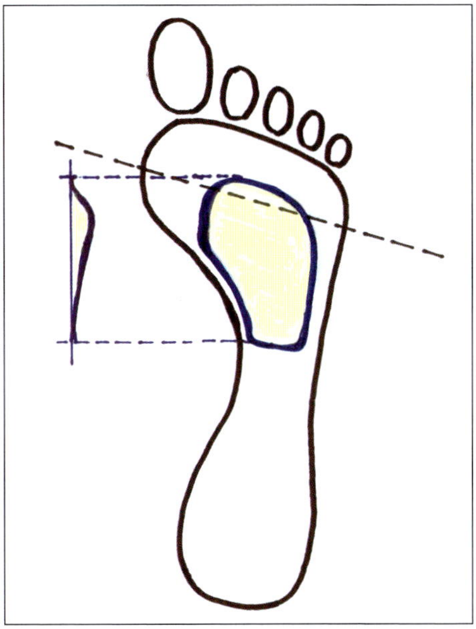

Abb. 23.2: Skizze zur Entlastung überreizter beweglicher Mittelfußköpfchen mit einem vorgefertigten Formelement. (Gestrichelte schwarze Linie stellt die Ballenlinie dar. Sie ist die Verbindungslinie von den Mittelpunkten der Metatarso-Phalangeal-Gelenke 1 und 5.) Der höchste Punkt der Entlastung liegt unmittelbar unter den proximalen Metatarsalköpfchen 2 bis 4. Der Querschnitt des Formelementes ist auf der linken Seite der Skizze abgebildet.

Anmerkung

Die in der Skizze angedeutete Entlastung ist nur für überreizte Mittelfußköpfchen oder der Morton´schen Neuralgie geeignet. **Ein vorderes Quergewölbe ist bei einem normalen (gesunden) Fuß ausschließlich im unbelastetem Zustand vorhanden. Bei Belastung liegen alle Köpfchen des Vorfußes auf! Ohne zwingende Indikation ist deshalb eine vordere Quergewölbeunterstützung überflüssig und falsch.** (*„Pathologie de l´avant-pied“ A. Viladot, Verlag Expansion Scientifique Francaise, 1979*)

Der Korrekturanteil einer extrinsisch geformten Einlage gegen die Pronation des Rückfußes liegt bei nur ca. 8°. Höhere Gradanteile sind wegen des Kompromisses mit dem konfektionierten Schuh fast nicht mehr zu verwirklichen.

Zusammenfassung zur Orthopädischen Einlage/Fußstütze:
- Korrektur/Entlastung extrinsisch
- Stellung des Vorfußes im Verhältnis zum Rückfuß wird nicht verändert (Bezug ist die statische Belastung des Fußes)
- Korrekturen werden am Material direkt beschliffen
- Verwendung unterschiedlicher Form-Elemente (z. B. Keile, Pelotten)
- Fertigung nach Blau-, Schaum-, Gips- oder elektronischem Abdruck
- Einlage ist meist nach Standardleisten vorgefertigt
- im konfektionierten Schuh Vorteil des geringen Platzbedarfs
- Entlastung des Fußes nach dem Stützprinzip

Im Gegensatz zur Orthopädischen Einlage steht die Orthose, welche in der Hauptsache die Steuerung (Funktion) des Fußes beeinflusst. Voraussetzung hierfür ist die Mobilität (Beweglichkeit) des Fußes. Seine Steuerung erfolgt durch die Bauart der Orthose in der Regel intrinsisch. Ebenso ist eine Kombination der intrinsischen (inneren) sowie extrinsischen (äußeren) Steuerung des Fußes möglich, wenn die erforderliche Korrektur nicht ausreicht oder kombiniert werden soll. Die Fertigung der Orthose geschieht nach Gipsabdruck im unbelasteten Zustand. Der Fuß wird bis zur Aushärtung des Gipses in Neutralstellung des Subtalar-Gelenks (STG) mit maximal proniertem Chopart-Gelenk und ca. 90° Stellung des Talo-Crural-Gelenks gehalten. Danach wird der Gipsabdruck und anschließend das Positivmodell unter Einbeziehung des Ergebnisses der biomechanischen Messung bearbeitet.

Die fertige Orthose greift nicht um den Fuß und drängt ihn auch nicht in unphysiologische Richtungen. Wenn der Fuß seine Lage verändert, sind bestimmte Kraftmomente daran beteiligt, welche durch die Orthose beeinflusst bzw. verlagert werden.

Frühere Orthosen hatten die Fersen hoch umschlossen, um eine unerwünschte Bewegung zu verhindern. Sie reichten medial und lateral fast bis zu den Malleolen des Fußes. Durch die Einbettung der gesamten Ferse wurde zwar die Bewegung eingeschränkt, aber auch erhebliche Gegenkraft (z. B. Reibung) erzeugt.

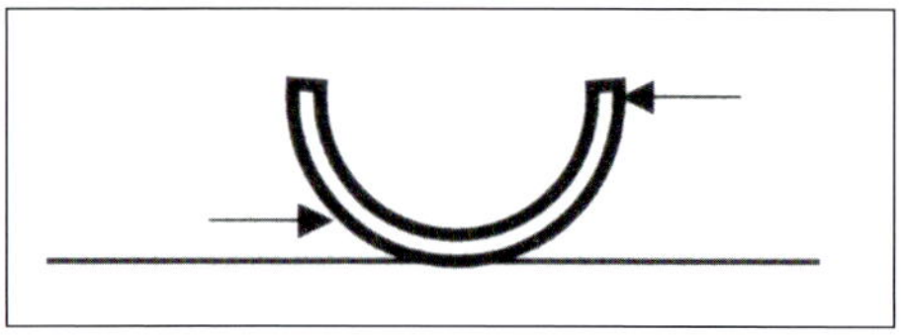

Abb. 23.3: Querschnitts-Skizze einer zu hohen Fersenbettung. Die links und rechts davon wirkenden Kräfte bewirken erhebliche Reibung (Pfeile)

Als Schlussfolgerung kann man festlegen, dass nicht genug Kraft erzeugt werden kann, um die Bewegung der Ferse gänzlich zu unterbinden. Für einen konfektionierten Schuh wäre eine zu hohe Bettung ohnehin nicht durchsetzbar.

23.2 Neue Ansätze für die Herstellung der Orthose

Die Orthose ändert den Ort der Krafteinwirkung unter dem Fuß, wenn der Bodenwiderstand von der Orthose zum Fuß übertragen wird.

Die Kräfte des Bodenwiderstandes und die Funktionsbeeinflussung der Orthose auf den Fuß wirken hauptsächlich vertikal. Veränderungen in der Fußstellung lassen sich deshalb am besten in der Transversal-Ebene feststellen.

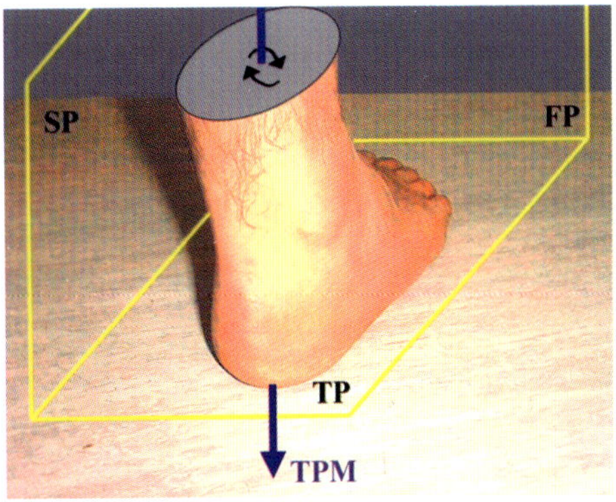

Abb. 23.4: Transversal-Ebene (TP/transversal plane) mit den Bewegungen Abduktion und Adduktion. Die blaue Achse im rechten Winkel zur Transversal-Ebene ist im oberen und unteren Bildrand sichtbar. Die halbrunden Pfeile deuten auf die Seitwärts-Bewegungen des Fußes in der Transversal-Ebene an (TPM/transversal plane motion).

Soll das Subtalar-Gelenk (STG) supinieren, muss das Druckzentrum der Orthose nach medial verschoben werden (z. B. der mediale Bereich der Fersenbettung höher liegen als der laterale). Dies kann im Allgemeinen dadurch erreicht werden, dass die Fersenmittellinie des Negativabdrucks (Gipsabdruck) invertiert steht. Wenn man das Positivmodell der Orthose bereits nach lateral ausgerichtet hat, ist das ebenso richtig. (Das Positivmodell ist die Form, nach der die Orthose – meist im Tiefziehverfahren – hergestellt wird.)

Die Lage der Fersenmittellinie – wie später beschrieben wird – wirkt sich weniger auf die Funktion der Orthose aus.

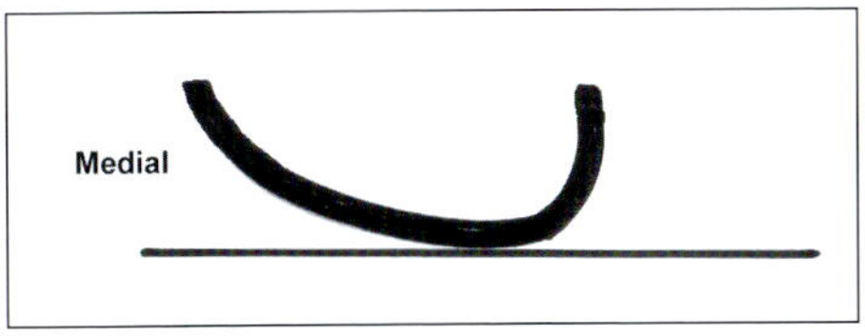

Abb. 23.5: Querschnitt einer invertierenden Fersenbettung (Sie führt zur Inversion der Ferse.)

Der Fuß lässt sich in drei Bereichen wirksam durch die Orthose beeinflussen:

- unterhalb des **Sustentaculum tali**
- die plantare Seite des **Os cuboideum**
- die plantare Seite des **5. Strahls**

Das Sustentaculum tali („Fersenbeinbalkon")

Das Sustentaculum tali ist die geeignetste Stelle, um das **Subtalar-Gelenk** (STG) zu supinieren. Es befindet sich medial der STG-Achse und erzeugt einen wirksamen Hebelarm für einen dort einwirkenden Bodenwiderstand.

Wie sehr der Fuß in einer Pronationsbewegung beeinflusst werden kann, hängt ebenfalls von der Hebelwirkung des Bodenwiderstandes bzw. vom Ort des Druckzentrums ab. Supination und Pronation werden durch die Höhe des medialen Fußgewölbes beeinflusst, das während der Standphase der Gangabwicklung und für das Stehen von Bedeutung ist.

Wirkung des Schuhabsatzes

Bei Fersenkontakt mit dem Boden spielt die Wechselwirkung zwischen Schuh und Orthose ebenfalls eine Rolle. Es ist z. B. für eine **zur Inversion ausgearbeitete Fersenbettung kaum möglich, einen nach lateral ausgekanteten Schuhabsatz zu überwinden** (Abb. 23.6). Die laterale Auskantung des Schuhabsatzes wird den Schuh während des Gehens sehr schnell evertieren und damit die Ferse in eine Pronation zwingen. In der Standphase besitzt die laterale Auskantung des Schuhabsatzes dagegen keine Wirkung.

Weiterhin ist die Stellung der Ferse während langen Stehens wichtig, wenn sich durch starke Pronation Beschwerden zeigen.

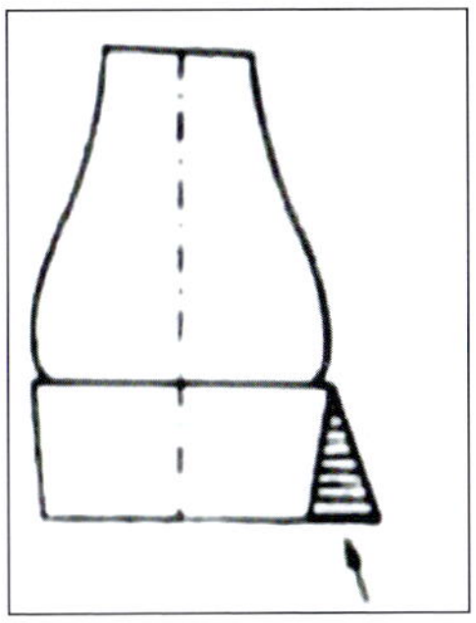

Abb. 23.6: Die laterale Auskantung des rechten Schuhabsatzes (Pfeil) verlagert die Bodenreaktionskräfte weiter lateral der Subtalar-Gelenk-Achse und erzwingt eine schnelle Eversion der Ferse.

Während der Propulsionsphase (Abstoßphase des Fußes vom Boden) hat die Form der Fersenbettung keinen Einfluss mehr für die dafür notwendigen supinierenden Kraftmomente im Rückfuß. Es besteht keine Kontaktfläche mehr zwischen Ferse und Boden.

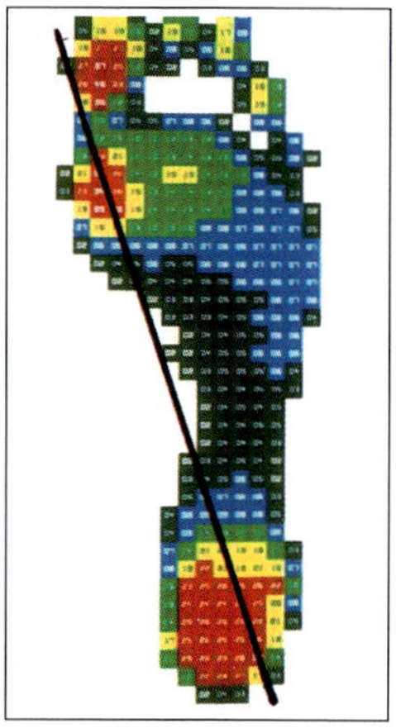

Abb. 23.7: Lage der Subtalar-Gelenk-Achse (eingezeichnete schwarze Linie) auf der Computergrafik des rechten Fußes. Die Pronation wird unterstützt, je mehr der Bodenwiderstand lateral der STG-Achse einwirkt. Die Supination wird unterstützt, je mehr der Bodenwiderstand medial der STG-Achse einwirkt

Klinische Betrachtungen

Für die Notwendigkeit einer invertierend wirkenden Fersenbettung kann ein Sinus-Tarsi-Syndrom gelten. Die Schmerzen entstehen hier durch ein „überpronierendes" STG, dessen Bewegung von der Fläche des Sinus-Tarsi begrenzt wird. Durch die Form der Fersenbettung der Orthose besteht die Möglichkeit, das Pronationsmoment des Bodenwiderstandes zu reduzieren und damit die Fläche des Sinus-Tarsi zu entlasten.

> Es ist sinnvoller, das pronierende Kraftmoment des Bodenwiderstandes (lateral der STG-Achse) nach medial von der STG-Achse zu verlagern, als die Fußstellung zu verändern.

Ein weiteres Beispiel für die Notwendigkeit einer invertierend wirkenden Fersenbettung ist die eingeschränkte Funktion des M. tibialis posterior, wenn sein bindegewebiger Anteil entzündet ist und schmerzt. In diesem Fall kann der M. tibialis posterior während der Gangabwicklung die Pronation des Fußes und Innendrehung des Unterschenkels weniger verlangsamen. Die Bewegung begrenzende Gelenke können hierdurch überlastet werden.

Eine Orthose kann durch die Form der Fersenbettung eine Unterstützung der Muskulatur bewirken.

Wenn das Positivmodell – in diesem Fall – mit der fertigen Orthose von dem damit beauftragten Labor zurückkommt, ist es notwendig, beides zu kontrollieren. Das Positivmodell und die Fersenbettung der Orthose werden miteinander verglichen. Grundsätzlich sollte die Behandlungsabsicht im Vordergrund stehen. Wenn der Patient mehr Supination benötigt, sollte die Fersenbettung der Orthose zusätzlich mit einem Varus-Keil versehen werden. Ein Varus-Keil unterstützt die Ferse medial zur Supination und verringert die Pronation.

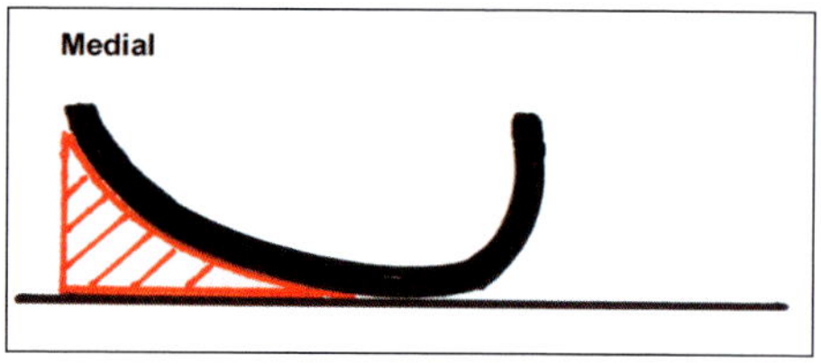

Abb. 23.8: Querschnitt einer invertierenden Fersenbettung mit Varus-Keil (rot schraffierte Linien)

23.3 Die plantare Fläche des 5. Strahls

Der 5. Strahl besteht lediglich aus dem 5. Metatarsale. Seine Bewegung findet nur zwischen der Basis des 5. Metatarsale und dem Os cuboideum statt. Verbunden sind die beiden Knochen mit einem dorso-lateral liegenden Band. Seine dreidimensionale Achse verläuft in gleicher Richtung wie die des Subtalar-Gelenks (STG).

Der 5. Strahl ist wichtig, um die Längsachse des Chopart-Gelenks zu stabilisieren. Eine Kraft, die hier angewendet wird, evertiert die Längsachse des Chopart-Gelenks,

Wieweit eine fertige Orthose den 5. Strahl beeinflusst, hängt z. B. von dem

Betrag der Vorfuß-valgus-Korrektur des Positivmodells ab.

Beispiel einer Vorfuß-valgus-Korrektur am Gipspositiv (Positivmodell)

Wenn das Positivmodell lotrecht ausgerichtet ist, wird ein kleiner Nagel unter das plantare 5. Metatarsalköpfchen in den Gips geschlagen. Diese Maßnahme hebt den 5. Strahl und das Os cuboideum zu dem durch die biomechanische Messung erhaltenen Vorfuß-valgus-Winkel vom Untergrund ab. (Die Länge des Nagelabstands wird anschließend mit Gips ausgefüllt.)

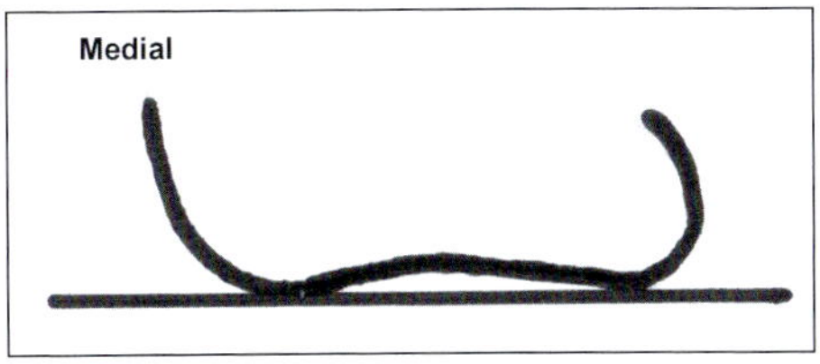

Abb. 23.9: Skizzierter Querschnitt durch das (Gips-)Positivmodell im Vorfußbereich

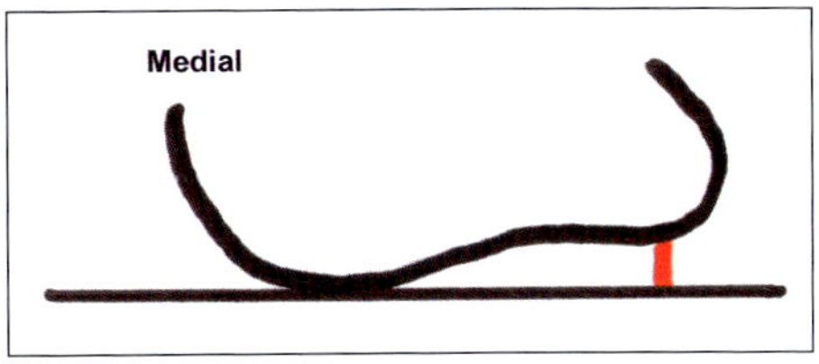

Abb. 23.10: Skizzierter Querschnitt durch das (Gips-)Positivmodell mit Nagel (rot) unter dem 5. Metatarsalköpfchen zur Vorfuß-valgus-Korrektur. Der vergrößerte Abstand des Modells vom Boden wird später – der im Tiefziehverfahren gefertigten Orthose – tiefer liegen und den medialen Vorfuß entlasten.

Wenn die Orthose im Tiefziehverfahren hergestellt wird, liegt der gleiche Betrag der lateral am Modell vorgegebenen Höhe in der fertigen Orthose an Tiefe vor. Da hierdurch die Belastung auf der lateralen Fußseite zunimmt, wird der Stress auf der medialen Seite geringer.

Die größte wirksame Kraft für den Fuß entsteht durch das Körpergewicht.

Anmerkung:
Zu viel Tiefe auf der lateralen Vorfußseite der Orthose kann pronierend auf das STG wirken.

Der Vorfußbereich dieser Orthose ist während des Stehens, in der Propulsionsphase und in der Standphase des Gehens von Bedeutung. Ohne Bedeutung ist dagegen der Fersenkontakt, weil der 5. Strahl dann noch nicht den Boden berührt hat. Wenn sich das Gewicht des Körpers nach vorne verlagert und während der Propulsion vollständig auf dem Vorfuß lastet, ist die Kraftverteilung zwischen der medialen und lateralen Fußseite ausschlaggebend.

Im Stand kann die eben genannte Lastverteilung unter dem Vorfuß die Ermüdung der Muskulatur vermeiden. Wenn zu viel Belastung auf der medialen Fußseite liegt, wird in diesem Fall die kurze Fußmuskulatur aktiver sein, um den 1. Strahl zu entlasten.

Füße, die eine blockierte Längsachse des Chopart-Gelenks besitzen, weisen häufig Beschwerden auf der medialen Fußseite auf. Dies sind:

- Hallux abducto valgus
- Hallux limitus
- plantare Fasziitis

Diese Beschwerden sind oft mit geringerer Belastung der lateralen Fußseite verbunden. Während der Patient steht kann dies mit der „**Fingerprobe**" geprüft werden. Wenn unter dem 5. Metatarsalköpfchen kaum Druck auf dem Finger des Untersuchenden festgestellt wird, sollte in diesen Bereich (z. B. durch eine Orthose) mehr Körpergewicht verlagert werden. **Mehr Gewicht auf der lateralen Fußseite gleicht die Überlastung der medialen Fußseite aus.**

Wenn der Patient seine laterale Fußseite durch die Peroneus-Muskulatur nicht mehr anheben kann, sollte von der lateralen Mehrbelastung des Vorfußes abgesehen werden.

Wird die Orthose schließlich – wie im Abdruck vorgegeben – am Fuß angepasst, sollte der lateral-distale Rand nicht hoch stehen, wenn eine Vorfuß-valgus-Korrektur vorgesehen ist.

23.4 Unterstützung des medialen Fußgewölbes

Eine mediale Gewölbeunterstützung ist notwendig, um in der späten Standphase der Gangabwicklung die Innendrehung des Unterschenkels (durch Pronation) zu vermeiden. (In dieser Gangphase müsste sich der Unterschenkel durch Supination des STG nach außen drehen.)

Es gibt für die Gewölbeunterstützung zwei Theorien:

- Eine medial von der STG-Achse wirkende Kraft übt eine supinierende Wirkung auf das STG aus.
- Der Patient wird durch die mediale Abstützung motiviert, den M.tibialis posterior[11] zu aktivieren. Es kann dadurch die Innendrehung des Unterschenkels in diesem Stadium (der späten Standphase) vermieden werden.

Es ist möglich, dass beide Theorien stimmen.

Eine der aussagekräftigsten Anmerkungen über diese „M. tibialis posterior Theorie" ist die Aussage von Patienten, dass nach dem ersten Tragen der Orthose Schmerzen in der Wadenmuskulatur auftraten. Diese Schmerzen können von Muskeln hervorgerufen sein, die vorher nicht sehr aktiviert waren. Deshalb ist der Rat an den Patienten wichtig, die Orthose anfangs nur stundenweise zu tragen und diese Zeit allmählich (um jeweils 1 bis 2 Stunden) zu erhöhen.

Die Unterstützung des medialen Fußgewölbes durch die Orthose ist nur während der Stand- und Propulsionsphase der Gangabwicklung, nicht aber in der Kontaktphase der Ferse wirksam.

11 Der M. tibialis posterior hat die Funktionen: Plantarflexion, Adduktion und Inversion des Fußes

Die Höhe der medialen Gewölbeunterstützung ist sehr wichtig bei der Herstellung der Orthose. Die Gipsmenge, welche beim Positivmodell unter das mediale Gewölbe aufgetragen wird, entscheidet auch über die Höhe des medialen Fußgewölbes bei der fertigen Orthose. Je mehr Gips auf das Positivmodell in diesen Bereich aufgetragen wird, desto flacher wird die mediale Unterstützung ausfallen. Die Höhe des realen Fußgewölbes im Stand könnte mehr oder weniger mit der Höhe des Gewölbes im neutral ausgerichteten Positivmodell übereinstimmen. Die korrekte Höhe ist sehr schwierig herauszufinden und eigentlich nur erfahrungsmäßig (empirisch) bestimmbar. Ist das mediale Gewölbe der Orthose zu hoch, entstehen Reizstellen am Fuß. Ist es zu niedrig, fehlt es an Unterstützung für das Fußgewölbe.

Beurteilung der Höhe des medialen Fußgewölbes

Zur Beurteilung der Höhe des medialen Fußgewölbes (medialen Längsgewölbes) wird der Einsenkungsgrad des Os naviculare herangezogen. Als Bezugspunkt ist sein Knochenvorsprung (Tuberositas navicularis) an der medialen Fußseite gut tastbar.

In entspannter Fersenstellung (relaxed calcaneal stance position/RCSP) wird die Tuberositas navicularis mit einem (wasserlöslichen) Filzstift als Punkt oder Kreuz markiert und sein Abstand zum Boden gemessen.

Danach wird in Neutralstellung (neutral calcaneal stance position/NCSP) des Fußes die Messung wiederholt.

Berechnung:
NCSP – RCSP = Messergebnis

Sein Normalwert liegt unter 1,2 cm. Nach dem Autor H. Frisch (2001) wird der Normalwert für die mediale Längsgewölbehöhe an dem Tuberositas navicularis unter Belastung mit ca. 1,5 bis 1,8 cm angegeben.

Unterschiede der Messergebnisse können an der unterschiedlichen Adaption des Bindegewebes liegen. Durch die Belastung des Gewebes stellen sich die Werte für die Höhe des Längsgewölbes abends niedriger als morgens dar.

Methoden, um die Supination am Positivmodell zu erhöhen

Die Wirkung der Orthose auf das Sustentaculum tali kann auch durch die innere Form der Fersenbettung beeinflusst werden. Ebenso wie ein Varus-Keil unter der Fersenbettung das Druckzentrum mehr nach medial verlagern kann, ist dies für die Art der Fersenbettung möglich. Sie wird erreicht, indem der mediale Bereich der Fersenbettung höher liegt als der laterale.

Um das Positivmodell zu invertieren, wird ein Nagel unter sein 1. Metatarsalköpfchen geschlagen. Er bringt die Mittellinie der Ferse am Modell in die erforderliche Inversion.

Im Allgemeinen liegen die Gradzahlen für die Inversion zwischen 10° und 20°, können aber auch bis zu 45° betragen.

Wenn das Positivmodell invertiert ist, liegt das mediale Fußgewölbe höher als normal. Es kann hierfür eine Korrektur vorgenommen werden, indem das Gewölbe – durch Auftrag von Gips – auf die ursprüngliche Höhe gebracht wird. Die Höhenveränderung zwischen der medialen und lateralen Seite der Orthose kann durch Gips auf der lateralen Seite des Positivmodells entsprechend ausgeglichen werden.

Nachteile für die Inversion des Positivmodells

Bei dieser Veränderung des Positivmodells wirkt sich nachteilig aus, wenn zusätzlich eine Vorfuß-valgus-Korrektur erreicht werden soll. Hierfür wäre es erforderlich, am Positivmodell einen Nagel auch unter der lateralen Seite des Vorfußes anzubringen.

Deshalb ist es nahezu unmöglich, beide Verfahren gleichzeitig anzuwenden, da sich die eine Korrektur mit der anderen aufhebt.

Die meisten Fersen sind oval oder haben plantar eine flache Form. Wenn das Positivmodell mit einer kreisrunden oder ovalen Ferse invertiert wird, gibt es keinen Unterschied in der Form der Fersenbettung. Bei einer großen breiten Fersenfläche verengt sich die Fersenbettung. Es ist dadurch möglich, dass der Platz für die Ferse bei der fertigen Orthose nicht mehr ausreicht.

Beschleifen des Positivmodells an der medialen Fersenseite nach Kirby

Um bei der Orthose die mediale Seite der Fersenbettung zu erhöhen (z. B. bei der **kreisrunden Ferse**), kann man die Ferse des Positivmodells beschleifen. Je mehr Gips darauf entfernt wird, desto höher wird sich die mediale Seite der Fersenbettung der nach dem Tiefziehverfahren hergestellten Orthose darstellen.

Wie viel Gips entfernt werden soll, kann man durch entsprechend tiefe Markierungsschnitte mit einer Säge an dem Positivmodell festlegen.

Der Schnitt sollte am unteren Drittel des Fersenumfangs – in einem 15° Winkel von medial nach lateral – ca. 2 bis 6 mm Gips abtragen. Nach dem Gipsabtrag muss die Ferse solange mit einer Feile bearbeitet werden, bis der Schnitt nicht mehr sichtbar ist.

Außerdem kann mit dieser Methode ein Vorfuß-valgus-Keil an der Orthose angebracht werden. Die Form der neuen Fersenbettung ergänzt diese Maßnahme ohne Rücksicht darauf, wie sie vor dem Abtragen ausgesehen hat.

Es kann allerdings für den Patienten schmerzhaft werden, wenn der Fersenbereich zu schmal geworden ist. Man sollte außerdem berücksichtigen, dass eine ca. 2 mm schmalere Fersenbettung Schwierigkeiten ergeben kann, wenn bei dem Patienten eine breite Fersenfläche vorhanden ist.

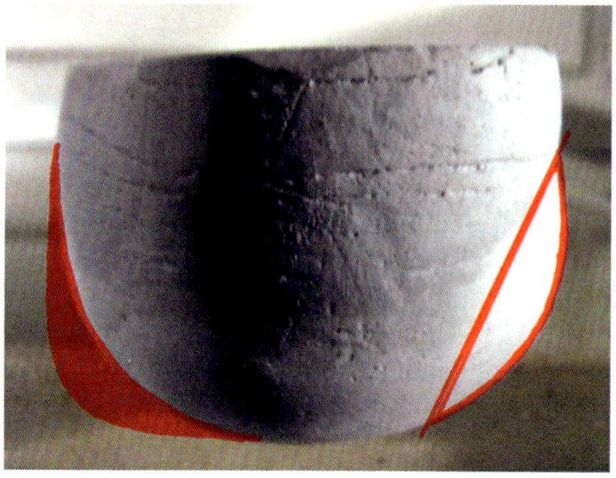

Abb. 23.11: Positivmodell der Ferse des linken Fußes von posterior. Der rechte (mediale) Bereich wird abgesägt und die gleiche Masse Gips auf der lateralen Seite (volle rote Fläche) aufgetragen, um den Umfang der Ferse möglichst zu erhalten. Dabei entstehende Kanten müssen abgeschliffen werden.

23.5 Laterale Ausweitung der Ferse

Diese Methode wirkt bei der Fersenbettung der Orthose wie ein Varus-Keil. Hierzu wird lediglich Gips an der lateralen Fersenseite des Positivmodells aufgetragen. Es ist gleich, ob auf der lateralen Fersenseite Gips aufgetragen wird oder von der medialen Seite Gips entfernt wird. Der laterale Gipsauftrag hat die gleichen Vorteile wie die Schleifmethode, auch wenn die Ferse eine kreisrunde Form besitzt. Der Nachteil ist allerdings, dass mit dieser Methode dem zusätzlich stabilisierenden Varus-Keil (damit er in den Schuh passt) Grenzen gesetzt sind.

23.6 Supinierende Wirkung der Orthose

Diese speziellen Veränderungen an dem Positivmodell der Orthose sind nicht ohne weitere Überlegungen vorzunehmen. Der Patient sollte z. B. auf eine laterale Instabilität hin untersucht werden. Für den Test setzt sich der Patient auf einen Stuhl. Das STG wird in die gleiche Stellung – wie sie bei der entspannten Fersenstellung vorhanden ist – gebracht. **Wenn sich dann die Ferse durch medialen Druck leicht supinieren lässt, sollte keine invertierende Orthose getragen werden**.

Individuell (vor Ort) angepasste Entlastungen

Direkt am Fuß angepasste Entlastungen sind eine Alternative zu Orthosen. Im Gegensatz zu den im Allgemeinen aus steiferen Materialien gefertigten Orthosen bestehen die individuellen Entlastungen aus weicheren Materialien. Eine Orthose versucht, die Funktion des Fußes zu verändern, indem der Druck an bestimmten Stellen des Fußes erhöht wird. Eine individuell angepasste Druckentlastung (oder auch eine orthopädische Zurichtung) kann durch Verteilung des Druckes versuchen, die Belastung an bestimmten Stellen des Fußes zu verringern. **Die Fußstellung wird hierdurch nicht verändert.** Sie eignet sich besonders für Füße mit Sensibilitätsstörungen, gestörter arterieller Durchblutung, dem rheumatischen Fuß und **Charcot-Fuß**.

Es gibt einen physikalische Grundsatz, der hierin eingebunden ist:

Druck = Kraft : Fläche.

Einfacher ausgedrückt: **je größer die Fläche, desto geringer die Druckauswirkung bei gleicher Druckbelastung.**

Im Stand liegt normalerweise der höchste Druck auf der Ferse und den fünf Metatarsalköpfchen, manchmal auch zu einem geringen Anteil auf den Zehen.

Die individuell angepasste Druckentlastung verteilt den Druck – in dem nachfolgenden Beispiel – auf die gesamte plantare Vorfußfläche. Sie vergrößert die Kontaktfläche mit dem Boden und verringert die „Druckspitzen“.

Anmerkung: Es ist leichter, die gewichtstragende Fläche des Fußes zu vergrößern, als das Körpergewicht zu verringern.

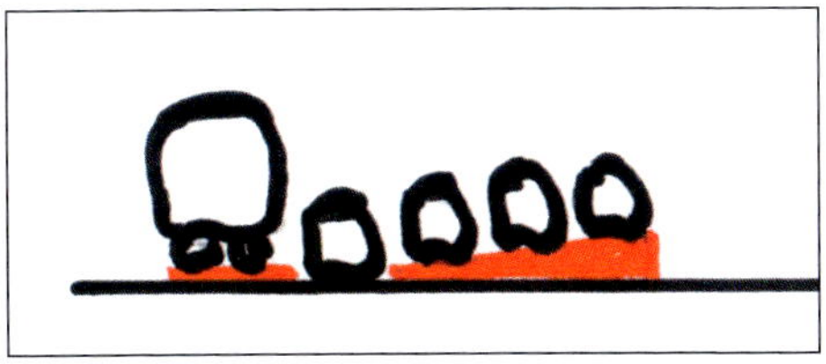

Abb. 23.12: Skizze einer Vorfußbelastung des linken Fußes, bei dem das 2. Metatarsalköpfchen überlastet ist. Die Kontaktfläche der Metatarsalköpfchen wurde durch entsprechend härtere bzw. weiche Abpolsterung (rot) unterfangen. Hierdurch liegt die Bodenbelastung des Vorfußes wieder gleichmäßig unter allen 5 Metatarsalköpfchen. Ihr Bodenkontakt entlastet das 2. Metatarsalköpfchen. Die Stellung der Metatarsalköpfchen bleibt unverändert.

Das **diabetische Fußsyndrom** verlangt nach ähnlicher Entlastungsart. Bedingt **durch die Nervenleitstörung (Neuropathie) weisen die Füße eine höhere Fehlbelastung auf**, die nicht oder kaum mehr empfunden wird. Die Muskeln dieser Füße bekommen nicht mehr die notwendige Innervation, um sich unebenen Bodenflächen anpassen zu können. Die Einschränkung der Muskelfunktion führt wiederum zu Veränderungen der Knochenstruktur. Über die Zeit geschehen zeigen sich Stellen mit höchster Druckbelastung. Die Entlastung des Fußes darf auch hier nur über die Verteilung des Druckes geschehen. Eine Veränderung der Fußstellung hätte eine weitere Verformung des Fußes und evtl. Knochenbrüche zur Folge.

Ein weiterer Grund für eine individuell angepasste Druckentlastung am Fuß ist der allmähliche **Verlust des plantaren Fettpolsters**. Die Spitzendrücke befinden sich dann meist unter den Metatarsalköpfchen. Die Aufgabe der individuellen Druckentlastung wäre – wenn möglich – die Druckeinwirkung mehr unter den mittleren Fußbereich oder die Ferse zu verlegen.

Darüber hinaus muss grundsätzlich die allgemeine Belastung des Fußes sehr eingeschränkt werden, besonders dann, wenn bereits Druckgeschwüre aufgetreten sind. In extremen Fällen – z. B. bei einem **Charcot-Fuß** – ist ein **2-Schalen-Air-Cast** zur Zeit das effektivste Mittel, die Belastung des Fußes zu verringern

Zur Herstellung einer individuell angepassten Druckentlastung (2-Schalen-Air-Cast) am Fuß eignen sich Kunststoffe mit geschlossener Zellstruktur (z. B. EVA = Ethylvinylacetat).

23.7 Die Orthose im Schuh

Ein Schuh mit höherer Fersenkappe ist notwendig, um die Orthose am Platz zu halten. Sie vermeidet ein Wegrutschen der Orthose nach posterior. Es sind auch Sandalen erhältlich, die einen höheren Fersenrand besitzen und damit den besseren Halt der Orthose ermöglichen. Ideal sind Schnürschuhe oder Schuhe mit Klettverschluss, weil sie nicht nur den Fuß meist hoch umschließen, sondern sich auch dem vermehrten Platzbedarf einer Orthose besser anpassen können. Diese Schuhe vermeiden weitgehend ein Herausschlüpfen der Ferse aus dem Schuh, weil die Fersenkappe meist hoch genug ausfällt.

Schuh und Orthose sollten in einer Einheit zusammenwirken, um die Bewegung des Fußes (z. B. von der Pronation in die Supination) zu ermöglichen. Im Vergleich zum Barfußlaufen ist diese gezielte Veränderung nur durch eine funktionierende Muskulatur steuerbar.

Der Schuh überträgt den Bodenwiderstand auf die Orthose und anschließend auf den Fuß.

Ein Schuh mit lateral erweitertem Schuhabsatz wird schneller eine Eversion der Ferse herbeiführen als ohne. Hierbei spielt es keine Rolle, inwieweit die Orthose eigentlich das Gegenteil bewirken soll. Sie wird diesem Effekt des lateral erweiterten (pronierenden) Schuhabsatzes bei Fersenkontakt des Fußes nicht widerstehen. Der Grund liegt darin, dass beim Fersenkontakt Fuß und Schuh invertiert den Boden berühren. Folglich hat die laterale Absatzseite zuerst Bodenkontakt.

Körpergewicht und Bodenwiderstand bewirken letztendlich die Eversion des Schuhs. Je weiter der Absatz nach lateral auskantet und ein größeres Kraftmoment entwickelt, desto schneller ist die Eversion von Schuh und Fuß. Um die Eversion zu vermeiden, muss die Außenseite des Absatzes abgeschliffen werden.

Zur Funktionserhaltung der Orthose im Schuh muss auch auf die Härte des Schuhabsatzes geachtet werden. Er soll aus einer harten Zwischenschicht bestehen.

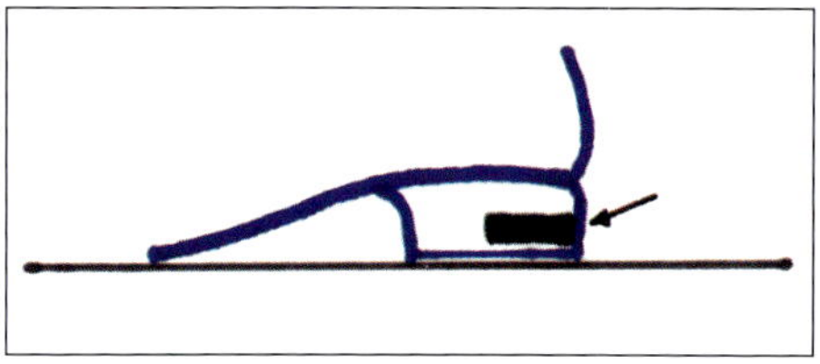

Abb. 23.13: Zwischenschicht (Pfeil) des Absatzes in der Mitte von der äußeren und inneren Schicht

Einige Schuhe besitzen unterschiedliche Materialdichten der Zwischenschicht (z. B. medial hartes und lateral weicheres Material).

Die harte Zwischenschicht des Absatzes (am oben genannten Beispiel) überträgt den Bodenwiderstand sehr wirkungsvoll auf die mediale Seite des Fersenkeils der Orthose. Im Gegensatz dazu würde ein Schuhabsatz mit weicher Zwischenschicht die Wirkung der Orthose nicht unterstützen. Das Beispiel hierfür ist ein Schuhabsatz mit Luftpolster. Dadurch, dass die mediale Seite des Absatzes zusammengedrückt wird, erlangt die laterale Seite mehr Höhe und drängt die Ferse in Richtung Pronation.

Grundsätzlich sollte vor der Entscheidung zur Herstellung einer Orthose der Schuhtyp festgelegt werden, den der Patient bereit ist zu tragen. Stimmen Orthose und Schuhtyp nicht überein, ist die Wirkung der Orthose in Frage gestellt.

Beurteilung der Orthose

Von dem Fuß des Patienten ist ein Gipsabdruck gemacht worden. Entweder wird dieser selbst bearbeitet oder zu einem Labor eingeschickt. Wenn man nun (nach eigener oder Labor-Herstellung) die fertige Orthose in den Händen hält, ist folgendes zu tun:

- Die Orthose muss mit der plantaren Fläche des Fußes verglichen werden.
- Es muss untersucht werden, wie gut die Orthose in den Schuh passt.
- Der Sitz der Orthose sollte im Stehen und Gehen kontrolliert werden.
- Während die Orthose getragen wird, sollte der Patient bei evtl. auftretenden Schmerzen darüber aufgeklärt werden, dass zur Eingewöhnung stundenweises Tragen der Orthose diese Schmerzen verringern oder ausschließen kann.
- Der Patient sollte (nochmals) über geeignetes Schuhwerk für die Orthose aufgeklärt werden.

Beim Anpassen der Orthose am Fuß ist zuerst auf die Länge der Orthose zu achten. Hierzu werden die Metatarsalköpfchen ertastet. Die Orthose sollte proximal von allen ertasteten Metatarsalköpfchen enden. Ist die Orthose zu lang, muss sie kürzer geschliffen werden. Sie darf danach nicht kürzer sein, als die Fläche des Positivmodells ausmacht. **Falls die Orthose zu kurz geschliffen wurde, kann ihre vordere (anteriore) Begrenzung die Fersenbettung nicht an der beabsichtigten Stelle halten. Die Orthose rutscht im Schuh nach vorn.**

Es können außerdem Fehler beim Abdrucknehmen oder Fehler bei der Herstellung aufgetreten sein. Zur Überprüfung sollte hierfür die Orthose (wie beim Negativabdruck) unter den Fuß gehalten werden. Hierdurch ist die vorgegebene Abstützung in der Orthose zu beurteilen. Eine Vorfuß-valgus-Orthose, die von einem korrigierten Positivmodell gemacht wurde, wird sich zu 10% bis 20% vom distalen Schaft des 5. Metatarsalknochens abheben. Der Betrag ist proportional des Betrages, der im ausbalancierten Positivmodell vorgegeben wurde.

Eine Vorfuß-varus-Orthose wird sich von der medialen Seite des Vorfußes abheben, wenn das Positivmodell entsprechend ausbalanciert wurde.

Eventuelle Fehler können auch beim Negativabdruck beurteilt werden. Sein Umriss sollte sich der plantaren Fläche des Fußes genau anpassen.

Mögliche Fehler beim Negativabdruck

Ein Negativabdruck mit supinierter Querachse des Chopart-Gelenks wird eine höhere Wölbung zeigen, als der Fuß wirklich hat. Eine Orthose, die von einem Abdruck mit proniertem Subtalar-Gelenk (STG) gemacht wurde, wird mehr Vorfuß valgus (oder weniger Vorfuß varus) aufweisen, als wirklich vorhanden ist. Der Grund liegt darin, dass bei einem pronierten STG der Bewegungsumfang des Chopart-Gelenks zunimmt. Wenn der Vorfuß dann maximal evertiert, ist diese Position stärker evertiert, als wenn sich das STG in Neutralstellung befindet. Im Gegensatz dazu wird eine Orthose, die von einem Abdruck mit supinierten STG gemacht wurde, mehr Vorfuß varus (oder weniger Vorfuß valgus) aufweisen, als wirklich vorhanden ist. Eine Orthose, die mit supiniertem 1. Metatarso-Phalangeal-Gelenk gemacht wurde, wird weniger Vorfuß valgus (oder mehr Vorfuß varus) aufweisen.

Anpassung der Orthose im Schuh

Die Orthose darf im Schuh in der Sagittal-Ebene nicht auf- und abschaukeln. Das Schaukeln tritt dann auf, wenn der Schuh mehr Sprengung besitzt, als die Orthose ausgleichen kann. Durch die Belastung der Orthose im distalen Bereich wird die Ferse des Fußes – nach Art einer Wippe – aus dem Schuh herausgehoben. Allgemein geschieht dies bei hochhackigen Schuhen oder bei Füßen mit flachem medialen Längsgewölbe. Abhilfe kann in einigen Fällen dadurch geschaffen werden, dass eine festere Halbsohle nach vorn in den Schuh gelegt wird.

Bei Orthosen, die in hochhackigen Schuhen getragen werden, sollte der Gipsabdruck vom Fuß direkt im Schuh gemacht werden. Der Grund für den Abdruck im Schuh ist, die Sprengung des Schuhs und auch gleichzeitig das Vorfuß-/Rückfuß-Verhältnis festzuhalten. Der Positivabdruck wird in gewohnter Weise ausbalanciert und die Orthose schmal genug gemacht, damit sie in den Schuh passt.

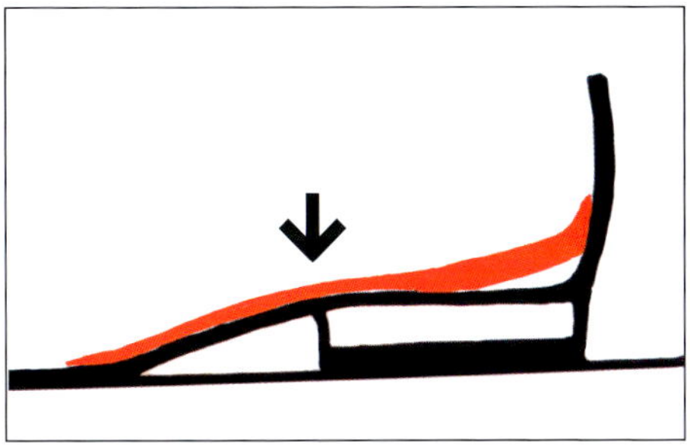

Abb. 23.14: Hinterer Schuhquerschnitt. Die Orthose (rot) liegt im Fersenbereich des Schuhs nicht auf und schwingt (ähnlich einer Wippe) auf der Sprengung (Pfeil) des Schuhs. Die Ferse wird hierdurch aus dem Schuh herausgehoben.

Wichtig ist, dass die Orthose im Schuh nicht hin- und her rutschen kann, weil sonst der Fuß bei jedem Schritt eine andere Stelle der Orthose trifft. Wenn die Orthose zu breit ist, kann sie den Schuh beschädigen. Auch sollte die distale Kante der Orthose auf der Innensohle des Schuhs flach aufliegen und sich weder medial noch lateral im Schuh aufbiegen.

24

Die Orthosenherstellung

Nachdem es durch Anamnese und gründliche biomechanische Untersuchung zu einem Befund gekommen ist, schließt sich die Entscheidung darüber an, ob eine Orthose die Fußbeschwerden beheben kann.

Für eine kleinere Praxis ist es ratsam, die Herstellung der Orthose einem geeigneten Labor (Fremdlabor) zu überlassen. Dem Negativabdruck des Fußes ist dafür eine genaue Anweisung beizufügen, wie das Positivmodell für die Orthosenherstellung verändert werden soll.

Die Angaben an das Labor sollten enthalten:

- die sichtbare Mittellinie der Ferse im mitgesandten Negativabdruck
- die Korrekturen, die am Positivmodell aufgrund der Messergebnisse vorgenommen werden sollen
- die Auswahl des Grundmaterials für die Orthose
- die Höhe der Fersenbettung
- wie weit das mediale Fußgewölbe am Positivmodell aufgefüllt werden soll
- die Art der zusätzlichen abstützenden Maßnahmen (Keile bzw. Polster)
- mit welchem Material die Orthose überzogen werden soll

24.1 Herstellung der Orthose im eigenen Labor

Der Negativabdruck

Die angefeuchtete Gipsbinde (12 mm breit) wird in der erforderlichen Länge und Methodik zügig um die untere Hälfte des gesamten Fußes bis nach distal herumgelegt und glatt anmodelliert. (Bitte Verarbeitungshinweise beachten.)

Für einen korrekten Negativabdruck fasst anschließend der Daumen unter die Beuge der Zehen 4 und 5, um den Fuß in „Dorsalextension“, d. h. in Neutralstellung des Subtalar-Gelenks (STG) zu bringen, in der auch das Chopart-Gelenk maximal proniert ist. Der Fuß wird so lange in dieser Stellung gehalten, bis der Gips abgebunden hat.

Eine abduzierende Kraft unter dem Vorfuß ist während der Aushärtung des Gipses zu vermeiden. Es würde dadurch ein laterales Fußgewölbe geschaffen, was normalerweise bei dieser Abdruckmethode nicht vorhanden wäre. Die Zehen dürfen während des Abdrucks nicht dorsalextendiert oder plantarflektiert werden.

Die Mittellinie der Ferse muss sich in dem Negativabdruck wiederfinden. Bei einer wasserlöslichen Filzstiftmarkierung auf der Haut zeichnet sich diese Linie im Innern des Negativabdrucks ab. Diese Linie muss auf seine äußere Fläche mit gleichem Verlauf übertragen werden. (Am einfachsten ist es, dafür eine lichtstarke Taschenlampe von innen gegen die Linie scheinen zu lassen.) Die Mittellinie ist für die korrekte Herstellung der Orthose wichtig. Sie erlaubt das Messergebnis des Vorfuß-/Rückfuß-Verhältnisses zu kontrollieren. Dessen Wert muss mit dem Negativabdruck übereinstimmen. Zur Überprüfung wird der Negativabdruck auf eine ebene Fläche gestellt. Bei einem Vorfuß-varus-Winkel von 5° wird sich – bei einer rechtwinkeligen Ausrichtung der Fersenmittellinie des Abdrucks – der mediale Vorfußbereich um diese 5° von der Unterfläche abheben. Eine andere Methode misst auf der ebenen Unterfläche den Winkel der Fersenmittellinie des Negativabdrucks, die dann um 5° evertiert stehen muss.

> Die Form des ausgehärteten Negativabdrucks bildet das Vorfuß-/Rückfuß-Verhältnis ab. Der Vergleich dieses Verhältnisses mit der Messung stellt die Genauigkeit des Abdrucks dar.

Der Negativabdruck zeigt weder das Verhältnis zwischen Rückfuß und Unterschenkel, Rückfuß und Boden noch Unterschenkel zum Boden an. Dieser Zusammenhang verdeutlicht die Wichtigkeit eines korrekten Negativabdrucks. Die Messergebnisse der Fußuntersuchung sind die einzigen Bezugspunkte, die hinterher auf das Positivmodell übertragen werden können.

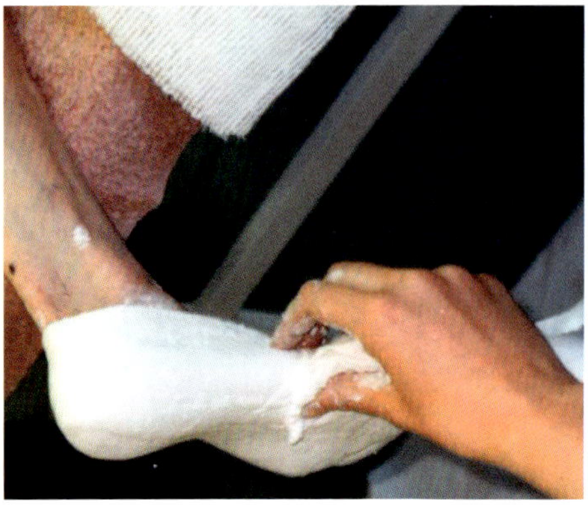

Abb. 24.1: Negativabdruck in „Dorsalextension" (nahezu rechtem Winkel im Talo-Crural-Gelenk) und Neutralstellung des STG. Der Daumen liegt unter der Beuge von den Zehen 4 und 5.

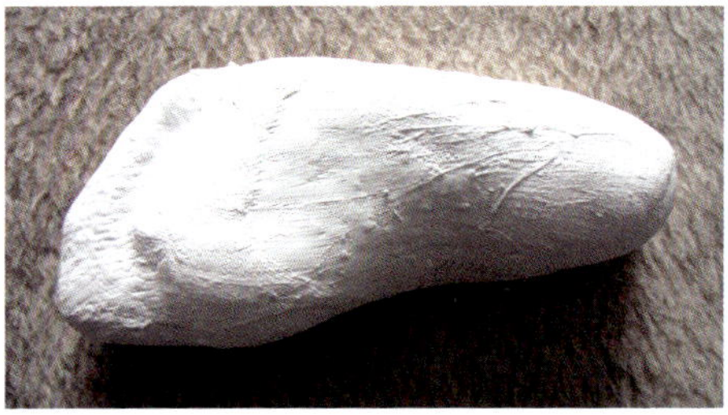

Abb. 24.2: Vom Fuß entfernter Negativabdruck von plantar gesehen

Abb. 24.3: Vom Fuß entfernter Negativabdruck von dorsal gesehen

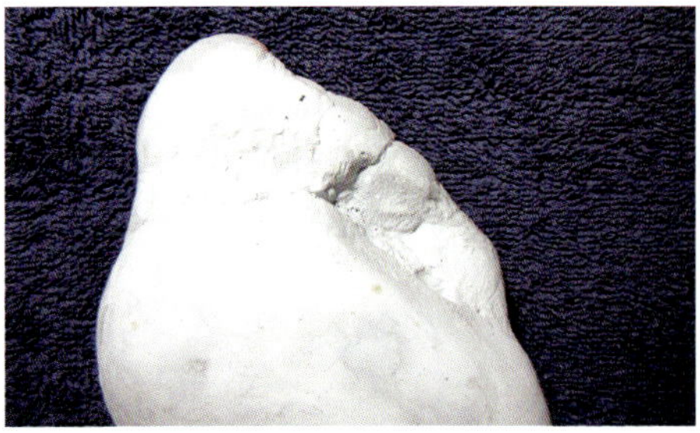

Abb. 24.4: Positivmodell mit Daumenabdruck unter den Zehen 4 und 5

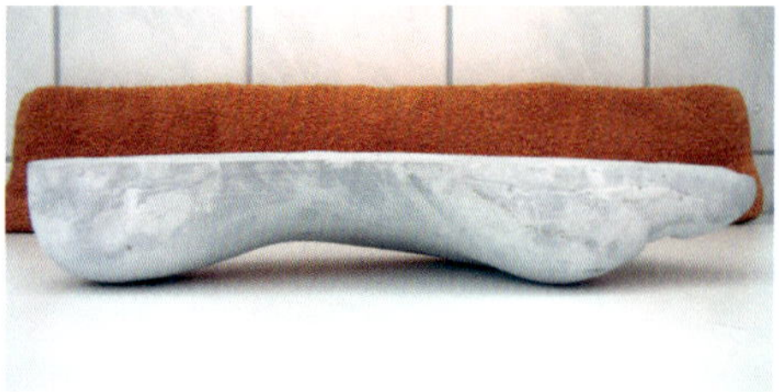

Abb. 24.5: Beim Ausgießen des Negativabdrucks muss darauf geachtet werden, dass die dorsale Fläche des Positivmodells eine ebene Fläche bildet. Sie ist notwendig, um die Orthose im Tiefziehverfahren herstellen zu können.

Ausbalancieren des Positivmodells

Entscheidend beim Positivmodell ist ebenfalls die Festlegung der Fersenmittellinie.

Wenn bei der Fußuntersuchung die Fersenmittellinie des Patienten bis **zur rechtwinkeligen Stellung evertiert werden konnte, kann die Mittellinie der Ferse beim Positivmodell ebenfalls rechtwinklig stehen.**

Wenn die **Fersenmittellinie nicht bis zur rechtwinkeligen Stellung evertiert werden konnte, sollte die Fersenmittellinie beim Positivmodell zu etwa dem gleichen Betrag wie die maximal pronierte Fersenstellung invertiert ausbalanciert werden.** Die Begründung hierfür ist, dass der Calcaneus nicht mehr evertieren soll, als es die knöcherne Begrenzung erlaubt. Der Versuch, den Calcaneus mehr zu evertieren, führt zur Stauchung des Sinus tarsi.

Berechnung der maximal pronierten STG-Stellung

Die Winkelbestimung von Calcaneus und Unterschenkel erlauben die maximal pronierte Stellung des Subtalar-Gelenks (STG) zu bestimmen. Sie ist das Verhältnis der Ferse in Bezug zur Bodenfläche, wenn das STG maximal proniert ist.

Beispiel:

maximale Eversion der Ferse: 6° Valgus
(in Bezug zum Unterschenkel)
Stellung der Tibia: 5° Varus

Ergebnis: 6° Valgus abzüglich 5° Varus = **1° Eversion** (Valgus-Stellung der Ferse in Bezug zum Boden bei maximaler Pronation des STG.

Beim Positivmodell kann die Fersenmittellinie nach diesem Berechnungsbeispiel rechtwinklig festgelegt werden. (Der Wert von 1° Eversion der Ferse ist so gering, dass er in Bezug zur entspannten Fersenstellung kaum messbar ist.)

Entspannte Stellung der Ferse im Stand

Der errechnete Wert der maximalen Pronation des STG sollte mit der entspannten Fersenstellung übereinstimmen. Wenn beide Werte (max. Pronation des STG, entspannte Fersenstellung) übereinstimmen, ist der Wert für das maximal pronierte STG korrekt. Ein Fehler kann in der Berechnung oder Messung entstanden sein, wenn die maximal pronierte Stellung des STG mehr Inversion im Vergleich zur entspannten Fersenstellung zeigt.

> Das STG gilt als **nicht** maximal proniert, wenn es im Vergleich zur entspannten Fersenstellung mehr Inversion zeigt.

Beurteilung der maximal pronierten STG-Stellung im Stand

Es werden nachfolgend zwei unterschiedliche Methoden zur Überprüfung der maximal pronierten STG-Stellung beschieben:

1. Es wird ein Finger oder Keil unter das laterale Metatarsalköpfchen gelegt und der Patient gebeten, den Fuß vollständig zu belasten. Diese Verfahrensweise kann das Kraftmoment um die STG-Achse erhöhen und das STG evertieren – falls die Bewegung hierfür vorhanden ist. Diese Methode ist nicht ganz zuverlässig, wenn die Längsachse des Chopart-Gelenks supiniert ist. In diesem Fall wird der Calcaneus nicht evertieren, weil der Finger bzw. Keil unter dem lateralen Metatarsalköpfchen nur das Chopart-Gelenk proniert. Wenn die laterale Seite des Fußes noch mehr erhöht wird, können die Längsachse des Chopart-Gelenks und das STG pronieren. Die Benutzung der Finger ist in jedem Fall hilfreicher als der Keil, um die laterale Belastung des Fußes festzustellen. **Es ist in wenigen Fällen möglich, dass ein maximal proniertes STG eine starke Belastung auf der lateralen Seite hervorruft.**

2. Der Patient wird gebeten, den Fuß zu evertieren. Durch diese Bewegung treten die Sehnen der Peroneusmuskulatur deutlich hervor, weil der Fuß durch diese Muskulatur evertiert wird. Wenn dabei:

- der Calcaneus **evertiert**, steht das STG **nicht maximal proniert**.
- der Calcaneus **nicht evertiert**, ist das STG **maximal proniert**.

Diese zweite Methode hat den Nachteil, dass der Patient evtl. versucht, sein Gewicht auf den gegenüberliegenden Fuß zu verlagern, das Knie zu beugen oder die Hüfte nach innen zu drehen. Diese Dinge können die Bewegung des Calcaneus vortäuschen. In Wirklichkeit aber bewegt sich nur das plantare Fettpolster des Fußes.

> Die maximal pronierte Stellung des STG kann wichtiger als die Neutralstellung sein, wenn am Positivmodell die Mittellinie der Ferse bestimmt werden soll.

Bestimmung der Fersenmittellinie am Positivmodell

Verfahren

- Die maximal pronierte STG-Stellung wird berechnet.
- Die Mittellinie am Positivmodell wird **vor** irgendeiner Veränderung am Modell bestimmt und markiert.
- In das Positivmodell wird ein Nagel geschlagen, um die Mittellinie der Ferse in die errechnete (gewollte) Stellung zu bringen.

Die Kontaktpunkte des Positivmodells sind die Auflagepunkte auf einer ebenen Fläche. Hier steht das Modell z. B. bei einem Vorfuß valgus von 5° um 5° invertiert, weil es auf die laterale Seite kippt.

Nach dem Ausbalancieren befindet sich die Fersenmittellinie in lotrechter Stellung. Die neuen Kontaktpunkte des Vorfußes am Positivmodell befinden sich wie zuvor unter dem 1. Metatarsalköpfchen und 5. Metatarsalköpfchen. Unter das 5. Metatarsalköpfchen wurde jedoch ein Nagel geschlagen, der den Abdruck um 5° evertiert und in die lotrechte Stellung gebracht hat.

Beispiele für den Rückfuß varus:

1. Der Fuß hat ein lotrechtes Vorfuß-/Rückfuß-Verhältnis.

Inversion der Ferse: 30°
Eversion (Valgusbewegung) der Ferse: 5°
Varusstellung (Inversion) der Tibia: 3°

Fragen:

a) Wie muss das Positivmodell ausbalanciert werden?
b) Wo liegen die Kontaktpunkte des Positivmodells?
c) Welchen Betrag hat die maximal pronierte Stellung des STG?

Lösung:

a) Wegen Vorfuß-/Rückfuß-Verhältnis lotrecht ausbalancieren. Wenn die Ferse über den rechten Winkel hinaus evertieren kann, dann 2° evertiert.
b) Unter den Metatarsalköpfchen 1 und 5.
c) 2° evertiert (= 5° Valgus der Ferse abzüglich 3° Varus der Tibia.)

2. Der Fuß hat ein lotrechtes Vorfuß-/Rückfuß-Verhältnis.

Inversion der Ferse: 30°
Eversion (Valgusbewegung) der Ferse: 5°
Varusstellung der Tibia: 6°
Entspannte Fersenstellung invertiert 1°
Das STG ist von der Untersuchung her maximal proniert. (Vergleiche diesen Fuß mit Beispiel 1.)

Fragen:

a) Wie muss das Positivmodell ausbalanciert werden?
b) Wo liegen die Kontaktpunkte des Positivmodells?
c) Stimmt die maximal pronierte STG Stellung mit dem Untersuchungsergebnis überein?

Lösung:

a) 1° invertiert. Dieser Fuß ist bei 1° Inversion maximal proniert und kann nicht bis zum rechten Winkel evertieren. Das Positivmodell könnte zu mehr als 1° Inversion ausbalanciert werden, weil eine lotrechte Stellung der Ferse nicht möglich ist (siehe invertierte entspannte Fersenstellung dieses Beispiels).
b) In diesem Fall könnte ein Nagel nur unter das 1. Metatarsalköpfchen geschlagen werden, der das Positivmodell in 1° bis 3° Inversion bringt. Die plantare Fläche des 5. Metatarsalköpfchens bleibt unbearbeitet.
c) Ja. Das Beispiel zeigt den Einfluss der Varus-Stellung der Tibia auf den errechneten Wert der maximal pronierten Stellung des STG. (5° Valgus der Ferse abzüglich 6° Varus der Tibia ergibt 1° Varus-Stellung der Ferse)

3. Es besteht ein Vorfuß valgus 6°

Inversion (Varusbewegung) der Ferse: 30°
Eversion (Valgusbewegung) der Ferse: 5°
Varusstellung der Tibia: 5°
Entspannte Fersenstellung invertiert: 3°

Fragen:

a) Wie muss das Positivmodell ausbalanciert werden?
b) Wo liegen die Kontaktpunkte des Positivmodells?
c) Stimmt die maximal pronierte STG Stellung mit dem Untersuchungsergebnis überein?

Lösung:

a) Das Positivmodell muss zum rechten Winkel ausbalanciert werden. (5° Valgus der Ferse abzüglich 5° Varus der Tibia ergibt 0°/rechtwinkelige Stellung der Ferse).
b) Unter dem 1. Metatarsalköpfchen und dem Nagel unter dem 5. Metatarsalköpfchen, dessen Einschlaghöhe die Vorfuß-Eversion von 6° bis zur vorbestimmten Stellung der Fersenmittellinie ausgleicht.
c) Ja. Der Rückfuß darf nicht zu gleichen Graden invertiert stehen wie der ever-

tierte Vorfuß (Vorfuß valgus), weil die Bewegung der Längsachse des Chopart-Gelenks einbezogen werden muss.

Beispiele für den Vorfuß valgus:

1. Es besteht ein Vorfuß valgus von 5°
Eversion der Ferse: 5°
Varusstellung der Tibia: 4°
Entspannte Fersenstellung evertiert: 1°

Fragen:

a) Wie muss das Positivmodell ausbalanciert werden?
b) Wo liegen die Kontaktpunkte des Positivmodells?
c) Stimmt die maximal pronierte STG Stellung mit dem Untersuchungsergebnis überein?

Lösung:

a) Das Positivmodell muss zum rechten Winkel ausbalanciert werden (5° Eversion der Ferse abzüglich 4° Varus der Tibia ergibt 1° Eversion der Ferse). Dieser Wert (1°) kann unberücksichtigt bleiben.
b) Unter dem 1. Metatarsalköpfchen und dem Nagel unter dem 5. Metatarsalköpfchen, dessen Einschlaghöhe die Vorfuß-Eversion von 5° bis zur vorbestimmten Stellung der Fersenmittellinie ausgleicht
c) Ja. Der Vorfuß valgus beeinflusst nicht die Fersenstellung.

2. Es besteht ein Vorfuß valgus von 5°
Eversion der Ferse: 5°
Varusstellung der Tibia: 4°
Entspannte Fersenstellung invertiert: 2°
Nach den gemessenen Werten müsste die Ferse zu 1° evertiert stehen. Die entspannte Fersenstellung (RCSP), die den gleichen Wert (1° Eversion) aufweisen müsste, steht jedoch 2° invertiert. Folglich ist hier das STG nicht maximal proniert.

Fragen:

a) Wie muss das Positivmodell ausbalanciert werden?
b) Wo liegen die Kontaktpunkte des Positivmodells?
c) Stimmt die maximal pronierte STG Stellung mit dem Untersuchungsergebnis überein?

Lösung:

a) Das Positivmodell muss zum rechten Winkel ausbalanciert werden.
b) Unter dem 1. Metatarsalköpfchen und einem Nagel unter dem 5. Metatarsalköpfchen, dessen Einschlaghöhe die Vorfuß Eversion von 5° bis zur vorbestimmten Stellung der Fersenmittellinie ausgleicht.
c) Ja. Durch die teilweise Kompensation des Vorfuß valgus kann die invertierte entspannte Fersenstellung entstanden sein.

3. Es besteht ein Vorfuß valgus von 5°
Eversion der Ferse: 5°
Varusstellung der Tibia: 7°
Entspannte Fersenstellung invertiert: 2°

Fragen:

a) Wie muss das Positivmodell ausbalanciert werden?
b) Wo liegen die Kontaktpunkte des Positivmodells?
c) Stimmt die maximal pronierte STG Stellung mit dem Untersuchungsergebnis überein?
d) Um wie viel Grad wird das Positivmodell durch den Nagel evertiert?

Lösung:

a) 2° invertiert.
b) Unter dem 1. Metatarsalköpfchen und einem Nagel unter dem 5. Metatarsalköpfchen, dessen Einschlaghöhe die Vorfuß-Eversion und die Inversion der Ferse berücksichtigen.
c) Ja! In diesem Fall ist der Vorfuß valgus flexibel und übt keinen Einfluss auf die Fersenstellung aus.
d) Um 3°. Der Vorfuß valgus würde das Positivmodell ohne Korrektur um 5° invertieren. Der Positivabdruck soll jedoch 2° Inversion der Ferse (maximale Pronation) berücksichtigen. Folglich darf der Nagel unter dem 5. Metatarsalköpfchen den Abdruck zu 3° evertieren.

Beispiele für den Rückfuß valgus

1. Der Fuß hat ein lotrechtes Vorfuß-/Rückfuß-Verhältnis.

Inversion der Ferse:	15°
Eversion der Ferse:	15°
Varusstellung der Tibia:	5°
Entspannte Fersenstellung evertiert:	10°

Frage:

a) Wie muss das Positivmodell ausbalanciert werden?

Lösung:

a) Ein Rückfuß valgus kommt sehr selten vor. Bei 10° Eversion sollte die Mittellinie der Ferse überprüft werden. Es ist möglich, dass sich das Fettgewebe der Ferse nach lateral verschoben hat und dadurch mehr evertiert erscheint. Durch Abtasten der lateralen Fersenkante kann man dies erkennen. In Bezug auf die o. g. Werte (ohne entspannte Fersenstellung) kann das Positivmodell lotrecht ausbalanciert werden. (Siehe nachfolgende Beispiele)

Beispiele für die Behandlung des Rückfuß valgus

1. Die Messungen am Fuß haben folgende Werte ergeben:

12° **Inversion** des Calcaneus durch Supination

12° **Eversion** des Calcaneus durch Pronation

Die **Summe** des **gesamten Bewegungsumfangs (BU)** beträgt **24°.**

Da der Bewegungsanteil des unteren Sprunggelenks im Verhältnis zu 2/3 Supination und 1/3 Pronation stehen soll, teilen sich die Werte wie folgt auf:

2/3 des gesamten BU von 24° = 16° Supination

1/3 des gesamten BU von 24° = 8° Pronation

Hiernach ergibt sich die Neutralstellung des Subtalar-Gelenks von 4° Eversion in Bezug zur Mittellinie des Unterschenkels.

(12° Eversion abzügl. 8° Eversion = 4° Eversion)

Der Negativabdruck wurde im lotrechten Verhältnis von Vorfuß zum Rückfuß genommen.

Da die Ferse in Neutralstellung 4° evertiert zum Boden steht, wird das Positivmodell zu 4° Eversion ausbalanciert, indem Gips auf seine laterale Seite aufgetragen wird. Die Grundfläche des Positivmodells ist somit auf der lateralen Seite dicker als auf der medialen. Der Fuß steht somit auf der späteren Orthose zu 4° invertiert.

An der Orthose wird im Fersenbereich ein Varus-Keil mit 4° Bewegung zusätzlich angebracht. Er stellt den Calcaneus bei Fersenkontakt lotrecht. Wenn anschließend die mediale Keilfläche belastet wird, evertiert der Calcaneus zu 4° Neutralstellung des STG. Ohne die Orthose würde das STG bis zum Ende seines Bewegungsumfangs pronieren (= 12° Eversion). Durch die Orthose werden folglich 8° Eversion der Ferse und Pronation des STG vermieden.

Bevor das STG seine vollständige Eversion erreicht, kann die Orthose vorbeugen, dass der Taluskopf durch Pronation des Fußes den Boden berührt. Es gibt jedoch Grenzen, wo die Versorgung mit einer Orthose nicht mehr helfen kann. Je mehr Valgus-Stellung der Fuß aufweist, desto weniger ist sie zu beheben. Wenn der Taluskopf bei entspannter Fersenstellung bereits den Boden berührt, wird eine Orthose in diesem Fall nur Irritationen hervorrufen. Deshalb ist ein Rückfuß valgus ab 8° nicht mehr durch eine Orthose behandelbar.

2. Die Messungen am Fuß haben folgende Werte ergeben:

4° Tibia varus

8° Inversion des Calcaneus durch Supination

16° Eversion des Calcaneus durch Pronation

Die **Summe** des **gesamten Bewegungsumfangs (BU)** beträgt **24°.**

Da der Bewegungsanteil des unteren Sprunggelenks im Verhältnis zu 2/3 Supination und 1/3 Pronation stehen soll, teilen sich die Werte wie folgt auf:

2/3 des gesamten BU von 24° = 16° Supination

1/3 des gesamten BU von 39° = 8° Pronation

Abzüglich der Tibia-varus-Stellung (4°) ergibt sich die Neutralstellung des Subtalar-Gelenks von 4° Eversion in Bezug zur Mittellinie des Unterschenkels.

In diesem Fall könnte die gleiche Orthose hergestellt werden wie bei dem ersten Beispiel. Zu berücksichtigen ist jedoch, in wieweit der Taluskopf Bodenkontakt hat und eine Orthose in Frage stellen würde.

24.2 Abstützende Maßnahmen

Sie bestehen aus einem Material, das außen (extrinsisch) an die Orthose angebracht wird. Diese Maßnahmen unterstützen die spezielle Funktion der Orthose. Es gibt hierfür zwei Arten: die Abstützungen für den Vorfuß und den Rückfuß.

Die extrinsische Fersenabstützung

In erster Linie bietet die extrinsische Fersenabstützung (Keile, Polster ...) an der Orthose eine zusätzliche Maßnahme zur Stabilisierung der Fersenbettung. Ohne sie würde nur der vordere (anteriore) Rand der Orthose den Fuß in der vorbestimmten Position halten. Die plantare Fläche einer nicht stabilisierten Fersenbettung ist abgerundet und kann der Ferse keinen Halt geben. Diese Instabilität beginnt mit dem Fersenkontakt und endet mit dem Vorfußkontakt, wenn der distale Orthosenrand den Boden berührt. Die extrinsische Fersenabstützung trägt deshalb wesentlich zur Stabilisierung der Orthose bei und verbessert die Kraftübertragung von der Innenfläche des Schuhs zur Orthose.

Die Kraftübertragung vom Schuh zur Fersenbettung ist auch abhängig von der Steifigkeit des Orthosenmaterials. Wenn eine Fersenabstützung verwendet wird, kann ein weniger steifes oder auch dünneres Material für die Orthose verwendet werden, um die gleiche Stabilität zu erzielen.

Bewegung des Rückfußes durch die extrinsische Fersenabstützung

Heute ist man der Ansicht, dass die plantare Fläche des Keils an seiner Außenseite angeschliffen werden muss, um die Bewegung der Ferse zu unterstützen (= **zusätzliche Bewegung in der Abstützung**).

In diesem Sinne hat die plantare Fläche des Keils zwei Ebenen: auf der Bodenfläche liegt die mediale Ebene der Abstützung parallel zum vorderen (anterioren) Rand der Orthose. Die Außenfläche derselben Abstützung steht in Bezug zum Boden evertiert. Sie kann nach lateral kippen, wenn die Fersenfläche durch die Gehabwicklung vollen Bodenkontakt besitzt (Abb. 24.6). Der Winkel zwischen der medialen und lateralen Seite derselben Fersenabstützung beträgt 4°. Der Winkel von 4° wurde gewählt, weil dies in der Frontalebene dem allgemeinen Bewegungsumfang der Ferse beim Bodenkontakt entspricht.

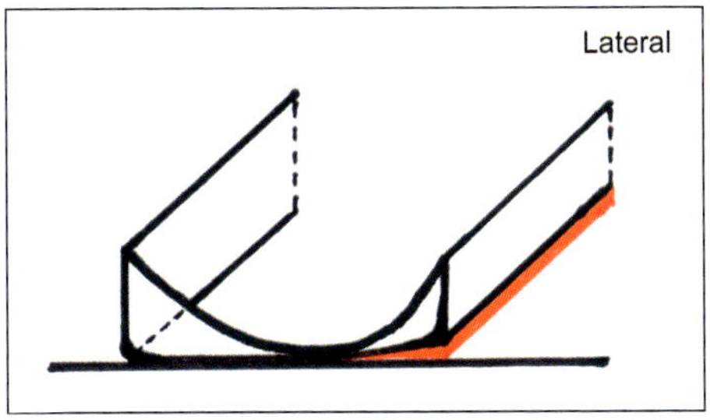

Abb. 24.6: Querschnitt eines Valgus-Keils unter der Fersenbettung der Orthose. Zusätzliche Bewegung in der Fersenabstützung von 4° (abgeschliffene Fläche rot markiert)

Einige Podologen sind der Ansicht, dass eine Fersenabstützung genau und vorhersehbar die Bewegung der Orthose steuern kann. Der Grund, warum dies manchmal zweifelhaft ist, liegt darin, dass das Druckzentrum (bezogen auf das obere Beispiel) an der lateralen Seite der Abstützung nicht über genug Zeit verfügt, den Fuß invertiert zu halten. Das Druckzentrum befindet sich während der Kontaktphase der Ferse für weniger als 0,05 Sekunden an dieser Stelle. Um den Fuß invertiert zu halten, muss der posteriore den anterioren Teil der Orthose und den Fuß invertieren. Diese kurze Zeitspanne reicht aber nicht aus, um das Trägheitsmoment des Fußes zu überwinden. Aus anderer Sicht ist es sehr schwer, genau den Betrag des Winkels zu bestimmen, der durch eine Fersenabstützung die Bewegung des Fußes kontrollieren soll. Hierbei übt der (schräge) Schuhabsatz ebenfalls seinen Einfluss aus. Er kann den Fuß zusätzlich in eine Inversion bringen. Die Fersenabstützung der Orthose gibt 4° Bewegung in Bezug zur Innensohle des Schuhs vor, der Schuhabsatz die Bewegung in Bezug zu seiner Auftrittsfläche. Es können folglich mehr als 4° Bewegung entstehen.

Verlagerung des Druckzentrums durch die extrinsische Fersenabstützung

Die Fersenabstützung kann sich auf die Bewegung des Fußes auswirken, hat aber darauf keinen exakt kontrollierbaren Effekt. Die Wirkung besteht vielmehr darin, dass das Druckzentrum unter der Orthose verändert werden kann.

Wenn die plantare laterale Seite der Fersenabstützung angeschrägt ist, berührt diese Seite im Stand – mehr oder weniger – nicht die Innensohle des Schuhs. Dies wird das Druckzentrum in Bezug zur STG-Achse mehr nach medial verlagern und das Kraftmoment für die Pronation verringern. Die Anschrägung der Fersenabstützung wird die Pronation nur verringern, wenn sie weit genug abgeschliffen wurde, sodass sich das Druckzentrum mehr medial verlagern kann.

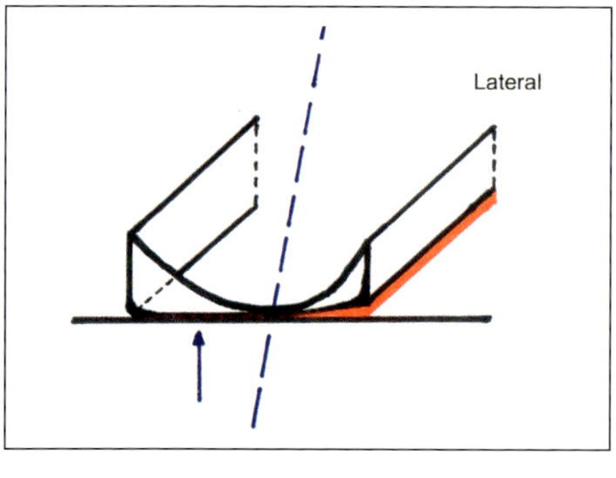

Abb. 24.7: Querschnitt einer Fersenabstützung. Durch Anschrägen (rote Fläche) der lateralen Fersenabstützung verlagert sich das Druckzentrum (Pfeil) in Bezug zur STG-Achse (blaue gestrichelte Linie) mehr medial. Hierdurch wird das Kraftmoment für die Pronation der Ferse verringert.

Extrinsische Fersenabstützung der Orthose in Trapezform

Wenn der Patient unter lateraler Instabilität oder Verstauchungen leidet, kann eine trapezförmige Fersenabstützung vorteilhaft sein. Wenn der Fuß bei Fersenkontakt auf die laterale Seite der Fersenbettung trifft, verlagert sich das Druckzentrum dann mehr lateral von der STG-Achse. Diese Verlagerung verursacht in Bezug zur STG-Achse mehr Pronation.

Die Trapezform kann entweder an der Fersenbettung der Orthose oder am Schuhabsatz angebracht werden. In den meisten Fällen ist diese Art der Abstützung jedoch unzweckmäßig, weil die Erhöhung des Kraftmoments für die Pronation an der STG-Achse nicht wünschenswert ist. Außerdem ist für diese Maßnahme am Ferseninnenrand des Schuhs meistens nicht genug Platz. Falls unbedingt notwendig ist es besser, den Schuhabsatz so zu verändern.

Die mediale Seite der trapezförmigen Fersenabstützung ist für die Veränderung der Bewegung nicht so wirkungsvoll wie die laterale. Weil die Ferse bei der Gangabwicklung zuerst invertiert auf den Boden trifft, evertiert sie durch die laterale Abstützung so lange, bis der mediale Bereich der Fersenabstützung und der distale Rand der Orthose den Boden berühren. Die Orthose wird nur dann eine Inversion bewirken, wenn sich der Druck medial vom Druckzentrum unter der Orthose befindet. Es ist beinahe unmöglich für das Druckzentrum mehr medial als die Fersenabstützung der Orthose zu wirken, weil die Ferse in der Regel invertiert aufsetzt. Eine medial wirksame trapezförmige Fersenbettung müsste über den Schuhumriss hinaus vorgenommen werden und würde dann nicht mehr in den Schuh passen.

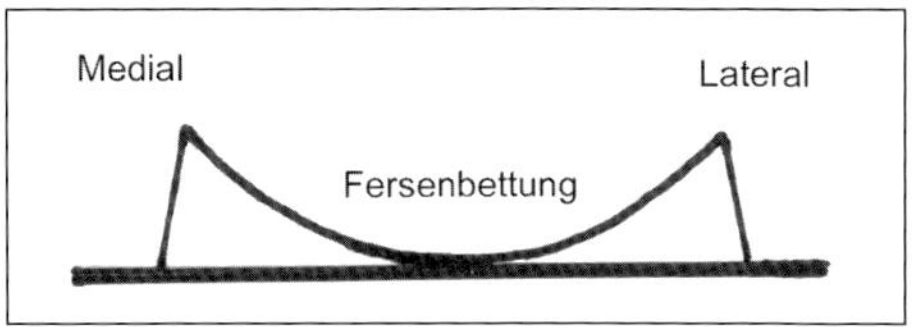

Abb. 24.8: Querschnitt einer trapezförmigen Fersenabstützung

Die extrinsische Vorfußabstützung

Die Entscheidung, ob eine äußere Vorfußabstützung an der Orthose angebracht wird, kann immer, entweder vor oder nach ihrer Fertigstellung, gefällt werden. Die meisten Orthosen werden mit einer innenliegenden (intrinsischen) Vorfußkorrektur versehen.

Extrinsische Abstützungen für den Vorfuß eignen sich, wenn ein Fehler bei der Orthosenherstellung aufgetreten ist.

1. Beispiel:
Wenn eine Fersenbettung nicht genug Inversion zeigt, kann ein extrinsischer Vorfuß-varus-Keil (Abstützung) angebracht werden, um die Inversion der Ferse zu unterstützen. Die Voraussetzung hierfür ist, dass Vorfußbereich und Fersenbettung korrigiert werden.

2. Beispiel:
Wenn das Chopart-Gelenk des Fußes durch die Orthose nicht vollständig evertiert wird, kann ein extrinsischer Vorfuß-valgus-Keil zusätzlich angebracht werden, um den Vorfuß zu evertieren. Ein Problem kann auftreten, wenn durch den Valgus-Keil ebenfalls die Fersenbettung evertiert. Dies kann aber nur auftreten, wenn der Keil an einer korrekt hergestellten Orthose angebracht wird. Eine Orthose, deren Positivmodell korrekt ausbalanciert wurde, wird dieses Problem nicht haben. Positivmodelle, von denen Orthosen mit extrinsischer Abstützung gefertigt werden sollen, brauchen dagegen keine Ausbalancierung.

24.3 Materialwahl für die Orthose

Es besteht noch keine Einigkeit darüber, ob eine Orthose aus flexiblem oder starrem Material gefertigt werden soll. Nach meiner Ansicht ist bei dem Material Ethylvinylacetat (EVA) eine universale Verwendungsmöglichkeit gegeben.

Materialarten zur Orthosenherstellung:
- Starre/steife Materialien (z. B. Polypropylen, verdichtetes Ethylvinylacetat, Karbon-Fasern) werden zur Bewegungsbeeinflussung des Fußes eingesetzt.
- Flexibles Material (z. B. weniger verdichtetes Ethylvinylacetat, Ortholene) benutzt man zur Stabilisierung und Unterstützung strukturell bedingter Deformitäten.
- Weiche Materialien (z. B. Polyurethan, Polyethylen, weiches Ethylvinylacetat) wird zur Polsterung und Entlastung verwendet.

Bei Auswahl der Materialstärke muss grundsätzlich der Schuh miteinbezogen werden, in den die Orthose passen soll. Weite, Länge und Breite der Orthose sind ebenso wichtige Kriterien, nach der sich die Herstellung richten muss. Es gibt auch keine Standardmaße für die Höhe der Fersenbettung. Da sich das Positivmodell der Orthose, besonders im Fersenbereich, breiter darstellt, ist es unumgänglich, einen bevorzugten Schuhtyp des Patienten bis zum Ende der Orthosenherstellung zur Verfügung zu haben.

Nach korrekter Anpassung der Orthose an den Fuß sollte dem Patienten – wie bereits erwähnt – ein Termin zur Wiedervorstellung gegeben werden, damit der Korrekturerfolg kontrolliert werden kann.

Ausblick

Wo die zuvor erwähnte Fersenmittellinie beim Positivmodell eingezeichnet werden soll, ergibt sich aus der biomechanischen Betrachtungsweise. Sie geht davon aus, dass die Fersenstellung des Fußes genau mit der des Positivmodells übereinstimmt. Dies wird manchmal jedoch in Frage gestellt.

Grundsätzlich ist die Positionierung der Fersenmittellinie am Positivmodell gültig, wenn damit die Stressbelastung des Fußes behoben werden kann.

Es gibt im Allgemeinen zwei Ursachen für Fußpathologien:

- ihre Entstehung durch die Stressbelastung des Fußes
- ihre Entstehung durch die Fehlstellung des Fußes

Für beide Ursachen gibt es gewisse Gemeinsamkeiten. Gehen wir von der Fehlstellung des Fußes aus, gibt es drei Fußtypen, die eine Supination der Längsachse des Chopart-Gelenks bewirken. Es sind der:

- Vorfuß valgus
- plantarflektierte 1. Strahl
- evertierte Calcaneus

(Eine supinierte Längsachse des Chopart-Gelenks führt zu Hallux valgus, Hallux limitus, Fasziitis der Plantaraponeurose.)

Gehen wir von der Stressbelastung des Fußes aus, würden alle oben genannten Fußtypen zu mehr Belastung des medialen Fußbereichs führen. (Der Bodenwiderstand an der medialen Fußseite supiniert die Längsachse des Chopart-Gelenks.) Die Wirkung des Bodenwiderstandes auf das 1. Metatarsalköpfchen erhöht die Zugspannung auf die Plantaraponeurose. Hierdurch entstehen durch den **Windlass-Effekt** der Hallux valgus, Hallux limitus und die Fasziitis der Plantaraponeurose.

Zur Behebung beider Ursachen geht es um die Verringerung des Bodenwiderstandes während der Schrittabwicklung auf das 1. Metatarsalköpfchen.

Es gibt hierfür zwei Möglichkeiten:

a) die Supination des STG
b) die Mehrbelastung des lateralen Fußbereichs (z. B. durch Eversion des Vorfußes)

Zu a) Das Kraftmoment für die Supination kann durch drei Arten beeinflusst werden:

- durch die Verlagerung des Bodenwiderstandes mehr medial von der STG-Achse
- durch einen Varus-Keil plantar der Fersenbettung der Orthose
- durch die Aktivierung der supinierend wirkenden Muskulatur.

Zu b) Um die Kraftwirkung auf das 1. Metatarsalköpfchen zu reduzieren besteht die Möglichkeit das Chopart-Gelenk zu pronieren (Fehlstellung) oder die Belastung des lateralen Fußbereichs zu erhöhen.

Einer der schwierigsten Aufgaben der Orthosenherstellung ist es, das Chopart-Gelenk ohne Pronation des STG zu pronieren. Bei einigen Füßen, deren Längsachse des Chopart-Gelenks im Stand supiniert ist, besteht etwas Pronationsbewegung des Chopart-Gelenks. Eine Orthose mit Vorfuß-valgus-Korrektur wird diese geringe Bewegung nutzen und keine weitere Eversion des Fußes bewirken wollen.

Wenn das Chopart-Gelenk proniert ist, kann die laterale Fußseite mehr belastet werden, um damit die mediale Seite zu entlasten.

Eine falsche Auffassung ist, dass ein Vorfuß-valgus-Keil eine Pronation des STG hervorrufen muss und damit mehr Belastung auf das 1. Metatarsalköpfchen bringt. Es stimmt, dass der Vorfuß-valgus-Keil eine Pronation verursacht, aber keine Mehrbelastung des medialen Vorfußes.

Begründung:
Die höchste Belastung, die unter normalen Bedingungen auf den Fuß einwirken kann, ist das Körpergewicht. Die Vorfuß-valgus-Korrektur verursacht mehr Belastung auf der lateralen Fußseite. In Folge dessen muss an irgendeinem Bereich des Fußes die Belastung weniger werden. (Aus anderer Sicht könnte die durch einen Muskel bewirkte Pronation die Belastung des 1. Metatarsalköpfchens vergrößern.)

Es gibt folglich Unterschiede zwischen den Auswirkungen von Kräften für die Pronation: Zum einen sind dies der Bodenwiderstand und zum anderen die Muskelarbeit.

Nicht alle Pathologien können auf die Überlastung des 1. Metatarsalköpfchens bezogen werden. Es gibt auch andere Einflüsse für Fehlbelastungen, z. B. durch den Zug der Achillessehne oder dem Sinus-Tarsi-Syndrom. Diese speziellen Pathologien können mehr durch supinierend wirkende Kraftmomente des Bodenwiderstandes behandelt werden. (Siehe auch Kapitel über Kompensationsformen des Fußes)

Durch mehr praktische Erfahrung werden sich zwangsläufig die Kenntnisse – z. B. ob eine Fersenbettung mehr Inversion bekommen soll oder nicht – vertiefen. Wenn ein Patient eine laterale Instabilität und Beschwerden an der medialen Fußseite aufweist, wird der Vorfuß evertiert und nicht der Rückfuß invertiert. In diesem Fall kann die laterale Instabilität am besten durch die Bestimmung der STG-Achse verändert werden. (Siehe dazu Kompensationsformen des Fußes) Es gibt jedoch keine gültigen Aussagen darüber, wie ein lateral instabiler oder lateral stabiler Fuß definiert werden soll.

Die Orthose kann als Hilfsmittel angesehen werden, um die Stressbelastung und die sich daraus ergebenden Schmerzen des Fußes zu reduzieren.

Bei Pathologien, welche durch Überlastung des 1. Metatarsalköpfchens bedingt sind, kann der Stress entweder durch Supination des STG oder durch Mehrbelastung der lateralen Fußseite verringert werden.

Durch die Orthose besteht die Möglichkeit, das STG entweder zu pronieren oder zu supinieren. Dies kann durch die Art der Fersenbettung erreicht werden (ein lateral instabiles Talo-Crural-Gelenk benötigt z. B. mehr Pronation). Eine weitere Möglichkeit besteht darin, die Belastung auf den Vorfuß zu verteilen.

24.4 Behandlung der strukturellen Veränderungen des Fußes mit Orthosen

Orthose für den Rückfuß varus

1. Negativabdruck

Wenn sich beim entlasteten Rückfuß varus der Calcaneus in Neutralstellung befindet, steht der Vorfuß im rechten Winkel zum Rückfuß. Hierdurch invertiert der gesamte Fuß in Bezug zum Unterschenkel oder dem Boden.

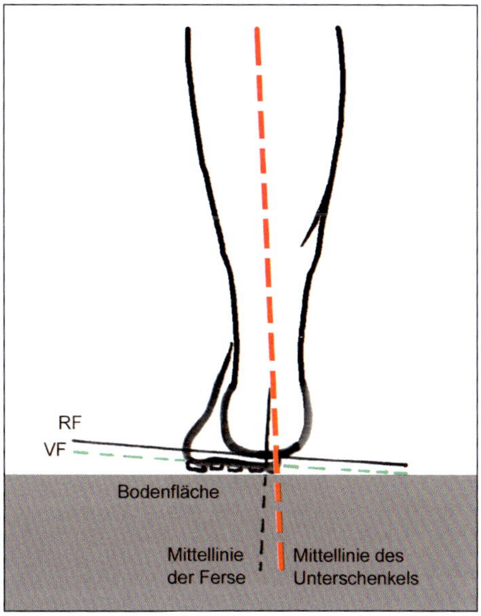

Abb. 24.9: Skizze des Rückfuß varus (Ansicht: rechter Fuß von hinten) RF = Rückfuß (glatte Linie); VF = Vorfuß (gestrichelte Linie) (Der Rand der Untersuchungsliege stellt die Referenz zur Bodenfläche dar.)

Soweit der Negativabdruck selbst nur eine Darstellung des Vorfuß-/Rückfuß-Verhältnisses ist, fehlt das Verhältnis zwischen dem Fuß und dem Unterschenkel bzw. dem Boden.

Wenn sich der Vorfuß im rechten Winkel zum Rückfuß und der Vorfuß des Abdrucks parallel zum Boden befindet, steht die Ferse ebenfalls parallel zum Boden.

Für die Genauigkeit des Negativabdrucks besteht eine hervorragende Ausgangsposition, wenn der Vorfuß parallel zum Boden steht und die Fersenfläche innerhalb der Toleranzgrenze von +/- 2° im rechten Winkel zum Boden steht.

Fehler beim Negativabdruck

Wenn sich der Fuß während des Abdrucknehmens in pronierter Stellung befindet, steht der Vorfuß in Beziehung zum Rückfuß evertiert und würde dadurch in dem Negativabdruck einen Vorfuß valgus vortäuschen. Wenn dieser Fehler beim Abdruck gemacht wird und der Vorfuß des Negativabdrucks parallel zum Boden ausgerichtet wird, steht der Calcaneus invertiert. Wenn das STG während des Abdrucknehmens irrtümlich supiniert wurde, ist der Vorfuß mehr invertiert als der Rückfuß, weil dem Chopart-Gelenk weniger Pronation zur Verfügung steht, wenn das STG supiniert ist. Deshalb wird im Negativabdruck ein Vorfuß varus vorgetäuscht. Wenn der Vorfuß des Negativabdrucks parallel zur Bodenfläche verläuft, steht der Calcaneus im Abdruck evertiert.

Das Chopart-Gelenk muss vollständig proniert und das STG in Neutralstellung sein, wenn ein Negativabdruck gemacht wird.
Im Normalfall steht das Vorfuß-Rückfuß-Verhältnis im rechten Winkel zueinander.
Wenn STG und Chopart-Gelenk proniert sind, wird im Negativabdruck fälschlicherweise ein Vorfuß valgus geschaffen.
Wenn STG und Chopart-Gelenk supiniert sind, wird im Negativabdruck fälschlicherweise ein Vorfuß varus geschaffen.

Ein anderer Fehler kann dadurch entstehen, dass das STG um den gleichen Grad proniert wie das Chopart-Gelenk supiniert wurde. Der Vorfuß des Negativabdrucks wird im rechten Winkel zum Rückfuß stehen, aber das mediale Gewölbe des Negativabdrucks wird zu hoch ausfallen und Anzeichen einer Chopart-Gelenk-Supination tragen. Die Ferse wird dabei im rechten Winkel zum Vorfuß und dem Boden stehen. Deshalb muss zur Kontrolle die Form des medialen Fußgewölbes beim Negativabdruck mit dem realen plantaren Fußgewölbe verglichen werden.

Um eine genaue Mittellinie des Calcaneus am Negativabdruck zu erhalten, kann seine laterale Seite im rechten Winkel zum Boden gelegt werden. Dann wird eine parallel zum Boden verlaufende Linie durch die Mitte des Calcaneus gezeichnet. Dies ist beim Rückfuß varus eine der möglichen Methoden, um die Mittellinie der Ferse auf den Abdruck zu übertragen.

2. Die Orthose

Die Ferse muss sich in Neutralstellung befinden (in der gleichen Stellung wie beim Abdrucknehmen). Zu vergleichen ist die Form der Orthose mit der plantaren Fläche des Fußes entlang der plantaren Fläche des Calcaneus, des lateralen Calcaneo-Cuboid-Gelenks und des bogenförmigen Verlaufs der Ossa metatarsi (Mittelfußknochen). Die plantare Fußfläche muss der Orthosenform entsprechen.

Wenn die Orthose am Fuß (ohne Druck) angepasst wird, muss ihr medialer Rand das 1. Metatarsalköpfchen an der proximal plantaren Seite berühren. Gleichzeitig sollte ein Kontakt proximal zu dem plantar lateral liegenden 5. Mittelfußköpfchen bestehen.

Indem der Fuß in Abdruckposition gehalten wird, müssen folglich die laterale Seite des 5. Metatarsalköpfchens und die mediale Seite des 1. Metatarsalköpfchens vom distalen Rand der Orthose gleichzeitig berührt werden.

3. Die Orthose im Schuh
Im Schuh darf keine Bewegung der Orthose in der Sagittal-Ebene stattfinden. Die Orthose muss sich im Schuh in der Frontal-Ebene bewegen können.
4. Die Funktion der Orthose während des Gehens
Der Patient weist einen Rückfuß varus von 4° auf.

Bei Fersenkontakt steht der Calcaneus invertiert. Durch den Rückfuß-Varus-Keil der Orthose bleibt die Ferse zunächst invertiert. In der frühen Standphase setzt die Pronationsbewegung ein. Sie besteht während der Gangabwicklung so lange, bis der Fuß über die mediale Fläche des Varus-Keils im Fersenbereich und dem medialen Rand der Orthose abrollt. Durch die vorgegebene 4°-„Bewegung" des Varus-Keils steht die laterale Fläche des Keils dann 4° evertiert zum Boden. Eine weitere Pronation findet nicht statt.

Die wichtigste Funktion der Orthose ist, die Pronation des Chopart-Gelenks während der Standphase der Gangabwicklung zu vermeiden. Die Pronation des Chopart-Gelenks verursacht bei intertarsaler Gelenkstabilität eine Plantarflexion und Adduktion des Rückfußes. Deshalb vermeidet der Rückfuß-Varus-Keil und die Form der Fersenbettung der Orthose, dass das Chopart-Gelenk proniert.

Abstützungen im medialen Fußgewölbe werden gewöhnlich direkt auf die plantare Fläche des Chopart-Gelenks übertragen. Sie wirkt sich bei einem Rückfuß varus schmerzhaft auf das Chopart-Gelenk aus.

Das Chopart-Gelenk ist während der Abstoßphase (Propulsion) in der Gangabwicklung des Fußes verantwortlich für die Supination. Wenn die Ferse vom Boden abhebt, besitzt das STG keinen Einfluss, keine Kontrolle mehr. Das mediale Fußgewölbe wird höher (hauptsächlich durch Supination der Querachse des Chopart-Gelenks) und besitzt keine Ähnlichkeit mehr mit der Orthosenoberfläche. Während der Propulsion verliert die Orthose ihre Kontrollmöglichkeit für den Rückfuß varus, weil die Unterstützung dort nicht mehr den Boden berührt und die Belastung der Orthose weiter distal verlagert ist. Die Ferse invertiert nur als Folge der Chopart-Gelenk-Supination. Wenn sich folglich eine Bewegungskontrolle nicht vor der Propulsion ereignet hat, wird sie auch nicht mehr während der Propulsion eintreten.

Wenn die Orthose den Rückfuß varus kompensiert, wird die Lage des Fußes mit Beginn des Fersenkontaktes bis zu den ersten 50 % der Belastungsphase verändert.

Auch wenn der Patient keinen Rückfuß varus aufweist, wird manchmal eine Fersenabstützung von 4° benutzt, um einer übermäßigen Chopart-Gelenk-Pronation vorzubeugen. Man kann das STG bei Fersenkontakt erfolgreich in einer leicht supinierten Stellung halten, wenn die Neutralstellung des STG bis zur Vorfußbelastung möglich ist. Als Nebeneffekt wird der Schuhabsatz auf der lateralen Seite abgenutzt.

Orthose für den Rückfuß valgus

1. Beispiel

0° Tibia-Stellung
12° Inversion (2/3 = 16°)
12° Eversion (1/3 = 8°)
24° = Summe des Bewegungsumfangs (= 3/3)

Es besteht ein Rückfuß valgus von 4° (12° Eversion abzügl. 8° Eversion = 4° Eversion).

In dem Negativabdruck steht der Vorfuß im rechten Winkel zum Rückfuß.

Das Positivmodell muss nun um 4° zur Unterfläche evertiert werden, um das STG in Neutralstellung zu bringen. Die laterale Fläche des Positivmodells stellt sich durch den lateralen Gipsauftrag dicker dar als die mediale.

Unter die Orthose wird im Fersenbereich extrinsisch ein Varus-Keil von 4° angebracht.

Gangabwicklung mit der Orthose

Der Varus-Keil bringt bei Fersenkontakt – durch Verlagerung des Druckzentrums medial der STG-Achse – den um 4° evertierten Calcaneus in eine lotrechte Stellung.

Ohne Hilfestellung würde das STG bis zum Ende seines Bewegungsumfanges pronieren (= 12° Eversion). Deshalb vermeidet die Orthose eine weitere Pronation des STG und Eversion des Calcaneus von 8° bis zum Ende seines Bewegungsumfangs .

Orthosen sorgen dafür, dass der Talus nicht den Boden berührt, bevor das STG das Ende seines Bewegungsumfangs erreicht hat. Je ausgeprägter der Rückfuß valgus besteht, desto schwieriger ist es, die anormale Pronation zu beherrschen. Wenn aber der Talus den Boden berührt, wird dies gewöhnlich als asymptomatischer Flachfuß angesehen. Wenn die Orthose die Stellung des Fußes zu sehr verändert, kann es zu Irritationen kommen. Deshalb ist ein Rückfuß valgus von mehr als 8° bis 10° nicht behandelbar. Wenn der Patient hier über Schmerzen klagt, liegen die Ursachen meist nicht an der Fehlfunktion des Fußes.

2. Beispiel

4° Varus der Tibia:
8° Inversion (2/3 = 16°)
16° Eversion (1/3 = 8°)
24° = Summe des Bewegungsumfangs (= 3/3)

Es besteht ein Rückfuß valgus von 8° und eine Neutralstellung der Ferse von 4° Eversion (= 8° Eversion abzügl. 4° Tibia varus = 4° Eversion).

Der Negativabdruck muss mit dem gleichen Wert (4° Eversion) ausbalanciert werden, wie zur Neutralstellung der Ferse notwendig ist.

Die Herstellungsart der Orthose ist die gleiche wie am Beispiel 1.

Um die Funktion des Fußes zu beeinflussen, ist die Stellung des Calcaneus zum Boden wichtig. Mehr als 10° Rückfuß valgus hat wenig Aussicht, diese Bewegung mit einer Orthose beheben zu können. Der Taluskopf berührt in diesem Fall während der Pronation bereits den Boden und übernimmt gewichtstragende Funktion. In der Regel besitzt dieser Fuß dadurch Stabilität und ist beschwerdefrei.

Einige Orthosen konnten eine angedachte **Tripel-Arthrodese**[12] dieser Fußstellung verhindern.

Wenn nach sechs Monaten durch eine Orthose keine Besserung eingetreten ist und weitere konservative Therapien keinen Erfolg gezeigt haben, bleibt die Tripel-Arthrodese der einzige Ausweg für die Behandlung.

Orthosen für den Vorfuß varus

Negativabdruck

Der Negativabdruck wird in Neutralstellung des STG und dem bestehenden Vorfuß-/Rückfuß-Verhältnis genommen.

Wenn der Vorfußbereich des Negativabdrucks parallel zur Unterlage liegt, evertiert die Ferse zu gleichen Graden wie der Vorfuß varus. Bei einem fehlerhaften Abdruck sind nur ± 2° Unterschied im Vorfuß-/Rückfuß-Verhältnis akzeptabel.

Unterschiedliche Herstellungsarten der Orthosen für den Vorfuß varus:
a) die balancierende Methode
b) die Methode mit vorderer Abstützung

a) Bearbeitung des Positivmodells nach der balancierenden Methode

In diesem Beispiel wird eine ausreichende Menge Gips unter die plantare Fläche des 1. Metatarsalköpfchens des Positivmodells aufgetragen, um den Calcaneus des Abdrucks rechtwinklig zu stellen.

Allgemein endet der Gipsauftrag 0,5 cm proximal des 5. Metatarso-Phalangeal-Gelenks und 1 cm proximal vom

12 Tripel-Arthrodese = operative Versteifung von STG, Calcaneocuboid- und Talo-navicular-Gelenk.

1. Metatarso-Phalangeal-Gelenk. Dies stellt gleichzeitig auch die medialen und lateralen Begrenzungen des Positivabdrucks dar.

Überprüfung der Orthose mit balancierter Abdruckmethode am Fuß

Bei der balancierten Abdruckmethode muss die Plantarorthose exakt mit der plantaren Fußfläche übereinstimmen. Sie muss – außer dem distalen 1. Metatarsalköpfchen – alle Flächen des Fußes berühren. Die Überprüfung erfolgt in Neutralstellung des STG und maximal proniertem Chopart-Gelenk.

Vorteile der balancierenden Methode

- Sie besitzt eine höhere Schuhverträglichkeit. Die Kontaktfläche des vorderen Orthosenrandes im Schuh besitzt eine definierte Begrenzung. (Im Gegensatz dazu reicht die vordere Abstützmethode 1 bis 2 cm weiter. Hierbei ist es möglich, dass der Fuß durch die höher liegende vordere Abstützung keinen ausreichenden Platz im Schuh findet.
- Eine übermäßige Pronation kann man durch die Eindrucktiefe des vorderen Orthosenrandes im Schuh leicht erkennen. Falls eine starke Pronation vorhanden ist, drückt die mediale Seite der Orthose mehr auf die Innensohle des Schuhs als die laterale. Wenn fachgerecht gearbeitet wurde, wird sich nur wenig Abdruck auf der Innensohle des Schuhs zeigen. Laterale sowie mediale Seiten der Orthose bilden sich dann gleich stark ab. Im Gegensatz zur Orthose mit vorderer Abstützung drückt sich der gesamte vordere Rand wegen seiner größeren Fläche grundsätzlich mehr in den Schuh. Eine übermäßige Pronation des Vorfußes im Schuh wäre deshalb schlechter zu erkennen.

Nachteile der balancierenden Methode

- Ist der Vorfuß varus sehr ausgeprägt, kann diese Methode den Vorfuß meist nicht genug pronieren, um eine normale Funktion des Fußes zu ermöglichen. Wenn der Patient einen Vorfuß varus von mehr als 7° bis 8° aufweist, sollte die Kombination beider Methoden (balancierende Methode und Methode mit vorderer Abstützung) in Erwägung gezogen werden.
- Diese häufig vorkommende Deformität ist durch die Orthose meist vollständig kompensiert. Die Beschwerden sind meist beseitigt.
- Ein Vorfuß varus von mehr als 10° ist eine ernst zu nehmende aber sehr selten vorkommende Deformität. Eine Orthose kann bei diesem Patientenkreis meist nicht getragen werden, weil dafür der Platz in einem normalen Schuh nicht ausreicht.

b) Bearbeitung des Positivmodells nach der Methode mit vorderer Abstützung

Der Vorfuß bleibt in Bezug zum Rückfuß beim Positivmodell invertiert.

Plantar des Vorfußes wird wenig Gips von der medialen bis zur lateralen Fläche des Positivmodells aufgetragen, jedoch nicht distal über die plantaren Metatarsalköpfchen hinaus. Der zugefügte Gips befindet sich unter der medialen Seite des Positivmodells 1 cm distal und 1 cm lateral von der Mitte des 1. Metatarso-Phalangeal-Gelenks. Lateral befindet sich der Gips 0,5 cm medial und distal von der Mitte des 5. Metatarso-Phalangeal-Gelenks.

Bei der Methode mit vorderer Abstützung bleibt – nach dem Gipsauftrag – die Mittellinie des Calcaneus am Positivmodell um den gleichen Grad, wie der Vorfuß varus, evertiert.

Der Gipsauftrag wird auch dazu benutzt, um die vordere Begrenzung der Orthose sehr genau in Bezug zum 1. bis 5. Metatarso-Phalangeal-Gelenk festzulegen. Die Funktion der Orthose wird beeinträchtigt, wenn der distale Rand der Orthose den Schaft der Zehen 1 bis 5 berührt.

Unter die mediale Seite des Positivabdrucks wird nun ein Keil gelegt, um die

Mittellinie des Calcaneus lotrecht zu stellen. Die Höhe des Keils entscheidet über die Stärke der medial unterstützenden Maßnahme an der fertigen Orthose.

Es werden nun Löcher unter den vorderen Bereich der Orthose gebohrt, um die unterstützende Maßnahme anbringen zu können. Ein Anschleifen der Fläche bietet zusätzlich eine bessere Verklebung der extrinsischen Korrektur.

Die Unterstützung an der medialen Seite ist ca. 1 bis 2 cm breit.

Eine hohe vordere Abstützung verträgt sich meist nicht mit dem Platz im Schuh.

Anpassung der Orthose nach der Methode mit vorderer Abstützung
Das STG steht in Neutralstellung und das Chopart-Gelenk in maximal pronierter Stellung. Wenn nach der vorderen Abstützmethode korrigiert wurde, muss die Orthose flächig unter dem Fuß anliegen.

Vorteile der Methode mit vorderer Abstützung
- Der vordere Bereich der Orthose ist in Bezug zum Vorfußwinkel leichter veränderbar, weil die extrinsische Unterstützung (z. B. ein Keil) leichter zu beschleifen und korrigierbar ist. Mit der balancierten Abdruckmethode ist dies nicht möglich, ohne die Orthose unbrauchbar zu machen. Wenn allerdings mehr als 2°-3° abgeschliffen werden müssen, ist die Orthose nicht mehr akzeptabel. Der Patient kann durch die Orthose starken Druck auf den Schaft des 1. Metatarsale verspüren. Dies zeigt an, dass der Fuß trotz Orthose proniert.
- Durch die vordere Unterstützung der Orthose besteht ein besserer Vorfußkontakt. Dies führt zur besseren Kontrolle der STG-Funktion.
- Bis zu 5° Vorfuß varus hat die balancierte Abdruck-Methode keine Schwierigkeiten, die Fußbelastung zu kontrollieren. Ab 5° bis 10° Vorfuß varus sollte die Methode mit der vorderen Abstützung in Betracht gezogen werden. Bei sehr schweren Deformitäten sollten grundsätzlich nicht die gesamten Winkelgrade des Vorfuß varus für die Orthose mit vorderer Abstützung übernommen werden. Der Vorfuß varus von 10° kann mit beiden Methoden kombiniert werden.

Beispiel:
5° werden nach der balancierenden Methode vorgegeben (das Positivmodell wird mit 5° Eversion hergestellt) und weitere 5° mit einer vorderen (anterioren) Abstützung (z. B. Keil) an der Orthose ergänzt.

Nachteile der Methode mit vorderer Abstützung
- Die vordere Unterstützung kann durch Scherkräfte während der Schrittabwicklung von der Orthose abreißen. Es sollten deshalb Nieten zur Befestigung der vorderen Abstützung verwendet werden, die das verhindern können.
- Die mediale vordere (anteriore) Abstützung kann sich durch ihre breite Auflagefläche in die Innensohle des Schuhs eindrücken. Der zu korrigierende Vorfuß-varus-Winkel kann sich dadurch verändern. Die durch den Keil aufgeriebene Innenfläche des Schuhs ist zu beheben, indem man festeres Material in Größe der eingesenkten Stelle einpasst, auf die Innensohle des Schuhs klebt und mit Leder überzieht.
- Wenn sich die Orthose tief in den Innenschuh eindrückt, kann eine übermäßige Pronation nicht mehr beurteilt werden.
- Die Orthose kann sich (unter Umständen) mit der Sprengung des Schuhs nicht vertragen, wenn sie im Schuh nicht vollständig aufliegt (= Wippen der Orthose).
- Der Abdruck der Abstützung zeigt keine anormale STG-Funktion an.

Zusammenfassung
Für einen Vorfuß varus mit einem Winkel bis max. 7° ist die balancierende Methode die beste Wahl, weil die Orthose

dieser Deformität standhält.

Wenn der Vorfuß varus einen Winkel zwischen 7° und 10° aufweist, wird in diesem Fall – unter Berücksichtigung des Schuhtyps und der Beschwerden – mit einer vorderen Abstützung (z. B. einem Keil) gearbeitet.

Wenn der Vorfuß varus einen größeren Winkel als 10° besitzt, empfiehlt sich die Kombination beider Methoden. Dies ergibt im medialen Vorfußbereich der Orthose weniger Materialstärke und allgemein weniger Masse der Orthose. Es besteht auch eine bessere Unterstützung des 1. Metatarsale im Vergleich zur balancierten Methode. Die Schwierigkeit besteht allein darin, den richtigen Schuh zu finden, der eine ausreichend hohe Vorderkappe besitzt, um die Orthose aufzunehmen.

24.5 Orthose bei Tarsaler Verschmelzung (Coalitio tarsi) und Spasmus der Peroneus Muskulatur

Herstellung einer pronierend wirkenden Orthose

Negativabdruck

Beispiel:

Inversion des Subtalar-Gelenks (STG): 15° (2/3 = ca. 14°)

Eversion des Subtalar-Gelenks (STG): 5° (1/3 = ca. 7°)

Gesamter Bewegungsumfang: 20° (3/3)

Neutralstellung von 2° Inversion des STG: liegt im Toleranzwert von ± 2°

- Zuerst wird der Fuß so nahe wie möglich in Neutralstellung mit max. proniertem Chopart-Gelenk gehalten.
- Ohne den Vorfuß (das Chopart-Gelenk) zu bewegen, wird das STG 5° proniert und in dieser Abdruckposition gehalten. Falls die Hand, die den Vorfuß hält, bewegt wird (hierdurch bewegt sich auch das Chopart-Gelenk), proniert das Chopart-Gelenk. Es würde hierdurch ein Vorfuß valgus in dem Gipsabdruck entstehen. Eine evertierte Stellung des Vorfußes sollte möglichst vermieden werden, außer wenn er bei Neutralstellung des STG bereits vorhanden ist.

Bei einem bestehenden Vorfuß varus muss das Chopart-Gelenk jedoch soweit proniert werden, bis der Vorfuß parallel zum Boden steht. Bis zur Abbindung des Gipses muss der Fuß in der beschriebenen Position gehalten werden. In diesem Fall wird ein Negativabdruck erhalten, bei dem der Vorfuß parallel und der Rückfuß evertiert zum Boden steht.

Das Positivmodell

Der Negativabdruck wurde mit 5° evertierter Ferse hergestellt. Der Vorfuß besitzt eine waagerechte Stellung.

Das Positivmodell wird mit einem Keil unter dem 5. Mittelfußköpfchen zu 5° Eversion ausbalanciert und mit Gips aufgefüllt. Damit befinden sich Vor- und Rückfuß in evertierter Position.

Eine nach diesem Positivmodell geformte Orthose bedeutet, dass ihre distale Fläche den Boden berührt, wenn der Vorfuß sowie der Rückfuß 5° invertiert zum Boden stehen.

Kontrolle der Orthose

Wenn man den Fuß wie beim Negativabdruck hält und die Orthose anpasst, hebt sich am distalen Orthosenrand die laterale Seite vom Fuß ab, wenn die mediale Orthosenseite die Fußfläche berührt.

Stabilisierung der Orthose

Zur Stabilisierung der Ferse im Schuh wird eine rückwärtige Abstützung mit einem 0° Winkel angebracht. Diese zusätzliche Abstützung soll die Bewegung im STG sowie dem Chopart-Gelenk und die peronealen Spasmen vermeiden.

Wenn der Negativabdruck in Neutralstellung (statt der pronierten Stellung) der Ferse genommen worden wäre, würde die mediale Fußwölbung zu hoch ausfallen und den Fuß von der Orthose gleiten lassen. Mit dem Abdruck in pronierter Stellung des Fußes stimmt die Form der Orthose mit der des Fußes überein, wenn der Fuß proniert steht. Der Grund für die pronierend wirkende Orthose ist, dass jedwede Bewegung im STG und Chopart-Gelenk vermieden wird. Der Patient mit pronierend wirkender Orthose besitzt einen apropulsiven (wenig vom Boden abstoßenden) Gang.

Der ideale Zeitpunkt, eine Coalitio tarsi chirurgisch zu behandeln, ist zwischen dem 12. und 15. Lebensjahr, wenn die Knochen ausgewachsen sind, sich aber noch nicht angepasst haben.

Aussicht der Behandlung

Wenn die Behandlung mit dieser Methode innerhalb eines Jahres erfolgreich gewesen ist, kann die Orthose dann so viel Bewegung zulassen, wie sie für das STG möglich ist. Es kann kein guter Erfolg mit der Orthose erzielt werden, je mehr das STG in der Bewegung eingeschränkt ist. Je größer der Bewegungsumfang des STG, desto besser ist die Behandlungsaussicht.

Wenn die Orthose sechs Monate getragen wurde und die Pronation sowie Dorsalextension des Fußes nicht zugenommen haben, kann eine Verlängerung der Achillessehnen ermöglichen, dass dem Fuß mit einer pronierend wirkenden Orthose geholfen werden kann. Wenn diese konservativere Methode versagt, bleibt nur noch die Möglichkeit der **Tripel-Arthrodese** (operative Versteifung von STG, Calcaneo-cuboid und Talo-navicular Gelenk) übrig.

24.6 Orthosen bei einem kompensierten Talipes Equinus Fußtyp

Wenn eine Achillessehnen Verlängerung nicht in Frage kommt, ist eine „pronierend wirkende Orthose“ die einzige Möglichkeit, bei dem Erwachsenen einen kompensierten Equinus zu beeinflussen. Es wird eine „pronierende“ Orthose mit flacher rückwärtiger „Abstützung ohne Bewegung“ benötigt. Die mediale und laterale Fersenbettung der Orthose muss höher ausfallen.

Nur das Chopart-Gelenk wird durch diese Orthose beeinflusst. Das Ziel der Orthose ist, die letzten Pronationsgrade des Fußes, hauptsächlich im Chopart-Gelenk, zu vermeiden. Dies wirkt auch der Überlastung der Plantarfascie entgegen. Die Orthose hat keinen Einfluss auf einen Hallux abducto valgus oder die Entstehung von Hühneraugen.

Negativabdruck bei einem kompensierten Talipes Equinus

In dem zu behandelnden Fall steht das Vorfuß-/Rückfuß-Verhältnis des Fußes im rechten Winkel zueinander.

Der Negativabdruck wird mit dem gleichen Grad der Ferseneversion genommen, wie bei der entspannten Fersenstellung ermittelt wurde.

Das Positivmodell wird zu gleichen Graden im Verhältnis zum Boden evertiert ausbalanciert wie bei der entspannten Fersenstellung. Hierzu wird Gips unter die laterale Vorfußfläche des Positivmodells aufgetragen. In Bezug zu der nun stärker pronierten Fläche des Rückfußes scheint ein Vorfuß valgus zu bestehen. Diese Maßnahme wirkt sich bei der Orthose auf Vor- und Rückfuß aus und verbessert die Stabilität des Fußes.

Beispiel:

Der Patient verfügt über 6° Eversion bei pronierten STG und hat keine weiteren Abweichungen durch die Tibia-Stellung. Der Negativabdruck wird mit 6° evertierter Ferse genommen.

Unterstützende Maßnahme bei einem kompensierten Talipes Equinus Fußtyp

Zur Stabilisierung der Ferse wird eine flache rückwärtige Abstützung (ohne Bewegung) verwendet. Die Orthose wirkt hauptsächlich zur Unterstützung des medialen Fußgewölbes während der pronierten Fußstellung, um die Stabilität des Vorfußes zu gewährleisten.

Funktion der Orthose während der Gangabwicklung

Der Sinn einer „pronierenden Orthose" ist, die letzten Grade der Pronation – besonders im Chopart-Gelenk – zu vermeiden. Das STG und Chopart-Gelenk bleiben während der Kontakt- und Standphase des Ganges proniert. Während das STG in der Abstoßphase der Gangabwicklung proniert bleibt, ist eine Supination des Chopart-Gelenks sichtbar. Diese aktive Supination bedeutet Vorfußstabilität während der Propulsionsphase. Sie wird durch die Orthose unterstützt.

Reaktion auf die Orthosenbehandlung

Gute Aussichten durch die Orthosenbehandlung bestehen bei:
- Überlastung der Plantarfascie
- Muskelermüdung

Keine guten Aussichten durch die Orthosenbehandlung bestehen bei:
- einem Clavus unter dem 2. Mittelfußköpfchen
- Gelenkschmerzen durch eine Hallux valgus Deformität
- Zehenverformungen

24.7 Die Vorfuß-Valgus-Orthose

Von der Pathologie des Fußes her ist die Behandlung des rigiden bzw. flexiblen Vorfuß valgus die gleiche. Der Unterschied liegt in der Art der **Kompensation der Deformität und der Symptome. Wenn die Kompensation durch Supination des STG und der Querachse des Chopart-Gelenks** geschieht, wird diese Deformität als **rigider Vorfuß valgus** oder manchmal auch als plantarflektierter 1. Strahl bezeichnet.

Vom **flexiblen Vorfuß valgus** wird gesprochen, **wenn das STG proniert und die Longitudinalachse des Chopart-Gelenks diese Deformität kompensiert.**

Für einem Vorfuß valgus gibt es gewöhnlich noch weitere Einflüsse, die das STG pronieren (z. B. die Innendrehung des Femurs, Malleolar-Torsion, der Equinus Fußtyp). Weil der Fuß nicht supiniert sondern proniert und ein Vorfuß valgus vorhanden ist, wird von einem flexiblen Vorfuß valgus gesprochen. Der Name „flexibler Vorfuß valgus" soll andeuten, dass der Fuß keine anormale Funktion besitzt. Diese Aussage ist jedoch falsch. Der Fuß besitzt eine erhöhte Instabilität im Stand.

Beim flexiblen Vorfuß valgus steht der Vorfuß zum Rückfuß evertiert. Falls ein anderer pronierender Einfluss vorhanden ist, der eine STG-Pronation verursacht, führt das zur vermehrten Chopart-Gelenk-Bewegung. Die Eversion des Vorfußes wird jedoch so akzeptiert, wie sie vorhanden ist. Die Längsachse des Chopart-Gelenks wird supinieren und mehr Instabilität des Rückfußes hervorrufen. Das liegt daran, dass das Chopart-Gelenk – in Bezug zum Boden – mehr evertiert ist, als wenn der Vorfuß valgus nicht vorhanden wäre. Bei einem Patienten ohne Vorfuß valgus vergrößert die Pronation die Bewegung des Vorfußes. Hier adduziert, plantarflektiert und invertiert der Rückfuß bei intertarsaler Gelenkstabilität. Falls ein Vorfuß valgus hinzukommt ist es möglich, dass der Rückfuß eine stärkere adduzierte, plantarflektierte und invertierte Stellung bekommt, um die vollständige Pronation zu erreichen.

Der vergrößerte Bewegungsumfang im Stand macht den Vorfuß valgus flexibel und instabil. Deshalb ist die Behandlungsart des rigiden (versteiften) bzw. flexiblen Vorfuß valgus, wie oben erwähnt, für beide die gleiche. (Siehe auch „Kompensationsformen des Fußes")

Negativabdruck

Die Behandlungsabsicht für einen Vorfuß valgus zielt darauf ab, das Chopart-Gelenk maximal zu pronieren. Es bedeutet:
- dass der Vorfuß in Bezug zum Boden evertiert stehen muss.

- dass der Calcaneus, wie bei einem normalen Fuß, im rechten Winkel steht (d. h. STG in ungefährer Neutralstellung).

Es gibt zwei Methoden, die Behandlung eines Vorfuß valgus zu erreichen: die **balancierende Methode oder die vordere Abstützmethode**.

Der Negativabdruck wird mit dem STG in Neutralstellung und maximal proniertem Chopart-Gelenk hergestellt.

Wenn der Negativabdruck auf eine flache Unterlage gestellt wird, steht der Calcaneus zu gleichen Graden – wie der Vorfuß valgus – invertiert. (Eine Abweichung +/- 2° ist akzeptabel)

Bevor der Negativabdruck ausgegossen wird, muss er so ausgerichtet werden, dass die Mittellinie des Calcaneus im rechten Winkel zur Unterlage steht. Bei dem späteren Positivmodell dient diese Fersenmittellinie als Orientierung für die Vorfuß-valgus-Korrektur.

Positivmodell

Bei beiden Methoden (der balancierenden Methode und vorderen Abstützmethode) steht im Vordergrund, dass der Vorfuß des Positivmodells evertiert in Bezug zur Auflagefläche steht. Bei der balancierenden Methode wird die laterale Fläche des Positivmodells durch Gipsauftrag soweit unterlegt, bis der Vorfuß-valgus-Winkel die Mittellinie der Ferse senkrecht gestellt hat.

Die Orthose wird nach diesem Modell im Tiefziehverfahren hergestellt.

Bei der Methode mit vorderer Abstützung wird ein Keil – entsprechend dem ermittelten Vorfuß-valgus-Winkel – extrinsisch unter der Orthose angebracht.

Die Behandlung durch eine Orthose gilt für beide Deformitäten, den Vorfuß valgus und den plantarflektierten 1. Strahl. Für den ausgeprägten plantarflektierten 1. Strahl ist die Behandlungsaussicht allerdings schlecht. Die Orthose ändert dagegen wirkungsvoll die Fußfunktion bei Patienten mit Vorfuß valgus.

Der Grund für die schlechte Behandlungsaussicht bei einem plantarflektierten 1. Strahl liegt daran, dass der Vorfuß hier zwei Ebenen hat:

- die Ebene zwischen den 1. und 5. Metatarsalköpfchen (die in Bezug zur Ferse evertiert steht)
- die Ebene zwischen den 2. und 5. Metatarsalköpfchen (die in Bezug zur Ferse im rechten Winkel steht)

Deshalb besteht wenig Kontaktfläche der Orthose unter dem Vorfuß und erlaubt nur geringe Kontrolle über die Funktion des STG und Chopart-Gelenks.

Nicht effektiv war der Versuch, den 1. Strahl beim Negativabdruck in eine dorsalextendierte Vorkorrektur zu bringen. Dies verursachte Reizungen unter dem 1. Strahl.

Eine – für den plantarflektierten 1. Strahl – mögliche Veränderung an dem Positivmodell ist eine Konkavität (Vertiefung) zwischen dem 1. und 5. Metatarsalköpfchen herzustellen. (Die spätere Orthose erhält – nach dem Tiefziehverfahren hergestellt – dadurch ein konvexes Quergewölbe). In Beziehung zu dem plantarflektierten 1. Strahl entsteht eine invertierte Stellung der Metatarsalköpfchen 2 bis 5. Im Durchschnitt liegt die Vertiefung (Konkavität) im Positivmodell bei ca. 3 mm, für den plantarflektierten 1. Strahl etwas tiefer. Im Gegensatz zu den bisher beschriebenen Methoden wird hier kein Gips im Vorfußbereich des Positivmodells aufgetragen.

Überwiegend wird das konvexe Quergewölbe für Patienten vor einer operativen Maßnahme (z. B. Keil-Osteotomie des 1. Metatarsale) angewendet. Bei Patienten mit plantarflektiertem 1. Strahl und Varusstellung der Metatarsalköpfchen 2 bis 5 weiß man nicht genau, ob ein Vorfuß varus besteht oder ob die Metatarsalköpfchen 2 bis 5 zu einem Vorfuß supinatus gehören. Wenn die Diagnose hierzu nicht sicher ist, sollte der Patient die nach dieser Methode hergestellte Orthose ca. 4 bis 6 Monate tragen, um dann sehen zu können, ob die Ebene der Metatarsalköpfchen 2 bis 5 ein vollständig proniertes Chopart-Gelenk hervorbringen kann. Der Bewegungsumfang des 1. Strahls muss kontrolliert werden. Wenn sich die Ebene der Metatarsalköpfchen 2 bis 5 verändert hat, ist auch die Bewegung des 1. Strahls verändert.

Für eine evtl. notwendige Operation verringert sich der Aufwand für eine Keil-Osteotomie des 1. Metatarsale.

Bei Anwendung der Methode mit vorderer Abstützung muss die Abstützung lateral großflächiger sein als medial, weil die Krafteinwirkung lateral größer sein muss. Dies gilt für beide Vorfußanomalien.

Die balancierende Methode ist vorzuziehen, weil kein extrinsischer Keil verwendet werden muss. Die Orthose mit balancierender Methode lässt sich leichter in den Schuh integrieren, als die mit vorderer Abstützung.

Beurteilung der Orthose

Zur Beurteilung wird die nach der balancierten Abdruckmethode hergestellte Orthose unter die plantare Fußfläche wie beim Abdrucknehmen gehalten.

Wenn der Vorfuß die gesamte vordere Begrenzung der Orthose berührt und sich nicht lateral vom Fuß abhebt, war die Longitudinalachse des Chopart-Gelenks supiniert oder die 4. und 5. Metatarsalköpfchen beim Abdrucknehmen plantarflektiert. Dieser Fehler kann entstehen, wenn der Daumen unter den Kleinzehengelenken (Kleinzehenfurchen) schräg gehalten oder das Handgelenk gedreht wurde.

Ein weiterer Fehler beim Abdrucknehmen kann durch die Supination der Querachse des Chopart-Gelenks entstehen. Das Ergebnis wäre, dass der gesamte distale Bereich der Orthose weder die mediale noch laterale Seite des Fußes berühren.

Für die normale Bewegung des STG während der Gangabwicklung wird in der Regel ein Varus-Keil mit 4° Bewegung im Fersenbereich angebracht.

Zusammenfassung

Für die Vorfuß valgus Deformität können durch einen falschen Negativabdruck zwei Fehler auftreten.:

- Es können der 4. und 5. Strahl plantarflektiert worden sein, was dazu führt, dass beim Anpassen der Orthose die Vorfußfläche den gesamten vorderen Bereich der Orthose berührt.
- Es kann eine Supination des Chopart-Gelenks vorgenommen worden sein, was dazu führt, dass beim Anpassen der Orthose die medialen sowie lateralen Bereiche der Orthose die plantare Fläche des Vorfußes nicht berühren.

Wenn das Chopart-Gelenk während des Abdrucknehmens supiniert wird, ist der Vorfuß valgus weniger ausgeprägt weil ein höheres mediales Fußgewölbe im Negativabdruck entstanden ist. Während der Herstellung der Orthose wird diese Fußform übertragen und bewirkt, dass sich die mediale sowie laterale Seite des Fußes von dem distalen Bereich der Orthose abhebt. Oft werden diese Fehler beim Abdrucknehmen nicht richtig eingeschätzt.

Abstützende Maßnahmen für die Orthose

Die rückwärtige Abstützung beträgt in der Regel 4° Varusstellung der Ferse mit Bewegung. Allgemein wird die Orthose ohne rückwärtige Abstützung abgegeben, um eine Irritation durch die Form der Orthose besser beurteilen zu können. Wenn der Patient vor dem Anbringen der rückwärtigen Abstützung keine Beschwerden äußerte, aber nach dem Anbringen der Unterstützung Beschwerden auftraten, war die Abstützung eine falsche Maßnahme.

Wenn nur das Subtalar-Gelenk (STG) den Vorfuß valgus kompensiert, entsteht auf der lateralen Seite des Fußes eine hohe Belastung durch die Supination. Bei den meisten Schuhen ist deshalb die laterale Seite des Absatzes ca. 3 bis 6 mm abgenutzt.

Je breiter die Abnutzung, desto schlechter ist die Kompensation der Deformität.

Es gibt viele Patienten, die einen ausgeprägten Vorfuß valgus oder einen teilweise kompensierten Rückfuß varus durch eine ständig invertierte Position des Calcaneus aufweisen und ihre Schuhe lateral abgenutzt haben.

Eine stärkere Abnutzung des lateralen Schuhabsatzes bedeutet mehr Supination und größere Belastung der lateralen Fußseite. In diesem Fall ist die Orthose weniger effektiv.

Falls eine laterale Instabilität durch die Supination besteht, ist es wichtig, die Fersenbettung der Orthose oder den Schuhabsatz lateral zu erweitern. Je weiter die Fersenbettung oder der Schuhabsatz lateral ausgestellt werden, desto höher ist der Widerstand gegen die Inversionskräfte.

Die Korrektur der Orthose oder des Absatzes kann für alle lateralen Instabilitäten verwendet werden, welche eine Inversion des Calcaneus verursachen. Es ist üblich, die starke Inversion beim supinierten Fuß zu verringern.

Die Funktion der Orthose während der Gangabwicklung

Fersenkontakt

Sobald die laterale Abstützung der Orthose den Boden berührt, invertiert der Calcaneus nicht mehr als 4°. Der distale Bereich der Orthose bewirkt ebenfalls eine Inversion.

Die Standphase

Der Vorfuß ist evertiert und die mediale Abstützung berührt den Boden. Es sind dadurch 4° Bewegung im STG entstanden, wodurch es sich nun in Neutralstellung befindet. Das Chopart-Gelenk ist durch die STG Neutralstellung vollständig proniert und erzeugt Stabilität, wenn das Körpergewicht auf den Vorfuß verlagert wird.

Propulsion (Abstoßung vom Boden)

Die wesentliche Aufgabe der Orthose besteht darin, den Fuß während der Gangphase in eine stabile Lage zu bringen, damit er das auf den Vorfuß verlagerte Körpergewicht tragen kann. Ohne die Orthose würde das Körpergewicht den Fuß pronieren und die mediale Seite des Vorfußes weiterhin belasten.

Die Orthose verhindert diese anormale Bewegung. Sie proniert das Chopart-Gelenk maximal und stabilisiert den Vorfuß soweit, dass durch Supination des STG ausreichend Stabilität für die Propulsion besteht. Wenn der Rückfuß supiniert, kann durch das Prinzip der Gegendrehung die Querachse des Chopart-Gelenks pronieren.

Wenn die STG-Supination während der Propulsion durch die Orthosenbehandlung festgestellt wird, ist das Ziel der Behandlung erreicht.

Zusammenfassung

Das Ziel der Behandlung ist die Stabilität des Chopart-Gelenks. Dies wird durch die maximal pronierte Stellung des Chopart-Gelenks erreicht, welche eine STG-Supination während der Propulsion ermöglicht.

Wenn eine STG-Pronation während der Propulsion entsteht, deutet dies auf eine falsch konstruierte Orthose hin. Eine erfolgreiche Orthose erzeugt während der Propulsion eine Supination des STG.

25

Behandlungsfälle

Behandlungsfall 1

Anamnese:

Patient: weiblich, Alter: 48 Jahre

Fragebogen

Beruf/Aktivitäten: Friseurin	Hobbys: Schwimmen und Tennisspielen
Lokalisation: Plantarer Fersenschmerz an beiden Füßen Rechter Fuß ist bedeutend schmerzhafter	
Ausstrahlung: Ausstrahlung zum medialen Fußrand	
Entstehung: Beim Stehen und allgemeiner Fußbelastung	
Seit wann: Seit 2 Monaten	
Schmerzart: Stechend, teiweise brennend	
Was wirkt: **schmerzverstärkend:** Schmerzen verschlimmern sich beim Gehen besonders ohne Schuhe. Verstärkter Anlaufschmerz besonders morgens nach dem Aufstehen **schmerzlindernd:** Nach Ruhephasen Schmerzberuhigung. Laufen auf der Fußaußenkante.	
Schmerzskala: (durch den Patienten zu markieren mit X) **0 = keine Schmerzen** 0--X---------------------100	**100 = unerträgliche Schmerzen**
Bewegungsstörungen: Keine	
Gefühlsstörungen: Keine	
Bisherige Therapien: Orthopädische Einlage	
Ergänzende Anamnese: Röntgenaufnahmen: Ja	

Kurzbericht der klinischen Untersuchung:

- **Fußform:** hohes mediales Längsgewölbe
- **Palpation der Ferse:** Druckschmerz medial. Schmerzempfindlichkeit im Verlauf des M. abductor hallucis, keine Verhärtungen plantar
- **Keine Stresssymptome** (Hyperkeratosen) der Haut
- **Gelenkbeweglichkeit**: intakt
- **Muskeltest**: schwacher M. tibialis posterior
- **Gang**: pronierte Ferse, leicht abduzierter Vorfuß
- **Beinlängendifferenz**: keine
- **Schuhinspektion**: normaler Straßenschuh, wenig Absatz
- **Röntgenaufnahme:** plantarer Sporn an der Ferse des rechten Fußes deutlich

Mögliche Pathologien: (Welche Pathologien können ausgeschlossen werden?)

- **Hyperkeratosen** (Clavi ...)
- **Haglundexostose**
- **Pes equinus** (zu geringe Dorsalextension im Talo-Crural-Gelenk)
- **Entzündung der Sehne des M. abductor hallucis**

- **Entzündung der Sehne des M. flexor digitorum brevis**
- **Fettpolster-Syndrom** (englisch: fat pad syndrom)
- **Fibromyalgie**
- **Stressfraktur des Calcaneus** (Osteoporose)
- **Fasziitis**
- **Ruptur der Plantaraponeurose** (Schmerz i. d. Mitte der Fußsohle, ganz plötzlich auftretend. Diagnose durch Ultraschall)
- **Tumore**
- **Morbus Sever** (Apophysitis calcanei) (Durch Zug der Achillessehne verursachte Verschiebung der Wachstumsfuge des Calcaneus, wodurch eine Apophyse (Knochenvorsprung) entstehen kann.
- **Tarsaltunnel-Syndrom**
- **Radiculopathie** (Nervkompression im Rückenwirbelbereich)
- **Morbus Ledderhose**/plantare Fibromatose (Kontraktion/Schrumpfung der Plantaraponeurose durch fibroplastischen Umbau der Sehne. Verdickung mehr in der Mitte, unterhalb Kahnbein, Keilbein 1...3, nicht verschiebbar. (an der Hand: Dypytrien´sche Kontraktur)
- **Rheumatoide Arthritis** (Schmerzen bilateral, werden mal besser, mal schlechter, Schmerzen auch nachts)

Befund nach Ausschluss der möglichen Pathologien: Fasziitis des rechten Fußes

Mögliche Therapien:
- spezielle Fuß-, Beingymnastik (Dehnung des Triceps surae)
- Querfriktionen im Verlauf der Plantarfaszie
- Low Dye[13] Tape oder High Dye Tape
- Antipronationseinlage (mediale Unterstützung unter dem Sustentaculum tali)
- Polster (Filz) auf vorhandene Einlage kleben (dann Nachbesserung der Einlage durch Orthopädieschuhmacher -> **kein Loch** im Fersenbereich!)
- Änderung der Schuhe (eine zu weiche Sohle vergrößert die Pronation, ein zu weiches Fersenpolster verleiht dem Calcaneus zu wenig Stabilität, was ebenfalls pronatorische Folgen für die Ferse hat.

Medizinische Therapien:
- Ultraschall-Behandlung (extrakorporale Schockwellentherapie)
- Operation (nicht mehr zeitgemäß)
- Röntgenbestrahlung (nicht mehr zeitgemäß)
- Kortison Injektion evtl. in Kombination von Lokalanästhetica oder nur Anästheticum allein

Ätiologie der Erkrankung:
- hohe Längsbeanspruchung der Plantaraponeurose durch Windlass-Effekt[14]
- altersabhängige Degeneration/Mikrorisse durch Verschlechterung der Gewebsqualität
- Kraftdefizite (Einschränkung der Beweglichkeit des oberen Sprunggelenks, OSG) nachgewiesen!

Medizinische Untersuchungen zur Abklärung des Befundes:
Sonographisch (Ultraschall): sichtbare Verbreiterung des Bandes im Ø >3mm
Kernspintomografie: sichtbare Rupturäquivalente und entzündlich degenerative Veränderungen

Bericht an den Arzt (mögliche Inhalte):
- Zustand oder evtl. Hilfsfrage an den Arzt, wenn die Behandlungsmaßnahmen nicht erfolgreich waren
- Zusammenfassung der podologischen Untersuchung (Können Sie durch Ihre Untersuchung die Beschwerden erklären?)
- Empfehlung, was der Patient aus Ihrer Sicht gegen die Beschwerden unternehmen kann

13 Ralph W. Dye veröffentlichte zum ersten Mal seine Tape-Techniken im Jahr 1941. Ihre Anwendung erfolgte bereits seit den 30er Jahren. (Grundlage: Gesetz nach Davis)

14 Windlass-Effekt/Bosjen-Møller-Gesetz: durch Abrollen des Fußes wird Plantaraponeurose unter Spannung gesetzt und gedehnt. Dr. Finn Bosjen-Møller (dänischer Professor für Anatomie an der Universität Copenhagen) Gesprochen: Bois Müller

Behandlungsfall 2

Anamnese

Patient: männlich, Alter: 35 Jahre

Fragebogen

Beruf/Aktivitäten: Gastronom Hobbys: Fußball
Lokalisation: rechter Fuß
Ausstrahlung: Schmerzen im Fuß strahlen nach medial aus
Entstehung: durch Belastung des Fußes während des Gehens und Stehens
Seit wann: Seit 8 Monaten
Schmerzart: „klopfend"
Was wirkt: **schmerzverstärkend:** langes Gehen **schmerzlindernd:** Sitzen
Schmerzskala: (durch den Patienten zu markieren mit X) **0 = keine Schmerzen** **100 = unerträgliche Schmerzen** 0----------------------------X-----------------------------------100
Bewegungsstörungen: Keine
Gefühlsstörungen: Keine
Bisherige Therapien: vor 4 Jahren Orthopädische Einlagen, jedoch wenig getragen
Ergänzende Anamnese: Röntgenaufnahmen: Nein Linkes Bein kürzer (> 10 mm). Festgestellt durch orthopädische Untersuchung

Kurzbericht der klinischen Untersuchung:

- **Fußform:** flaches mediales Längsgewölbe
- **Palpation des Fußes:** geringer Druckschmerz im Verlauf des M. tibialis posterior, rechts
- **Stresssymptome der Haut:** Hyperkeratose an der rechten Ferse medial
- **Gelenkbeweglichkeit:** normal
- **Muskeltest:** unauffällig
- **Gang:** rechts pronierte abduzierte Fußstellung
- **Beinlängendifferenz:** linkes Bein ca. 10 mm kürzer als rechtes Bein
- **Harris and Beath Mat** (Blauabdruck): stärkere Pronation des rechten Beines
- **Schuhinspektion:** normaler Straßenschuh

Mögliche Pathologien:

- **Überlastung des M. tibialis posterior (MTP)** (AllgeM. Begriff: Tibialis posterior Syndrom/TPS) u. U. auch Überlastung des MFDL (M. flexor digitorum longus)
- **Shin splints** (Begriff für Überlastungsschäden im mittleren bis unteren Drittel der Tibia/TPS)
- **Ruptur der Sehne des MTP** (Längsrisse, komplette Risse selten)

- **Tarsaltunnel-Syndrom** (TTS) – kann Läsion der MTP-Sehne vortäuschen
- **Tendovaginitis** (Sehnenscheidenentzündung im Bereich des med. Malleolus)
- **Entzündung der Sehne des M. abductor hallucis**
- **Arthrose** (unteres/oberes Sprunggelenk)
- **Fehlstellung nach Sprunggelenksfrakturen**
- **Sehnenluxation des MTP**
- **Tarsale Koalitionen**

Befund nach Ausschluss der möglichen Pathologien: Pronations-Kompensation des rechten Fußes

Mögliche Therapien:
- Schuherhöhung links
- Antipronationseinlage rechts
- spezielle Fußgymnastik

Medizinische Therapien:
- Einlage
- Immobilisation (Gips, Stabilschuh ...)
- Kortison Injektion

Ätiologie der Erkrankung:
MTP-Sehne leistet wesentlichen Beitrag zur Stabilisierung des med. Fußlängsgewölbes. Bei der Pronationsbewegung des Fußes wird die Muskulatur/Sehne sehr beansprucht. Trainingszustand, Übergewicht, Koordination sind ausschlaggebend für die Erkrankung des MTP, u. U. auch des MFDL. Pronation bedeutet weniger stabile Gelenkstellung („entriegelte" Stellung des Fußes). Durch allmähliche Lockerung der medialen Rückfuß-Ligamente entsteht ein verändertes Bewegungsmuster mit der Folge erhöhter Gegensteuerung der Muskulatur.

Prädispositionen:
- Läufer mit schmaler Laufspur (hoher Adduktionsgrad der Hüftgelenke = erschwerte max. Supination.
- Extensionsbehinderung der Metatarso-Phalangeal-Gelenke (Windlass-Effekt der Fascia plantaris = keine Unterstützung zur Stabilisierung des med. Fußgewölbes/Supination

Bericht an den Arzt (mögliche Inhalte):
- Zustand oder evtl. Hilfsfrage an den Arzt, wenn weitere Therapien erforderlich sind
- Zusammenfassung der podologischen Untersuchung (Können Sie durch Ihre Untersuchung die Beschwerden erklären?)

Behandlungsfall 3

Anamnese:

Patient: weiblich, Alter: 32 Jahre

Fragebogen

Beruf/Aktivitäten: Finanzbeamtin Hobbys: Joggerin (4mal in der Woche)
Lokalisation: zunehmende Schmerzen an den medialen Seiten des re. und li. Knies
Ausstrahlung: nach dem Laufen Ermüdung in den Beinen
Entstehung: regelmäßig nach ca. 2 km Laufstrecke trotz relativ weichem Boden
Seit wann: seit 5 Monaten
Schmerzart: stechend
Was wirkt: **schmerzverstärkend:** joggen **schmerzlindernd:** normaler Tagesablauf
Schmerzskala: (durch den Patienten zu markieren mit X) **0 = keine Schmerzen** **100 = unerträgliche Schmerzen** 0--X-------------100
Bewegungsstörungen: keine
Gefühlsstörungen: keine
Bisherige Therapien: regelmäßig 10 Min. Dehnübungen vor und nach dem Laufen
Ergänzende Anamnese: Übergewichtig

Die Untersuchung ergibt:

	Rechts	**Links**
Werte der STG Inversion (Supination) in Bezug zur Mittellinie der Tibia	20°	19°
Werte der STG Eversion (Pronation) in Bezug zur Mittellinie der Tibia	4°	5°
Tibia varus	4°	3°

STG = Subtalar-Gelenk

Aufgabe:

Bestimmen Sie den Grad der STG-Neutralstellung, der Neutralstellung der Ferse und der entspannten Fersenbeinstellung. Ermitteln Sie, ob eine STG und/oder Rückfußdeformität besteht und falls ja zu welchem Grad?

Falls ein Rückfuß varus besteht, geben Sie bitte an, ob er ganz oder teilweise kompensiert ist.

Lösung:

	Rechts	Links
Summe des Bewegungsumfangs (2/3 und 1/3)	24° 16° inv./8°evert.	24° 16° inv./8° evert.
STG Neutralstellung	4°(Varus)	3° (Varus)
Neutralstellung der Ferse (+ Betrag der Tibia-Stellung)	8° inv.	6° inv.
Entspannte Fersenbeinstellung (Beide STGs haben ausreichend Pronationsbewegung verfügbar, um die Ferse lotrecht zum Boden stehen zu lassen. (= ausgleichende Kräfte auf den Rück- und Vorfuß)	0°	0°
Rückfußdeformität (RF = Rückfuß)	8° RF varus	6° RF varus
Kompensiert	ja	ja

inv. = invertiert   evert. =evertiert

Diskussion des Falles:

Es besteht ein Rückfuß varus.

Die Läuferin proniert vollständig von 4° Inversion bis zum Ende ihres Bewegungsumfanges von 4° Eversion im rechten STG und proniert von 3° Inversion zu 5° Eversion des STG auf der linken Seite. Diese sehr hohe Pronationsbewegung erklärt die beschriebene Muskelermüdung, die meist nur unter Mehrbelastung wahrgenommen wird.

Die bilateralen Knieschmerzen werden relativ oft von Läufern mit extremer Pronation des Rückfußes berichtet. Mit der STG Pronation ist eine interne Drehung der Tibia verbunden. Dies übt Stress auf die „medialen Ligamente" des Knies aus und verursacht Schmerzen wegen der daraus folgenden Entzündungsreaktion.

Therapie:

Diese Symptome lassen sich oft mit pronations-limitierenden Orthosen beheben.

Bericht an den Arzt (mögliche Inhalte):

- Zustand oder evtl. Hilfsfrage an den Arzt, wenn die Behandlungsmaßnahmen nicht erfolgreich waren
- Zusammenfassung der podologischen Untersuchung (Können Sie durch Ihre Untersuchung die Beschwerden erklären?)
- Empfehlung, was der Patient aus Ihrer Sicht gegen die Beschwerden unternehmen kann

Behandlungsfall 4

Anamnese:

Patient: weiblich, Alter: 59 Jahre

Fragebogen

Beruf/Aktivitäten Reinigungskraft
Lokalisation: Hallux valgus des li. Fußes. Hat sich im Laufe der Jahre immer deutlicher entwickelt.
Ausstrahlung: In Großzehe und Vorfuß, li, Müdigkeitsgefühl in den Beinen
Entstehung: Mit 7 Jahren, durch Sturz vom Pferd + rechts Beinbruch erlitten
Seit wann: Ende des 30. Lebensjahres zum ersten Mal bemerkt
Schmerzart: ziehend
Was wirkt: **schmerzverstärkend:** längeres Stehen (berufsbedingt) **schmerzlindernd**: Ruhe nach der Arbeit
Schmerzskala: (durch den Patienten zu markieren mit X) **0 = keine Schmerzen** **100 = unerträgliche Schmerzen** 0---X----------------100
Bewegungsstörungen: keine
Gefühlsstörungen: keine
Bisherige Therapien: keine
Ergänzende Anamnese: keine

Die Untersuchung ergibt:

	Rechts	**Links**
Werte der STG Inversion (Supination) (in Bezug zur Mittellinie der Tibia)	15°	17°
Werte der STG Eversion (Pronation) (in Bezug zur Mittellinie der Tibia)	6°	4°
Tibia varus	1°	2°

STG = Subtalar-Gelenk

Aufgabe:

Errechnen Sie den Grad der Neutralstellung des STG, der Neutralstellung der Ferse und der entspannten Fersenbeinstellung.

Bestimmen Sie, ob eine STG und/oder Rückfußdeformität besteht und falls ja in welchem Grad?

Falls ein Rückfuß varus besteht, geben Sie bitte an, ob er ganz oder teilweise kompensiert ist.

Lösung:

	Rechts	Links
Summe des Bewegungsumfangs (2/3 und 1/3)	21° 14° inv./7° evert.	21° 14° inv./7° evert.
STG Neutralstellung	1° (Varus)	3° (Varus)
Neutralstellung der Ferse (+ Betrag der Tibia-Stellung)	2° inv.	5° inv.
Entspannte Fersenbeinstellung (Beide STGs haben ausreichend Pronationsbewegung verfügbar, um die Ferse lotrecht zum Boden stehen zu lassen. (= ausgleichende Kräfte auf Rück- und Vorfuß)	0°	0°
Rückfußdeformität (RF = Rückfuß)	2° RF varus	5° RF varus
Kompensiert	ja	ja

inv. = invertiert evert. =evertiert

Diskussion des Falles:

Die Patientin hat eine deutliche RF-varus Stellung des linken Fußes. Am linken Fuß befindet sich auch der schmerzende Hallux valgus. Auf der linken Seite proniert die Patientin besonders, um das Fersenbein lotrecht zu stellen (von 5° Inversion zu 0°). Sehr oft kommt es vor, dass Patienten – als Kind – einen Beinbruch erlitten hatten und in der Folge das verletzte Bein weniger Längenwachstum aufwies. Um einen Beinlängenausgleich zu schaffen, wird das gegenüber liegende linke Bein pronieren. (Eine Pronation verkürzt das Bein.)

In dem Fall der Patientin ergab sich eine ausgeprägte Pronation der Seite mit dem Hallux valgus. Die ausgeprägte Pronation ergibt eine Verlagerung des M. abductor hallucis und M. flexor hallucis brevis (und der beteiligten M. quadratus plantae-) Sehnen. Dies verändert die Muskelbalance des 1. Metatarsal-Phalangeal-Gelenks und erzeugt somit oft eine Hallux-valgus-Bildung. Es kommt außerdem häufig vor, dass mit dieser Disbalance der Muskulatur auch Hammerzehen entstehen.

Mögliche Therapien:

Beinlängenausgleich rechts, Physiotherapie, um Gelenkbeweglichkeit und Muskelfunktion zu stabilisieren, Rückfuß-Varus-Orthose mit Varus Keil, um Pronation, besonders des linken Fußes, zu verringern.

Bericht an den Arzt (mögliche Inhalte):

- Zustand oder evtl. Hilfsfrage an den Arzt, wenn die Behandlungsmaßnahmen nicht erfolgreich waren
- Zusammenfassung der podologischen Untersuchung (können Sie durch Ihre Untersuchung die Beschwerden erklären?)
- Empfehlung, was der Patient aus Ihrer Sicht gegen die Beschwerden unternehmen kann

Behandlungsfall 5

Anamnese:

Patient: männlich, Alter: 33 Jahre

Fragebogen

Beruf/Aktivitäten: Tätigkeit in der Kraftfahrzeugabnahme (TÜV) Hobby: Handball
Lokalisation: Unterschenkel des rechten Beines
Ausstrahlung: in den gesamten Unterschenkel
Entstehung: nach 5 Minuten Handballspiel
Seit wann: seit 2 Monaten
Schmerzart: ziehend
Was wirkt: **schmerzverstärkend:** Laufen während des Spiels **schmerzlindernd:** sitzen
Schmerzskala: (durch den Patienten zu markieren mit X) **0 = keine Schmerzen** **100 = unerträgliche Schmerzen** 0---X----100
Bewegungsstörungen: keine
Gefühlsstörungen: keine
Bisherige Therapien: Einlagen sind verordnet, werden aber nicht getragen
Ergänzende Anamnese: psychische Belastung durch fehlende Akzeptanz bei den Mitspielern

Kurzbericht der klinische Untersuchung:

- **Fußform**: erhöhtes mediales Fußgewölbe
- **Palpation**: keine Schmerzauslösung an dem betroffenen Bein
- **Haut**: keine Veränderungen
- **Gelenkbeweglichkeit**: eingeschränkte Dorsalextension im Talo-Crural-Gelenk
- **Muskeltest**: keine Auffälligkeiten
- **Gang**: leicht abduzierter Vorfuß
- **Beinlängendifferenz**: keine
- **Schuhinspektion**: normaler Straßenschuh, wenig Absatz, während des Sports spezieller Schuhtyp

Mögliche Pathologien:

- **Überlastung des M. tibialis posterior (MTP)** (allgem. Begriff: Tibialis posterior Syndrom/TPS) **u. U. auch Überlastung des MFDL** (M. flexor digitorum longus)
- **Shin splints** (Begriff für Überlastungsschäden im mittleren bis unteren Drittel der Tibia/TPS)
- **Überdehnung des Triceps surae**
- **Kompartment Syndrom**
- **Ruptur der Sehne des MTP** (Längsrisse, komplette Risse selten)

Befund nach Ausschluss der möglichen Pathologien: Überdehnung des M. triceps surae, rechts.

Mögliche Therapien:

- Schuhinnenpolster (Fersenpolster) oder anderer Sportschuhtyp
- Streckung des M. triceps surae (Stretching), evtl. Physiotherapie

Ätiologie der Erkrankung:

Durch die sehr tief liegende Ferse des speziellen Sportschuhs wurde während des Handballspiels der Triceps surae überdehnt.

Bericht an den Arzt (mögliche Inhalte):

- Zustand oder evtl. Hilfsfrage an den Arzt, wenn die Behandlungsmaßnahmen nicht erfolgreich waren
- Zusammenfassung der podologischen Untersuchung (Können Sie durch Ihre Untersuchung die Beschwerden erklären?)
- Empfehlung, was der Patient aus Ihrer Sicht gegen die Beschwerden unternehmen kann

Behandlungsfall 6

Anamnese:
Patient: weiblich, Alter: 41 Jahre

Fragebogen

Beruf/Aktivitäten: Unternehmerin Hobbys: Shopping und Tennisspielen.
Lokalisation: Schmerzen im Vorfuß
Ausstrahlung: in den Vorfuß
Entstehung: beim Gehen und längerem Stehen
Seit wann: seit 6 Wochen
Schmerzart: wie Wundschmerz
Was wirkt: **schmerzverstärkend:** Gehen und Stehen **schmerzlindernd**: Ruhe
Schmerzskala: (durch den Patienten zu markieren mit X) **0 = keine Schmerzen** **100 = unerträgliche Schmerzen** 0---X------100
Bewegungsstörungen: keine
Gefühlsstörungen: keine
Bisherige Therapien: die vom Arzt verordneten Einlagen helfen nicht und passen in die Schuhe mit hohem Absatz nicht hinein.
Ergänzende Anamnese: übergewichtig

Kurzbericht der klinischen Untersuchung:
- **Fußform**: normal
- **Palpation**: deutliche Schmerzempfindlichkeit unter dem 2. Metatarsalköpfchen
- **Haut**: Hyperkeratosen an der Ferse
- **Gelenkbeweglichkeit**: ohne Einschränkung
- **Muskeltest**: keine Muskelschwächen
- **Gang**: normale Pronation/Supination der Ferse, wenig abduzierter Vorfuß
- **Beinlängendifferenz**: keine
- **Schuhinspektion**: zu schmale, hochhackige Pumps

Mögliche Pathologien im Vorfußbereich:
- Stressfraktur des Metatarsalknochens
- Köhler II Erkrankung/Freiberg disease (aseptische Knochennekrose d. 2. Metatarsale)
- Köhler I Erkrankung (aseptische Knochennekrose d. Kahnbeins)
- Morton Neuralgie (-Neurom)
- Arthritis
- Metatarsitis
- Gicht
- Corpus liberum (lose Knorpelfragmente im Cuneiforme-Metatarsale-1-Gelenk)
- Sehnenruptur

- Sesamoiditis (> fibuläres Sesambeinchen)
- Hallux rigidus limitus
- Hallux valgus (Bursitis)

Befund nach Ausschluss der möglichen Pathologien:
Metatarsitis

Mögliche Therapien:
- Vorfußentlastung direkt am Fuß
- Einlagen mit Vorfuß Entlastung
- spezielle Fußgymnastik (Physiotherapie)
- Schuhe mit ausreichender Weite im Vorfußbereich und niedrigeren Absätzen und nicht zu dünner Sohle
- orthopädieschuhtechnische Maßnahme (Vorfußrolle ...)

Medizinische Therapien:
- Kortison Injektion

Ätiologie der Erkrankung:
Überlastung der Mittelfußköpfchen durch längeres Stehen, Hockstellung und Laufen auf harten Böden mit leichtem (sehr dünnem) Schuhwerk. Mögliche Ursachen können sein: Verlust des metatarsalen Fettpolsters, Fasciitis, Tendovaginitis (syn.: Tenositis), Bursitis, Plantar Plate Disruption (Ruptur der cartilaginösen Platte) durch Hypermobilität des 1. Metatarso-Phalangeal-Gelenks.

Bericht an den Arzt (mögliche Inhalte):
- Zustand oder evtl. Hilfsfrage an den Arzt, wenn die Behandlungsmaßnahmen nicht erfolgreich waren
- Zusammenfassung der podologischen Untersuchung (Können Sie durch Ihre Untersuchung die Beschwerden erklären?)
- Empfehlung, was der Patient aus Ihrer Sicht gegen die Beschwerden unternehmen kann

Behandlungsfall 7

Anamnese:

Patient: weiblich, Alter: 47 Jahre

Fragebogen

Beruf/Aktivitäten: Sozialpädagogin Hobby: Golf
Lokalisation: Schmerz und Schwellung unter dem 1. Metatarsalköpfchen, links
Ausstrahlung: bei längerer Belastung ebenfalls in der linken Hüfte
Entstehung: bei Belastung des linken Fußes
Seit wann: seit 6 Monaten
Schmerzart: stechend. Schmerzen halten auch noch einige Stunden nach Entlastung an.
Was wirkt: **schmerzverstärkend:** Belastung **schmerzlindernd:** bei Schuhen mit hohen Absätzen
Schmerzskala: (durch den Patienten zu markieren mit X) **0 = keine Schmerzen** **100 = unerträgliche Schmerzen** 0---X----100
Bewegungsstörungen: Keine
Gefühlsstörungen: Keine
Bisherige Therapien: Arztbesuch
Ergänzende Anamnese: zum Zeitpunkt der Untersuchung war keine Röntgenaufnahme vorhanden

Kurzbericht der klinischen Untersuchung:

Durch die hauptsächlich unter dem Großzehengrundgelenk bestehenden Schmerzen können nach ärztlicher Diagnose Ursachen wie Trauma, Gicht, Arthropathien ausgeschlossen werden.

Arztbesuch: Symptomatische Behandlung mit Ibuprofen und ähnlichen Medikamenten nicht effektiv.

Podologe: Behandlung auf Sesamoiditis. Deflektive (entlastende/richtungsändernde) Polsterung für mehrere Wochen effektiv. Dann erneutes Auftreten der Beschwerden.

Seit Beginn der Beschwerden besteht nach 6 Monaten immer noch deutliche Schmerzhaftigkeit bei der Palpation der Sesambeinchen unter dem Kopf des 1. Metatarsale. Die Schmerzempfindung verstärkt sich bei Palpation des fibulären Sesambeins und max. Dorsalextension des 1. MPG. Es zeigt sich dort außerdem eine Schwellung (Ø ca. 1 cm) plantar im Vergleich zum rechten 1. MPG (Metatarsal-Phalangeal-Gelenk).

Nach Überweisung zum Radiologen zeigten die Röntgenaufnahmen, dass das fibuläre Sesambeinchen in mehrere Stücke fragmentiert (zerteilt) war.

Diagnose des Radiologen:
Enchondrom des lateralen (fibulären) Sesambeinchens (Sesamoid).

Medizinische/interdisziplinäre Therapie:

Eine Operation (OP) als empfehlenswerte Option, um die Ursache der Schmerzen zu beseitigen.

Nach plantarer Inzision (Schnitt ca. 5 cm lang) war die Patientin zwölf Wochen nach der OP von der Ursache her beschwerdefrei, klagte nun allerdings über Schmerzen längs der verhornenden Narbe. Die Verhornung über der Narbe wurde konservativ entfernt (Podologe) und die Empfehlung gegeben, die Narbe täglich mit einer hydratisierenden Creme feucht/elastisch zu halten. Diese Behandlung ergab nach vier Wochen keine Änderung in der Verhornungstendenz und Schmerzfreiheit der Narbe.

Auf Wunsch der Patientin wurde die Narbe unter Lokalanästhesie korrigiert. Nach zwölf Wochen (davon drei Wochen unter strikter Entlastung) stellte sich eine nicht verhornte, dünne Operationsnarbe dar. Die Patientin war nun ohne Beschwerden.

Diskussion:

Eine plantare Inzision zur Entfernung eines Sesambeinchens ist nicht die Regel, eher die Inzision von der medialen Fußseite. Der Chirurg hat sich in diesem Fall für die plantare Inzision entschieden, weil das fibuläre Sesamoid in mehrere kleine Fragmente zerteilt war.

Das Enchondrom ist ein meist gutartiger, solitär auftretender Tumor innerhalb eines Knochens, der sich normalerweise an der Diaphyse der kurzen Röhrenknochen der Füße oder Hände befindet. Die Äußerungen stellen sich meist in Verbindung mit pathologischen Frakturen des betroffenen Knochens dar.

Das Enchondrom kann ab der dritten Lebensdekade auftreten, wobei die prozentuale Verteilung der Erkrankung bei männlichen sowie weiblichen Personen gleich ist. Das solitär auftretende Enchondrom entartet nur zu 1 % bösartig und ist eine nicht vererbbare Erkrankung.

Ausblick:

Grundsätzlich sollte die Operation der Sesambeinchen nur nach strenger Indikation erfolgen, da ihre Entfernung im Allgemeinen wenig befriedigende Ergebnisse bringt. Der Grund liegt an der Verringerung des Hebelarms beim Windlass-Effekt.

In dem vorliegenden Fall führte die Entfernung des fibulären Sesamoids zum Hallux varus.

26

Zusammenfassung einiger Testverfahren und möglicher Krankheitszeichen

Bezeichnung	Test/Äußerungen
Trendelenburg Zeichen	Äußerung bei: Hüftgelenkluxation, Lähmung des M. glutaeus Im Einbeinstand sinkt die gesunde Beckenseite beim Stehen auf dem kranken Bein nach ca. 30 Sekunden ab. Beim Stehen auf dem gesunden Bein kann das Becken horizontal gehalten werden.
Tarsaltunnelsyndrom	Symptome: Hypästhesien, Parästhesien, evtl. nächtliche Dysästhesie (qualitativ veränderte Reizempfindung) im Fußbereich, Paresen (Erschlaffung) der Fußmuskulatur. Brennende Schmerzen an der Fußsohle und den Zehen. Ursache: Kompression des N. tibialis unterhalb dem Retinaculum musculi flexorum, die durch Distorsion oder auch ohne Verletzung auftritt. Befund: Druckempfindlichkeit über dem N. tibialis (Sitz hinter/posterior dem med. Malleolus). Leichtes Klopfen über dem N. tibialis kann leichte Parästhesien (subjektive Missempfindung) z. B. Kribbeln oder taubes mit Schmerzkomponente verbundenes brennendes Gefühl am Fuß auslösen.
Morton Neuralgie	Stechende Schmerzen im Vorfußbereich während der Belastung Betrifft (am häufigsten) einen Ast des Nervus plantaris, dessen Ausläufer sich zwischen dem 3. und 4. Metatarsal-Köpfchen befindet. Es können auch andere Zehenzwischenräume betroffen sein. Scharf begrenzte **Druckempfindlichkeit** (von dorsal und plantar) **zwischen den betroffenen Metatarsal-Köpfchen**. Wenn man die Metatarsal-Köpfchen mit beiden Händen seitlich komprimiert, werden ebenfalls Schmerzen im Vorfußbereich ausgelöst. Zur Bestätigung des Befundes sollten an beiden Innenseiten des betreffenden Zehenzwischenraums Empfindungsstörungen vorhanden sein.
Thompson Test (bei Verdacht auf Achillessehnenruptur)	Lage des Patienten: kniend oder auf dem Bauch. Durch senkrechten Druck auf die Wadenmuskulatur (oder Zusammendrücken der Wadenmuskulatur) wird bei intakter Sehne eine Plantarflexion des Fußes ausgelöst. Diese Plantarflexion unterbleibt bei unterbrochenem Sehnenverlauf.
Venenentzündung (Thrombophlebitis)	Im Verlauf der Krampfader ist ein harter Strang tastbar. Zu sehen ist eine schwache Rötung und Schwellung in dem umgebenden Gebiet. Leichtes Fieber. Taubheitsgefühl oder lediglich Kribbeln. Einseitiger Wadenschmerz im Bein (als Muskelkater fehlinterpretiert). Schmerz verstärkt sich durch Dorsalextension des Fußes (Homanns Zeichen) oder Druck auf die Innenseite der Fußsohle in Höhe des Os naviculare (Payr Zeichen).
Kelikian Test	Drucktest auf die Metatarsalköpfchen, wobei sich bei intakter Muskelfunktion die zugehörigen Endphalangen strecken müssen.
Jack Test Synonyme: Hicks-Test Hubscher Manöver	(Test auf rigiden Plattfuß) Der Fuß ist belastet. Die Großzehe wird angehoben und maximal dorsalextendiert. **Normale Reaktion: Supination und Adduktion des Vorfußes** **Beim rigiden Plattfuß bleibt die o.g. Reaktion aus.**
Windlass Phänomen/Windenphänomen (Bojs Möller)	Durch Spannung der Plantaraponeurose und Dorsalextension der Großzehe invertiert die Ferse (auch im Hochzehenstand/Single Raise Test) Ursache: Plantaraponeurose und M.f lexor hallucis longus arbeiten synergistisch.
Varus Click Test (Lig. Calcaneo-Fibularis Test)	Ausführung im unbelasteten Zustand: Talo-Crural-Gelenk ist dorsalextendiert und die Ferse leicht nach innen gekantet (Varusbewegung der Ferse) Wenn das Band gerissen ist: Klick-Geräusch Wenn intakt: äußerst wenig Beweglichkeit

Chopart-Gelenk Reaktionen (unter Belastung und ohne Belastung)	Patient in Bauchlage: Subtalar-Gelenk (STG) wird in Neutralstellung gehalten, wodurch das Chopart-Gelenk max. proniert. Es werden 5° Eversion des Vorfußes gemessen, wenn das STG proniert wird. Im Stand des Patienten wird anschließend der Vorfuß mit einem 10°-Keil evertiert. **Frage**: In welchem Winkel wird der Calcaneus zum Boden stehen? **Antwort**: 5° evertiert, weil ca. 5° Bewegung im Chopart-Gelenk verfügbar und nur noch 5° Eversion zur Kompensation notwendig sind.
Reaktionen des STG u. Chopart-Gelenks unter verschiedenen Bedingungen	a) Ein medial unter den Calcaneus gelegter Keil bewirkt 5° Inversion des Calcaneus. (Der Vorfuß steht in diesem Fall mehr invertiert als der Calcaneus.) Die Subtalar-Gelenk Supination kann der Vorfuß nicht kompensieren. Die laterale Seite des Vorfußes wird mehr belastet sein als die laterale Seite der Ferse. b) Ein medial unter den Vorfuß gelegter Keil bewirkt 5° Inversion des Vorfußes. Der Calcaneus invertiert nicht, da der Bewegungsumfang der Chopart-Gelenk-Längsachse (ca. 5° bis 7°) ausreicht, um die Inversion zu kompensieren. Die Ferse würde invertieren, wenn die Stärke des Keils den Bewegungsumfang des Chopart-Gelenks überschreitet. c) Ein lateral unter den Calcaneus gelegter Keil proniert das STG. Der Vorfuß berührt vollständig den Boden, weil das Chopart-Gelenk durch den Bodenwiderstand supiniert. Es gibt aber auch Pronationskräfte unter dem Vorfuß, die bei Belastung des Fußes vorhanden sind. In dieser Situation gibt es also zwei gegeneinander wirkende Kräfte für das Chopart-Gelenk: • Supinationskräfte als Ergebnis der STG-Pronation • der pronierend wirkende Bodenwiderstand gegen den Vorfuß als Ergebnis der Fußbelastung. d) Der Calcaneus wird über den verfügbaren Bewegungsumfang der Chopart-Gelenk-Längsachse evertiert. Hierdurch evertieren die Metatarsalköpfchen 2 bis 4. <u>Erklärung</u>: Der 1. Strahl hat einen größeren Bewegungsumfang als die übrigen Metatarsalen. Deshalb berühren das 1. und 2. Metatarsalköpfchen den Boden. Da die 3. und 4. Metatarsalköpfchen weniger Bewegungsumfang besitzen, bleiben sie in dorsalextendierter, evertierten Stellung. Der 5. Strahl hat einen größeren Bewegungsumfang und bleibt durch die Schwerkraft am Boden. Da kein Gewicht hierauf lastet, ist das 5. Metatarsalköpfchen leicht nach dorsal zu extendieren. Die Überlastung des 2. Metatarsalköpfchens führt zu Verhornungen. e) Ein starker Keil wird unter die laterale Seite des Vorfußes geschoben, der den Calcaneus ebenfalls mit evertiert. <u>Erklärung</u>: Der Vorfuß kann die lateral einwirkenden Kräfte nicht mehr ausgleichen. Die Kompensation geschieht nur im Subtalar-Gelenk (STG). (Die STG Pronation erhöht den Bewegungsumfang im Chopart-Gelenk.) Wenn das STG proniert, kann das Chopart-Gelenk zu gleichen Graden dazu beitragen die Vorfuß-Eversion zu kompensieren. Der Vorfuß wird mehr evertiert stehen als der Calcaneus. Der Kompensationsgrad wird von dem Bewegungsumfang des Chopart-Gelenks abhängen.

Inversion der Tibia durch Pronation des belasteten Chopart-Gelenks	Das obere Sprunggelenk befindet sich parallel zur Transversal-Ebene und der Bodenfläche. Der Talus steht nicht invertiert, nur die Tibia ist wenig invertiert. In diesem Fall ist keine Tibia varum vorhanden, jedoch eine invertierte Stellung der Tibia als Ergebnis einer Chopart-Gelenk Pronation unter Belastung. Zur Unterscheidung einer vorhandenen Tibia varum muss das STG in Neutralstellung gebracht werden. Wenn eine Tibia varum existiert, steht die Tibia weiterhin invertiert zur Bodenfläche.
Vergrößerter Winkel der Querachse des Chopart-Gelenks	Wenn in der Transversal-Ebene statt 52° ein 60° Winkel besteht, nimmt die Bewegung in der Transversal-Ebene zu. Man darf nicht erwarten, dass das mediale Fußgewölbe durch die Chopart-Gelenk Pronation grundsätzlich flacher wird. Deshalb ist die Höhe des medialen Fußgewölbes nicht grundsätzlich ein Indikator für einen normalen oder anormalen Fuß.
Erster Strahl	Wenn sich der erste Strahl als Ergebnis der STG-Pronation bewegt verliert er seine Stabilität. Dies wird klinisch als hypermobiler 1. Strahl bezeichnet. Wenn der Calcaneus evertiert, stehen das STG und die Querachse des Chopart-Gelenks in pronierter Stellung. Die Längsachse des Chopart-Gelenks wird supinieren. Wenn sie die evertierte Stellung des Calcaneus nicht kompensieren kann, wird der 1. Strahl plantarflektieren und das Os naviculare evertieren.
Vorfuß varus	In Neutralstellung des STG wird das 1. Metatarsalköpfchen (Met. 1) kein Gewicht tragen. Zum Test wird ein Finger unter das Met. 1 gelegt. Ein Vorfuß varus Patient wird den 1. Strahl nicht plantarflektieren können, um den Finger zu belasten.
Hallux limitus	Bei entspannter Fersenstellung lässt sich der Hallux nur wenig dorsalextendieren.

27

Tabelle einiger in der Praxis vorkommender Fußerkrankungen

Tabelle einiger in der Praxis vorkommende Fußerkrankungen

Ausschreibung der verwendeten Abkürzungen am Ende der Tabelle

Pathologie	Symptome	Pathogenetik
Achillessehnenteilruptur (Achillodynie)	Morgendlicher Anlaufschmerz im distalen Bereich der Achillessehne. Funktionelle Einbußen: Hochzehenstand nur schwungvoll möglich. Achillessehne im distalen Bereich verdickt.	Überlastung der Achillessehne, Stoffwechselstörung, mechanische Reizung der Sehne.
Achillodynie (Oberbegriff für Beschwerden an der Achillessehne) Ohne Nennung der Stadien	Morgendlicher Anlaufschmerz im distalen Bereich der Achillessehne, der mit zunehmender Laufdauer abnimmt.	Überlastung der Achillessehne, fibuläre Bandinsuffiziens, mechanische Reizung der Sehne.
Akzessorische Fußknochen (Synchondrosen = separiert vom eigentlichen Knochen) (Siehe dazu auch Os cornutum)	Schmerz ad loco (schuhabhängig). Schmerz bei Belastung. Schwellung möglich.	Akzessorische Knochen besitzen eigene Verknöcherungszentren. Überbleibsel der Evolution (z. B. 6. Zehe).
Arthritis (unterschiedliche Ursprungsformen: Rheuma, Trauma, Gicht, Tumore ...)	Schmerzen bei Bewegung der Gelenke.	Destruktion des Gelenkknorpels durch verminderte Schmierfähigkeit des Gelenkknorpels. Synovitis.
Anterior Kompressionssyndrom	Schmerzen beim Springen, Herabsteigen von Treppen am vorderen Talo-Crural-Gelenk (TCG).	Exostose (Osteophytose) anterior des TCG, Bänderriss (Lig. Talofibulare anterius), Alter (Arthrose), Sporttrauma.
Beinlängenunterschied	In Abhängigkeit des Längenunterschiedes Beschwerden im Fuß/Kniegelenk/Hüfte. Mehrbelastung des kürzeren Beines.	Strukturell (Verkürzung der Tibia bzw. des Femur) oder funktionell bedingter Längenunterschied (Verkürzung u. a. des M. gluteus minimus).
Bursitis subachillea	Beschwerden im Ansatzbereich der Achillessehne. Anlaufschmerzen. Schmerzen beim Bergauflaufen.	Erhöhte Sehnenspannung durch Muskeldysbalancen. STG Instabilität.
Corpus liberum	Bewegungseinschränkung in Abhängigkeit von Lokalität des Fragments. Spontaner starker Schmerz.	Lose Knorpel- oder auch knöcherne Fragmente im Cuneiforme-Metatarsale1 Gelenk oder/und Talo-Crural-Gelenk.
Enchondrom der Sesambeinchen	Schwellung unter MFK 1. Schmerzen bei Belastung (DE in der Abstoßphase des MPG 1). Schmerz hält auch nach Entlastung an.	Solitär auftretender, gutartiger Tumor. (In nur 1 % bösartig) Meist in Verbindung mit pathologischen Frakturen. (Fragmentierung der Sesambeinchen) Auftreten meist in der dritten Lebensdekade.
Entzündung der Sehne des M. abductor hallucis	Beschwerden an der Innenseite des Fußes evtl. bis zur Ferse ausstrahlend.	Hallux valgus Bildung, zu lange Pronation des Fußes.
Entzündung der Sehne des M. flexor digitorum brevis	Beschwerden im plantaren Bereich des Fußes (in Höhe der Keilbeine) evtl. bis zur Ferse ausstrahlend.	Hauptsächlich bei hohem medialen Fußgewölbe vorkommend (= höhere Spannung der Muskulatur)

Diagnose	Therapie
Keine typischen Symptome, keine vollständige Abstoßleistung. „Hanging Foot Sign" (hängender Fuß). Thompson Test (= Zusammendrücken der Wadenmuskulatur) Oft Delle im Sehnenverlauf palpierbar. Evtl. Atrophie der Wadenmuskulatur durch Schonung.	Entlastung durch Absatzerhöhung. Stabilisierungshilfe (evtl. durch Schuh), Ruhe. Mediz.: evtl. Operation
Bildgebende Verfahren (MRT, Sonografie). Bei DE/PF läuft das Gleitgewebe nicht mit der Sehne. Ebenfalls Verdickung des Gleitgewebes. Oft Delle palpierbar. Evtl. Krepitation fühlbar.	Korrektur der Pronation. Taping. Achillessehnenbandage, Gymnastik.
Reibung und übermäßiger Druck ad loco. Häufig Luxationstraumen. Evtl. Entzündung der Sehne. Anormale Form in diesem Bereich. Schmerz bei Tastbefund. Möglich: Pronationsstellung.	Entlastung mit Polstermaterialien (z. B. Filz, FE bei übermäßiger Pronation. Mediz.: chirurgische Resektion
Röntgenologischer Befund (Verringerung des Gelenkspaltes im Anfangsstadium. Danach destruktive Veränderungen des Gelenks.	Medikamente, spezielle Gymnastik, Entlastung
Anamnese, Palpation, Prüfung der vorderen Bandenabsicherung ,da Gelenk durch gesundes Band (Lig. Talofibulare posterius) nach hinten gezogen wird, Röntgologischer Befund.	Ruhe (DE einschränken), Absatzerhöhung, Tape (Plantarflexion), Injektion, Chirurgische Maßnahme bei Exostose, Bänderriss.
Röntgenologischer Befund (Scaniometrie), Rasterspiegel, Beckenkamminspektion (visuell), Test: Vorlaufphänomen (beim Aufrichten von der Liegeposition/H. Frisch,2001)	Funktionell: Physiotherapie. Strukturell: Korrektur im Schuh (nur bis 8 mm möglich) Korrektur unter dem Schuh ab 8 mm
Intensiver Klammerschmerz im Bereich des Processus posterior Calcanei mit Zunahme bei DE. (Murphy Sign). Entscheidend auch Höhe der Schuhkappe (Schuhinspektion!).	Taping. Gymnastik Bei Beschwerdepersistenz: Bursektomie + Exostoseabtragung.
Röntgenologischer Befund, Anamnese.	Operation Physikalische Therapie (Manipulation des oberen/ unteren Sprunggelenks = Verlagerung des Corpus liberum), Dos-Winkel, etc.
Verstärkte Schmerzempfindung durch Palpation der Sesambeinchen unterhalb 1. MPG in max DE unter Gegenspannung des Patienten. Röntgenologischer Befund!	Entlastung. Vorfußrolle unter dem Schuh. Entfernung der Sesambeinchen nur nach strenger Indikation (Hallux varus/valgus Bildung!)
Schmerzen im Verlauf der Sehne.	Entlastung, spezielle Gymnastik, leichte Querfriktionen im Verlauf des Muskels/der Sehne.
Schmerzen im Verlauf der Sehne.	Entlastung, spezielle Gymnastik, leichte Querfriktionen im Verlauf des Muskels/der Sehne

Pathologie	Symptome	Pathogenetik
Fasziitis plantaris (Fersensporn)	Stechender bis dumpfer Belastungsschmerz im plantaren Fersenbereich. In Ruhe nachlassend. Danach bei Belastung starker Anlaufschmerz	Übermäßige Pronation des Rückfußes und damit einhergehende vermehrte Spannung der Plantarfascie. Reiz am medioplantaren Fersenbeinhöcker (ca. 75 %) oder lateroplantaren Fersenbeinhöcker (20 %). Selten an beiden Fersenbeinhöckern (ca. 5 %).
Fat Pad Syndrom	Flächiger Fersenschmerz. Von den Symptomen ähnlich der Fasziitis	Entzündung des Fettgewebes (Fettpolsters) unter dem Fersenbein. Evtl. durch Trauma (Schuhe), Atrophie des Fettgewebes (Alter). Im weiteren Verlauf meist Auffälligkeit des MAH.
Fibromyalgie	Wechselnde chronische Schmerzen im Muskel oder spontane Schmerzen im Muskel-/Sehnenansatz	Schlechte Schlafqualität, vermutlich auch Stresssyndrom.
Gicht (Podagra)	Typische Entzündungszeichen: (Hitze, Rötung, Schwellung Schmerz, eingeschränkte Funktion) Oft am MPG 1, aber auch im Sprunggelenk möglich (hier jedoch wenig Rötung, aber Schwellung.) Schmerzentwicklung bei Belastung unerträglich.	Stoffwechselstörung, Ansammlung von Harnsäurekristallen im Gelenk. Auslöser ist oft die Aufnahme purinreicher Nahrung (Spargel, Fleisch ...)
Haglundexostose (Haglund Ferse)	Bis pflaumengroßer an der hinteren oberen (proximal dorsalen) Kante des Fersenbeins gelegener Fersenhöcker. Schmerzen duch Reiz der Schuhkappe. Schwielenbildung, Entzündungen der Bursa achillea/ subachillea häufig.	Auftreten meist im Kindes- bis Jugendalter. Irritation des Achillessehnenansatzes am hinteren Fersenbeinhöcker
Hallux limitus (funktionell)	Verändertes Gangbild. Kein vollständiges Abrollen über den Vorfuß/abductory twist/frühe Fußanhebung während der Gangabwicklung/kurze Schritte.	Im frühen Stadium keine Arthrose (im späteren Stadium Arthrose möglich). Evtl. Verkürzung des MFHL. Auch Hyperextensionstrauma als Ursache möglich (turf toe).
Hallux limitus (strukturell)	Verändertes Gangbild. Kein vollständiges Abrollen über den Vorfuß/abductory twist/frühe Fußanhebung während der Gangabwicklung/kurze Schritte.	Degenerative Arthritis, keine Exostosen. Evtl. Folge eines Hyperextensionstraumas.
Hallux rigidus (strukturell)	Flächiges Abrollen über das Großzehengrundgelenk nicht möglich (Schmerzen). Frühe Fußanhebung während der Gangabwicklung/kurze Schritte.	Rheumatoider Formenkreis. Arthrose/ Verformung des Gelenks
Hallux abducto valgus (Hallux valgus)	Belastungs- + Bewegungsschmerz beim Gehen und Stehen. (Entzündung des Gelenks. Eingeschränkte DE.	Störung des muskulären Gleichgewichts. ADD Met. 1 + ABD Phalanx 1 (Abweichung > 20° im Fußabdruck/„Ballenwinkel"). Exostosen-Bildung mit Reizzuständen oft in Verbindung einer fistelnden Bursitis. Genetische Prädisposition.

Diagnose	Therapie
Spannung der Fascia plantaris schmerzhaft, ebenso Druck auf die Fersenbeinhöcker (lateral bzw. medial) durch den Untersuchenden. Röntgenologischer Befund hilfreich, aber nicht entscheidend, da Sporn unter der Ferse nicht die Schmerzursache ist.	Spezielle Gymnastik, Behebung der Pronationsstellung der Ferse durch Taping oder Orthose. Obsolet: Lavigne Entlastung (Loch der Hilfsmaßnahme im Fersenbereich) oder Weichlagerung der Ferse.
Tastbefund unter der Mitte des Fersenbeins schmerzhaft (Druckdolenz = Druckschmerzhaftigkeit))	Fat-Pad-Tape, Schuhe, Einlagen ... mit Fersenbettung. Evtl. Querfriktionen im Verlauf des MAH.
Schmerz bei Tastung am Muskel Sehnenansatz (Trigger Points)	Verbesserung der Schlafqualität. Stressbewältigung.
Sichtbefund, Palpation (Krepitationen bei Bewegung des Gelenks) Röntgenologischer Befund: Frühstadium unauffällig, Fortgeschrittenes Stadium: Osteolysen (Lochdefekte)	Medikamente, Ruhe, Enlastung, Ernährungsumstellung.
Anamnese, Sichtbefund, Palpation, Röntgenologischer Befund.	Druckentlastung durch geeignetes Schuhwerk. Seitliche Abpolsterungen der Exostose. Spezielle Gymnastik. Externa (z. B. Ichtholan 50 %ig). Bei Therapieresistenz: Operation
Gangbild, Muskeltest. Bei entspannter Stellung der Ferse ist kaum DE des Hallux möglich	Mobilisation der Muskulatur. (Hüftflexoren bzw. MFHL) FE, VF-Varus-Keil
Gangbild, Röntgenologischer Befund.	Um völlige Versteifung zu vermeiden spezielle Fußgymnastik soweit möglich, Entlastung
Spezielles (aufgetriebenes) Kapselmuster, keine DE möglich, Röntgenologischer Befund.	Schuhzurichtung (Vorfußrolle). Operation im Endstadium
Palpation, Sichtbefund, Blauabdruck, Röntgenologischer Befund	DE, FE, Abpolsterungen, Orthose, spez. Ballen-Gymnastik, Verbände mit enzündungswidrigen Externa. Operation

Pathologie	Symptome	Pathogenetik
Clavus („Hühnerauge")	Belastungsschmerzen unter der Verhornung. Asymptomatische Entzündungsreaktion möglich. (asymptomatisch = Hitze, Schwellung, teilweise auch Rötung fehlen, Schmerz und eingeschränkte Funktion sind vorhanden)	Prädisposition (z. B. Fehlstellung: Hammerzehe ...) und Reibung führen zur erhöhten Zellproliferation mit teils deutlichen Hautveränderungen (z. B. hypertrophierte Papillen).
Inversionstrauma	Schmerzen im Bereich des OSG bei Belastung. Häufig durch Sportverletzungen (Umknicken) ausgelöst.	Bänderschwäche (laterale Bandabsicherung) schwache Peroneus Muskulatur, strukturell bedingte Anomalie des Fußes (z. B. RF-varus ...)
Jumpers Knee/Runners Knee Syn.: Chondromalacia patellae oder Femural-patellares Schmerzsyndrom, Patellaspitzensyndrom (Insertionstendinose des Lig. patellae) (Siehe dazu Pathomechanik der Kniegelenkbeschwerden am Schluss der Tabelle)	Belastungsabhängige stechende Schmerzen an der lateralen Seite des Kniegelenks (meist bei Verkürzung des Tractus iliotibialis) oder im vorderen Kniegelenk (kranial hinter der Kniescheibe). Treten trotz Trainingspausen schnell wieder auf. Eventuell Bursitis im präpatellaren Bereich oder Gelenkerguss.	Fehl- und Überlastung durch Sprint- + Sprungsportarten (auch bei Gewichthebern, Radfahrern). Veränderungen entstehen am faser-knorpeligen Sehnenübergang (Insertionstendinose) des Lig. patellae und zu radiologisch erkennbaren Ossifikationen. Muskeldysbalancen zwischen Streckern + Beugern (besonders: M. iliopsoas)
Köhler I Erkrankung (aseptische Knochennekrose des Kahnbeins)	Schmerzen im Bereich des Fußinnenrandes. In akuten Fällen auch Schwellungen möglich. Doppelseitiger Befall selten (30% der Fälle). Betrifft Jugendliche vom 3. bis 8. Lebensjahr.	Vaskularisationsstörung des Kahnbeins wahrscheinlich. Ausheilung meist folgenlos ohne Umbau des Kahnbeins. Osteochondrose (Knorpel- und Knochen-Degeneration).
Köhler II Erkrankung Syn.: Freiberg disease (aseptische Knochennekrose des Met. 2) (überwiegend distal beginnend)	Belastungsschmerz ähnlich der Metatarsitis. Geringgradige Symptomatik. Schwellung im Bereich Met. 2 möglich.	Vaskularisationsstörung des Met. 2 (selten Met. 3 oder 4) wahrscheinlich. Ausheilung meist folgenlos ohne Umbau des Metatarsale. Osteochondrose (Knorpel- und Knochendegeneration).
Kompartment-Syndrom (Syn.: Logensyndrom)	Akut zunehmender Schmerz auch ohne Belastung. Schwellung auf Druck sehr schmerzhaft. Evtl. Spannungsblasen der Haut. Funktionsschwäche der Muskulatur.	Durch Verletzung (Abschnürung, Gipsverband, postoperativ, Fraktur ...) am Unterschenkel auftretende Gewebedrucksteigerung durch Blutung im Muskelinneren. Folge: Minderdurchblutung in dem „Kompartment"-Bereich), neuromuskuläre Funktionsausfälle, Muskelnekrose.
Metatarsitis (Metatarsalgie)	Stechend bis dumpfe Vorfußschmerzen bei Belastung des Fußes. Schwellung ist selten.	Überlastung eines oder mehrerer MFK (Entzündung der Gelenkkapseln)
Morbus Ledderhose	Verdickung der Plantarfascie meist unterhalb des Kahnbeins oder der Keilbeine 1 bis 3. Verdickung nicht verschiebbar. (An d. Hand: Dupuytrensche Kontraktur). Zu Beginn der Erkrankung im Verlauf der Plantarfascie schmerzlose Knötchenbildung.	Plantare Fibromatose (Kontraktion/ Schrumpfung der Plantaraponeurose durch fibroplastischen Umbau der Sehne).

Diagnose	**Therapie**
Palpation, Sichtbefund (glasig aussehende Verhornungszone). Fehlt eine Voraussetzung (Prädisposition oder Reibung), dann kein Clavus.	Entfernung der Verhornung, medikamentöse Versorgung, Reibungsschutz oder DE, FE, Gymnastik (Verminderung der Prädisposition) Operation (Verminderung der Prädisposition).
Anamnese (Sportverletzung?), Test: seitliche Bandabsicherung: Varus-Klick Test (Ligamentum calcaneofibulare), eingeschränkte Funktion des MPL. Röntgenologischer Befund (Fraktur?)	Kühlung, Taping, spezielle Gymnastik/Physiotherapie, lokale Therapie (z. B. Ichtholan 50 %)
Anamnese, Palpation (= Druckdolenz im Insertionsbereich des Lig. patellae). Oberschenkel Muskeltests (M. quadriceps ...) zur Schmerzauslösung, Röntgenologischer Befund, MRT	Physiotherapie (gezielte Dehnungymnastik) auch gleichzeitig Rezidivprophylaxe, Taping (Reduzierung der Spannungsspitzen an der Patellasehne), Sehnenquerfriktionen, Sportschuh!? Lokale/orale Antiphlogistika, Ultraschall-, Stoßwellentherapie. Sportpause/Trainingsreduktion! Operation bei Therapieresistenz
Anamnese, Röntgenologischer Befund, Druckschmerz über Os naviculare in evertierter Stellung des Fußes.	Ruhigstellung, Längsgewölbeunterstützung, evtl. Gipsverband.
Anamnese, Röntgenologischer Befund, Druckschmerz ähnlich der Metarsitis im Bereich des betroffenen Metatarsale	Ruhigstellung, FE, Einlage mit retrokapitaler Abstützung, evtl. Gipsverband.
Passiver Dehnungsschmerz, Parästhesien. Medizinisch: Gewebedruckmessung.	Operation (Fascienspaltung, evtl. Ausräumen der Nekrose)
Druckempfindlichkeit der MFK 2, 3 oder 4. Test: Daumen und Zeigefinger ziehen betreffenden Zehenstrahl nach plantar, dabei Daumendruck gegen das betreffende MFK.	Druckentlastung nach Lavigne, Einlage mit retrokapitaler Unterstützung, VF-Entlastungsverband.
Nicht verschiebbare knotige Verhärtung/Verdickung der Plantarfascie. Patient verspührt Spannung bei längerer Belastung des Fußes. Schmerzen sind selten.	Durch spezielle Gymnastik Versuch der Dehnung der Fascie. Letztendlich ist Verlauf der Erkrankung in ihrem späteren Ausmaß nicht einschätzbar Operation möglichst nur als letzter Ausweg. Rezidive nicht ausgeschlossen.

Pathologie	Symptome	Pathogenetik
Morbus Sever	Diffuser Schmerz im Rückfuß bei oder nach Belastung	Verschiebung der Wachstumsfuge an der Ferse bedingt durch Zug der Achillessehne, zu schnelles Wachstum oder Trauma (Springen ...) Beobachtet bei Kindern (10 bis 15 Jahre)
Morton Neuralgie (-Neurom) (Metatarsalgie)	Scharfer, brennender Belastungsschmerz	Neurom des Nervus plantaris durch Reizung (enge Schuhe), Überlastung (langes Stehen) meist in Verbindung mit dem Aufbiegen des 1. + 5. Zehenstrahls.
Osteochondrom	Je nach Tumorwachstum: Auswirkungen am Knochen selbst durch Spontanfraktur oder auf benachbarte Gewebe (z. B. Knorpelgewebe). Funktion des Gelenks ist eingeschränkt und druckempfindlich (= Nervenläsionen)	Knochentumore machen ca. 1 % des Tumorbefalls aus. Die meisten befinden sich in Kniegelenk nähe.
Os cornutum (Os tibiale externum Typ III)	Schmerzen an der navikulären Tuberossitas während des Gehens oder bei sportlichen Aktivitäten. Bei Erwachsenen wird der Schmerz oft durch Traumen ausgelöst. Teilweise ist eine Schwellung in dem Gebiet vorhanden. (Hetherington, 1990) Überwiegend betroffen sind Kinder bzw. junge Erwachsene.	Typ III der akzessorischen Knochen ist eine erhabene knöcherne Verbindung zum Os naviculare. Die Bildung der akzessorischen Knochen wird in Verbindung gebracht mit einem Reiz (Scherkräfte, Pronation) auf die knorpeligen Ansätze der Sehne des M. tibialis posterior speziell durch Verletzungen. (Hetherington) Akzessorische Knochen besitzen eigene Verknöcherungszentren. Überbleibsel der Evolution (z. B. 6. Zehe).
Ostgood Schlatter Erkrankung	Diffuse Beinschmerzen bei oder nach Belastung	Bedingt durch Zug des M. triceps surae bzw. Bänder der Patella wird Wachstumsfuge der Tibia verschoben. Ursache kann zu schnelles Wachstum oder Trauma sein (z. B. durch Springen). Beobachtet bei Kindern im Alter von 10 bis 15 Jahren.
Peritendinitis der Achillessehne (Peritendinose/Achillodynie)	Morgendlicher Anlaufschmerz an der Achillessehne, der mit zunehmender Laufdauer abnimmt.	Mechanische Reizung des Peritendineums (z. B. durch einschnürende Fersenkappe) oder asymmetrische Zugverhältnisse aufgrund gestörter Fersenführung (fibuläre Bandinsuffiziens) bei RF varus bzw. ausgeprägtem Hohlfuß.
Restless Legs Syndrom	Bewegungsdrang der Extremitäten, Beschwerden bei Ruhe. Gefühlsstörungen. Abends und nachts Verschlechterung des Beschwerdebildes. Unwillkürliche Bewegungen der Arme und Beine im Wachzustand.	Idiopathisch: zu 90 % aller Fälle genetisch bedingt. Symptomatisch: Folge einer anderen Erkrankung (z. B. Niereninsuffiziens, Diabetes mell., rheumatoide Arthritis).

Diagnose	**Therapie**
Schmerzen bei Tastbefund lat. und med. der Wachstumsfuge der Ferse. Keine Schwellung. Röntgenologischer Befund.	Ruhe. Entlastung durch Fersenerhöhung. Vorsichtige Dehnung des Triceps surae. (Schwimmen, Radfahren möglich)
Squeeze Test, Sensibilitätsstörung (Nadeltest) auf beiden Seiten der betroffenen Interdigitalräume (meist zwischen 3. und 4. MFK). Druckempfindlichkeit von dorsal nach plantar zwischen den betreffenden MFK.	Vorfußentlastung, Einlage mit korrekt sitzender Pelotte, Orthose (Morton Keil). Breitere Schuhe. Medizinisch: Schmerzmittelinfiltration. Evtl. Operation
Besondere diagnostische Problematik. Obwohl Betroffene die Symptome (z. B. Schmerz, Schwellungen ...) äußern, werden diese fehlgedeutet. Therapie wird oft verspätet eingeleitet. Röntgenologischer Befund	Bei maligner Entartung: Operation. Benigne Formen sind bei Beschwerden oder Funktionsbehinderung lediglich zu therapieren.
Bei der klinischen Untersuchung findet man eine Prominenz an der medialen Seite des Os naviculare. Palpation ist gewöhnlich schmerzhaft. Oft wird das Os cornutum mit einem Pes-plano-valgus in Verbindung gebracht. Röntgenologischer Befund.	Adäquate Unterstützung des medialen Fußgewölbes, U-förmige Druckentlastung. Medizinisch: Kortisoninjektion. Letztendlich chirurgische Entfernung
Schmerz bei Palpation im Bereich der med. und lat. Wachstumsfuge (in Höhe der Tuberossitas tibiae). Röntgenologischer Befund: Wachstumsfuge ist breiter als normal.	Ruhe, Entlastung durch Fersenerhöhung. Vorsichtige Dehnung des M. triceps surae. Schwimmen, Radfahren möglich.
Schwellung des Sehnenbereichs, Klammerschmerz an der Achillessehne. Selten: schwartige Verdickung des Peritendineums mit Fibrinablagerungen. Bei dorsal/plantar Bewegung des Fußes läuft Verdickung des Gleitgewebes nicht mit der Sehne. Stabilisationsprüfung des unteren und oberen Sprunggelenks. Prüfung auf muskuläre Dysbalance (M. gastrocnemius, M. iliopsoas, Einschränkung der Hüftrotation, Ausweichbewegungen: Sesamoiditis, Hallus rigidus). Medizin. Untersuch.: Sonografie, MRT	Korrektur der Sehnenführung durch Taping, Korrektur der Pronation, spezielle Gymnastik, Achillessehnenbandagen. Letzte Maßnahme: Operation
Anamnese (siehe Symptome). Ärztliche Diagnose.	Medikamente. Kurzfristige Linderung möglich, indem man Bewegungsdrang nachgibt.

Pathologie	Symptome	Pathogenetik
Rheumatoide Arthritis	Gelenkschmerzen bilateral (Morgensteifigkeit), werden mal besser, mal schlechter, Schmerzen auch nachts. Schwellung der Gelenke, Gelenkverformung.	Stoffwechselerkrankung, die alle Gelenke und auch Muskeln befallen kann.
Sesamoiditis (überwiegend betroffen: fibuläres Sesambeinchen)	Schmerzen bei Belastung während der Abstoßphase bei DE.	Mikrotrauma/Entzündungsreaktion der Sehne des MFHB. Sesambeinchen manchmal mehrteilig angelegt.
Stress Fraktur (z. B. Metatarsale)	Punktschmerz unter Belastung, im frühen Stadium auch Rötung und Schwellung im Bereich der Fraktur	Durch Stoß, Überlastung oder Knochenerkrankungen (Osteoporose, Tumor)
Stressfraktur des Calcaneus	Punktschmerz unter Belastung	Übelastung, schlechte Gewebsqualität (Osteoporose)
Tarsaltunnel-Syndrom (TTS) **Posteriores**: Flexoren Retinaculum überbrückt Raum zwischen Mall. med. + Calcaneus. Unterhalb des Retinaculums verlaufende N. tibialis post. teilt sich hier in N. pl. med. + lateralis **Anteriores**: N. peroneus profundus verläuft unter Retinac. extensorum + weiter unter d. Sehne d. MEH brevis. (Siehe Pathogenetik)	Schmerzen im Bereich des medialen Malleolus und/oder med. Fersenbeins mit Ausstrahlung unter die Fußsohle. Gefühlsstörungen.	Möglich sind: Exostose im Bereich des Talo-Crural-Gelenks, Einklemmung des Nervus tib. posterior (z. B. durch Schwellungen), Varizen, Verklebung des Retinaculum medialis mit umgebendem Gewebe, übermäßige Pronation. An beiden Stellen (posterior/anterior) kann er durch zu enges Schuhwerk, Riemen d. Sandalen, hohe Absätze komprimiert werden.
Teilruptur der Plantaraponeurose	Schmerz i. d. Mitte der Fußsohle, ganz plötzlich auftretend.	Schlechte Gewebsqualität, spontane Überlastung
Tibialis posterior Syndrom	Schmerzen im Bereich der Sehne (Innenknöchel/med. Fußrand), evtl. mit Schwellung. Beschwerden beim Gehen und Laufen auf unebenen Boden.	Reizung bzw. degenerative Veränderung der Sehne. Evtl. Eversionstrauma. Rheumatische Prädisposition möglich.
Triggerpoint (Reizpunkte)	Schmerzauslösender Punkt. Spannungspunkt in der Muskulatur. Häufig auch im Bereich der Sehnenansätze.	Überlastung, schlechte Gewebsqualität, Verletzung.
Turf toe (Hyperextensionstrauma)	Belastungsschmerz bei DE der Großzehe während des Gehens	Überdehnung des MFHL

Diagnose	**Therapie**
Anamnese, Röntgenologischer Befund, ärztliche Abklärung	FE, Physiotherapie, Medikamente (Kortison).
Verstärkte Schmerzempfindung durch Palpation der Sesambeinchen unter 1. MPG in max. DE unter Gegenspannung des Patienten (MFHB). Röntgenologischer Befund!	Entlastung (Filz), FE. Schuhzurichtung (z. B. Vorfußrolle) Lokale Kortikoid Injektionen, Ultraschallbehandlung, Operation (?)
Schmerz bei punktuellem Tastbefund oder feststellbar durch axialen Zug oder Druck auf den Zehenstrahl. Röntgologischer Befund (in den ersten Tagen bis zu zwei Wochen nicht positiv).	Ruhe, Entlastung, Physiotherapie, FE.
Anamnese, Röntgenologischer Befund (in den ersten Tagen – bis zu zwei Wochen – nicht positiv).	Ruhe, Entlastung, Physiotherapie
Positives Tunnelzeichen (Klopfen hinter/prox. dem Retinaculum, Hautsensibilitätstest. EMG.	Physiotherapie (bei Verklebungen), Behebung der übermäßigen Pronation, FE. Chirurgie: Durchschneidung des Retinaculums, Abtrennen der Exostose.
Feststellung durch Ultraschall. Palpation: Verdickung. Einblutungen möglich.	Maßnahme: 6 bis 10 Wochen Ruhigstellung + Physiotherapie
Einbeinzehenstand unmöglich oder schwierig. Abtasten des Verlaufs der Sehne auf Trigger points. Funktionsprüfung des MTP.	Physiotherapie, Längsgewölbeunterstützung unter dem Sustentaculum tali. Taping. Ruhe. Belastung nur, wenn dabei schmerzfrei. Medizinisch: Immobilisation, Corticosteroide (nur in extrem schmerzenden Fällen)
Palpation.	Entlastung. Physiotherapie. Evtl. Operation.
Schmerzen bei Bewegung (DE) der Großzehe (MFHL)	Ruhe, Entlastung, Kühlung,Tape (plantare Züge), Schuhzurichtung (Vorfußrolle), Einlage mit fast rigider Großzehensohle

Pathomechanik der Kniegelenkbeschwerden:

Verletzung der Kapselbandapparates/Menisci

⇳

insuffiziente, passive Gelenksführung

⇳

Überlastung der stabilisierenden Muskulatur

⇳

gestörte Bewegungskontrolle

⇳

Überlastung der Bandstrukturen

Erklärung der verwendeten Abkürzungen:

ABD = Abduktion
ad loco = an dem Ort
ADD = Adduktion
DE = Dorsalextension
EMG = Elektromyografie (Messung der Nervenleitgeschwindigkeit)
evtl. = eventuell
FE = Funktionelle Entlastung/Orthose
lat. = lateral
Lig. = Ligamentum
MAH = Musculus abductor hallucis
Mall. = Malleolus
med. = medial/medialis
mediz. = medizinisch
Met. = Metatarsale (Mittelfußknochen)
MFHB = Muskulus flexor hallucis brevis
MFHL = Muskulus flexor hallucis longus
MFK = Mittelfußköpfchen
MPG = Metatarsal-Phalangeal-Gelenk
MPL = Musculus peroneus longus
MRT = Magnet Resonanz Tomografie
MTP = Musculus tibialis posterior
OSG = oberes Sprunggelenk/Talo-Crural-Gelenk
PF = Plantarflexion
pl. = plantar
post. = posterior
RF = Rückfuß
STG = Subtalar-Gelenk/unteres Sprunggelenk
Syn. = Synonym (gleichbedeutende Bezeichnung)
TTS = Tarsaltunnel-Syndrom
u. a. = unter anderem
VF = Vorfuß

Begriffe und Abkürzungen der englischen/amerikanischen Fachliteratur

Begriffe

angle and base of gait	Gangwinkel und Gangbreite
ankle Rocker	Drehpunkt am Talo-Crural-Gelenk
balanced cast technique	Balancierte Abdruck Methode
bisection	Mittellinie
buttress	Keil (z.B. bei einer Orthose, der die Bewegung stoppt)
closed kinetic chain position	intertarsale Gelenkstabilität
cyma line	S-förmige Linie im Röntgenbild (von lateral). Gelenklinie von dem Talo-navicular zum Calcaneo-Cuboid-Gelenk
double support phase	Abstützung mit beiden Füßen
extrinsic muscles	lange (außenliegende) Fußmuskulatur, von außen angebracht
extrinsic post	außenliegende Abstützung, -Keil
forefoot Rocker	Drehpunkt am Metatarso-Phalangeal-Gelenk
Gateplate	Orthose, die transversale Bewegung steuert
ground reaction force	Kraft des Bodenwiderstandes
hamstrings	Extensorenmuskulatur des Oberschenkels / hinterer Bereich des Oberschenkels / (M. semimembranosus, M. semitendinosus, M. biceps femoris)
heel rocker	Drehpunkt zwischen Ferse und Boden
hypermobility / hypermobile	Bewegung eines Gelenkes, was während des Bewegungsablaufs des Fußes fixiert sein sollte. Erhöhte Gelenkbeweglichkeit (Range of Motion) führt letztendlich zur Destabilisierung des hypermobilen Gelenks
intrinsic muscles	kurze Fußmuskulatur, innen liegend, innerhalb
knock-kneed	X-Beinig
lesser Tarsus	Cuboid, Cuneiforme, Naviculare
lesser toes, -digits	Kleinzehen
midsole of the heel	Zwischenlage des Schuhabsatzes
midstance	Standphase der Gangabwicklung
mitered hinge	Paravan Scharnier
open kinetic chain position	intertarsale Gelenkmobilität
Orthotic plate	Positivmodell
Pedorthics	Schuhzurichtung, Komfortschuhe, Orthopädische Schuhe
posterior tibial tendon	M. tibialis posterior Sehne
Prolevel	Hydrogoniometer
propulsion / Propulsion Period	Abstoßphase vom Boden
Protractor	einfacher Winkelmesser (Halbkreis mit Graden)
pre swing	Vorschwingen des Beines während der Gangabwicklung
rocker	Kipphebel (erlaubt Abrollen des Körpergewichts an verschiedenen Drehpunkten des Fußes)
rocker bar	Schmetterlingssohle, Vorfußrolle unter dem Schuh
sciatic pain	Ischialgie
shaft	Strahl (z. B. des Metatarsale 1)
shin splints	Unterschenkelbeschwerden unterschiedlicher Genese
single raise test	einbeiniger Hochzehenstand
soft tissue	Muskel (Gewebe)
splay foot	Spreizfuß
spring ligament	Plantaraponeurose

squat test	Test in Hockstellung des Patienten (Prüfung der DE im Talo-Crural-Gelenk bzw. Verkürzung des M. soleus)
squeeze test	Kompressionstest von der Seite (z. B. Test auf Morton Neuralgie)
tender points	lokale Schmerzpunkte
toe off	Abheben der Zehen während der Gangabwicklung
toe rise test	Test im Hochzehenstand
Tractograph	Anlegegoniometer
treadmill	Laufband
trigger point	schmerzauslösender Punkt, Spannungspunkt in der Muskulatur
triple arthrodesis	operative Versteifung von STG, Calcaneo-Cuboid- und Talo-Navicular-Gelenk

Abkürzungen

AFO	Ankle Foot Orthoses (Orthose zur Versteifung des oberen Sprunggelenks)
CKC	Closed Kinetic Chain (intertarsale Gelenkstabilität)
CMT	Charcot Marie Tooth Erkrankung (Peroneus Atrophie)
COP	Center of Pressure (Druckzentrum)
CVA	Cerebro Vascular Accidence (Schlaganfall)
EVA	Ethyl Vinyl Acetat (Material zur Orthosenherstellung)
Fx	Abkürzung für eine im Röntgenbild sichtbare Fraktur
GRF	Ground Reaction Force (Bodenwiderstand)
HAV	Hallux Abducto Valgus
HL	Heel Lift (Abheben der Ferse)
HS	Heel Strike (Fersenkontakt
HSS	Heel Spur Syndrome (Fersensporn)
IPK lesions	Intractable (hartnäckige) plantar Keratosis
MRI	Magnetic Resonance Imaging (Magnet Resonanz Tomografie)
MTJ	Midtarsal Joint (Chopart-Gelenk)
MTSS	Medial Tibial Stress Syndrome (M. soleus Syndrom)
NCSP	Neutral Calcaneal Stance Position (Neutralstellung der Ferse im Stand)
OKC	Open Kinetic Chain (intertarsale Gelenkmobilität)
PT	M. tibialis posterior
RCSP	Relaxed Calcaneal Stance Position (entspannte Stellung des Fersenbeins)
ROM	Range of Motion (Bewegungsumfang)
SACH	Solid Ankle Cushion Heel
STJ	Subtalar Joint (Subtalar-Gelenk/unteres Sprunggelenk)
SWB	Semi Weightbearing Cast („Cast" zur Druckverteilung)
TC	Tarsal Coalition (Tarsale Verschmelzung)
TNJ	Talo Navicular Joint (Talo-navicular Gelenk)
TO	Toe Off (Abheben der Zehen)

Literatur

Leonard A. Levy und Vincent J. Hetherington: „Principles and Practice of Podiatric Medicine", Volume 1 und 2, Data Trace Publishing Company, Brooklandville, Maryland (2006)

Ronald L. Valmassy: „Clinical Biomechanics of the lower extremities", Mosby-Year Book Inc., St. Louis, Missouri (1996)

U. Derbolowsky: „Medizinisch-orthopädische Propädeutik für Manuelle Medizin und Chirotherapie", Fischer Verlag, Heidelberg (1975)

H. Frisch: „Programmierte Untersuchung des Bewegungsapparates, Chirodiagnostik" Springer Verlag, Heidelberg (2001)

A. Viladot: „Pathologie de l´avant-pied", Verlag Expansion Scientifique Francaise (1979)

Merton L. Root, William P. Orien, John H. Weed: „Normal and Abnormal Function of the Foot", Volume 2, Clinical Biomechanics Corporation, Los Angeles / USA (1977)

J. Morris, P. Scherer, R. Berenter, E. Fuller, D. Gordon: „Skriptsammlung Department of Biomechanics", California College of Podiatric Medicine, San Francisco (1997)

Kirsten Götz-Neumann: „Gehen verstehen – Ganganalyse in der Physiotherapie", Georg Thieme Verlag, Stuttgart (2003)

Kevin A. Kirby: „Methods for determination of positional variations in the Subtalar Joint Axis", Journal of the American Podiatric Medical Association, Nr. 5 (1987)

Literatur zu Kap. 15: Einteilung der Fußarten

(1) Prof. Dr. med. W. Thomsen: „Schreibende Füße" Haug Verlag, Heidelberg, ISBN 3-7760-0177-1 (1972)

(2) A. Viladot: „Pathologie de l´avant. pied" Expansion Scientifique Francaise, Paris, ISBN 2-7046-1008-8 (1979)

(3) J. M. Hiss: „Functional Footdisorders", Oxford Press, Third Edition (1949)

(4) Paul M. Scherer, DPM; Jack L. Morris, DPM: „The Classifikation of Human Foot Types", California College of Podiatric Medicine, San Francisco (1997)

Literatur zu Kap. 17: Cuboid-Syndrom

(1) Newell SG, Woodle A: „Cuboid-syndrome", Physician Sports Medicine 9:71 (1981)

(2) Bojsen-Möller, F.: „Calcaneocuboid joint and stability of the longitudinal arch of the foot at high and low gear push off", Journal of Anatomy, 129: 165 (1979)

(3) Mann, R. und Inman, V.T.: „Phasic activity of intrinsic muscles of the foot", Journal of Bone and Joint Surgery 46A: 469 (1964)

Stichwortverzeichnis

E

F

G

[Bücher für Podologen]

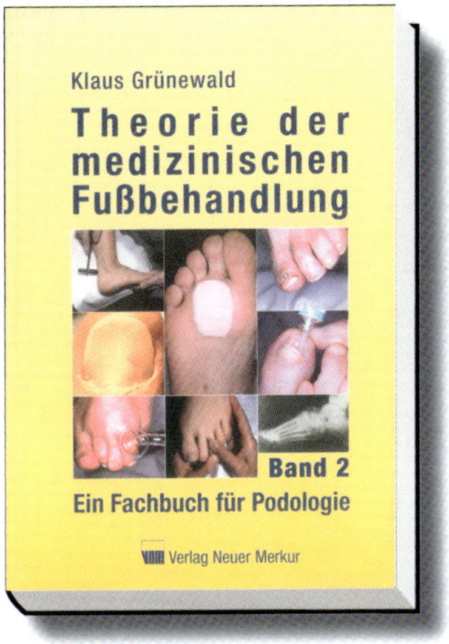

Theorie der medizinischen Fußbehandlung
Band 1 & 2

Ein fundiertes Grundlagenwissen ist für jeden erfolgreichen Podologen und Fußpfleger die Voraussetzung – ein Wissen, das die zwei ersten Bände Theorie der medizinischen Fußbehandlung umfassend aufbereiten.
Band 1 befasst sich mit den Grundlagen der Dermatologie und den Hautveränderungen unter besonderer Berücksichtigung des Fußes. Band 1 wurde aktualisiert und präsentiert sich in einem neuen, klar strukturierten Layout.
In **Band 2** werden Folgen von Diabetes und das diabetische Fußsyndrom beschrieben und durch geeignete Behandlungsmethoden ergänzt. Es wird Grundlagenwissen der Orthonyxie und der Herstellung von Orthesen/Orthosen vermittelt. Im Kapitel „Physik" sind die wesentlichen Zusammenhänge verständlich erklärt. Wissenschaftliche Formulierungen wurden – soweit möglich – vereinfacht dargestellt. Ergänzt wird das Buch durch das Kapitel „Massage an Fuß und Bein".

Klaus Grünewald
Theorie der medizinischen Fußbehandlung – Band 1 & Band 2
Verlag Neuer Merkur
Bd. 1 - ISBN 978-3-937346-83-0 • 384 S. • geb. • 4. überarb. Aufl. 2012 • 75,90 Euro
Bd. 2 – ISBN 978-3-937346-34-2 • 294 S. • geb. • 2. überarb. Aufl. 2007 • 75,90 Euro

[Bücher für Podologen]

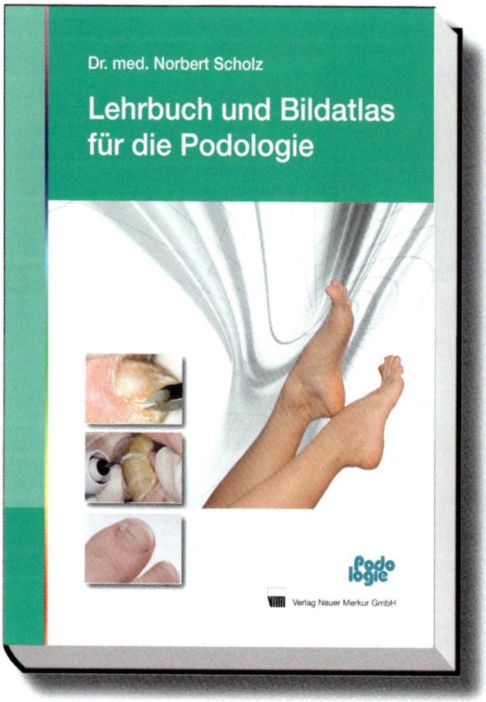

Lehrbuch und Bildatlas für die Podologie

Thematisch umfangreich und formal kompakt, dient dieses Buch nicht nur Lehrzwecken während der Ausbildung, sondern ist ein unverzichtbares Nachschlagewerk für alle in der Fußpflege und podologischen Praxis tätigen Mitarbeiter und Ärzte. Auf dem neuesten technischen Stand, mit den aktuellen rechtlichen Grundlagen und neuen Fällen aus der Fußpflegepraxis, anschaulich bebildert.

Dr. med. Norbert Scholz
Lehrbuch und Bildatlas für die Podologie
Verlag Neuer Merkur • ISBN 978-3-937346-84-7
139,90 Euro • ca. 760 Seiten
gebunden • 4. überarbeitete Auflage September 2012

[Bücher für Podologen]

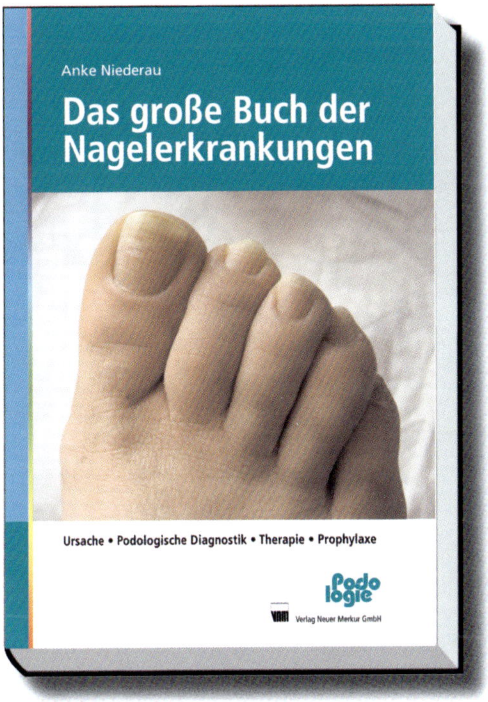

Das große Buch der Nagelerkrankungen

Es ist **das** Nachschlagewerk für alle berufstätigen Podologinnen und Podologen schlechthin: Von den Ursachen über die podologische Diagnostik bis hin zu Therapie und Prophylaxe skizziert dieses Buch sämtliche Grundlagen. Für die interdisziplinäre Zusammenarbeit unverzichtbar!

Anke Niederau
Das große Buch der Nagelerkrankungen
Behandlungsvorschläge, Prophylaxe, Therapie
Verlag Neuer Merkur • ISBN 978-3-95409-003-7
49,90 Euro • 240 Seiten
Gebunden • 2. überarbeitete Auflage 2013

WIR HABEN DIE BRANCHE FEST IM BLICK …

… und das seit über 60 Jahren. Wir kennen den Markt.

Die Podologie berichtet aus der Praxis für die Praxis. Und namhafte Autoren mit eigener Praxis und Lehrerfahrung schreiben für Sie. Jeden Monat erfahren Sie Wichtiges über podologische Arbeitstechniken, Praxisführung und Kassenabrechnung. Aber auch Mitarbeiterführung, Steuerrecht und Selbstmarketing sind Themen im Heft. Nicht zu vergessen unser Kleinanzeigenteil: Praxisangebote, Verkäufe, Stellenangebote und Möglichkeiten zur Fortbildung.

Den Marktforscher **Podologie** abonnieren unter www.podologie.de